L. Goppelt · Christologie und Ethik

LEONHARD GOPPELT

Christologie und Ethik

Aufsätze zum Neuen Testament

VANDENHOECK & RUPRECHT
IN GÖTTINGEN

 Druck: Gulde-Druck, Tübingen
8747

Den Hamburger Freunden

insbesondere dem Andenken von

KURT DIETRICH SCHMIDT
VOLKMAR HERNTRICH

KARL WITTE
WALTER FREYTAG

Vorwort

„Christologie und Ethik", der Sinn der Sendung Jesu und die Gestaltung menschlichen Lebens durch sie, ist das uns heute neu gestellte und bewegende theologische Thema. Hinter ihm steht die theologische Schlüsselfrage unserer Zeit, die Frage nach Gott; denn nur von Gott her, nicht aus der Immanenz, bietet das Neue Testament seine Lösung des Themas an. Aus dieser Fragestellung sind die hier zusammengestellten Vorträge und Untersuchungen entstanden, und als Auswahl unter diesem Thema, nicht als „Gesammelte Aufsätze", möchte ich sie zusammen veröffentlichen. Um das Werden der Fragestellung und die Richtung des Fortschreitens erkennen zu lassen, nahm ich auch einige schon länger zurückliegende Beiträge auf. Es ist das Faszinierende der Arbeit am Neuen Testament, daß sich ihr in der historischen Analyse wie im sachlichen Verstehen ständig fortschreitend weitere Einsichten erschließen.

Die Sammlung ist dem Kreis zugeeignet, der mir durch sein Vertrauen und seine Verbundenheit die Freiheit zu dem Wirken gab, dem auch diese Beiträge entstammen. Neben den Genannten wären viele Namen aufzuzählen, die zwanzig Jahre hindurch mein nunmehr abgeschlossenes Wirken in Hamburg mitgetragen haben, all die Studierenden, die sich in dem harten Ringen um das Verstehen des Neuen Testaments einer fruchtbaren Zusammenarbeit erschlossen, die getreuen Helfer an der Fakultät, am Neutestamentlichen Seminar und am Bugenhagen-Konvikt, viele Kollegen anderer Fakultäten, vor allem aber die Kollegen, die die neugegründete Evangelisch-Theologische Fakultät in ihrem ersten Jahrzehnt zu einer beglückenden Gemeinschaft verbanden: Helmut Thielicke, Hans-Joachim Kraus, Hans-Rudolf Müller-Schwefe, Georg Kretschmar, Hans Engelland. Für all die Menschen dieser großen Stadt aber, die mir die Hand reichten und sie mir zur zweiten Heimat werden ließen, mögen die Namen Martin Pörksen und Dieter Lindemann stehen. Es ist schön, aus einer zwanzigjährigen Arbeit mit ungeteiltem Dank zu Neuem aufbrechen zu können.

Hamburg, Ostern 1968 L. Goppelt

Inhalt

Der verborgene Messias*

Zu der Frage nach dem geschichtlichen Jesus

In der evangelischen Christenheit Deutschlands überlagern bzw. stoßen sich seit fast 200 Jahren drei sehr verschiedenartige Christusbilder: das Christusbild der kirchlichen Bekenntnisse, insbesondere des Nicänums, das die Liturgie vergegenwärtigt, das mystische und pietistische Jesusbild und das Bild des historischen Jesus, das zuerst die Aufklärung des 18. Jahrhunderts entwarf – um die beiden ersten wissenschaftlich zu widerlegen und das ursprüngliche Christentum wiederzugewinnen. Nach einem „schmerzlichen und entsagungsvollen Ringen um die Wahrheit, wie es die Welt noch nicht gesehen hatte"[1], verstummte das Fragen nach dem historischen Jesus in der deutschen Forschung zu Beginn unseres Jahrhunderts, bis es in den letzten Jahren erneut laut wurde.

I.

Dieses Lautwerden hat vor allem *zwei Anlässe*. In der Öffentlichkeit wurde die Frage durch die großen *Handschriftenfunde* des letzten Jahrzehnts wachgerufen.

Die *Funde vom Toten Meer*[2] ließen ein Stück der jüdischen Umwelt Jesu und damit die Frage nach seinem Platz in der Geschichte lebendig werden. Sie machten vielen bewußt, wie sehr Jesus nicht nur Mensch, sondern ein jüdischer Mensch des 1. Jahrhunderts war. Auch wenn man von publizistischen Dramatisierungen absieht, bleiben überraschende Berührungen, die zum Vergleichen und zum Fragen nach dem Eigenständigen in der Erscheinung Jesu herausfordern. Die Sekte von Qumran lebte, seitdem sie sich um die Wende zum 1.

* Gemeinverständlicher Vortrag, erstmals veröffentlicht in: Der historische Jesus und der kerygmatische Christus, hrsg. von H. Ristow und K. Matthiae, Ev. Verlagsanstalt, 1961², 371–384.

[1] A. Schweitzer, Geschichte der Leben-Jesu-Forschung, 1933⁵, 5.

[2] Zuverlässig unterrichten: K. Schubert, Die Gemeinde vom Toten Meer, 1958, sowie M. Burrows, Die Schriftrollen vom Toten Meer, 1960³, und ders., Mehr Klarheit über die Schriftrollen, 1958.

Jahrhundert v. Chr. von der Volksgemeinde Israel abgesondert hatte, in der Erwartung, „das Reich Gottes sei nahe herbeigekommen", während die Apokalyptik seit Daniel diese Nähe nur verhüllt geweissagt hatte. Sie bezog alttestamentliche Weissagungen für die Endzeit auf ihr gegenwärtiges Geschick; sie verstand z. B. ihren Exodus in die Wüste am Toten Meer als die Erfüllung der Weissagung Jes. 40,3: „In der Wüste bereitet den Weg des Herrn" (1 QS 8,13 f.; 9,19). Ihre Glieder meinen vollzogen zu haben, was Johannes der Täufer in Jesu Tagen wenige Wegstunden nördlich von ihrer Hauptsiedlung forderte, die radikale Umkehr auf das Ende hin. Sie verstehen und praktizieren das Gesetz strenger als das übrige Israel, auch als die Pharisäer. Deshalb war der „Lehrer der Gerechtigkeit", ein inspirierter, priesterlicher Schriftgelehrter, der diese Bewegung veranlaßt und geprägt hatte, mit dem Hohenpriester in Konflikt gekommen und wahrscheinlich durch ihn Märtyrer geworden — allerdings redete niemand in der Sekte von seiner Auferstehung oder von seiner persönlichen Wiederkunft bzw. Messianität —. Dies und anderes erinnert an das Wirken Jesu und fordert gleich den uns bisher schon bekannten Erscheinungen seiner Umwelt, der Apokalyptik und dem pharisäischen Rabbinismus, zum Vergleichen auf. Wir sollten dabei nicht nur im Sinne des klassischen naturwissenschaftlichen Denkens nach entwicklungsgeschichtlicher Abhängigkeit fragen, sondern an augenfälligen wie gerade an feinen Unterschieden die Eigenart Jesu schärfer erfassen und die Möglichkeit eigenständiger Entsprechungen sehen. Sollte Jesus z. B. seinen Weg weniger eigenständig von der Schrift her meditiert haben als jene den ihren? Sollten seine Jünger seine einprägsamen Sprüche weniger treu bewahrt haben, als es für die Schüler eines anderen Rabbi selbstverständlich war?

Wie durch Qumran der historische Hintergrund des Erdenwirkens Jesu lebendig wurde, so trat durch den zweiten Fund, die frühchristlich-gnostische Bibliothek von *Nag Hamâdi*, die Problematik der Jesus-Überlieferung ins Licht[3]. Das dort gefundene Thomas-Evangelium[4], das wohl um 170 in Syrien niedergeschrieben worden ist, bringt eine lange Reihe von Jesusworten, teils Sprüche unsrer ersten drei Evangelien (nicht des Johannes-Evangeliums) in anderer Gestalt, teils Sprüche anderer Art, von denen bisher einige als apokryphe Zitate bekannt waren. Kaum eines der neuen Worte kann Anspruch auf Echtheit erheben. Aber wie großzügig ist man dann in diesen christlichen Kreisen mit der Jesusüberlieferung umgesprungen! Sollte die Christenheit in dem Menschenalter zwischen dem Ende Jesu und der Auf-

---

[3] W. C. van Unnik, Evangelien aus dem Nilsand, 1960.

[4] O. Cullmann, Das Thomasevangelium und die Frage nach dem Alter der in ihm enthaltenen Tradition, ThLZ 85, 1960, 321—334.

zeichnung unseres ältesten Evangeliums schon ebenso großzügig Jesu Worte nach ihrem Bedürfnis verändert und durch Worte eigener Eingebung ergänzt haben? Das wurde kürzlich, freilich zu Unrecht, von den Jesusworten der apostolischen Väter her postuliert[5].

Das apokryphe Wuchern der Jesusüberlieferung seit der Wende zum 2. Jahrhundert ist grundsätzlich anderer Art als ihre Entwicklung bis zur ersten Aufzeichnung beim Abgehen der ersten Generation. Markus hat zwar nicht, wie man bald legendär vereinfachend erzählte, nach dem Ende des Petrus in Rom unmittelbar dessen Erzählungen niedergeschrieben, sondern eine seit langem formulierte und in den Gemeinden zwischen Jerusalem und Rom weitergegebene Überlieferung. Auch ein Petrus hielt sich an diese Überlieferung, aber er übte mit all den anderen berufenen Augenzeugen zugleich das ihm aufgetragene Wächteramt über sie aus. Wir dürfen, wenn wir die Jesusüberlieferung als Gemeindetradition charakterisieren, nicht ihre in der ganzen Kirche anerkannten, verantwortlichen Vertreter, die Apostel und die Lehrer (1. Kor. 12,28), in einem Nebel der Abstraktion verschwinden lassen. Trotzdem bleibt es dabei, daß die Jesusdarstellung unserer Evangelien auf einer Tradition beruht, die 30 bis 50 Jahre lang mündlich weitergegeben und entwickelt wurde. Ist es dann noch möglich und sinnvoll zurückzufragen, was Jesus ursprünglich gesagt, getan und gemeint hat? Sollen wir uns nicht an die Jesusgestalt halten, von der die Kirche der Apostel lebte? Ein jedes Jesusbild enthält doch immer auch schon Deutung! Aber es ist gut, wenn wir, soweit wir geschichtlich denken, die Jesusdarstellung der Evangelien gleichsam nicht flächenhaft wie ein mittelalterliches Bild, sondern in geschichtlicher Perspektive sehen, und sei es auch nur, um wahrzunehmen, daß unsere Evangelien die Erscheinung Jesu sachgemäß, wenn auch in manchem einseitig deuten.

Ungleich mehr als solche von den Handschriftenfunden ausgehenden Anregungen brachte *eine theologische Wendung in der neutestamentlichen Forschung* die Frage nach dem geschichtlichen Jesus in Gang. Sie erfolgte gerade in der Richtung deutscher neutestamentlicher Forschung, die den historischen Fragen besonders kritisch nachgeht und sich zugleich lange einer zu sehr von der Zeitphilosophie geprägten Theologie verschrieben hatte. Als ein Vertreter dieser Richtung hatte *Joh. Weiß* 1909 in seiner Abhandlung „Jesus und Paulus" geschrieben: Schon für Paulus ist das Christentum „Christusreligion, d. h., im Mittelpunkt steht das innige Glaubensverhältnis zum erhöhten Christus. Diese Form der Religion hat Jahrtausende hindurch als

[5] H. Köster, Synoptische Überlieferung bei den Apostolischen Vätern, TU 65, 1957, 257 f.

das eigentliche Christentum gegolten, und es gibt heute noch ungezählte Christen, die keine andere Form des Glaubens kennen und wünschen ... Daneben geht eine religiöse Strömung her, welche ein religiöses Verhältnis zum erhöhten Christus nicht mehr zu finden vermag und ihr volles Genüge daran hat, sich von Jesus von Nazareth zum Vater führen zu lassen. Beide Formen religiösen Lebens stehen in unsrer Kirche nebeneinander ... Ich mache kein Hehl daraus, daß ich mit der Mehrheit der neueren Theologen mich zu der zweiten Anschauung bekenne und daß ich hoffe, diese werde allmählich in unsrer Kirche zur Herrschaft kommen." Was A. Schlatter damals als Vertreter einer anderen Richtung neutestamentlicher Forschung einwandte[6], fand nicht das Ohr der „kritischen" Forschung; sie mußte gleichsam ihrer Eigengesetzlichkeit folgen und auf eigenem Wege später auf anderer Basis ähnliche Einsichten selbst gewinnen[7]. Das Bild jenes Jesus von Nazareth, der die Menschen „zum Vater führt", das Harnack 1900 in seinen Vorlesungen über „das Wesen des Christentums" klassisch dargestellt hatte, löste sich durch die fortschreitende historische Forschung auf. 20 Jahre später gab es *R. Bultmann* in seiner „Geschichte der synoptischen Tradition" vollends dem Feuer der historischen Kritik preis und erklärte in seinem Jesusbuch 1926[8]: „Von dem Leben und der Persönlichkeit Jesu können wir so gut wie nichts mehr wissen." Sie sind in den Berichten der Evangelien von den Vorstellungen des Gemeindeglaubens überdeckt. Nur eine

[6] Schlatter meinte auf Grund seiner eigenständigen, überlegenen Kenntnis des Judentums historisch schärfer zu sehen und vor allem theologisch richtiger zu verstehen. Deshalb wandte er sich, indem er heute allgemein gewordene hermeneutische Einsichten geltend machte, z. B. 1905 in seiner Schrift gegen „Die atheistische Methode in der Theologie", 235 f. mit folgendem Satz scharf gegen die „rein historische" Methode der Leben-Jesu-Forschung: „Eine Theologie, die nur Histörchen zu erzählen weiß und damit in der Urteils- und Gedankenlosigkeit verharrt, ist wissenschaftliche Tändelei, auch wenn sie vor ihre historischen Romane die Titel ‚Leben Jesu' oder ‚Neutestamentliche Theologie' setzt." Er stellte Jesu Erdenwirken im ersten Teil seiner Neutestamentlichen Theologie unter dem Titel „Die Geschichte des Christus", 1923², dar, um zu bekunden, daß Jesu Wort nicht von seinem Handeln und seinem Geschick zu trennen sei.

[7] Typisch für diesen Weg ist das auch in deutscher Übersetzung erschienene Buch von J. M. Robinson, Kerygma und historischer Jesus, 1960. Er ist so sehr von der Denkweise der „kritischen" Richtung deutscher neutestamentlicher Forschung gefesselt, daß er ihre Diskussion, vor allem das gegenwärtige Bemühen der Bultmann-Schule um den historischen Jesus mit bewundernswerter Gründlichkeit wiedergibt, aber gleichzeitig die beachtliche Forschungsarbeit von Neutestamentlern wie A. Schlatter und J. Schniewind nicht einmal erwähnt. Daher wird nur betont, daß die der Existenzphilosophie entnommenen Denkformen, deren sich der Verfasser bedient, sachgemäßer seien als die des Historismus, aber nicht gefragt, ob sie dem heilsgeschichtlichen Denken Jesu und des Neuen Testaments, auf das z. B. J. Schniewind den Finger legt, gerecht werden.

[8] 1926, 12.

geringe Zahl von Sprüchen geht unmittelbar auf Jesus selbst zurück. Sie lassen erkennen, daß Jesu Predigt eschatologischer Entscheidungsruf war. Für diesen Ruf entschieden sich die Jünger endgültig angesichts des Kreuzes im Osterglauben, gleich wie er entstanden ist, und verliehen diesem Glauben im Osterkerygma Ausdruck. *Das Kerygma* sagt nicht, wer Jesus war oder ist, sondern was er für den Glauben bedeutet: Er ist für ihn Gottes endgültige Offenbarung. Allein auf dieses Daß kommt es an[9]. So war an die Stelle der Gestalt Jesu, des irdischen wie des erhöhten, ein Pfeil von oben getreten, das Kerygma der Urkirche, der durch den Menschen Jesus ergehende letzte Anruf Gottes an die Menschheit. Hier hatte sich eine kritische Zuspitzung historischer Forschung nicht nur mit einer von der Existenzphilosophie her gewandelten Auffassung von Geschichte, sondern zugleich mit einem neuen theologischen Ansatz, der von der Offenbarungstheologie *K. Barths* ausging, verbunden.

Dieser Ansatz drängte weiter. *Gegenwärtig* bricht bei den von Bultmann herkommenden Forschern selbst die Einsicht durch: Dieser Pfeil von oben ist zu wenig! So ist es zu erklären, daß die Voten zu dem Problem des historischen Jesus, wie Conzelmann kürzlich feststellte, „im wesentlichen aus dem Umkreis der Theologie Bultmanns stammen"[10]. Man sieht nun selbst: Es muß nicht nur gesagt werden, *daß* Jesus das letzte Wort Gottes an die Menschheit ist, sondern auch *wie* er es ist. *Das Kerygma muß vom Erdenwirken Jesu her gefüllt werden.* Das ist theologisch notwendig und kann historisch mit gutem Gewissen geschehen. In dieser Intention schrieb *G. Bornkamm*, wie er in der Einleitung sagt, sein vielen unter uns bekanntes, gemeinverständliches Jesusbuch[11]: „Der österliche Aspekt, in dem Jesu Geschichte für die Urgemeinde steht, darf gewiß keinen Augenblick vergessen werden, nicht minder aber die Tatsache, daß nun eben die Geschichte Jesu vor Karfreitag und Ostern in diesem Licht liegt. Wäre es anders, so hätte die Gemeinde sich an einen zeitlosen Mythus verloren."

Man fragt also nach dem geschichtlichen Jesus, um Grund und Inhalt des Kerygmas zu klären, *nicht mehr*, wie im 18. und 19. Jahrhundert, *nach dem „historischen Jesus"*, um ihn gegen das Osterkerygma auszuspielen. Das Forschen nach dem historischen Jesus wollte seit Reimarus Jesus *„rein historisch"* von seiner Umwelt her beschreiben und erklären; aber „‚rein historisch' bedeutet", wie *E. Troeltsch*[12]

---

[9] Theologie des Neuen Testaments, 1953, 43 f.

[10] Zur Methode der Leben-Jesu-Forschung, Beiheft I zur ZThK 1959, 2. Ebd. Anm. 2 und RGG³, Bd. III, 651 ff. Übersicht über die Literatur.

[11] 1956, 20.

[12] Ges. Schriften II, 1922², 397.

selbst sagte, „eine ganze Weltanschauung“! So schuf ihn jeder „nach seiner eigenen Persönlichkeit“[13]. Wer Jesus „rein historisch“ begreifen wollte, konnte bestenfalls so viel bzw. so wenig von ihm erfassen wie die Zeitgenossen Jesu, die ihn, ohne zu glauben, von ihrem eigenen Standpunkt aus beurteilten. Als sie ihn nach seiner Vollmacht fragten, verwies er sie auf das jetzt ergehende Bußwort (Mk. 11,27 bis 33 Par.). Nur wer sich dem Bußruf Jesu als dem Ruf Gottes beugt, versteht, was er sagt und wer er ist (vgl. Mk. 4,10 ff.; Joh. 7,16 f.). Daher kann man die Erscheinung Jesu nur in der Weise erfassen, daß sich *historisches Forschen und theologisches Verstehen miteinander verbinden*. Diesen hermeneutischen Grundsatz dürfte die Forschung gegenwärtig wohl allgemein anerkennen. So vollzieht sich die jetzt neu aufbrechende Diskussion um den geschichtlichen Jesus auf einer anderen Ebene als zur Zeit von *Joh. Weiß* und *A. Schlatter*. Nur *E. Stauffers* Jesusbuch[14] setzt wohl noch zu viel auf historisches Feststellen.

Von hier aus erschließt sich zugleich für alle theologisch Gebildeten und Interessierten, die nicht unmittelbar an der neutestamentlichen Forschung beteiligt sind, eine Möglichkeit, sich in dieser Diskussion *ein eigenes Urteil* zu bilden. Die *historische Forschung* differenziert sich immer mehr in Spezialuntersuchungen, die nur wenige beurteilen können. Diese Differenzierung entspricht der Vielschichtigkeit des Weges, auf dem die Jesusdarstellung unsrer Evangelien geworden ist. Schon die Augenzeugen berichteten von Jesu Erdenweg so, wie sie ihn rückblickend im Lichte des Osterglaubens und der alttestamentlichen Weissagung sahen. Ihr Bericht war von Anfang an zugleich theologische Deutung; denn er stand im Dienst des Osterkerygmas. Sie konnten bei diesem Deuten nicht von den ihnen geläufigen Vorstellungen ihrer Umwelt abstrahieren; immerhin ist es verwunderlich, wie wenig davon, z. B. von den Menschensohnspekulationen der jüdischen Apokalyptik, in die Evangelien eingedrungen ist. Jüdische Menschen waren gewohnt, religiöse Stoffe als geformte mündliche Tradition weiterzugeben. Daher nahmen die Berichte über Jesu Wirken bald feste Gestalt an. Nicht wenige Sprüche haben die Jünger bereits in fester, einprägsamer Formulierung von Jesus aufgenommen; nun wurden weitere Worte und Gleichnisse und alsbald auch Erzählungen fest formuliert. Aber die Berichte erstarrten nicht, sondern wurden von der Schrift her weiter gedeutet und kerygmatisch auf die jeweilige Gemeindesituation zugespitzt; denn sie dienten ja nie historischem Interesse, sondern der Mission, der Katechese, der

[13] A. Schweitzer, a.a.O. (Anm. 1), 4.
[14] 1957.

Liturgie, der Predigt und der Seelsorge. Wie sich feste Formulierung und Weiterbildung verbanden, können wir an der Art beobachten, wie Matthäus und Lukas Stücke des Markus-Evangeliums weitergestalteten. Wenn wir also ein Bild des geschichtlichen Jesus gewinnen wollen, müßte von den Berichten der Evangelien abgehoben werden, was aus der Anwendung auf die Gemeindesituation, aus Vorstellungen der Umwelt, aus der Deutung von der Schrift und von Ostern her hinzugewachsen ist. Aber wie wenig kennen wir die geschichtlichen Situationen der urchristlichen Gemeinden und wie lückenhaft ist trotz aller Entdeckungen unsre Kenntnis ihrer Umwelt! So ist hier historisch nur ein sehr zurückhaltendes und differenzierendes Urteilen möglich; dies scheint mir in vorbildlicher Weise der gegenwärtig international führende Kommentar zum Markus-Evangelium, den *V. Taylor* verfaßte[15], durchzuführen. Historische Pauschalurteile, wie: hier ist diese oder jene Vorstellung auf Jesus übertragen worden, entsprechen nicht den vielschichtigen geschichtlichen Vorgängen. Manche Forscher meinen, es genüge nicht, abzuheben, was mit mehr oder weniger Wahrscheinlichkeit zugewachsen ist; man müsse vielmehr zunächst alles in Frage stellen und könne nur das als echt ansehen, was sich von der Theologie der Gemeinde wie von den Anschauungen der Umwelt abhebe – und das sei nicht wenig. Man kann diese zugespitzte Fragestellung gleichsam als Gegenprobe anwenden, aber man muß ihre Grenzen sehen: Ihre Ergebnisse gelten nur bis zu den nächsten Entdeckungen! Vor allem aber geht sie in dieser Gestalt von dem Vorurteil aus, die Gemeinde habe die Jesusüberlieferung wie einen Katechismus ihrem Leben assimiliert. Allein an 1. Kor. 7,10 sehen wir jedoch, daß sie die Jesustradition sehr deutlich von ihren aus dem Geist gestalteten Gemeinderegeln unterschied. Wenn wir die Bergpredigt in Mt. 5–7 neben den ältesten Katechismus, die Zwei-Wege-Lehre in Did. 1–6 halten, wird sehr deutlich, daß die Gemeinde die Jesustradition trotz aller Bearbeitung nicht in ihr Leben eingeschmolzen, sondern als über ihr stehendes Wort weitergegeben hat. Schließlich kann das Ziel des Forschens nach dem geschichtlichen Jesus nicht sein, nur gleichsam protokollarisch festzustellen, was er, vor allem im Unterschied zu anderen, gesagt und getan hat, sondern wie es gemeint war, gerade wenn es, wie meist, nurmehr annähernd zu rekonstruieren ist und wenn es äußerlich mit Worten und Taten der Propheten und Schriftgelehrten übereinstimmt.

So drängt das historische Forschen hin auf ein *theologisches Verstehen*, und dieses bedingt, wie wir sehen werden, umgekehrt in hohem Maße auch die historischen Urteile. Das Fragen nach Jesu Er-

---

[15] V. Taylor, The Gospel according to St. Mark, 1957.

denweg bleibt stets ein Stück weit von historischer Forschung abhängig, aber es ist in seinem Gesamtergebnis entscheidend von theologischem Verstehen bedingt. Bereits an dem Verstehen der Sprüche, die auch Bultmanns Geschichte der synoptischen Tradition als „echt" stehenläßt, entscheidet sich, was Jesus eigentlich wollte und wer er war. Daher möchte ich jetzt nicht weiter auf die Diskussion über die Historizität und ihre Kriterien eingehen, sondern ein Stück weit den Weg des Verstehens entwickeln.

II.

Die beiden eben angesprochenen Fragen machen, um mit Mk. 4,11 zu reden, „das Geheimnis des Reiches Gottes" aus. Das Geheimnis ist bis heute *zuerst die Frage, wie sich das Kommen des Reiches zu Jesu Wirken verhält.* In der von der „religionsgeschichtlichen Schule" herkommenden Richtung der Forschung macht man teilweise bis heute die seinerzeit von Joh. Weiß entwickelte These zu einer beinahe selbstverständlichen Voraussetzung: Jesus übernehme die Reich-Gottes-Vorstellung der jüdischen Apokalyptik. Das Reich „manifestiert sich – nach seiner Meinung – als sichtbare Weltverwandlung". Daher kann Jesus *nur das nahe,* nicht das gegenwärtige Kommen des Reiches verkündigt haben (und schon deshalb nicht der Verheißene sein). „Noch gibt es Armut, Krankheit, Sünde, Dämonen. Wenn das Reich kommt, wird es damit zu Ende sein. Es ist also noch nicht da. Aber es wirft bereits seinen Schein, indem es in Jesus wirksam wird; durch die Zeichen, die er wirkt, ist die Wahrheit seiner Ankündigung, ist die Nähe des Reiches verbürgt." So noch *H. Conzelmann*[16] im Anschluß an Bultmann. Welchen Sinn hat dann z. B. die Seligpreisung der Armen (Mt. 5,3 Par.)? Die Armen „werden nicht auf eine künftige Besserung ihres Zustandes vertröstet; vielmehr wird ihre Situation heute – durch den Zuspruch Jesu – verwandelt. Das Neue dieser Zeit (Jesu) besteht also darin, daß sie Zeit der Verkündigung ist."

Diese Rekonstruktion des ursprünglichen Sinnes von Jesu Wirken will mit Recht sekundäre Verobjektivierungen des Heils beiseite schieben und das Eigentliche hervorkehren; aber schreibt sie Jesus im Grunde nicht doch nur die Rolle Johannes des Täufers zu? Johannes wollte die letzte, heilvolle Umkehr auf das nahe Reich hin, die er fordert, durch das Zeichen seiner Taufe versiegeln und ermöglichen. Er wollte eine Bewegung der Umkehr auslösen, heilvoll Wartende schaffen; aber nach seinem Tode verehrten ihn viele seiner Anhänger als den Messias und bildeten eine eschatologische jüdische Sekte. Jesu Wirken steht zu dem kommenden Reich in grundsätzlich anderem

[16] RGG, 1959³, III, Sp. 641 f.

Verhältnis. Gewiß wiederholt die *Seligpreisung* zunächt nur zentral Verheißungen der alttestamentlichen Prophetie, aber wer sind die Armen, denen Jesu Seligpreisung gilt? Sie sind keine bereits vorhandene Gruppe; sie entstehen erst unter der Verkündigung der Seligpreisung durch Jesus. Sind es die Menschen, die unter Jesu Ruf zu Wartenden werden? So Conzelmann[17]. Aber Jesus wiederholt ja nicht nur die prophetische Verheißung, sondern verbindet mit ihr die helfende Tat: Jetzt sind die seligzupreisenden Armen all die Hilfesuchenden, denen Jesus seine Wunderhilfe gewährt, die „Sünder", denen er seine Gemeinschaft schenkt, und insbesondere die Menschen, die er auf Dauer in die Nachfolge ruft. Alle diese Menschen werden nicht Wartende, sondern zumindest in actu *Glaubende*. Glauben heißt in Israel, dem Bundesgott recht geben. Jetzt gilt es, angesichts des Wirkens Jesu jeweils in der konkreten Situation dem Gott Israels recht zu geben und seine Hilfe bei Jesus zu suchen. Allen, die durch sein Reden und Handeln dazu geführt werden, sagt Jesus: Dein Glaube hat dir geholfen, und erhebt durch diesen Zuspruch ihr Hilfesuchen zum Glauben, so daß von ihnen gilt: Selig ihr Armen, denn euer ist das Reich Gottes — jetzt! *Sie haben am Reiche teil, soweit sie an Jesu Wirken teilhaben.* Daher kann es in den Erdentagen allerdings immer nur ein vorläufiges, zeitlich und örtlich beschränktes Teilhaben sein.

Wie Jesu Verheißung, so setzen auch *seine Forderungen* unausgesprochen ein gegenwärtiges Kommen des Reiches voraus. Jesus verbietet z. B. die Ehescheidung (Mt. 5,32 Par.; Mk. 10,11 f. Par.). Die essenische Bewegung verschärfte die Bestimmungen des Gesetzes über die Ehe; sie verbot die Polygamie und forderte z. T. Verzicht auf die Ehe, aber ein Verbot der Ehescheidung finden wir nicht[18]. Es ist nach Inhalt und Intention einzigartig. Es widerstreitet, wie das Streitgespräch Mk. 10,2—9 erläutert, den Möglichkeiten dieser Welt; in ihr ist um „der Herzenshärtigkeit" willen ein Scheidungsrecht nötig. Jesu Verbot der Ehescheidung ist also weder sittliche noch juridische Satzung, es will vielmehr zuerst das neue Herz, das für die Heilszeit verheißen ist (Hes. 36,26 f.), und von ihm her allerdings den konkreten neuen Gehorsam. Es ist, anders ausgedrückt, Ruf zur Umkehr auf das hereinbrechende Reich Gottes hin (vgl. Mt. 4,17). Es wäre unerträgliches, sinnloses Gesetz, *wenn Jesus das neue Herz, die Umkehr, nicht schenken würde*; er schenkt es, wie an Zachäus sichtbar wird (Lk. 19,1—10), indem er seine Gemeinschaft schenkt (und macht dadurch seine Forderung, wie sie das Johannes-Evangelium deutet, zum

[17] Ebd. 646.

[18] H. Braun, Spätjüdisch-häretischer und frühchristlicher Radikalismus, I, 1957, 162, Sachregister „Ehegebote".

neuen Gebot [Joh. 13,34]). Wenn Jesus sich mit den Zöllnern an den Tisch setzt, kehrt der verlorene Sohn heim in Gottes Vaterhaus (Lk. 15); das Gleichnis illustriert nicht Jesu Predigt, sondern erklärt gleich den meisten andern Gleichnissen, was durch Jesu Wirken geschieht.

Wenn Jesus seine Gemeinschaft schenkt, wird *das Verhältnis zwischen Gott und Mensch endgültig heil, und das ist das Entscheidende von all dem, was Gottes Reich bringt* (vgl. Offb. 21,3). Deshalb kann Jesus von seinen Dämonenheilungen sagen: „Wenn ich mit dem Finger Gottes die Dämonen austreibe, dann ist das Reich Gottes schon zu euch gelangt" (Lk. 11,20 Par.). Jesu Wunderwirken geht äußerlich grundsätzlich nicht über das eines Mose oder Elia hinaus, aber weil seine Wunderhilfe das eschatologische Neuwerden des Verhältnisses zu Gott einschließt und Glauben entstehen läßt, kann Jesus Mt. 11,5 von ihr sagen: Jetzt geschieht, was für die Heilszeit verheißen ist, „die Blinden sehen und die Lahmen gehen . . . und die Toten stehen auf", obwohl die Krankheit und der Tod durchaus noch nicht beseitigt werden. Und in diesem Sinne kann er sein Lehren und Verkündigen, das äußerlich dem eines Schriftgelehrten und Propheten gleicht, als die Botschaft der Heilszeit bezeichnen und Mt. 11,5 fortfahren: „Den Armen wird das Evangelium verkündigt"; „das Evangelium" ist nach der alttestamentlichen Verheißung die Botschaft: „Dein Gott ist König geworden" (Jes. 52,7), mit der zugleich Gottes Herrschaft anbricht.

Dies ist *„das Geheimnis der Gottesherrschaft"*, das die Gleichnisse vom Reiche Gottes in Mt. 13 den Jüngern erklären, nämlich daß sie entgegen dem Augenschein in Jesu Wirken gegenwärtig hereinbricht, auch wenn der neue Himmel und die neue Erde noch ausstehen. Unsere Deutung geht von der theozentrischen Betrachtungsweise eines Deuterojesaja aus, die Jesus aufnimmt, während sie in der jüdischen Apokalyptik hinter der kosmischen und im pharisäischen Rabbinismus, nach dem man das Joch der Gottesherrschaft auf sich nimmt, indem man sich dem Gesetz unterwirft — ähnlich wie in der Ritschlschen Schule —, hinter einer „ethischen" zurücktrat.

Diese Antwort auf unsre erste Frage drängt um so mehr *die zweite auf: Wer ist dann Jesus?* Oder widerstreitet diese Frage der Intention von Jesu Wirken? In diesem Sinn erklärt *G. Bornkamm*[19]: „In ihm selber wird der Anbruch der Gottesherrschaft Ereignis", aber „Jesus geht in seinem Wort und seinem Tun auf und macht nicht seine Würde zu einem eigenen Thema seiner Botschaft vor allem anderen". Er hat *keinen einzigen Messiastitel*, den ihm die Tradition bot, für sich in Anspruch genommen. Er hat alle an ihn herangetragenen messia-

---

[19] Jesus von Nazareth, 155 f.

nischen Vorstellungen abgewiesen und sie an sich zerbrechen lassen. Das scheint auf den ersten Blick eine sehr glückliche Lösung der in der deutschen Forschung so heftig diskutierten Frage nach dem messianischen Selbstverständnis Jesu zu sein. Kann man Größeres von ihm sagen als dies, daß in seinem Wirken Gottes Herrschaft gegenwärtig wird? Was kann daneben noch ein Messiastitel bedeuten? Und doch: War Jesus denn, um es einmal drastisch auszudrücken, ein anonymer Funktionär des Reiches Gottes? In ihm begegnet dem Menschen doch nicht nur ein Geschehen, sondern ein Du! Bornkamm redet eindrucksvoll von diesem persönlichen Begegnen, aber liegt dann nicht alles daran, daß dieses Du nicht in der Herrschaft Gottes aufgeht, sondern umgekehrt Gottes Herrschaft in diesem Du begegnet?

Aber lassen wir diese allgemeinen Erwägungen und halten uns wieder an das Verstehen zentraler, „echter" Worte Jesu! Mt. 11,6 schließt Jesus die Charakterisierung seines Wirkens mit dem Satz: „Und selig ist, wer nicht an mir zu Fall kommt!" Will dies sagen: Selig, wer nicht an meinen Worten und Taten zu Fall kommt? So deutet es Bornkamm[20]. Entsprechend wird auch der mehrfach überlieferte Spruch vom Bekennen auf Jesu Worte, nicht auf seine Person bezogen[21]. Er lautete in seinem Kern wohl ursprünglich: „Wer sich zu mir bekennt, zu dem wird sich der Menschensohn (-Weltrichter) bekennen, wer mich verleugnet, den wird der Menschensohn verleugnen." Sicher ist ein Bekenntnis zu Jesu Person, das nicht vom Aufnehmen seines Wortes herkommt, wertlos (vgl. Mt. 7,21), aber nicht weniger verfehlt ein Aufnehmen seiner Worte, das nicht Bekenntnis zu seiner Person wird, das Entscheidende; denn Jesu Wort steht und fällt mit seiner Vollmacht (Mt. 7,28 f.). Dann aber kann Jesus dieses Wort vom Bekennen nicht anders gemeint haben, als es die Evangelisten verstehen: *Er wußte sich mit dem Menschensohn-Weltrichter identisch! Er wußte sich als der verborgene Menschensohn-Messias!*

Warum spricht Jesus dann die Identität nicht aus, sondern redet vom Menschensohn wie von einem Dritten? Das entspricht einem Grundzug seines Wirkens. Jesus erhebt nirgends öffentlich den Anspruch, daß in seinem Wirken Gottes Herrschaft gegenwärtig werde und daß er der Verheißene sei. Das würde dem Wesen seiner Sendung widersprechen. Er will nicht eine Willensentscheidung gegenüber einem formalen Autoritätsanspruch, sondern er will zu dem Glauben überführen, der Gott ganz recht gibt: Was Jesus fordert, ist Gottes eigentliches Gebot, und was er anbietet, ist wirklich die Gnade Gottes!

---

[20] A.a.O., 61; ähnlich R. Bultmann, Geschichte der synoptischen Tradition, 1931², 135. [21] Ebd. 117.

Dieser Glaube nimmt wahr, daß hier die eschatologische Erfüllung ist, weil sie ihm widerfährt. Dieses Verhüllen ist also nicht berechnete Esoterik, sondern ergibt sich von selbst aus dem Ziel seines Redens und Handelns. Demgemäß sind auch die engsten Jünger bis zuletzt nie Wissende im Sinne der Esoterik von Qumran und nie solche, die sich entschieden haben, sondern Angefochtene, die immer wieder zum Glauben überwältigt werden.

Diese Verhüllung bezeichnet man seit W. Wrede als das *„Messiasgeheimnis“*, während die Evangelisten vom „Geheimnis des Reiches Gottes“ reden (Mk. 4,11); beides gehört zusammen. Der älteste Evangelist, Markus, hat diese Verhüllung einseitig betont und ausgebaut, u. a. um den Unglauben Israels zu erklären, aber er hat sie nicht, wie seit W. Wrede oft behauptet wurde, insgesamt erfunden, um den äußerlich unmessianischen Charakter des Erdenwirkens Jesu zu erklären. Die Verhüllung findet sich, wie E. Sjöberg[22] gezeigt hat, auch in der Q-Überlieferung. Sie wäre nur dann Theorie, wenn es in Wahrheit keine zu verhüllende Sinnmitte des Erdenwirkens Jesu geben würde.

Auf diese aber weist, das ist *unser Ergebnis*, jedes Wort Jesu, sobald man nicht vergißt, daß Jesus sein Wirken im Licht der Schrift vollzog. Jesus lebt ja nicht nur im Raum alttestamentlich-jüdischer Traditionen, sondern für ihn ist *die Schrift* verbindliche Kundgebung Gottes, die er mit den Augen seiner jüdischen Umwelt liest und doch bewußt anders versteht als sie. Wenn wir diese in der neutestamentlichen Forschung viel zuwenig beachtete Perspektive sehen[23], machen wir immer wieder die eben an einigen zentralen Beispielen entwikkelte Beobachtung: Auch wenn wir *in die älteste Überlieferungsschicht* zurückgehen, die man so gut wie allgemein als „echt“ ansieht, steht *immer noch hinter jedem Wort Jesu die Situation der Erfüllung*[24], freilich entgegen dem Augenschein und der Nachrechenbarkeit, nur für den Glauben wahrnehmbar, der angesichts des Wirkens Jesu den Gott Israels seinen Gott sein läßt.

Jesus hat durch sein Erdenwirken keine *Weissagung* des Alten Testaments für die Heilszeit buchstäblich erfüllt, und doch hat er die Erfüllung gebracht, die sich kein Prophet vorstellen konnte, ja durfte, weil sie nur Gott geben konnte. Die Prophetie kann, wie es Johan-

[22] Der verborgene Menschensohn, 1955.

[23] Auf sie versuchte ich in meiner Untersuchung, Typos, Die typologische Deutung des Alten Testaments im Neuen, 1939, Nachdruck 1966, hinzuweisen.

[24] Auf diese Lösung des von der historischen Erforschung des Neuen Testaments gestellten Problems verweist E. Hoskyns und N. Davy, Das Rätsel des Neuen Testaments, (deutsch) 1957². In diesem Sinne entwickelt J. Schniewind seine Auslegung des Markus- und Matthäus-Evangeliums im NTD, die, auch wenn sie heute in vielem weitergeführt werden müßte, einen trefflichen Ansatz bietet.

nes der Täufer zusammenfaßt (Mt. 3,11 f.), nur erwarten, daß der Verheißene „mit Geist und mit Feuer" tauft, den Weizen in die Scheuer sammelt und die Spreu verbrennt, durch die Gnade das Volk erneuert und die Mißachtung von Gottes Gesetz heimsucht. Aber wer würde dann dem zu erneuernden Rest angehören? Nur wer, wie Johannes fordert und durch seine Taufe anbietet, radikal Buße getan hat! Haben diese Forderungen und dieser Zuspruch Umkehr gewirkt? Die einzige Umkehr, die nach den Evangelien verwirklicht wurde, ist die Umkehr, die Jesus schenkte. Die Nachfolge, in die Jesus stellt, ist der Indikativ der Umkehr; der Glaube, den er wirkt, ist ihr grundlegender Vollzug (vgl. Mt. 8,10.13 und 11,20 ff.). Und wer in die Nachfolge gestellt ist, ist von der Gottesherrschaft in Dienst genommen. Hier ist die Erfüllung entgegen aller Erwartung und entgegen allem Augenschein! Es wäre trostlos, wenn wir Jesu Wirken auf das Johannes des Täufers reduzieren würden.

III.

Sobald wir anfangen, auch nur einige der zentralen Worte Jesu wirklich zu verstehen, erschließt sich ein innerer Zusammenhang des Wirkens Jesu, der auch Stellen, die einer andern Gesamtdeutung als unhistorisch erscheinen, als zugehörig erweist. So drängt der erschlossene Zusammenhang, wie noch angedeutet sei, hin auf das *Petrusbekenntnis* und die Leidensankündigung. Dem in die Nachfolge Gestellten wird das Bekenntnis gegeben: Du bist der Christus (Mk. 8,29). Das will sagen: Du bist, „der da kommen soll". Dieses Bekenntnis ist von keiner alttestamentlichen oder jüdischen Messiasvorstellung aus errechenbar. Der rationale Schriftbeweis, durch den es später die Apologeten zu rechtfertigen suchten, würde, wie schon Celsus[25] richtig feststellte, „für 1000 andere" genauso zu führen sein! Den Jüngern aber, die verstanden haben, wie das Reich jetzt kommt (Mk. 4,11), erschließen *die Leidensankündigungen*, die in den Worten beim Abschiedsmahl ihren Höhepunkt erreichen, vollends das Wesen der Messianität Jesu. Die Leidensankündigungen sind im einzelnen sicher stark von der Erfüllung her ausgestaltet, aber sie sind nicht, wie schon Celsus[26] meinte, generell vaticinia ex eventu, durch die christliche Apologetik den Mißerfolg des Erdenwirkens Jesu abschwächen wollte. Sie sind in ihrem Kern überhaupt keine vaticinia, auch keine Prognosen, sondern abschließende Sinndeutung des Erdenweges Jesu, die in so unerhörter Weise seinen Sinn und Verlauf durchleuchtet, daß

---

[25] In seiner ca. 178 n. Chr. verfaßten Schrift gegen die Christen, die aus der Gegenschrift des Origenes bekannt ist: Origenes gegen Celsus, 1, 57; 2, 28 f.; 7, 18.

[26] Ebd. 2, 13.

man wirklich fragen muß, wer in der Gemeinde sie erdacht haben sollte. Der Verheißene geht, was keine alttestamentlich-jüdische Erwartung, abgesehen von den Ansätzen in Jes. 53, und ebenso keine nachösterliche Christologie erdenken konnte, den Weg des leidenden Gerechten, den Gott erhöht. Diese Sinndeutung ist für die Jünger zugleich Verheißung. Sie verheißt, wie das in jeder Hinsicht vorläufige Erdenwirken Jesu sein Ziel, die Rettung „der vielen", erreichen soll. Die Zukunft, auf die Jesus die Öffentlichkeit verweist, ist die Erscheinung des Menschensohn-Weltrichters, der gemäß der Stellungnahme zu Jesus entscheidet; die Jünger aber sollen darüber hinaus dem Leiden und Auferstehen des Menschensohns entgegensehen – und ihnen, nur ihnen, wird tatsächlich die Auferstehung offenbart. Nicht zufällig sind die Aussagenkreise über das Kommen des Menschensohn-Weltrichters und über das bevorstehende Leiden und Auferstehen des Menschensohns nicht miteinander verbunden; nirgends wird gesagt: Er wird auferstehen und als Weltrichter erscheinen! Das wäre Beschreibung, aber nicht Verkündigung. Die beiden Aussagenkreise haben eine verschiedene kerygmatische Adresse[27]. Jesu Erdenwirken weist in seinem Wesen, wie die Leidensankündigungen sinngemäß aussprechen, in jeder Hinsicht über sich hinaus, nicht nur auf eine leibhafte Vollendung des Zeichenhaften, sondern auf eine Zeit, in der das zum Messias gehörende Volk der Gottesherrschaft, die Gemeinde, auf dem Weg des Glaubens gesammelt wird.

Und nun müssen wir zum Schluß von der *Situation nach Ostern* aus all das bisher Entwickelte in Frage stellen. Sicher haben die Jünger Jesu Erdenweg erst im Lichte des Osterglaubens allmählich verstanden (Joh. 2,22; 12,16; 14,26). Was liegt also daran, ob sich Jesus mit dem kommenden Menschensohn identisch wußte oder ob erst der Osterglaube sein Wirken, das eine Christologie „implizierte" (Bultmann), so verstand? Aber es geht hier nicht um eine psychologische Frage nach dem Selbstbewußtsein Jesu, sondern um sein Selbstverständnis, von dem der Sinn all seines Redens und Handelns abhängt. Wenn es vorher nur auf Jesu Funktion und nicht auf seine Person ankäme, könnte dann seine Auferweckung anderes sein als ein sinnloses Mirakel oder ein mythisches Symbol? Wenn sich aber vorher, wie es sich uns darstellt, alles auf das Verhältnis zu seiner Person zuspitzt, wird verständlich, daß die Ostererlebnisse nicht nur seine Vollmacht bestätigen oder die Mitteilung vermitteln, er lebe, sondern Begegnungen sind, die vergebend die Gemeinschaft zwischen Jesus und den Jüngern, die ihn preisgegeben haben, wiederherstellen. Daher

---

[27] Zur Diskussion vgl. meine Arbeit: Christentum und Judentum im 1. und 2. Jahrhundert, 1954, 67.

wird, sobald die Ostererscheinungen durch das Geisterlebnis abgelöst werden, der Schüler- und Jüngerkreis der Erdentage zur messianischen Gemeinde entschränkt, die Jesus nicht nur als den demnächst erscheinenden, sondern als den zur himmlischen Herrschaft erhöhten Messias bekennt.

Gerade dieses älteste uns überlieferte *christologische Bekenntnis* der nachösterlichen Gemeinde aber scheint noch einmal eine Messianität des irdischen Jesus auszuschließen; denn es sagt: Gott hat diesen Jesus zu einem Herrn und Christus gemacht (durch die Auferstehung) (Apg. 2,36; 13,33; Röm. 1,4). War er es vorher also nicht? Dieses Bekenntnis redet nicht von einem metaphysischen Sein, sondern von der Berufung zu einem Wirken: Gott hat ihn zum himmlischen messianischen Herrscher eingesetzt, zum „Gottessohn in Kraft" (Röm. 1,4); das schließt nicht aus, sondern eher ein, daß er vorher der verborgene Messias in Schwachheit war. Weiter reflektierten die ersten Zeugen zunächst nicht über seine Vorgeschichte, sie redeten insbesondere ebensowenig wie Jesus selbst von seiner Präexistenz. Aber ihr christologisches Bekenntnis war dafür offen, und es mußte entweder bis zur Präexistenzchristologie entfaltet werden oder in der adoptianischen Christologie des späteren Judenchristentums verkümmern. Wir können dem Werden der vielschichtigen urchristlichen Christologie hier nicht mehr nachgehen[28]; es ist genug, wenn wir ihre Grundlage, das Wesen des geschichtlichen Jesus, das sie von den Osteroffenbarungen her gestaltet, ein wenig geklärt haben und dadurch sichtbar geworden ist, daß sie nicht mythischer Ausdruck für die Bedeutsamkeit des Wortes Jesu, sondern unbeschadet ihrer jüdisch-hellenistischen Ausdrucksmittel der Glaubenserkenntnis entspringendes Zeugnis von der Person dessen ist, in dem Gott gegenwärtig wurde, um seine Herrschaft aufzurichten.

Kürzlich wurde gesagt: „Die Kirche lebt faktisch davon, daß die Ergebnisse der wissenschaftlichen Leben-Jesu-Forschung in ihr nicht publik sind."[29] Wir meinen, sie lebt davon, daß sie Jesu Worte und Taten besser verstanden hat als die Historiker, auch wenn sie manches nicht in der richtigen historischen Perspektive sah. Das gilt allerdings nur von der Kirche, die nicht lediglich Überkommenes rezitiert, sondern im Wagnis der Glaubenserkenntnis neu bekennt. Aber wir sind ja, wie eingangs deutlich wurde, allgemein über die Antithese zwischen historischem Forschen und theologischem Verstehen hinausgewachsen zur Synthese. Deshalb können wir weder auf historischen

---

[28] Dies ist zuletzt in weiterführender Weise durch E. Schweizer, Erniedrigung und Erhöhung bei Jesus und seinen Nachfolgern, 1955, und O. Cullmann, Die Christologie des Neuen Testaments, 1957, geschehen.

[29] H. Conzelmann, a.a.O. (Anm. 10), 8.

Ergebnissen noch auf tradierten Glaubensformeln ausruhen, sondern immer nur durch die Anfechtung des Augenscheins hindurch das Geheimnis des Reiches Gottes zu verstehen suchen: die verborgene Messianität Jesu.

Das Problem der Bergpredigt*

Jesu Gebot und die Wirklichkeit dieser Welt

Wer „Bergpredigt" sagt, meint Jesu Worte, wie sie in Mt. 5—7 zusammengestellt sind. Er meint Worte, die wie keine anderen durch die Jahrhunderte Millionen von Menschen in ihren Bann geschlagen haben: Selig die Armen, selig die Barmherzigen! Nicht töten, auch nicht durch das verächtliche Wort! Nicht begehren, den anderen nicht zum Objekt der eigenen Zwecke machen! Liebe erweisen, auch dem Feinde! Nicht Schätze sammeln, nicht sorgen, nicht richten, alles vor den Vater bringen! Wer diese Worte hört, muß gestehen: So sollten wir eigentlich sein, und doch können wir nicht so sein. Es wird uns gleicherweise durch unsere Art wie durch die Verhältnisse verwehrt. Dieser Widerstreit, im Grunde die Frage nach der Realisierbarkeit, ist das Problem der Bergpredigt. Es wird insbesondere durch die sechs Gebote zur Mitmenschlichkeit in Mt. 5 gestellt. Wir wollen uns weiterhin auf diesen Abschnitt, Mt. 5,17—48, beschränken.

Das Problem der Bergpredigt treibt gegenwärtig Menschen am Rande der Kirche mehr um als die Theologen. Gandhi redet auch heute für viele, wenn er in seiner Selbstbiographie[1] sinngemäß umschrieben ausführt: Vom Christentum ist vor allem die Bergpredigt wahr. Aber die Christen tun nicht, was sie lehrt. Was wahr ist, kann man nur erfahren, indem man es tut. Demgegenüber spielt die Bergpredigt gegenwärtig in den Bemühungen der ökumenischen Bewegung um ethische Probleme[2] wie auch in der theologischen Ethik[3] eine erstaunlich geringe Rolle. Vielleicht liegt dies daran, daß die Bergpredigt draußen noch unmittelbar in eigener Kraft redet, während sie bei uns durch historische Analyse und theologische Interpretation entschärft wird.

---

* Als Referat vorgetragen vor der Theologischen Kommission des Lutherischen Weltbundes am 24. 6. 1967 in St. Peter/Minn.-U.S.A.

[1] M. K. Gandhi, An Autobiography, The Story of My Experiments with Truth, 1957[2].

[2] Vgl.: Appell an die Kirchen der Welt, Dokumente der Weltkonferenz für Kirche und Gesellschaft, hrsg. vom Ökumenischen Rat der Kirchen, 1967.

[3] Eine bemerkenswerte Ausnahme bilden die eingehenden Ausführungen H. Thielickes (Theol. Ethik, Bd. I, 1958[2], 559—610).

Die uns unausweichlich aufgetragene *historische Schriftforschung* kann die Bergpredigt weiter erschließen, wenn sie konsequent und selbstkritisch angewendet wird. Sie ordnet die biblischen Aussagen in ihre damalige, uns ferne Situation ein und schafft auf diese Weise eine ernüchternde Distanz. Es zeigt sich z. B., daß die Bergpredigtweisungen als Einzelforderungen weithin auch von den Rabbinen erhoben wurden. Wer das Besondere sehen will, muß sehr genau vergleichen. Ordnet man die Texte nur einseitig in ihre damalige Situation ein, so ergibt sich eine unechte Verfremdung. Dies ist z. B. der Fall, wenn man erklärt, Jesu Gebote seien ganz und gar durch die Erwartung eines nahen Weltendes bedingt; weil diese Erwartung nicht eintraf, seien sie ihrem Wortlaut nach für uns abgetan. So bewirkt historische Exegese echte Distanzierung, aber auch unechte Verfremdung, immer aber ein Fernrücken. (Die historische Schriftforschung sieht das Schriftwort so, wie wir es als Menschen unserer Tage zunächst sehen.) Das ferngerückte Wort Jesu kann gleich anderen Erscheinungen der Vergangenheit für unsere Gegenwart nur durch aneignende Interpretation lebendig werden. Alle Interpretation aber birgt, wie gegenwärtig immer deutlicher bewußt wird, die Möglichkeit in sich, daß sie das Schriftwort verfälschend von unseren Bedürfnissen her umdeutet. Sachgemäße Interpretation muß versuchen, die Texte von ihrer eigenen sachlichen Mitte her aufzuschließen und für die Gegenwart zum Sprechen zu bringen. Das bedeutet hier: Wir müssen versuchen, die Worte der Bergpredigt aus der Situation Jesu sachlich zu verstehen und in unsere Situation zu übertragen. Besser gesagt: Je mehr wir diese Worte in ihrer Situation verstehen, desto mehr sprechen sie von selbst zu der unseren.

Versuchen wir einen historischen Zugang zu den Antithesen in Mt. 5,21–48 zu gewinnen, so muß zuerst wenigstens in Umrissen eine traditionsgeschichtliche Analyse durchgeführt, d. h. nach ihrer Herkunft gefragt werden.

1. Zur traditionsgeschichtlichen Analyse

Gemeinhin erwarten wir, wenn irgendwo, dann in den Antithesen unmittelbar die Stimme Jesu zu hören. Vergleichen wir die sechs Antithesen jedoch mit der Parallelüberlieferung im Lukas-Evangelium, so wird sehr schnell deutlich, daß sie weitgehend erst vom Evangelisten Matthäus zusammengestellt und formuliert wurden. Wir finden nämlich die 3., 5. und 6. Weisung bei Lukas getrennt an zwei verschiedenen Stellen und vor allem ohne die antithetische Form (Lk. 16,18; 6,27–36). Sehr wahrscheinlich hat erst der Evangelist

Matthäus die Weisungen in die antithetische Form gebracht. Er übernahm sie aus der 1., 2. und 4. Weisung. Diese waren sichtlich von Hause aus in dieser Form gefaßt; denn hier sind die Nachsätze, die mit „ich aber sage euch" beginnen, ohne die Vordersätze: „Ihr habt gehört ...", unverständlich. Diese drei ursprünglichen Antithesen sind nur bei Matthäus überliefert; sie gehen jedoch aller Wahrscheinlichkeit nach auf Jesus selbst zurück.

Vergleicht man die neugebildeten Antithesen mit den ursprünglichen, so zeigt sich: Die Vordersätze haben nach Stil und Inhalt hier und dort denselben Charakter. Jedoch erscheint das inhaltliche Verhältnis zu den Nachsätzen bei den ursprünglichen als eine Steigerung, bei den nachgebildeten als ein Gegensatz. Die 1. Antithese z. B. steigert das Verbot des Tötens zu dem des Zürnens. Dagegen setzt die 4. dem Scheidungsrecht das Verbot jeder Scheidung entgegen. Sieht man auf die Intention, so wird dieser Unterschied relativ. Das Scheidungsrecht will ja die Ehe schützen, nicht ihrer Auflösung Vorschub leisten.

Weiterhin müßten nun durch traditionsgeschichtliche Analyse Vers um Vers im einzelnen drei Schichten unterschieden werden: 1. Was stammt von Jesus? 2. Was hat die Gemeindetradition hinzugefügt? 3. Was hat die Redaktion durch den Evangelisten eingebracht? Darauf wäre weiter zu fragen: In welchem Sinn wurde Jesu Wort durch diese Bearbeitungen verändert? Die letzte Untersuchung dieser Fragen[4] kommt zu dem Ergebnis, daß durch diese Bearbeitung aufs Ganze gesehen Jesu Worte sinngemäß verdeutlicht und angewendet wurden. Dieses Ergebnis, das sich uns an einzelnen Beispielen bestätigen wird, ist für uns bedeutsam, gerade weil wir hier diesen Fragen nicht nachgehen können, sondern uns im wesentlichen an den Matthäus-Text halten müssen. Wir setzen mit der bisher viel zu wenig beachteten Frage ein: Was besagt die antithetische Formulierung, die Matthäus besonders herausgestellt hat? Vor allem: Welcher Forderung stellt die Antithese Jesu Weisung gegenüber?

2. *Die antithetische Formulierung*

Der Formulierung ist in unserer Frage noch keine eindeutige Antwort zu entnehmen. Man findet nämlich verschiedene Antworten, je nachdem man das erste oder das zweite Glied des Vordersatzes betont. Legt man den Akzent auf das erste Glied, so kann wie folgt exegesiert

[4] R. Guelich, „Not to Annul the Law Rather to Fulfill the Law and the Prophets": An Exegetical Study of Jesus and the Law in Matthew with Emphasis on 5:17—48, Diss. Hamburg 1967.

werden: Jesus sagt nicht: „Es steht geschrieben“, oder „Ihr habt in der Schrift gelesen“, sondern „Ihr habt gehört“. Die Wendung „ich habe gehört“ kann in der Schulsprache der Rabbinen besagen: „Ich habe als Tradition gehört“[5]. Dann würde Jesus hier der rabbinischen Gesetzesauslegung, die in der Synagoge als Tradition vorgetragen wird, seine Gesetzesauslegung gegenüberstellen. Sein „ich aber sage euch“ würde lediglich wie gelegentlich in der schriftgelehrten Diskussion[6] einen Diskussionsbeitrag einleiten[7].

Sehr wahrscheinlich ist das erste Glied jedoch nicht technisch, sondern alltäglich gemeint: Ihr habt in der Synagoge gehört, „daß den Alten gesagt wurde“. Das Passiv umschreibt den Gottesnamen, so daß der Akzent auf dem zweiten Glied liegt: Gott hat zu „den Alten“, nämlich zu Israel, am Sinai durch Mose gesagt. Dann stellt die antithetische Formulierung Jesu Weisung dem Gebot Gottes nach dem Alten Testament gegenüber: Gott hat gesagt . . ., ich aber sage euch.

So ist die Formulierung als solche mehrdeutig; die Entscheidung muß am Inhalt fallen.

3. Der Inhalt der Vordersätze

Der Inhalt der Vordersätze scheint auf den ersten Blick nochmals für die erste Erklärung zu sprechen; denn er deckt sich vielfach nicht mit dem alttestamentlichen Wortlaut der mosaischen Gebote. Die Vordersätze haben nicht einzelne Schriftstellen im Auge, sondern vom Alten Testament her geltende Weisungen. Diese Weisungen aber sind hier eigentümlich ausgewählt und ergänzt, also gedeutet. Wendet sich Jesus also doch lediglich gegen jüdische Gesetzesauslegung und Gesetzespraxis? Die hier vorliegende Umschreibung der alttestamentlichen Gebote läßt sich jedoch nirgends als jüdische Gesetzesauslegung aufweisen. Z. B. der Vordersatz der 6. Antithese: „Du sollst deinen Nächsten lieben und deinen Feind hassen“, ist, wie von jüdischer Seite immer wieder mit Recht betont wurde, keine Anweisung der Synagoge, — er kennzeichnet allerdings zutreffend die dort geltende Abgrenzung des Nächsten (vgl. Lev. 19,18.34). So findet sich der Satz nicht zufällig in der radikalisierten Gesetzesauslegung der Sektenregel von Qumran (1 QS 1,10; 9,21). In Fragen des Eides und der Ehe aber lehren die Essener gerade nicht wie die Vor-

---

[5] Billerbeck I, 253 zu Mt. 5,21.

[6] G. Dalman, Jesus — Jeschua, 1922, 68.

[7] R. Bultmann, Geschichte der synoptischen Tradition, 1931², 157: „Debatteworte“.

dersätze, sondern eher wie Jesus. Die Vordersätze kennzeichnen die alttestamentlichen Weisungen demnach in einer Weise, wie sie im Judentum gerade nicht vertreten wird.

Versucht man, was bisher kaum geschehen ist, zu ermitteln, *wie sie die alttestamentlichen Gebote charakterisieren*, so treten zwei Züge hervor:

a) Die Vordersätze kennzeichnen die vom Alten Testament herkommende Weisung als *vollstreckbares Recht*. Die 1. Antithese verbindet das apodiktische 5. Gebot: „Du sollst nicht töten" (Ex. 20,13; Dt. 5,17) mit dem kasuistischen Rechtssatz: „Wer aber tötet, der soll des Gerichts schuldig sein", der Stellen wie Ex. 21,12; Lev. 24,17; Num. 35,16–34 zusammenfaßt. Die beiden letzten Antithesen kennzeichnen Jesu Liebesgebot als den Gegensatz zu dem, was Rechtens ist, nämlich dem jus talionis: „Auge um Auge", und zu der Begrenzung der Liebe durch die Ablehnung des Feindes. Auch Ehe und Wahrhaftigkeit werden in den Vordersätzen als Rechtsakte angesprochen.

b) Diese rechtlichen Weisungen setzen *das Böse* als grundsätzlich nicht zu beseitigende Gegebenheit voraus. In der Erläuterung der 4. Antithese wird ausdrücklich erklärt: Was über das einfache Ja hinaus ein Schwören veranlaßt, wie es der Vordersatz vorsieht, ist „vom Bösen" (Mt. 5,37). Geschworen wird, weil die Lüge eine Gegebenheit ist! Das in der 3. Antithese angesprochene Scheidungsrecht ist nach Mt. 19,8 um „der Herzenshärtigkeit" willen nötig.

Bereits diese Beispiele lassen erkennen: Die Antithesen kennzeichnen die vom Alten Testament herkommenden Weisungen Gottes als von Menschen zu vollstreckende Rechtssätze, die das Zusammenleben der Menschen ermöglichen, wenn das Böse eine nicht zu beseitigende, nur einzuschränkende Gegebenheit ist.

Woher stammt diese Kennzeichnung der alttestamentlichen Weisungen? Für das Judentum ist es charakteristisch, daß sie zwar auch als Rechtssätze, aber stets zugleich als weit darüber hinausreichende ethische Forderung dargeboten werden. Diese ethischen Forderungen entsprechen weithin den hier als Antithesen folgenden Weisungen Jesu. Auch die Rabbinen lehren z. B. zum 6. Gebot: Nicht erst der Ehebruch, sondern schon der begehrliche Blick ist verwerflich. Vergleicht man Jesu Weisungen vollends mit der Radikalisierung der Tora in Qumran, so unterscheiden sie sich nur „graduell und relativ"[8].

Was Jesus gegenüber dem Judentum eigentümlich ist, wird ganz entscheidend durch die antithetische Form zur Sprache gebracht: Die Rabbinen verbinden Rechtssätze und ethische Maximalforderungen

---

[8] H. Braun, Spätjüdisch-häretischer und frühchristlicher Radikalismus II, 1957, 16.

miteinander, Jesus nimmt beides antithetisch auseinander. Dadurch erhält die alttestamentliche Weisung wie Jesu Gebot je ein eigenes Gesicht: Einerseits erscheinen die alttestamentlichen Weisungen ihrem Kern nach als Recht, das durch das Böse bedingt ist. Andererseits wird, was im Judentum, aber auch schon im AT ethische Maximalforderung ist, in Jesu Weisung absolutes Gebot. Es soll, wie die rechtliche Formulierung anzeigt, genauso unbedingt gelten und vollstreckt werden wie das Recht. Eben weil Jesus die „ethische" Weisung in dieser Gestalt abhebt und absolut setzt, wird die alttestamentliche Weisung auf ihren Kern, das Recht, reduziert.

So kommen wir zu dem überraschenden *Ergebnis:* Die Vordersätze der Antithesen haben nicht jüdische Auffassungen oder Entstellungen der alttestamentlichen Weisungen im Auge, sondern den Kern der alttestamentlichen Weisungen selbst, nämlich das Recht. Sie entwerfen ein Bild der alttestamentlichen Weisungen, das sich im Rückblick von Jesu absolutem Gebot her ergibt.

Allerdings werden, wie noch zu ergänzen ist, die alttestamentlichen Weisungen gerade nach Matthäus durch Jesus auch noch in anderer Weise charakterisiert. In Mt. 19,17–21 nennt Jesus dem reichen Jüngling gegenüber die Gebote der zweiten Tafel des Dekalogs samt dem Liebesgebot nicht, wie in den Antithesen, als rechtlich begrenzte Bestimmungen, sondern als apodiktische Gebote. Und fügt dann hinzu: „Willst du vollkommen sein, so verkaufe, was du hast, und folge mir nach!" Wenn hier die alttestamentlichen Weisungen in anderer Gestalt angeführt werden als in der Bergpredigt, dann erklärt sich dies wohl aus der anderen Adresse. Für den Jüngling, der Jesus nach Gottes Willen fragt, wird die alttestamentliche Weisung apodiktisches Gebot, über das Jesus positiv hinausführt, allerdings auch hier nicht quantitativ, sondern durch die qualitative Ganzheitsforderung, die auch am Ende der Bergpredigtgebote steht (Mt. 5,48)[9]. Demgegenüber reden die Antithesen den Menschen an, der sich mit Hilfe der alttestamentlichen Weisungen in der unvermeidlichen Koexistenz mit dem Bösen einrichtet. Für ihn nehmen die vielschichtigen alttestamentlichen Weisungen die Gestalt an, die sie in den Vordersätzen der Antithesen haben, und dies ist die normale Gestalt, wie sie in der jüdischen Praxis vorherrscht.

In der *Präambel* zu den Antithesen, in Mt. 5,17 f., nennt Matthäus die alttestamentlichen Weisungen, die die Vordersätze ansprechen, *„Gesetz"*. So nimmt in den Vordersätzen der Antithesen ein Gesetzesbegriff Gestalt an, der nicht nur dem Judentum fremd ist,

---

[9] G. Kretschmar, Ein Beitrag zur Frage nach dem Ursprung frühchristlicher Askese, ZThK 61 (1964), 57.

sondern auch keineswegs dem Selbstverständnis des Alten Testaments entspricht, zumal auch dieses nicht einheitlich ist[10]. Auch für das Alte Testament liegt ungeklärt ineinander, was nun vom Eschaton her auseinandertritt, kasuistisches Recht und apodiktisches Gebot.

Trifft diese Bestimmung der Vordersätze zu, dann stellt sich das Problem der Bergpredigt in aller Schärfe, – auch, wie hier angemerkt werden kann, im Blick auf unsere Situation. Was sie nämlich als Kern der alttestamentlichen Weisung herausstellen, sind Grundelemente des Rechtes, wie sie allenthalben unter den Menschen gelten und gelten müssen. Wir können ebensowenig wie Israel ohne Scheidungsrecht und Strafrecht leben. Diesem Recht tritt Jesu Gebot nicht als selbstverständliche Ergänzung, sondern als Antithese gegenüber. Damit stellt sich präzis die Frage: In welchem Sinn wollen Jesu antithetische Weisungen das in den Vordersätzen genannte Recht ablösen?

4. Die Ablösung des Gesetzes durch die Weisungen Jesu

Aus der eben gewonnenen Fragestellung wurden in der Kirchengeschichte die klassischen Lösungen des Bergpredigtproblems[11] entwikkelt. Sie erklären Jesu Weisungen aus ihrem Verhältnis zum Gesetz, während die neueren protestantischen Lösungen sie von ihrem Verhältnis zu dem kommenden Reich Gottes her deuten.

a) Am eindrucksvollsten ist bis heute die Lösung, die man schematisch als die *schwärmerische* bezeichnet. Sie versteht die Antithese chronologisch und Jesu Weisung streng wörtlich. Jesu Weisung soll die des Gesetzes generell ablösen. Verzicht auf Gewalt, Verweigerung des Eides usw. sollen allgemein gelten. Z. B. soll, wie gegenwärtig gesagt wird, zwischen Staaten und Völkern das „Liebesrecht" geübt werden.

Hier wird Jesus zum Gesetzgeber; er nötigt der Welt ein das Böse ignorierendes und daher utopisches Gesetz auf. Man postuliert das „Liebesrecht" für die Politik, aber nicht die Unscheidbarkeit der Ehe; denn daran würde die Utopie kundwerden.

Solcher Interpretation *wehrt bereits die Präambel*, die Matthäus in *5,17–20* den Antithesen voranstellt. Nach 5,18, einem wohl im Kern echten Logion, soll das Gesetz unverkürzt gelten bis zu der Grenze, die ein doppeltes „bis" umschreibt. Es soll gelten, „bis Himmel und Erde vergehen"; das will nicht populär sagen: für immer,

[10] G. von Rad, Theologie des Alten Testaments II (1960), 1965⁴, 413–436.

[11] Übersicht über die Auslegungsgeschichte: F. Traub, Das Problem der Bergpredigt, ZThK 17 (1936), 193–218; Th. Soiron, Die Bergpredigt Jesu, 1941; H. Thielicke, Theologische Ethik I, 1958², 559–610.

sondern präzis: bis zum Ende dieser Welt. Dem entspricht die andere erst von Matthäus eingefügte Befristung: „bis alles geschieht", d. h. bis das endzeitliche Erfüllungsgeschehen Gesetz und Propheten ablöst. Der voranstehende Elthon-Spruch 5,17 aber erklärt: Diese Erfüllung ist schon gegenwärtig: „Ich bin nicht gekommen aufzulösen, sondern zu erfüllen." Demnach ist die Antithese nicht chronologisch, sondern heilsgeschichtlich-eschatologisch gemeint. *Das Gebot,* das *Jesus* dem im Vordersatz umschriebenen Gesetz entgegenstellt, entspricht *der durch ihn kommenden endzeitlichen Erfüllung.* Das Gesetz aber gilt weiter und muß weiter gelten, solange diese Welt besteht. Diese Erklärung, die Matthäus voranstellt, entspricht, wie sich z. B. an der Auseinandersetzung über den Sabbat zeigen ließe, der Intention Jesu selbst.

b) Aber wie ist dieses Miteinander von Gesetz und Gebot Jesu dann zu praktizieren? Die Lösung des Bergpredigtproblems, die man schematisch als „*die katholische*" bezeichnet, denkt an eine stufenweise Überbietung des Gesetzes, die zur Vollkommenheit führt. „Als er dies die Apostel lehren wollte, stieg er auf den Berg hinauf und sprach nicht die unvollkommene Menge, sondern seine Jünger an, die er zum Gipfel der Vollkommenheit zu erheben beschlossen hatte" (Bonaventura)[12]. Jesu Gebote werden als überbietende Stufen in das Gesetz eingebaut: Das Gebot der Ehescheidung gilt allen, es wird in katholischen Staaten Recht; das Gebot der Feindesliebe ist eine Zielforderung für alle; der Verzicht auf Ehe und Besitz aber, Mt. 19,12.21, ist ein „Rat" für die Vollkommenen.

Diese Erklärung bleibt wirklichkeitsnah, weil sie das Gesetz ernst nimmt. Bei ihr kommt jedoch zu kurz, daß Jesu Weisung jeden angeht und daß ihre Erfüllung für den Jünger immer das Erste und Grundlegende ist, so gewiß sie nicht für jeden dieselbe Gestalt hat; z. B. wird einerseits die Unscheidbarkeit der Ehe, andererseits das Verlassen der Familie gefordert (Mt. 5,32; 10,37 p Lk. 14,26 f.).

c) Demgemäß verpflichtet *Luther* die Christen zugleich, je nach der gegebenen Situation, dem Übel nicht zu widerstehen und doch auch zu widerstehen. Das Nicht-Widerstehen ist ihm gewiesen, wenn es um seine eigene Sache geht; das Widerstehen, wenn es um die Sache des anderen geht. Auf diese Weise hat er „zugleich Gottes Reich und der Welt Reich genug" zu tun[13]. Aber wann geht es wirklich nur um meine Sache und nicht auch um die des anderen, z. B. um die meiner Familie? Daher könnte Luthers Lösung entgegen seiner Intention Anlaß geben, in der Praxis das Nicht-Widerstehen auf die ganz pri-

---

[12] Soiron, a.a.O. (Anm. 11), 3.

[13] WA 11, 255 (S. 105); E. Mühlhaupt, D. Martin Luthers Auslegung der Bergpredigt, 1961.

vate Sphäre zu reduzieren und im übrigen durch ein „Handeln im Amt" dem Reich dieser Welt genug zu tun.

d) Was sich nicht selten praktisch ergab, wurde um 1900 durch die *„Gesinnungsethik"* des liberalen Protestantismus theologisch und exegetisch als die Bedeutung der Weisung Jesu für die Gegenwart vertreten. „Wir werden", so meint Wilhelm Herrmann, ihr beachtlichster Vertreter, „durch die Einsicht, daß wir in eine andere Welt gestellt sind wie Jesus, davor bewahrt, uns durch die Verhältnisse, in denen er damals lebte, durch dieses Tote ihn selbst verhüllen zu lassen, die lebendige Gesinnung, die seine Welt bezwang, wie wir die unsere bezwingen sollen."[14] „Haben wir die Gesinnung verstanden, für die uns Jesus gewinnen will, (nämlich die opferbereite Liebe), so sehen wir doch wohl, daß wir ebenso frei und selbständig werden sollen wie er. Aus der Gesinnung heraus, in der wir mit Jesus einig sind, wollen wir den nationalen Staat, dessen Wesen und Aufgaben Jesus noch nicht kannte, und lassen uns dadurch nicht irre machen, wenn manches an diesem Gebilde der menschlichen Natur mit der Lebensführung und Stimmung Jesu in so grellem Widerspruch steht, wie die Waffenrüstung und ihr mutiger Gebrauch."[15] Hier wird die Antithese zum Gesetz mißverstanden als Ablehnung der Gesetzlichkeit, die Weisung Jesu als Hinweis auf eine sittliche Haltung und die Ausrichtung auf das Eschaton als „ ‚der Sinn für das Jenseits', der ‚die absolute Hingebung an Besitz und Macht, Genuß und Bildung, die vollendete Kulturseligkeit' " ausschließt[16].

Diese Umdeutung der Bergpredigt in ein bürgerliches Ethos, die dem immanenten Reich-Gottes-Begriff A. Ritschls entspricht, verfiel in der Forschung dem Protest der *„konsequenten Eschatologie"*, den A. Schweitzer besonders eindrucksvoll vertrat: Die Bergpredigt ruft zum Aufbruch im Blick auf das in naher Zukunft als neue Welt hereinbrechende Reich Gottes. Nachdem sich diese Erwartung nicht erfüllt hat, bleibt sie Ruf zu einer heroischen Humanität[17].

e) So sah ein breiter Strom protestantischer Theologie auch weiterhin in den Bergpredigtgeboten nur Hinweise auf eine Haltung, nicht

---

[14] Die sittlichen Weisungen Jesu, 1904, 57 f.

[15] Ebd. 60.

[16] Ebd. 58.

[17] A. Schweitzer, Das Messianitäts- und Leidensgeheimnis, Eine Skizze des Lebens Jesu, 1929², 109: „Wir müssen dazu zurückkehren, das Heroische in Jesus wieder zu empfinden, wir müssen vor dieser geheimnisvollen Persönlichkeit, die in der Form ihrer Zeit weiß, daß sie auf Grund ihres Wirkens und Sterbens eine sittliche Welt schafft, welche ihren Namen trägt, in den Staub gezwungen werden, ohne es auch nur zu wagen, ihr Wesen verstehen zu wollen. Dann erst kann das Heroische in unserem Christentum und in unserer Weltanschauung wieder lebendig werden."

inhaltlich bestimmte Verpflichtungen. Dies blieb, auch als nach dem ersten Weltkrieg die konsequente Eschatologie durch die *aktuelle* abgelöst wurde. Die Gebote werden nun verstanden als Einweisung des Menschen, „in sein Jetzt als die Stunde der Entscheidung vor Gott", so Rudolf Bultmann[18], oder als seine Berufung „in ein Sein vor Gott, das nicht ein Zustand ist, sondern ein immer bereites Hören und Gehorchen", so Martin Dibelius[19]. Zu den konkreten Einzelgeboten aber wird erklärt: „Die Liebesforderung bedarf keiner formulierten Bestimmungen ... Der Verzicht auf jegliche Konkretisierung des Liebesgebotes durch einzelne Vorschriften zeigt, daß Jesu Verkündigung des Willens Gottes keine Ethik der Weltgestaltung ist. Vielmehr ist sie als eschatologische Ethik zu bezeichnen, insofern sie nicht auf eine innerweltliche Zukunft ... blickt, sondern den Menschen nur in das Jetzt der Begegnung mit dem Nächsten weist. Sie ist eine Ethik ..., die den Einzelnen unmittelbar vor Gott verantwortlich macht" (Bultmann)[20].

Gegenwärtig scheinen sich diese beiden Seiten zu verschieben: Daß die Bergpredigt in das Jetzt der Begegnung mit dem Nächsten weist und sie unter das Prinzip der Liebe stellt, wird immer mehr hervorgekehrt, während zurücktritt, was für Bultmann der Obersatz war, nämlich, daß Jesu Weisung damit in die Entscheidung vor Gott stellt. Vielleicht ist es die heute gestellte Schlüsselfrage der Bergpredigtdeutung, zu klären, was diese ganz auf den Menschen ausgerichteten Weisungen: Nicht töten, nicht begehren, nicht lügen, nur Liebe erweisen, mit Gott zu tun haben. Ist hier nicht der Weg Jesu vorgezeichnet, der den Kranken und gesellschaftlich Geächteten hilft, indem er für sie da ist? Die Bergpredigt und Jesu Weg sind für viele vorstellbar, nicht aber Gott!

Wie sehr die Bergpredigt selbst diese Überlegung sprengt und über ein immanentes Ethos hinausweist, wird sichtbar, sobald der Wortlaut der Gebote ernst genommen und dann nach ihrem Ziel gefragt wird.

5. Das Ziel der Bergpredigtgebote in Jesu Erdentagen

Zweifellos sind diese Weisungen Jesu nicht für die kommende neue Welt bestimmt, die Jesus Reich Gottes nennt; denn in ihr wird es keine Feindschaft, aber auch keine Ehe mehr geben (Mt. 22,30). Sie sind für diese Welt bestimmt, in der es Ehe, Feindschaft, Lüge

---

[18] Theologie des Neuen Testaments, 1953, § 2,5.
[19] Jesus, 1960³, 95 f.
[20] A.a.O. (Anm. 18), § 2,4.

usw. gibt und geben wird, und doch ausgerichtet auf eine neue Welt. Was sagen sie dem Menschen dieser Welt?

a) Die ersten fünf Antithesen sind negativ, sie *verbieten und verurteilen.* Die ersten drei sprechen im Stil des kasuistischen Gottesrechtes Strafbestimmungen aus: „Jeder, der seinem Bruder zürnt, soll im Lokalgericht verurteilt werden." Oder: „Wer eine Ehefrau begehrlich anblickt, hat schon in seinem Herzen Ehebruch begangen." In gleicher Intention sind die 4. und 5. Antithese als apodiktische Verbote formuliert: Überhaupt nicht schwören! Dem Bösen nicht widerstehen! Diese Weisungen verurteilen, gleich ob sie kasuistisch oder apodiktisch formuliert sind, nicht nur das Böse bis in die Wurzel hinein, sondern auch die Legalität, die nach Mt. 5,37 „aus dem Bösen" kommt. Sie fordern nicht wie die Synagoge ständige Selbstprüfung und Besserung, sondern totale und endgültige Scheidung vom Bösen, „Abhauen der Glieder", das „Ausreißen des Auges" (Mt. 5,29 f.). Diese Verurteilung aber hat eschatologischen Sinn; sie wird, wie Matthäus besonders unterstreicht, demnächst beim Hereinbrechen der Gottesherrschaft im Endgericht verifiziert (vgl. Mt. 5,20b. 22b. 25f. 29f.).

b) Die Antithesen aber wollen nicht nur verurteilen. Sie laufen aus in das *Gebot aller Gebote,* das Gebot einer Nächstenliebe, die ohne Grenzen auch dem Feind gegenüber erwiesen wird. Auf dieses Gebot aber zielt auch schon die vorhergehende 5. Antithese ab; das Verbot des Widerstehens wird durch Beispiele erläutert, die Lukas zum Gebot der Nächstenliebe bringt (Mt. 5,39b–42: Lk. 6,29f.). Dieses Verbot will also letztlich nicht verurteilen, sondern zum Erweis der Liebe frei machen. Das Nichtwiderstehen ist nur dann echt, wenn es aus Liebe geschieht. Auch die vier vorhergehenden Antithesen sind letztlich positiv gemeint: Das Verbot der Ehescheidung will nach dem Streitgespräch in Mt. 19 die Überwindung des „harten Herzens" zu einer dem ursprünglichen Willen des Schöpfers entsprechenden Ehe (Mt. 19,8). Das Verbot des Schwörens will das eindeutige Ja und Nein aus wahrhaftigem Herzen.

So wird sichtbar, was die Antithesen *im ganzen* wollen: Sie gehen jeweils von einer konkreten Grenzfrage des Verhaltens im Alltag aus, dem Konflikt mit dem Nächsten, der Trennung der Ehe, der Beteuerung usw. Sie verwehren es, diese Fragen durch das Recht zu regeln; diese Regelung würde es dem Menschen erlauben, in seinem Innern zu bleiben, wie er ist. Daher lösen sie diese Fragen auch nicht durch eine neue Gesellschaftsordnung. Sie behaften vielmehr den einzelnen, und zwar jeden. Das Verbot der Ehescheidung z. B. verwirft eine Möglichkeit, ohne die für keinen Menschen Ehe denkbar ist. Jede dieser Weisungen stößt von einer konkreten Stelle des Lebensvollzuges aus bis in die Mitte des Personlebens vor und fordert das „Herz“, das ist die Mitte des Denkens und Wollens. Aber sie fordert nicht nur eine neue Einstellung, sondern von ihr aus ein neues Verhalten genau an der Stelle im Alltag der Welt, an der der Ruf einsetzte, nämlich den Liebeserweis gegenüber dem Feind, das Stehen zur Ehe usw. So will jedes Gebot der Bergpredigt exemplarisch den neuen Menschen und nur durch ihn die neue gesellschaftliche Situation, z. B. die neue Ehe. Es will mit anderen Worten im Kontext der Verkündigung Jesu geredet die *totale Umkehr* auf die demnächst hereinbrechende Gottesherrschaft hin (Mt. 4,17).

Ist all das als heroische sittliche Leistung oder als humanitäre Ausrichtung auf Mitmenschlichkeit realisierbar? Offensichtlich ist wahres Menschsein in diesem Sinne nur möglich, wenn wir selbst und wenn unsere Welt von außen her aufgebrochen werden, wenn radikal Neues in das Leben der Menschheit eintritt und das Böse wie der Tod nicht die letzten Sieger bleiben. Die synoptische Überlieferung berichtet, daß derart Neues tatsächlich in Jesu Erdentagen anbrach.

6. *Die Realisierung der Forderung Jesu*

Die Evangelien berichten, wenn man von Jesus selbst absieht, weder im Rahmen der Bergpredigt noch sonst von Menschen, die sich unmittelbar für Jesu Gebote entschieden und nach ihnen gelebt hätten. Durch eine derartige Entscheidung für ein radikalisiertes Gesetz bilden und ergänzen sich die Gruppen der Pharisäer und der Essener. Menschen aber, die vollziehen, was Jesus will, treten in Erscheinung als solche, die *Glauben erweisen* oder in die *Nachfolge* eintreten. Auf sie verweist der Abschnitt über Jesu Heilswirken Mt. 8 f., den Matthäus durch die rahmenden Verse 4,23 und 9,35 mit der Bergpredigt zu einer Komposition verbindet. Sie treten nicht als sittliche Heroen ins Bild, sondern als Alltagsmenschen. Die einen suchen in Bedrängnis durch Krankheit bei Jesus Hilfe, und Jesus nimmt sie so an, daß ihnen gesagt werden kann: „Dein Glaube hat dich gerettet“ (S. 51 f.). Auf andere geht Jesus von sich aus zu und fordert sie auf, in den ihn ständig begleitenden Schülerkreis einzutreten, d. h. ihm nachzufolgen. Und diese Menschen sind vielfach religiöse Randsiedler wie der Zöllner Matthäus. Glaubende und Nachfolgende erscheinen so als die Menschen, die, wie es am Ende der Bergpredigt so nachdrücklich gefordert wird, nach Jesu Wort handeln (Mt. 7,24).

In der Tat geschieht durch Glaube und Nachfolge genau das entscheidende Neue, was alle Gebote der Bergpredigt wollen, nämlich die neue Ausrichtung des ganzen Menschen. Menschen, die über konkreter Not in der Begegnung mit Jesus zum Glauben kommen, lassen die Angst und das Bemühen um die Selbsthilfe, das Sorgen und das Begehren dahinten. Sie wenden sich dem Gott zu, den sie aus der Synagoge so gut kennen und der ihnen doch so fern ist. Sie wenden sich ihm zu, weil er ihnen in Jesu Zuspruch und Hilfe nahegekommen ist und Zutrauen, Glauben abgewonnen hat. Auch Nachfolge ist nicht Gefolgschaft gegenüber einem faszinierenden Lehrer und Leitbild, sondern geschenkte Verbindung mit dem, der an Gottes Statt gebietet und vergibt. So werden die Bergpredigtgebote grundlegend realisiert durch den Glauben und die Nachfolge, die Jesu Heilswirken den Menschen abgewinnt[21]. Sie wird realisierbar, wenn Gott, wie Matthäus besonders betont, für die Menschen zum Vater wird, und das geschieht, wenn sie sich und die Welt von Jesu Heilswirken her sehen (Mt. 5,45.48; vgl. S. 32).

Und nun wird uns nicht berichtet, wie Menschen, die in Grenzsituationen aktuell Glauben erwiesen oder auf Dauer nachfolgten, auch den letzten Schritt vollzogen und nach Jesu hohen Weisungen lebten. Aber es darf dies als Möglichkeit gefolgert werden: Wer glaubt, ist biblisch geredet ein Mensch neuen Herzens. Wer glaubt, kann nach Jesu Weisung auch auf das Recht verzichten und z. B. dem Feind Liebe erweisen; denn er wird frei vom Sorgen (Mt. 6,25–34) und frei zu leiden (Mt. 5,10–12). Er kann, wie die Nachfolgesprüche einprägen[22], dem Meister folgen, der selbst grundlegend seinen Weisungen gemäß handelte und deshalb ins Leiden ging (vgl. Anm. 24). Was Jesus Glauben nennt, ist immer ein aktuelles Verhalten (S. 53). Schon deshalb kann die Erfüllung der Bergpredigtgebote aus Glauben immer nur aktuelles Zeichen der anbrechenden Gottesherrschaft sein, nicht ein statisches Ethos. Wie der Glaube und die Nachfolge, so ist auch das neue Verhalten stets angefochten.

Vor allem aber steht es nicht für sich, es vollzieht sich immer nur *in einer doppelten Beziehung:* Die eine Beziehung erschließen die Seligpreisungen, mit denen die Bergpredigt einsetzt: Sie verheißen den Armen, die nichts aufzuweisen haben, aber alles von Gott erwar-

---

[21] Daß Jesu Gebote von dem gegenwärtigen Kommen des Reiches her zu verstehen seien, ist der Skopus der Bergpredigtdeutung, die J. Jeremias, Die Bergpredigt (Calwer-Heft 27), 1959 entwickelt: „Die Logien Jesu, die in der Bergpredigt zusammengestellt sind, sind Bestandteile des Evangeliums. Zu jedem dieser Worte gehört die Botschaft: der alte Äon ist im Vergehen. Ihr seid durch die Verkündigung des Evangeliums und durch die Jüngerschaft in den neuen Äon Gottes hineinversetzt“ (S. 26).

[22] Nachfolge bedeutet, teilhaben an der Fremdlingsschaft Jesu (Mt. 8,19 f.) und an seinem Leiden, gleich wieweit die Worte Mk. 8,31ff.; 10,32.41–45 im einzelnen auf Jesus selbst zurückgehen; vgl. E. Schweizer, Erniedrigung und Erhöhung bei Jesus und seinen Nachfolgern, 1962², 7–21.

ten, den Anteil an der neuen Welt, an *Gottes kommendem Reich*. Die Erfüllung dieser Verheißung hebt an, wenn Jesus Bedrängten hilft und Glauben abgewinnt. In Jesu Heilswirken wird Gottes endzeitliche Herrschaft, durch die alles heil wird, bereits gegenwärtig im Verborgenen wirksam (Mt. 12,28; vgl. 11,2–6). Wie die demnächst sichtbar hereinbrechende Gottesherrschaft Jesu Forderung unausweichlich und dringlich macht (Mt. 4,17), so führt das gegenwärtig verborgene Wirksamwerden des Reiches zu ihrer gegenwärtigen Realisierung.

Über dieser Beziehung auf das kommende Reich wird die zweite in der neueren protestantischen Bergpredigtdeutung vielfach übersehen: Das neue Verhalten bleibt auf Dauer antithetisch bezogen auf *die rechtliche Ordnung* der mitmenschlichen Verhältnisse, von der die Vordersätze reden; die Antithese hat, eben weil Gottes neue Welt im Verborgenen kommt, nicht chronologischen, sondern heilsgeschichtlich-eschatologischen Sinn[23].

Wie das Handeln aus Glauben nach Jesu neuer Weisung zum Verhalten nach dem Recht steht, erklärt besonders deutlich Jesu Wort zur Kaisersteuer: „Gebt dem Kaiser, was des Kaisers ist, und Gott, was Gottes ist“ (Mt. 22,21). Das will sagen: Wer der neuen Forderung Jesu folgt, d. h. wer glaubt und aus Glauben handelt, „gibt Gott, was Gottes ist“, nämlich alles. Deshalb hat er die Freiheit, auch „dem Kaiser zu geben, was des Kaisers ist“ (s. u.). So *kann, wer die Freiheit gefunden hat, nicht zu widerstehen*, in dieser Freiheit *auch* um der Ordnung und um des Nächsten willen *dem Unrecht widerstehen*. Er wird in anderer Weise widerstehen, z. B. das Gericht anrufen, als der Mensch, der voll Angst und Begehren seinen Lebensraum selbst absichern will. Wer aus Glauben frei ist, haßt nicht; er leidet darunter, daß er widerstehen muß. Auch diese neue Art zu widerstehen ist Verhalten nach der Bergpredigt[24]! Solange dies nicht gesehen wird, ver-

[23] Diese dem Noch-Nicht entsprechende Beziehung auf den Bereich des Gesetzes kommt in der christologischen oder christokratischen Bergpredigtdeutung zu kurz, die K. Barth, Kirchliche Dogmatik II, 766–782 entwickelt: Die Bergpredigt umschreibt „die Lebensbedingungen der Gemeinde Gottes“ unter der Voraussetzung, daß Gott „den Menschen wirksam und endgültig, nämlich in der Person seines eigenen Sohnes in diesen Bereich versetzt hat. Das ist das Ereignis des Reiches, der Person Jesu, des neuen Menschen, das sich in den Forderungen der Bergpredigt spiegelt“. Ähnlich E. Thurneysen, Die Bergpredigt, 1936; W. Schmauch, Reich Gottes und menschliche Existenz nach der Bergpredigt, in W. Schmauch - E. Wolf, Königsherrschaft Christi, Theol. Exist. 64, 1958, 5–19.

[24] Es ist sachgemäß, wenn die Passionsgeschichte Jesus als den darstellt, der selbst dem Bösen nicht widersteht. Celsus meinte: Wäre Jesus Gottes Sohn gewesen, so hätte er seine Peiniger wenigstens mit einem Blick strafen müssen (Orig. c. Cels. 2,33). Jesus widersteht auch nicht in dieser Weise, sondern bittet, wie die späte, textlich unsichere Stelle Lk. 23,34 sinngemäß sagt, für seine Feinde. Gerade deshalb kann er den, der ihn zu Unrecht schlägt, auch zurechtweisen (Joh. 18,22 f.).

fällt die Bergpredigtdeutung nur allzu leicht einer Gesinnungsethik, die lediglich bürgerliche oder revolutionäre Humanität sanktioniert, oder utopischen christokratischen Programmen.

So sind die Bergpredigtgebote in Jesu gesamtes Wirken und in das gesamte Handeln Gottes des Schöpfers und Vollenders eingebettet, das abschließend durch ihn wirksam wird. Sie sind eine die Gewissen treffende Spitze dieses Handeln Gottes, aber nur von ihm her realisierbar.

Wenn die Bergpredigtgebote so unmittelbar in den Rahmen des Erdenwirkens Jesu gehören, stellt sich um so dringlicher die Frage: Welchen Sinn haben sie nach Jesu Ausgang in der Zeit der Kirche, insbesondere heute nach 2000 Jahren in einer veränderten Welt?

7. *Die Gebote der Bergpredigt in der Situation der Gemeinde damals und heute*

Die Weltsituation, von der die Bergpredigtgebote ausgehen, ist das vom mosaischen Gesetz geprägte Leben des palästinischen Judentums im 1. Jahrhundert. Es wurde jedoch bereits sichtbar, daß die *Rechtsordnungen*, die sie antithetisch ansprechen, Strukturelemente auch unserer Gesellschaft sind (S. 33). So ist die Beziehung zu dem einen Pol, zum Gesetz, für uns nur relativ verändert, zumal sie ihrem Wesen nach nicht chronologisch gemeint ist.

Entscheidend ist, wie sich die andere Beziehung, der Zusammenhang mit der *kommenden Gottesherrschaft*, nach Jesu Ausgang und heute darstellt. Erging, wie deutlich wurde, Jesu Weisung im Horizont des Schon und Noch-Nicht, des gegenwärtig und zukünftig zugleich kommenden Reiches, dann tritt durch die nachösterliche Situation, nämlich durch die gegenwärtige verborgene Herrschaft des Erhöhten und erst recht durch das Verziehen des Endes, durch das ja eine leibhafte Vollendung keineswegs fraglich wird, keine grundlegende Änderung ein. In konkreter Anwendung auf die Gemeindesituation hat bereits der Evangelist Matthäus Grundlegendes zu dieser Frage gesagt.

Matthäus hat einerseits die Sachzusammenhänge gesehen, in denen die Gebote Jesu gegeben wurden und in denen sie allein sinnvoll sind. Er stellt die Bergpredigt zunächst nicht, wie im Sinne der klassischen Formgeschichte oft behauptet wurde, als Gemeindekatechismus zusammen, sondern bewußt *berichtend* als Zusammenfassung der öffentlichen Predigt Jesu. Er schafft eine Komposition, die er durch die redaktionellen Verse Mt. 4,23 und 9,35 abgrenzt. Diese Komposition enthält nicht nur in Mt. 5–7 die Bergpredigt, sondern auch das Heilswirken, Heilungs- und Nachfolgeerzählungen, in Mt. 8 und 9. Diese Komposition bringt eindeutig zum Ausdruck, daß das Wort der Bergpredigt gerade nicht für sich als prophetische Kundgebung oder als ethisches Programm, sondern nur in Verbindung mit Jesu Heilswirken sinnvoll, weil realisierbar ist.

Die Absicht des Evangelisten, zunächst lediglich zu berichten, wird auch an einem viel diskutierten Einzelzug sichtbar. Er fügt in das Verbot der Ehescheidung die *Klausel* ein: „abgesehen vom Fall der Unzucht" (Mt. 5, 32). Diese Klausel will das Verbot primär nicht als Katechismusstück kasuistisch an die Gemeindesituation anpassen, sondern als Wort Jesu gegenüber jüdischer Polemik rechtfertigen. Die jüdische Polemik führt Jesu Verbot kasuistisch ad absurdum: Will er auch die Scheidung einer durch Unzucht zerstörten Ehe, die nach den Rabbinen Pflicht war, verwehren? Matthäus erklärt: Jesu Wort gilt zunächst einmal unabhängig von aller Kasuistik, „abgesehen vom Fall der Unzucht", – obgleich in diesem Falle eine Scheidung nötig sein wird.

Und doch soll nach Matthäus die Bergpredigt nicht nur im Zusammenhang des Erdenwirkens berichtet werden, um zu erklären, wer Jesus ist; sie soll auch unmittelbar *in der Gemeinde gelehrt werden.* Daß und vor allem wie dies geschehen soll, sagt der Schlußsatz des Evangeliums, der dem ganzen Evangelium das Vorzeichen gibt: Mt. 28,19 f.[25]. Der Auferstandene gibt als der Erhöhte in einer Ostererscheinung den Seinen folgende Weisung, die sichtlich vom Evangelisten im Blick auf die Gemeindesituation seiner Zeit ausgeformt ist:
„Mir ist gegeben alle Macht im Himmel und auf Erden,
so geht hin und macht alle Völker zu Jüngern,
indem ihr sie tauft im Namen des Vaters, des Sohnes und des Hl. Geistes
und indem ihr sie alles halten lehrt, was ich euch geboten habe.
Und siehe, ich bin bei euch alle Tage bis zum Ende der Weltzeit."

Diesem Wort ist in unserer Frage zweierlei zu entnehmen: 1. Hier ist wie zu Beginn der Bergpredigt, Mt. 5,2, von *„lehren"* die Rede: Was Jesus gelehrt hat, z. B. die Bergpredigt, soll weiter gelehrt werden. Es soll nicht wie die Lehre eines Rabbi oder eines Sokrates weitergegeben werden, sondern als das Wort dessen, der Vollmacht hatte und jetzt universale „Vollmacht" hat, d. h. als Wort des auferstandenen, erhöhten, in gottheitlicher Weise gegenwärtigen und zur Vollendung kommenden Herrn. Und vor allem 2. Dieses Lehren soll *der Taufe folgen:* „indem ihr sie tauft und lehrt ..." Die Taufe tritt damit, schematisch geredet, an die Stelle, an der in den Erdentagen die Berufung zu Glauben und Nachfolge durch die Verbindung mit Jesus stand. In der Tat bedeutet Taufe nach Ostern, was in den Erdentagen die Berufung in die Nachfolge war. So werden die Bergpre-

[25] W. Trilling, Das wahre Israel, 1964³, 21–51.

digtgebote nunmehr Taufparänese, d. h. eine Weisung, die auf Grund des Taufgeschehens, auf Grund der durch die Taufe geschehenen Berufung, ergeht.

Genau in dieser Gestalt und in diesem Zusammenhang finden wir die Bergpredigtgebote in den ältesten uns erhaltenen urchristlichen Schriften, den paulinischen Briefen. In 1. Kor. 7,10 zitiert *Paulus* das Verbot der Ehescheidung als eine unbedingt geltende Weisung des Herrn. Er wendet das Verbot jedoch nicht gesetzlich als Satzung an, sondern pneumatisch vom Glauben her. Wenn z. B. der nichtchristliche Partner mit dem anderen nicht mehr zusammenleben will, weil dieser Christ ist, so soll der Christ in die Scheidung einwilligen (1. Kor. 7,15). Sichtlich hat das Verbot seinen Sitz im Leben verändert: In Jesu Mund war es ein Bußruf an alle gewesen, hier ist es eine Weisung an Menschen, die bereits grundlegend den Richtungswechsel vollzogen haben. In gleicher Weise nimmt Paulus in Röm. 12 das Gebot der Feindesliebe auf. Die Paränese setzt in Röm. 12,1 ein: „Ich ermahne euch, Brüder, durch das Erbarmen Gottes." Die vorhergehenden Kapitel des Röm. haben entwickelt, wie dieses Erbarmen Gottes den Menschen von Jesu Sterben und Auferstehen her begegnet ist, zugespitzt in der Taufe, Röm. 6. Nach dieser Begründung wird in Röm. 12,14.19—21 wie in der Bergpredigt, wenn auch unter gleichzeitiger Anlehnung an die Tradition der Weisheit, gesagt: „Segnet, die euch verfolgen ... Rächet euch selbst nicht ... Wenn deinen Feind hungert, so speise ihn, dürstet ihn, so tränke ihn . . . Laß dich nicht vom Bösen überwinden, sondern überwinde das Böse mit Gutem." „Das Böse mit Gutem überwinden", das war der Sinn der Bergpredigtgebote Jesu! Diesem Ruf zur Überwindung des Bösen durch den unbegrenzten Liebeserweis aber folgt in Röm. 13,1—7 die Anerkennung der Obrigkeit, die durch Anwendung von Macht und Recht dem Bösen wehrt (Röm. 13,4). Diese spannungsreiche Verbindung ist, wie deutlich wurde, im Sinne der Predigt Jesu.

Wir sind gefragt: Kann man nach der Bergpredigt leben? Man kann es gemäß der apostolischen Paränese, wenn man ihre Weisungen nicht entgegen ihrem Sinn perfektionistisch als ethisches Programm, sondern als Ruf zu einem Verhalten aus Glauben versteht, das immer angefochten und bruchstückhaft bleibt, und wenn man sie immer antithetisch zusammen mit den Vordersätzen hört. Ein von den Bergpredigtgeboten in Bewegung gehaltenes Leben bedeutet ungewollt, was in der Bergpredigt vor den Antithesen steht: Salz der Erde, Licht der Welt (Mt. 5,13—16)! Ehe sie zur Paränese werden, wollen die Weisungen der Bergpredigt heute wie ursprünglich als Ruf an alle gehört werden, der die Menschen nicht mehr im Bisherigen zur Ruhe kommen läßt.

Begründung des Glaubens durch Jesus[1]

Die theologische wie die weltanschauliche Entwicklung spitzt sich heute in neuer Weise auf die *Gottesfrage*[2] und damit auf die Frage zu: Wie ist Glaube in unserer Zeit möglich? Das Entmythologisierungs-Programm, das in den fünfziger Jahren im Brennpunkt der Diskussion stand, redete beinahe zu selbstverständlich von Gott. Heute sind wir als Theologen gefragt: Was meinen wir eigentlich, wenn wir „Gott" sagen? Dies ist nicht nur durch die Verschärfung der theologisch-philosophischen Fragestellung, sondern zugleich durch die allgemeine weltanschauliche Entwicklung bedingt. Man ist heute nicht mehr gewollt „gottgläubig" oder, wie nach 1945, um christliche Weltanschauung bemüht. Man konsumiert die Kirche als gesellschaftliche Institution, und man ist auch, z. B. in studentischen Kreisen, nicht selten betont Agnostiker. In dieser Situation beziehen einzelne Theologen nun Gott selbst in die Entmythologisierung ein, andere aber suchen neue Wege. Von Karl Barth herkommende Theologen z. B. erklären heute: Wir können uns nicht mehr mit dem deus dixit der dialektischen Theologie zufriedengeben. Wir müssen uns der Frage stellen: Wer bürgt für die Wahrheit der Verkündigung?[3]

Es war hintergründig dieses neue Fragen nach dem Grund des Glaubens, das im Bereich der neutestamentlichen Wissenschaft das Zurückfragen nach dem „historischen Jesus" auslöste. Gerade in der Schule Bultmanns wurde bewußt, daß sein deus dixit, das Osterkerygma als Entscheidungsruf, zu schmal war, um wirklich Glauben zu begründen. Auf diese Weise entdeckte man in seiner Schule gleichsam neu, daß der Glaube „die entscheidende Gabe Jesu" war, und meinte unmittelbar von diesem Erdenwirken Jesu her auch Glauben heute erschließen zu können[4].

---

[1] Dem Aufsatz liegt eine im Oktober 1965 an den Universitäten Greifswald und Rostock gehaltene Gastvorlesung zugrunde (ungedr.).

[2] Diese Situation wurde vor allem durch H. Gollwitzers Buch, Die Existenz Gottes im Bekenntnis des Glaubens, 1964⁴, bewußt gemacht.

[3] J. Moltmann, Gottesoffenbarung und Wahrheitsfrage, in: Parrhesia, Karl Barth zum 80. Geburtstag, 1966, 149–172.

[4] G. Ebeling, Jesus und Glaube, ZThK 55 (1958), 102.

Die Rückfrage nach dem Glauben in Jesu Erdenwirken hat in der ersten Hälfte unseres Jahrhunderts eine bemerkenswerte *Vorgeschichte in der Forschung*. Wir wollen nur einige besonders charakteristische Konzeptionen nennen. Der gewichtigste Beitrag ist sicher Adolf Schlatters Buch über den Glauben im Neuen Testament[5]. Die gegenwärtig die Fragestellung weithin bestimmende theologische Richtung kommt jedoch nicht von ihm her, sondern von seinem Gegenüber, der liberalen Theologie und der religionsgeschichtlichen Schule.

Soweit die liberale Theologie den Glauben von Jesus her begründete, versuchte sie dies in historisch-psychologischer Weise. Dem verlieh Adolf von Harnack 1900 in seinen Vorlesungen über „Das Wesen des Christentums" in einprägsamen Formeln Ausdruck: „Nicht der Sohn, allein der Vater gehört in das Evangelium, wie es Jesus verkündigt hat." Daher gilt: „Nicht an Jesus glauben, sondern wie er glauben!" Feuer entzündet sich nur an Feuer[6].

Dem setzte Karl Barth in dialektischer Antithese zu seinen liberalen Lehrern seine Worttheologie, den Pfeil senkrecht von oben, entgegen: „Die Heilsbotschaft erklärt sich nicht und empfiehlt sich nicht ... Sie verweigert sich selbst überall da, wo sie nicht um ihrer selbst willen Gehör findet ... der Glaube (ist) niemals identisch mit der ‚Frömmigkeit' ... Der Glaube lebt aus sich selber, weil er aus Gott lebt."[7] Der sich offenbarende Gott allein schafft die Möglichkeit, ihn zu erkennen. Die Theologie hat nur zu explizieren, nicht zu fragen, ob es wahr ist.

Karl Barth folgend lehnt Rudolf Bultmann in unserer Frage jede historisch-psychologische Legitimierung des Kerygmas durch Hinweise auf den geschichtlichen Jesus ab. Jesus hat keinerlei urbildliche Funktion. Jesus ist vielmehr der endgültige Entscheidungsruf Gottes. Die Entscheidung war abschließend gegenüber dem Kreuz zu vollziehen. „Die Entscheidung für Jesu Sendung, die seine ‚Jünger' einst durch ihre ‚Nachfolge' gefällt hatten, mußte von neuem und radikal gefällt werden infolge der Kreuzigung Jesu ... Die Gemeinde mußte das Ärgernis des Kreuzes überwinden und hat es getan im Osterglauben."[8] Dieser Osterglaube verleiht sich Ausdruck im Osterkerygma, das Jesu Sendung als den Entscheidungsruf Gottes verkündigt. Allein das Osterkerygma, nicht Person und Wirken des irdischen Jesus, ist die Grundlage kirchlicher Predigt und christlichen Glaubens.

Gegen Ende der fünfziger Jahre aber gibt man in der Schule Bult-

---

[5] A. Schlatter, Der Glaube im Neuen Testament, 1905, (1963[5]).
[6] A. v. Harnack, Das Wesen des Christentums, 1900, 1950, (74. Tsd.), 86, 106.
[7] K. Barth, Der Römerbrief, 1929[5], 14 f. (zu Röm. 1,16 f.).
[8] R. Bultmann, Theologie des NT, 1953, § 7, 2 f.

manns selbst zu bedenken: „Jesus Christus ist (bei Bultmann) zur bloßen Heilstatsache geworden und hört auf, Person zu sein."[9] Und diese Heilstatsache, die nur ein „inhaltsleeres Paradox" ist, „soll mich überwinden und zum Glauben rufen! . . . Droht hier die Glaubensforderung nicht zum Gesetz zu werden, dem ich zu gehorchen habe? Mich zum Glauben rufen kann doch immer nur ein Zeuge des Glaubens, und das heißt eine lebendige, konkrete Person"[10].

Während die einen nun lediglich eine gewisse Legitimierung des Osterkerygmas von dem irdischen Jesus her anstreben, suchen andere den Glauben maßgeblich von ihm her zu begründen und entdecken dabei, wie sehr bereits sein Wirken auf Glauben ausgerichtet war[11]. Diese Entdeckung kam in zwei Aufsätzen der ZThK 1958 zu Wort. Sie stammen von Ernst Fuchs[12] und Gerhard Ebeling. Letzterer faßt sein Ergebnis in dem Satz zusammen: Es zeigt sich, „daß die entscheidende Gabe Jesu der die Existenz gewiß machende, d. h. sie auf ihren Grund weisende und somit gründende Glaube ist, und daß die Mitteilung des Glaubens nicht anders geschieht als aus der Gewißheit Jesu heraus, die wiederum in seinem Gehorsam besteht"[13]. Auf dem Hintergrund dieser Diskussion fragen wir nach Sinn und Grund des Glaubens in dem kurzen und doch so weitreichenden Erdenwirken Jesu.

Versucht man sich *von den synoptischen Aussagen* über πίστις und πιστεύειν, Glaube und glauben, *traditionskritisch zu Jesus zurückzutasten*[14], zeichnen sich deutlich traditionsgeschichtliche Schichten ab. Eine Reihe von Stellen redet in der Weise der späteren Gemeindesprache vom Glauben, z. B. Mk. 1,15: „Glaubet an das Evangelium."[15]

---

[9] G. Bornkamm, Mythos und Evangelium, Theologische Existenz Heute NF 26, 1953³, 18.

[10] H. Zahrnt, Es begann mit Jesus von Nazareth, 1960, 98.

[11] Bultmann selbst hatte zwar in seinem Jesusbuch noch auf diesen Glauben verwiesen (1951, 135–159), ihn aber in seiner „Theologie des Neuen Testaments" übergangen und ihn in seinem Artikel im ThW lediglich als „Glauben an Jesu Wunderkraft" bestimmt (ThW VI, 206, 25 f.). Weiteres bei G. Ebeling, a.a.O. (Anm. 4), 86 f. Anm. 3.

[12] Jesus und der Glaube, ZThK 55 (1958), 170–185. Die stark meditativen Ausführungen ergeben: „An Jesus glauben heißt wohl, *wie* Jesus glauben, daß Gott erhört. Jesus nennt Gott den Vater, unsern Vater, und der Vater ist doch wohl der, der erhört. Aber unser Glaube unterscheidet sich vom Glauben Jesu, weil uns in Jesu Namen seit Ostern *gesagt* ist, daß Gott erhört *hat*" (S. 185).

[13] A.a.O. (Anm. 4), 102.

[14] Förderliche traditionsgeschichtliche Analysen entwickeln Ebeling, a.a.O. (Anm. 4), 86–95 und J. Roloff, Das historische Motiv in den Jesuserzählungen der Evangelien, Habil. Hamburg 1967, 120–136.

[15] Gemeindesprache ist auch die formelhafte Verwendung des Begriffes in Lk. 8,12 f. und 18,8. Weiterhin scheiden die Stellen aus, die sich nicht auf Jesu Wir-

Zugleich aber finden wir ein Reden vom Glauben, das sich sowohl von der jüdischen Umwelt wie von der Gemeindesprache abhebt und sich so nach diesem bekannten Kriterium als Jesus zugehörig erweist. Diese Stellen verteilen sich auf zwei prägnante Zusammenhänge. Wir finden es einmal in Erzählungen von Jesu Heilshandeln, und zwar sechsmal im Grundbestand einer Wundererzählung als Jesu Zuspruch: Mk. 5,34 p. 36 b p Lk.; 10,52 p Lk.; Lk. 17,19 S; Mt. 8,10 p Lk. (Q) und wohl auch Mk. 9, 23 f. S. An einigen Stellen hat es Matthäus in Wundererzählungen gleichartig sinngemäß in den Grundbestand eingefügt: 8,13; 9,29 und 15,28. Ähnliches gilt vom Zuspruch an die große Sünderin Lk. 7,50. An zwei Stellen steht es gleichartig in der Darstellung des Evangelisten: Mk. 2,5 p; 6,6 p Mt. Während hier immer Außenstehenden, die bei Jesus Hilfe suchen, Glaube zugesprochen wird, ruft eine zweite Reihe von Stellen die Jünger zur Bewährung des Glaubens, so die Logien vom Berge versetzenden Glauben Mk. 11,23 p Mt.; Mt. 17,20 p Lk. 17,6 (Q) (vgl. 1. Kor. 13,2) und vom Glaubensgebet Mk. 11,24 p Mt. sowie die vorwurfsvolle Frage in der Perikope von der Sturmstillung Mk. 4,40: „Habt ihr nicht Glauben?“ Matthäus setzt hier (8,26) wie an den entsprechenden Stellen 16,8[16] und 14,31 „kleingläubig“ (sonst Mt. 6,30 p Lk.). Nach dieser Analyse der Überlieferung tritt der Glaube zunächst im Zusammenhang mit Jesu Heilungen hervor. Deshalb liegt es nahe, von ihnen und nicht, wie Ebeling verfährt, von den Logien über die Bewährung des Glaubens auszugehen. Vollzieht sich die Entstehung von Glauben grundlegend im Zusammenhang mit Jesu Heilungen, dann nimmt sie einen ungemein bemerkenswerten Platz im Ganzen des Erdenwirkens ein.

1. Der Entstehungsort des Glaubens im Ganzen des Erdenwirkens

Der geometrische Ort, an dem im Rahmen des Erdenwirkens Jesu Glaube entsteht, wird exemplarisch an einer bekannten Komposition des Matthäus-Evangeliums anschaulich. Matthäus entwirft innerhalb der durch Mt. 4, 23 und 9,35 abgegrenzten und markierten Komposition zuerst in Kap. 5–7, in der Bergpredigt, ein Bild der öffentli-

ken beziehen: Mk. 11,31 p; vgl. Mt. 21,32 S (Johannes d. T.), Mk. 13,21 p Mt. 24,23.26 (irreführende endzeitliche Losungen), sowie die Stellen der Vorgeschichte (Lk. 1,20.45) und der Ostergeschichte (Lk. 24,11.41). In losem Zusammenhang mit dem Begriffsgebrauch der Erdentage steht die Verspottung des Gekreuzigten: Mk. 15,32 p Mt. 27,42 (weitergebildet).

[16] Bei Mk. steht im selben Zusammenhang das für ihn charakteristische „ihr versteht nicht“: 8,17.21.

chen Predigt Jesu, seiner Verheißung und seines Bußrufes, und anschließend in Kap. 8 f. ein Bild seines Heilswirkens an Bedrängten und Sündern. Diese beiden Zusammenstellungen geben zweifellos die beiden Seiten wieder, die auch historisch Jesu öffentliches Wirken ausmachten.

Und nun ist zu beobachten: Über eine *Entstehung von Glauben* wird weder in der Bergpredigt noch in entsprechenden Zusammenhängen berichtet, wohl aber *im Zusammenhang mit Jesu Heilswirken:* Mt. 8,10 „Solchen Glauben habe ich in Israel nicht gefunden" und weiter in 8,13; 9,2.22.28 f.

Dieser Befund ist nicht zufällig, er entspricht dem Sinn dieser beiden Seiten von Jesu Wirken. Sie scheinen einander zu widerstreiten. In den radikalen Forderungen der Bergpredigt verwirft Jesus z. B. schon den begehrlichen Blick und jede Ehescheidung (Mt. 5,28.32). In seinem Heilswirken aber gewährt er, ohne Bedingungen zu stellen, „Sündern", auch Dirnen und Ehebrecherinnen, vergebend seine Gemeinschaft[17]. Diese widerstreitenden Äußerungen sind vom Ziel her geeint. Was will das Verbot der Ehescheidung? Es verwirft eine Möglichkeit, ohne die für keinen Menschen Ehe denkbar ist. Es verurteilt, wie das Streitgespräch über die Ehescheidung erklärt, die Herzenshärtigkeit, um derentwillen Mose die Möglichkeit der Scheidung geben mußte (Mk. 10,5 p Mt.). Die Beseitigung der Herzenshärtigkeit, die Umwandlung der Herzen, aber kann die alttestamentliche Prophetie nur als Gottes Tat in der Heilszeit verheißen, nicht vom Menschen erwarten (Hes. 36,26). Daher ist es nicht verwunderlich, daß nirgends berichtet wird, Menschen hätten sich auf Jesu Weisungen hin für Gott entschieden oder Jesu Weisungen hätten in die Weite ausstrahlend eine Bewegung humanitärer Erneuerung ausgelöst. In der Bergpredigt wird immer wieder das „Tun" der Weisung gefordert; aber Menschen, die tun, was Jesus will, treten nur im Rahmen seines Heilswirkens in Kap. 8 f. in Erscheinung. Und ihr Verhalten wird nicht mehr als Tun, sondern als Glaube bzw. Nachfolge bezeichnet.

Dem entspricht recht verstanden auch Mk. 3,34: „Und er blickte umher auf die, die im Kreis um ihn saßen, und sprach: ‚Siehe da, meine Mutter und meine Brüder! Wer immer den Willen Gottes tut, der ist mir Bruder, Schwester und Mutter.'" Hier erklärt Jesus nicht in hochfliegendem Idealismus, daß alle Unbekannten, die nach seinen Weisungen handeln und damit Gottes Willen tun, ideell mit ihm verbunden wären. Er bietet vielmehr ähnlich wie beim Zöllnergastmahl Mk. 2,15—17 denen, die in dieser Stunde um ihn versammelt sind, die Gemeinschaft an und nennt weiterwei-

[17] Mt. 11,19; 21,31; Lk. 7,37 f.; vgl. Joh. 8,11.

send wie in der Bergpredigt das Tun des Willens Gottes als Bedingung. Wie es zu diesem Tun kommt, wird hier ebenso wie in der Bergpredigt und auch im Gleichnis vom Weltgericht Mt. 25,31.46 nicht erklärt (vgl. S. 106 f.). Die von Jesus intendierte Antwort, die zugleich die einzig realistische ist, gibt Matthäus: Er läßt schon den Zuspruch nicht an die Anwesenden, sondern an „seine Jünger“ gerichtet sein und ersetzt dadurch, allerdings auch einschränkend, das Angebot durch das Ergebnis.

Entsprechendes gilt auch von den Heilsverheißungen der Bergpredigt, den *Seligpreisungen*. Fragt man: Wo treten in Jesu Erdentagen die Armen in Erscheinung, an denen sich die Seligpreisung erfüllt, so kann man nur antworten: Selig zu preisende Arme sind all die Menschen, die bei Jesus Gottes Hilfe suchen, weil sie sich selbst nicht mehr helfen können und nicht mehr helfen wollen. Selig zu preisende Arme sind der Hauptmann von Kapernaum und Jairus ebenso wie die Zöllner Levi und Zachäus. Jesu Seligpreisungen wollen nicht lediglich heilvoll Wartende schaffen[18]; sie wollen zu dem hinführen, der schon jetzt die Trauernden tröstet und die Hungernden satt macht. Selig zu preisende Arme sind die Menschen, denen gesagt wird: „Dein Glaube hat dich gerettet.“

So ergibt sich: Der *Glaube* leuchtet genau dort auf, *wo Jesu Erdenwirken vorläufig zum Ziel kommt*. Sein Ziel ist nicht wie in Qumran Umkehr als Entscheidung für ein radikalisiertes Gesetz und Ausrichtung auf das nahe endzeitliche Kommen Gottes. Sicher ist Jesu Verkündigung gemäß dem Summarium Mt. 4,17 zunächst Bußruf, der von dem nahen Hereinbrechen der Gottesherrschaft ausgeht. Seine Forderung aber ist so total und seine Verheißung so andringend, daß sie auf seine Person, nämlich auf seine „Vollmacht“, zurückweisen (Mt. 7,28 f.) und nur durch Glauben als Verhalten gegenüber seiner Person bzw. durch Nachfolge verwirklicht werden. Der durch die Sache gegebene Zusammenhang zwischen diesen beiden Seiten: Umkehrruf auf das Reich hin und Glaube bzw. Nachfolge gegenüber Jesu Person, wird durch kein Logion direkt hergestellt. Die Brücke wird nur indirekt und hintergründig geschlagen: Neben den Armen, denen das Reich zuteil wird, werden die selig gepriesen, die nicht an Jesus zu Fall kommen, – sondern glauben (Mt. 11,6). Das Reich, dessen nahes Kommen totale Umkehr fordert, greift in Jesu Heilswirken verborgen gegenwärtig nach den Menschen (Mt. 12,28 p). Die Vollmacht, die die Forderung trägt, begegnet zugleich Heil und dadurch Glauben wirkend (Mt. 7,28 f.; 8,8 f.; 9,6). Dem Gebet des Jüngers, das immer nur mit der Bitte um das Kommen des Reiches einsetzen kann, wird Erhörung auf Grund des Glaubens (Mt. 6,10 p; Mk. 11,24

[18] Vgl. H. Conzelmann, Jesus Christus, RGG III³ (1959), 644.

p Mt.), – der jetzt durch Jesus entsteht. Demgemäß redet Jesus nicht nur vom Kommen des Reiches, sondern zugleich, wieder ohne die Aussagen zu verbinden, personal vom Kommen des Menschensohns (Lk. 12,8 p Mt.)! Die zweite Seite dieses Bogens wurde in der nachösterlichen Gemeinde verstärkt, aber sicher nicht erst entwickelt; denn Glaube und Nachfolge gehören den Erdentagen zu.

So wird mit dem geometrischen Ort des Glaubens im Erdenwirken Jesu zugleich die Struktur dieses Wirkens sichtbar. Sie wird sich klären und bestätigen, wenn wir unseren Blick nun auf diese Mitte von Jesu Erdenwirken sammeln.

2. *Entstehung und Sinn des Glaubens*

a) Versucht man die Entstehung des Glaubens, der in den Heilungserzählungen hervortritt, zu analysieren, so stellt sich die Frage: Welcher Weg führt von Jesu Verkündigung zu der Bitte um seine Hilfe, mit der diese Erzählungen einsetzen? Die synoptische Überlieferung stellt, wie eben deutlich wurde, zwischen beiden keine ausdrückliche Verbindung her. Nur ein Logion fordert auf, Jesu Hilfe zu suchen, das wahrscheinlich echte Wort Mt. 11,28–30: „Kommet her zu mir alle . . .“ Nach den Erzählungen hat Jesus sich immer wieder auch einzelnen zugewandt, ihnen Tischgemeinschaft gewährt, sie in die Nachfolge gerufen, in den Bereich der Mächte einbrechend Dämonen ausgetrieben und das Sabbatgebot aufhebend Kranke geheilt (Mk. 1,23–25; 3,3; vgl. Joh. 5,6; 9,1.6). So konnte der Eindruck seines Wirkens Menschen veranlassen, auf Grund elementarer eigener Not von ihm Heilung zu erbitten. Die Bitte um Hilfe in den Heilungserzählungen ist nicht lediglich Erzählungsschema.

Wie die Bittenden Jesus sehen, ist zunächst ebenso ungeklärt wie das Wesen ihrer Not. Wie unklar sind z. B. die Erwartungen der blutflüssigen Frau! Markus hat diese Unklarheit in die Erzählung übernommen. Matthäus hat die zuverlässige Überlieferung auf das eigentlich Wichtige hin gekürzt und auf diese Weise neu gedeutet, so daß sie nun lautet: „Sie aber sprach bei sich: Wenn ich nur sein Gewand berühre, werde ich gerettet werden. Jesus aber wandte sich um und sah sie an und sprach: Sei getrost, meine Tochter, dein Glaube hat dich gerettet“ (Mt. 9,21 f.). Nennt Jesus dieses reichlich abergläubische Zutrauen der Frau Glauben? Sicher nicht; das Wort, das Jesus der Frau sagt, will nicht analysieren, es will vielmehr als Zuspruch ein unklares Zutrauen zum Glauben emporheben.

Diese Erklärung wird schon durch die Beobachtung nahegelegt, daß im Grundbestand der Heilungserzählungen meist Jesus selbst vom Glauben redet, die Hilfesuchenden oder die Erzähler aber lediglich gelegentlich seine Hinweise aufnehmen. *Jesus selbst*, nicht seine Umwelt, *bezieht sein Helfen auf den Glauben*. Er führt durch die Art, wie er sein Helfen gewährt und durch sein Wort deutend zuspricht, zum Glauben.

Als deutender Zuspruch findet sich im Grundbestand der Überlieferung bei Mk. (5,34; 10,52) wie in der Sonderüberlieferung des Lk. (17,19) die Formel: „Dein Glaube hat dich gerettet." Dieser Satz erinnert an die urchristliche Missionsformel: „Glaube an den Herrn Jesum Christum, so wirst du gerettet" (Apg. 16,31; Röm. 10,9). Er hebt sich jedoch durch seine Form als präteritaler Zuspruch wie durch die eigentümliche, absolute Wendung „dein Glaube" so charakteristisch von der Gemeindeformel ab, daß er nicht als deren Rückprojektion in die Erdentage verstanden werden kann. Andererseits hat der Zuspruch auch in Jesu jüdischer Umwelt keine Entsprechung, wohl aber eine Vorgeschichte, die seine Bildung durch Jesus verständlich macht. Im Alten Testament ist „retten", LXX σῴζειν meist für הושיע, Terminus für das Retten Gottes in aller Bedrängnis. In diesem Sinne reden die Psalmen ca. achtzigmal von Rettung und sagen sie vor allem dem Anaw, dem gedemütigten Niedrigen zu, dem auch Jesu Seligpreisungen gelten[19]. Diese Verheißung der Psalmen wurde im Judentum der Zeitwende nachdrücklich in den Hodajot von Qumran aufgenommen[20], aber auch in den pharisäisch orientierten Psalmen Salomos[21]. Der Arme ist für beide allerdings immer auch der um die Tora bemühte Gerechte. Aber selbst im Rabbinismus baut der um Rettung Betende letztlich nicht auf seine Leistung, sondern auf die Erwählung[22]. Neu und Jesus eigen ist es, daß er die Rettung ausschließlich dem Glauben zusagt. Gewiß erwartet bereits eine Grundlinie des Alten Testaments alle Rettung vom Glauben, aber sie redet nur selten ausdrücklich und dann in anderer Formulierung von ihm[23]. Nun läßt Jesus sie auf Grund der durch ihn ergehenden Bekundung Got-

---

[19] G. Fohrer, ThW VII, 977, 35 ff. Die nächste Entsprechung in einem erzählenden Stück ist 1. Sam. 1,17: Eli zu Hanna: „Gehe hin in Frieden! Der Gott Israels wird dir gewähren, was du von ihm erbeten hast."

[20] 1 QH 5,18: „Und die Seele des Armen hast du gerettet"; ebenso 2, 32.

[21] Ps. Sal. 6,1: „Selig der Mensch, dessen Herz bereit ist, den Namen des Herrn anzurufen, wenn er des Namens des Herrn gedenkt, wird er gerettet werden." 15,1: „In meiner Bedrängnis rief ich den Namen des Herrn an, auf die Hilfe des Gottes Jakobs hoffte ich und wurde gerettet; denn Hoffnung und Zuflucht der Armen bist du, o Gott."

[22] Nach Ber. 4,4 soll der Israelit in Gefahr beten: „Rette, Jeja, dein Volk, die Übrigen Israels, auf jedem Teil ihrer Wallfahrt . . ."

[23] Diese Linie wird aufgewiesen bei G. v. Rad, Theologie des Alten Testaments II, 1960, 392–396. Eine der wenigen expliziten Stellen aus der Frühzeit ist Ex. 14,31: nach der Rettung am Schilfmeer: „Da fürchtete das Volk Jahwe und glaubte an Jahwe und an seinen Knecht Moses" (J).

tes neu und abschließend zutage treten. Zugleich erscheint der Glaube nach diesem vorstellungsgeschichtlichen Zusammenhang als die Haltung des Anaw, dem die Psalmen und abschließend Jesu Seligpreisungen Verheißung geben.

Die Haltung, in die der Zuspruch: „Dein Glaube hat dich gerettet" demnach einweist, wird in der Begegnung mit dem Hauptmann von Kapernaum in einem Dialog herbeigeführt. Dieser Dialog, Mt. 8, 8–10, den Matthäus und Lukas übereinstimmend wiedergeben, gehört – natürlich ohne Nachschrift zu sein – seiner Terminologie nach in die Situation der Erdentage[24]. Johannes hat den Skopus dieser Überlieferung richtig erfaßt und in der Erzählung vom Königlichen Joh. 4,46–50 dargestellt, wie Jesus den Bittenden von einer Stufe des Glaubens zur anderen führt. Ähnlich wird in Joh. 9 und 11 der Dialog auf Glauben hin entwickelt. Johannes führt dabei den Glaubensbegriff der Gemeinde ein, in der synoptischen Perikope vom Hauptmann aber redet der Dialog in vorösterlicher Weise von Jesu Vollmacht und vom Glauben. Er fördert zweierlei zutage: Der Bittende bekennt seine Hilflosigkeit und Unwürdigkeit und zugleich sein Zutrauen zu Jesus: „Sprich nur ein Wort, so wird mein Knecht gesund; denn auch ich bin ein Mensch unter Befehlsgewalt (ἐξουσία) . . ." Sucht man Analogien zu dieser Vorstellung, so bieten sich im Grunde nur Stellen wie Ps. 107,19 f. an: „Sie schrien zu Jahwe in ihrer Not, der errettete sie aus ihrer Angst, er sandte sein Wort und heilte sie." (Das gesandte Wort ist vielleicht ein Heilsorakel[25].) Da der Hauptmann Gottesfürchtiger ist, liegt diese alttestamentliche Vorstellung in seinem Blickfeld. Er traut demnach Jesu Wort zu, was nach dem Alten Testament sonst nur Gottes Wort vermag. Dieses Verhalten kennzeichnet Jesus am Ende der Begegnung als Glauben: „Solchen Glauben habe ich in Israel nicht gefunden" (Mt. 8,10).

So wird die formale Struktur des Vorgangs, der nach den Heilungserzählungen zum Glauben führt, sichtbar: Von der Ganzheit seines Wirkens her wendet sich Jesus einem einzelnen Menschen zu, der ihn in einer bestimmten Notlage sucht, und gewährt ihm in konkreter Anrede und Hilfe seine Gemeinschaft. Warum nicht durch die allgemeine Predigt Jesu, sondern erst durch diese Einzelbegegnung und dieses Helfen Glaube entsteht, verstehen wir, wenn wir den Vorgang inhaltlich klären.

---

[24] R. Bultmann, Geschichte der synoptischen Tradition, 1931, 39, hält die Erzählung auf Grund der Strukturgleichheit mit der Perikope von der Syro-Phönizierin und insbesondere der beiden eigenen Fernheilung für eine ideale Szene, in der die Gemeinde zum Ausdruck bringt, daß Jesus auch Heiden geholfen habe. Schon die Terminologie spricht gegen diese Konstruktion.

[25] H. J. Kraus, Psalmen, 1961², z. St.

b) Die *inhaltliche* Klärung stößt zugleich auf eine Schwierigkeit. Überraschenderweise wird nämlich nie ausgesprochen, was hier eigentlich geglaubt wird[26]. Es wird immer nur absolut von „dem Glauben" geredet.

Als einzige Näherbestimmung findet sich lediglich das Possessivpronomen: „*Dein* Glaube hat dich gerettet" oder bei Matthäus: „Nach deinem Glauben geschehe dir" (9,29; vgl. 8,13) bzw. „Dein Glaube ist groß; dir geschehe wie du willst" (15,28). Diese Ausdrucksweise legt die Folgerung nahe: Was geglaubt wird, kann man voraussetzen. Es liegt jetzt nur daran, daß geglaubt wird. Nicht allgemeine Gläubigkeit, der man sich anschließt, ist gefragt, sondern Glauben als ganz persönlicher Einsatz gegenüber Jesus.

Genau dies ist in der Tat gemeint. „Solchen Glauben habe ich in Israel nicht gefunden" wird im Blick auf den Hauptmann gesagt. Und doch bekennt jeder Fromme in Israel täglich zweimal im Sch^{e}ma[27] den Gott der Väter als seinen Gott und sucht dies durch ein Leben nach dem Gesetz zu erweisen. Diese Gläubigkeit, dieses uns aus dem Protestantismus so geläufige zuständliche Wissen und Gewißsein, ist für Jesus noch nicht der Glaube, der rettet. Dieser gewinnt erst Gestalt, wenn der einzelne in der konkreten Situation auf Selbsthilfe und Selbstsicherung verzichtet und bei ihm Hilfe sucht und findet.

Eben durch diese ganz aktuelle und ganz konkrete Orientierung an Jesus ist der Glaube zugleich eminent *inhaltlich gefüllt*. Glaube ist hier sicher nicht, wie Bultmann meinte, Vertrauen in Jesu Wunderkraft[28], aber auch nicht nur, wie Ebeling erklärt[29], ohne weitere inhaltliche Füllung auf Gott als den konkret Begegnenden bezogen. Jesus spreche ja auch „dem Samariter, der Syrophönizierin, dem heidnischen Hauptmann" Glauben zu „ohne Rücksicht auf ein Glaubensbekenntnis, und zwar einen Glauben, wie er ihn so in Israel nicht gefunden hat"[30]. Dies bedeutet eine weitreichende Weichenstellung. Von dieser Überlegung aus kann Ebeling folgern: Der Glaube sei für Jesus primär Gewißheit! Ja er sei „das Heil selbst", und die Heilungserzählungen seien eigentlich nicht Wunder-, sondern Glaubenserzählungen[31]. Jesu Zuspruch aber besagt doch: Rettung, Heil, durch Glauben! Diese andere Funktion des Glaubens folgt aus seinem Inhalt. Der Hauptmann wie die Syrophönizierin erbitten von Jesus eine

---

[26] Stellen wie Mk. 1,15: „Glaubet an das Evangelium", 9,42 p Mt.: „Die an mich glauben", oder 11,12: „Habt Glauben an Gott", sind sekundär (s. Anm. 15).

[27] Billerbeck IV, 196 f.

[28] S. Anm. 11.

[29] A.a.O. (Anm. 4), 97.

[31] Ebd. 102. 109

Hilfe, die von dem Gott Israels kommt (Mk. 7,28). Vor allem aber schreibt Jesus dem Hauptmann den Glauben zu, den er zwar in Israel nicht gefunden, aber eben doch als das Israel Anstehende gesucht hat. Er orientiert den Glauben wie sein ganzes Wirken an dem Gott Israels, wie ihn die Schrift, nicht speziell eine jüdische Tradition bezeugt.

In Israel aber ist Glaube schon vom Begriff her ganz von seinem Inhalt bestimmt; denn das hebr. Wort für glauben, האמין, bedeutet, einem Gegenüber zuerkennen, was es verspricht[32]. Der auf Gott gerichtete Glaube traut Gott zu, was er zugesagt hat. Die richtungweisende Stelle ist im AltenTestament und weithin auch für die verschiedenen Richtungen des Judentums[33] Gen. 15,6: „Und Abraham glaubte Gott." Abraham glaubt nicht an das ihm gegebene Wort, sondern an Gott. Er traut ihm zu, daß er das gegebene Wort verwirklicht[34]. Dieser ganz am Gegenüber orientierte Glaube ist das diametrale Gegenteil der πίστις in der Stoa. Hier ist πίστις die Treue gegen sich selbst. Sie kehrt das ἴδιον, das Eigene des Menschen hervor. Der Mensch soll πιστός und ἐλεύθερος, treu und frei wie Gott sein[35]. Weil Ebeling den Glauben zu sehr als Haltung, zu wenig vom Gegenüber her bestimmt, gerät er in die Nähe dieser Glaubens-Vorstellung, obgleich er sich selbst dagegen abgrenzt[36].

Bei Jesus aber ist der Glaube ganz und gar am Gegenüber orientiert. Wenn er im Horizont Israels wie seines Wirkens Menschen, die bei ihm Hilfe suchen und finden, einweisend Glauben zuspricht, will er sagen: Sie haben *den Gott Israels* angesichts seiner jetzt geschehenden Bekundung *anerkannt*. Jetzt gibt man dem Gott Israels recht, wenn man in der Existenzgefährdung aktuell seine Hilfe bei Jesus sucht.

Dann ist Glaube, als menschliches Verhalten definiert, gewiß auch Gehorsam, wie Bultmann zu Paulus ausführt, und wohl auch Gewißheit, wie Ebeling die andere Seite betonend erklärt, aber doch zuerst Zutrauen zu Gott auf Grund seiner Bekundung. Gehorsam und Gewißheit sind auch ohne ein personhaftes Gegenüber möglich, Zutrauen aber ist bedingt durch Gottes personhafte Gottheit.

c) Ist der Glaube in dieser Weise inhaltlich bestimmt, dann klärt sich abschließend auch seine Entstehung. Dann kann er nämlich nur *entstehen, wenn Gott* selbst dem Menschen *nahe kommt* und ihm Zu-

---

[32] A. Weiser, ThW VI, 184, 19 ff.

[33] Dabei wird Glaube für das Judentum in zunehmendem Maße Werk unter Werken; vgl. Billerbeck III, 186–201.

[34] So v. Rad, a.a.O. (Anm. 23) II, 392 ff.

[35] R. Bultmann, ThW VI, 181 f.

[36] A.a.O. (Anm. 23), 81, Anm. 2.

trauen abgewinnt. Und genau auf diesem Weg begründete Jesus Glauben, nicht durch Übertragung seiner eigenen Gottesgewißheit. Jesus wirkt, wie im Grunde jede Äußerung bekundet, in „Vollmacht“[37]. Der Vollmacht entspricht vom Menschen Jesus her gesehen sicher, wie Ebeling ausführt[38], eine Gottesgewißheit, die auf einer wesenhaften Gehorsamsbindung beruht. In diesem Sinne hat sie Johannes reflektierend christologisch expliziert (Joh. 5,19). Jesu Gottesgewißheit ist so einzigartig wie z. B. die ihm eigene Selbstbestätigung seiner Worte durch das vorangestellte Amen[39]. Daher redet die synoptische Tradition wohl kaum zufällig nicht von einem Glauben Jesu[40]. Was Glauben wirkend begegnet, ist nicht die Gewißheit, sondern die Vollmacht, in der er verborgen, nicht aufweisbar, von Gott her zum Heil redet und handelt. Schon Jesu öffentliche Verkündigung, wie sie die Bergpredigt beispielhaft zusammenfaßt, hat Sinn und Spitze in dem einen, daß hier mit letzter Unmittelbarkeit Gott verheißend und gebietend begegnet, der Gott des Alten Testaments, und doch in neuer, endgültiger Gestalt.

Dieses Nahekommen Gottes aber spitzt sich zu, wenn Jesus, der in dieser Weise verkündigt und lehrt, *einem einzelnen Menschen* helfend und ansprechend seine Gemeinschaft gewährt. Jedes dieser drei Elemente ist in den Heilungserzählungen für den Weg zum Glauben konstitutiv: das Helfen, das Ansprechen und die Gemeinschaft. Gehen wir diesen drei Elementen kurz nach!

Jesu *Helfen* nennen die Evangelisten δύναμις Krafttat, gemeint ist Erweisung der rettenden Kraft Gottes, wie sie Israel z. B. am Schilfmeer begegnete[41], – nicht θαῦμα, „Wunder“. In den helfenden Ta-

---

[37] So Mk. 1,22.27 p Mt., das Menschensohn-Logion Mk. 2,10 p und die Dialog-Überlieferung Mt. 8,9 p Lk.

[38] A.a.O. (Anm. 4), 99–102.

[39] H. Schlier, ThW I, 339–342; vgl. Ebeling, a.a.O. (Anm. 4), 99 f.

[40] Zu den beiden Stellen, die immer wieder auf Jesu Glauben bezogen werden: In Mk. 9,23 (S) will Jesus nicht sich selbst als aus Glauben Wirkenden kennzeichnen; er kehrt vielmehr das Bedenken des Vaters um: Der Vater fragt nach Jesu Vermögen, und Jesus fragt ihn nach seinem Glauben. Der Vater hat ihn richtig verstanden, wenn er antwortet: „Ich glaube ...“ Die andere Stelle, Mk. 11,23 will auf keinen Fall das Verdorren des Feigenbaumes als Modell für das gewertet wissen, was der Glaube Jesu bewirken kann, obgleich die Stilisierung in Mt. 21,21 diesem Mißverständnis Vorschub leistet. Das Logion umschreibt im Kontext und erst recht ursprünglich die Verheißung des Jüngerglaubens. A. Schlatter, Die Geschichte des Christus, 1923, 268 ff. erklärt wohl richtig: Dieses Schweigen von einem Glauben Jesu ist nicht zufällig; denn der Glaube gilt der von außen an den Menschen herantretenden Offenbarung, Jesus aber besaß eine unmittelbare Gewißheit um Gott.

[41] Ps. 77,15 im Blick auf die Rettung am Schilfmeer: „Du allein bist Gott, der du Wunder (θαυμάσια) tust, du hast deine Kraft (δύναμιν) an den Völkern erwiesen.“

ten Jesu greift Gottes endzeitliche Herrschaft, die alles heilvoll erneuert, nach den Menschen. Mt. 12,28: „Wenn ich mit dem Finger Gottes die Dämonen austreibe, ist Gottes Herrschaft schon zu euch gelangt."

Jesu helfende Tat aber ist dies nicht als ein die Welt sichtbar wandelnder eindeutiger Machterweis, sondern weil sie durch das in den Glauben einweisende *Wort* geschieht. Das Neue bricht in Gestalt des Glaubens an, aber das leibliche Heilwerden ist in der Situation der Erdentage als Zeichen unentbehrlich; denn das Reich Gottes bedeutet nicht nur ein neues „Herz", sondern einen neuen Menschen und eine neue Welt, wenn anders Gott Gott ist, der Schöpfer und Herr. Wären die Heilungserzählungen nur Glaubenserzählungen, so würde sich der Glaube um sich selbst drehen.

Beide aber, die helfende Tat wie das Wort, wären nichts ohne Jesu *Selbstdarbietung*. Jesus hilft, indem er nicht nur etwas, sondern immer zugleich sich selbst gibt. Nur auf diese Weise kann das Ziel seines Wirkens verwirklicht werden, nämlich Nachfolge bzw. Glaube. Das ist für die Nachfolge evident. Sie kann nur entstehen, wenn Jesus sich in Person zur Gemeinschaft anbietet. Dasselbe gilt nicht minder vom Glauben. Die sich verwirklichende Zusage Gottes, durch die sich Gott selbst bindet, wird jetzt nicht mehr durch Propheten vermittelt, sondern in Jesu Wirken gegeben. Was in der Zuwendung Jesu zu den Bedrängten und „Sündern" geschieht, verkündigt deutend das Gleichnis vom verlorenen Sohn in Lk. 15: Das Gleichnis will nicht, wie die liberale Theologie meinte, über Gottes Vaterliebe aufklären. Es will auch nicht in Vollmacht den jetzt geltenden Weg zum Heil verkündigen: Wer sich selbst verurteilt, dem vergibt Gott, so Bultmann[42]. Auch die Erklärung, die zuletzt in dieser Linie der Gleichnisdeutung entwickelt wurde, reicht nicht aus: Das Gleichnis will „die Gottesherrschaft als sich ereignende Liebe zur Sprache bringen"[43]. Das Gleichnis redet nicht neben dem Wirken Jesu, sondern als seine kerygmatische Deutung. Wenn Jesus den Bedrängten annimmt, dann nimmt ihn Gottes Vaterliebe, seine heilvolle Herrschaft, auf: Jesus handelt an Gottes Statt. Wenn Jesus sich einem Hilfesuchenden zukehrt, wendet sich Gott selbst bedingungslos vergebend und daher eine unbedingt tragfähige Existenzgrundlage vermittelnd diesem Menschen zu, – und gewinnt ihn für sich, gewinnt ihm Glauben ab. Daß Jesus zugleich auf seiten des Menschen steht, am Anfang die Bußtaufe am Jordan empfängt und am Ende in der Anfechtung in

[42] A.a.O. (Anm. 24), 212; vgl. a.a.O. (Anm. 8), § 3,2.

[43] E. Jüngel, Paulus und Jesus, 1962, 162 f.; ähnlich E. Linnemann, Gleichnisse Jesu, 1964, 75–86.

Gethsemane um Gehorsam ringt, ist nach der synoptischen Tradition zuerst der Weg, auf dem Gott nahekommt, und erst in zweiter Linie und immer nur mit Abwandlungen Urbild für die Jünger.

Die *urbildliche* Funktion Jesu wird in den Evangelien nicht am Glauben, sondern an der Nachfolge dargestellt. Nachfolge entsteht zunächst wie der Glaube nicht dadurch, daß Jesus Menschen als Leitbild an sich zieht und sie sich durch seine Gottesgewißheit gewiß machen lassen. Sie entsteht, wenn Jesus mit einem einzigartigen Berufungswort auf einen Menschen zukommt und ihm auf diese Weise Gott selbst total fordernd und vorher total Gemeinschaft gewährend begegnet[44]. Aber Nachfolge kann dann nur so vollzogen werden, daß sich der Weg des Nachfolgenden täglich aus dieser Berufung heraus nach Jesu Weg gestaltet.

Aufbruch zur Nachfolge ist auch Erweis von Glauben, und Vollzug der Nachfolge ist nur möglich als fortgesetzte Bewährung des Glaubens. Letzteres, nicht ersteres, wird auch ausgesprochen.

3. Bewährung des Jüngerglaubens und seine Verheißung

Daß Nachfolge Bewährung des Glaubens erfordert, erklärt die Erzählung von der Stillung des Sturmes Mk. 4,35–41 p. Diese Erzählung ist in ihrem Skopus, der Frage nach dem Glauben, so analogielos und so sehr auf die Situation Jesu bezogen, daß sie ihren Ansatz in einem Begebnis der Erdentage haben dürfte, auch wenn der Vorfall sichtlich übermalt ist. Hier werden nicht erstmals an Jesus herantretende Menschen in sein Helfen und in den Glauben hineingeführt, hier werden die in die Nachfolge gestellten Jünger gescholten, daß sie bei Jesus in der Gefahr Verderben gefürchtet haben: „Und sie verließen die Menge und nahmen ihn, wie er war, in das Boot . . . , und sie sprachen zu ihm: Meister, kümmert es dich nicht, daß wir zugrunde gehen? . . . Und er bedrohte den Wind . . . und sprach zu ihnen: Warum seid ihr so furchtsam? Warum habt ihr nicht Glauben?" Die Jünger zweifeln an Jesu Gemeinschaft und Heilsmacht. Die wunderbare Hilfe wie die anschließende Frage beschämt ihren Zweifel. Glaube würde hier bedeuten, in der Gefahr auf die in Jesus gegenwärtige helfende Gemeinschaft mit Gott bauen und von ihr immer Rettung und nie Verderben erwarten.

Jüngerglaube aber bedeutet nicht nur, auf Grund dieser Gemeinschaft auf Gottes Handeln warten, sondern *mit ihm handeln.* Der

---

[44] Daß der Ruf in die Nachfolge „Indikativ" und „Imperativ" zugleich ist, wird an der Berufung des Zöllners Levi Mk. 2,14 p besonders deutlich.

Jünger, der glaubt, wird in unvorstellbarer Weise Gott an die Seite gestellt: „Amen, ich sage euch, wenn ihr Glauben habt wie ein Senfkorn, werdet ihr zu diesem Berg sprechen: Hebe dich von hier weg dort hin, und er wird weggehen." So lautet dieses viermal überlieferte Logion in Mt. 17,20 p Lk. (vgl. Mk. 11,23 p Mt.). Es ist, wie schon die Reformatoren erklärten, eine drastische Hyperbel, die Aufmerksamkeit herausfordert. Das Versetzen der Berge ist den Menschen schlechterdings unmöglich. Es ist nach „der Schrift" allein Gott, dem Schöpfer, möglich. Ps. 65,7: „Der du die Berge feststellst durch deine Kraft." So will das Logion sagen: Der Glaube erreicht, was nur Gott, aber keinem Menschen möglich ist. Er erreicht es nicht durch sein Gewicht, er erreicht es auch, wenn er so klein wie ein Senfkorn ist, wenn er nur Glaube ist. Er erreicht das Unmögliche, er empfängt es nicht nur, er bewirkt es auch.

Aber wie ist das Bewirken zu denken? Das in der Überlieferung mit dem unseren verbundene Logion Mk. 11,24 p Mt. erklärt: *durch das Gebet*. „Alles, was ihr betet und bittet, so ihr glaubt, daß ihr es empfangen habt, wird es euch werden." Wer aus Glauben betet, weiß, „daß Gott selbst der Handelnde ist, daß er, indem und während das Gebet zu ihm kommt, die Gabe schon gegeben hat, um die gebetet wird". So hat Schniewind dieses große Wort vom Glauben, der immer schon „gerettet" ist, zutreffend erklärt[45]. Der Glaube bittet immer zuerst und zuletzt: „Dein Wille geschehe", nämlich Gottes heilvoll rettender Wille, und läßt so diesen Willen geschehen; denn Gott will im Gegenüber zum Du des Glaubens, das ihn Gott sein läßt, zum Heil wirksam werden. Zu einem uneingeschränkten, der Erhörung gewissen Beten und damit zum Erweis des Glaubens ermutigt Jesus seine Jünger durch eine ganze Reihe einprägsamer Logien und Gleichnisse: Mt. 7,7–11 p Lk; Lk. 11,5–8; 18,1–8 S.

Der Glaube wird jedoch nicht nur durch das Gebet wirksam; er bittet nicht nur, er *gebietet* dem Berg. Der Glaube bewegt vor allem den Berg des Bösen; durch ihn realisiert sich die Weisung der Antithesen, das Böse mit Gutem zu überwinden (Lk. 6,27 f. p Mt.; vgl. Röm. 12,21). Nach dem Grundbestand der Sendungslogien Lk. 10,4–12 p Mt. wirken die Jünger nicht als Schüler eines Rabbi, sondern als bevollmächtigte Vertreter Jesu: Ihr Wort bringt wirksam den Frieden, das Heilwerden (Lk. 10,5. vgl. 17–20). Sie wirken all das nicht durch die Mächtigkeit ihres Glaubens, wie sie Politiker und Unternehmer trägt, sondern weil der Glaube in das Bundesverhältnis zu Gott eintritt und im Bund mit ihm handelt. Dies ist im Erdenwirken angelegt, aber es kommt erst nach Ostern zum Tragen.

---

[45] Das Evangelium nach Markus, 1949[4] (1965[10]) (NTD), z. St.

War Jesu Erdenwirken zentral auf Glauben in diesem Sinn bezogen, dann erschließt sich von dieser Mitte her ein Durchblick, der seinen inneren Zusammenhang verstehen läßt. Dann ist nicht nur Jesu gesamtes Wirken davon geprägt, daß es, wie deutlich wurde, auf Glauben hinführt, dann wird auch Jesu Person sachgemäß wichtig.

4. Der Glaube und Jesu Person

a) Wenn gilt: Glaube entsteht, weil Jesus an Gottes Statt Heil wirkt, muß um der Klarheit und Gewißheit des Glaubens willen gefragt werden: Wer ist Jesus? So liegt es in der Grundlinie des Wirkens Jesu, daß er selbst seinen engsten Jüngerkreis im Dialog zu der Frage führt Mk. 8,29: „Wer sagt ihr, daß ich sei?" Hier wird der Dialog auf Glauben hin zum Ziel geführt[46]. Die Antwort kann nämlich nicht errechnet, sondern nur aus Glauben gegeben werden. Sie kann nicht errechnet werden; denn die jüdische Umwelt gibt weder in ihren religiösen Erscheinungen, dem Rabbi, dem Propheten und dem Priester, noch in ihren messianischen Erwartungen ein Modell an die Hand, das Jesu Bild decken würde. Das gilt auch von der Schrift, dem Alten Testament. Muß man sich also damit begnügen, ihn als den in einzigartiger Weise Bevollmächtigten anzusehen, durch den Gottes Herrschaft kommt[47]? Diese formale Antwort wäre eine sach- und geschichtsfremde Abstraktion. Jeder jüdische Mensch sah seinen Weg im Licht der Schrift, erst recht Jesus.

Und die Schrift hat eine Antwort auf diese Frage, wenn sie recht, nämlich auf Glauben hin, gestellt wird. Wie die Frage nach der Sendung sachgemäß im Horizont der Schrift zu stellen und zu beantworten ist, zeichnet sich an der Anfrage Johannes des Täufers in Mt. 11,3–6 ab[48]. Während Jesu Umwelt ihn als Rabbi anredet, für einen

---

[46] Bultmann, a.a.O. (Anm. 24), 276, ist dieser Frage gegenüber ratlos: „Spricht schon die Tatsache, daß Jesus hier mit seiner Frage die Initiative ergreift, für den sekundären Charakter des Berichts . . ., so vollends der Inhalt der Frage. Wozu fragt Jesus nach einer Sache, über die er genauso gut orientiert sein mußte wie die Jünger? Die Frage soll nur die Antwort provozieren, m. a. W. sie ist schriftstellerische Bildung." Gegenwärtig sieht man weithin, daß die Perikope Elemente enthält, die aus der Situation der Erdentage stammen müssen: die Ortsangabe V. 27a, die scharfe Abweisung des Petrus V. 33, und versucht von ihnen aus eine Rekonstruktion des ursprünglich Berichteten (s. Anm. 49).

[47] G. Bornkamm, Jesus von Nazareth, 1956, 155 f.: „. . . daß Jesus in seinem Wort und seinem Tun aufgeht und nicht seine Würde zu einem eigenen Thema seiner Botschaft vor allem andern macht." „In ihm selbst wird der Anbruch der Gottesherrschaft Ereignis."

[48] Nach Bultmann, a.a.O. (Anm. 24), 22, ist Mt. 11,5 f. Logion Jesu, 11,2–4 aber Gemeindebildung, weil das Logion nicht auf Jesu Wunder verweist. Dgg. s. u.

Propheten hält und gelegentlich unklare messianische Vorstellungen an ihn heranträgt[49], stellt Johannes als einziger ernsthaft die Frage nach seiner „Messianität". Er fragt jedoch nicht nach einem Bild der Erwartung, sondern – paulinisch geredet – nach der Verheißung Gottes: „Bist du – gleich in welcher Gestalt – der Kommende?" Jesus antwortet eigentümlich verschlüsselt: „Geht hin und berichtet Johannes, was ihr hört und seht: Blinde werden sehend und Lahme gehen . . . Tote stehen auf und Armen wird das Evangelium verkündigt. Und selig ist, wer nicht an mir zu Fall kommt." Das will sagen: Von Jesu Wirken soll in Anlehnung an die Weissagung für die Heilszeit berichtet werden. Durch ihn geschieht, was generell für die Heilszeit geweissagt ist (vgl. Jes. 35,5 f.; 61,1 f.). Aber wie weit ist das, was wahrzunehmen ist, von der Weissagung entfernt! Einige werden vorübergehend geheilt, nach der Weissagung aber soll alle Krankheit beseitigt werden: „Die Augen der Blinden sollen sich auftun" (Jes. 35,5). Will Jesus lediglich „die selige Endzeit schildern", die er „jetzt anbrechen spürt, ohne daß man die einzelnen Aussagen auf einzelne schon geschehene Ereignisse beziehen dürfte?"[50] Oder ist dieser Satz eine Reflexion, in der die Gemeinde im Stil der verallgemeinernden Summarien rückblickend Jesu Erdenwirken verklärend deutet? Der ungemein prägnante Wortlaut will und kann nur aus der Situation Jesu verstanden werden. Jesus erhebt hier wie mehr oder minder in jedem seiner Worte eigentümlich indirekt den für den außenstehenden Beobachter unverständlichen Anspruch, daß *in seinem Wirken die Heilszeit,* die Erfüllung, das Reich Gottes anbricht. Dieser Anspruch und damit der Sinn von Jesu Sendung wird nur dem Glauben einsichtig; denn für ihn kommt Gott in Jesu Wirken endgültig nahe, und für ihn wird dadurch das Verhältnis zu Gott und damit alles im Sinne der Verheißung heil, auch wenn Krankheit und Tod zunächst nur zeichenhaft überwunden werden. Für den Glauben ist Jesus der „Kommende", der Verheißene.

In diesem Sinn bekennt ihn Petrus als *„den Christus"*. Der Christus ist im Sprachgebrauch der Umwelt vor allem der messianische Heilskönig, aber auch allgemeiner der Verheißene[51]. In diesem

---

[49] Die Vorstellung, Jesu Erdenweg sei „eine Bewegung zerbrochener Messiaserwartungen" gewesen (Bornkam, a.a.O. [Anm. 47], 158), ist angesichts des großen Abstandes zwischen der Erscheinung Jesu und den messianischen Erwartungen unwahrscheinlich und aus den Quellen nicht zu belegen. Deshalb ist es verfehlt, von dieser Vorstellung her den Vorgang zu rekonstruieren, der der Perikope vom Petrusbekenntnis zugrunde liegt: Petrus habe die Erwartung geäußert, daß Jesus als Messiaskönig hervortreten werde, und sei deshalb scharf zurückgewiesen worden (so F. Hahn, Christologische Hoheitstitel, 1963, 226 ff.).

[50] Bultmann, a.a.O. (Anm. 24), 22.

[51] 1 QS 9,11; aeth. Hen. 48,10; 52,4.

weiteren Sinn verwendet das Bekenntnis die Bezeichnung, um auszudrücken, was in Jesus begegnet, und füllt sie auf diese Weise mit neuem Inhalt. Es „überträgt" nicht einfach, wie es einer von außen her rekonstruierenden Analyse erscheint, Titel und Vorstellungen!

Weil das endgültige Nahekommen Gottes durch Jesus nur dem Glauben widerfährt, konnte der eigentliche Sinn seiner Sendung nur als Ergebnis der Nachfolge erschlossen und als Wagnis des Glaubens erfaßt werden, das weiterhin stets angefochten bleibt. Eben deshalb konnte Jesus *nicht* von vornherein *mit einem formalen Messiasanspruch* vor die Öffentlichkeit treten. Sein Anspruch konnte nur durch den Inhalt seiner Verkündigung und seines Wirkens sachlich überführend geltend gemacht und in bildlichen Umschreibungen deutend verkündigt werden. In dieser Weise wird z. B. auch die einzige messianische Würdebezeichnung verwendet, die Jesus nach stichhaltiger Überlieferung selbst in den Mund nahm, nämlich Menschensohn. Schon die Bezeichnung selbst ist mehrdeutig: Sie kann sowohl den Menschen wie eine eschatologische Gestalt der Apokalyptik meinen. Zugleich redet Jesus stets eigentümlich distanziert vom Menschensohn in dritter Person. Er sagt z. B. Lk. 12,8: „Wer sich zu mir bekennt, zu dem wird sich der Menschensohn bekennen . . ." So konnte man bis heute zweifeln, ob Jesus sich in diesem Wort mit dem Menschensohn identifiziert. Die Begriffe „bekennen" und „verleugnen" fordern die Identität; denn verleugnen besagt: Ich will einen nicht kennen, den ich kenne. Gerade deshalb aber muß der Spruch von Jesus stammen; denn diese verschlüsselte Redeweise hat in der nachösterlichen Gemeinde schlechterdings keinen Platz. Wohl aber ist sie ein Grundzug des Erdenwirkens Jesu. Dieses eigentümlich verhüllte Reden über die eigentliche Sendung Jesu, das man mit dem Schlagwort „Messiasgeheimnis" bezeichnet hat, geht, wie J. Schniewind[52] und differenzierter E. Sjöberg[53] aufwiesen, in seinem Kern auf die Erdentage zurück, so gewiß Markus es nachträglich schematisch als Theorie ausgestaltete. Es entspricht dem Sachverhalt, daß Jesu Ziel der Glaube war. Glaube nämlich entsteht, wenn Gott dem Menschen gnädig und daher verborgen nahe kommt. Erst ein „messianisches" Verständnis der Person Jesu in diesem Sinne erschließt den eigentlichen Sinn seines Wirkens, nämlich die Situation der Erfüllung, — noch nicht die Ausrichtung auf das Reich, die zudem oft apokalyptisch mißverstanden wird.

b) Erst diese heilsgeschichtliche Bestimmung der Person Jesu enthüllt auch den eigentlichen Sinn der Rettung, die eben durch die Gemeinschaft mit ihr gegeben ist. Wäre es anders, dann könnte man wie

[52] A.a.O. (Anm. 45), 41 und zu Mk. 4,11 f.
[53] Der verborgene Menschensohn in den Evangelien, 1955; vgl. S. 21 f.

z. B. E. Fuchs[54] fragen: „Wäre es nicht richtiger, nun auch den sog. ‚Osterglauben' und vorher Jesu Erwartung zu entmythologisieren? ... Oder wie wäre jener Osterglaube von dem Glauben an die Sündenvergebung zu unterscheiden, wie er sich im Gleichnis vom verlorenen Sohn ... ausspricht?" Wenn das Gleichnis jedoch deutend verkündigt, was die *Gemeinschaft mit Jesu Person* vermittelt, weist es über die Situation der Erdentage hinaus; denn die Glauben und damit Heil vermittelnde Gemeinschaft mit seiner Person ist während des Erdenwirkens immer nur in zeitlich-räumlicher Beschränkung möglich. Jesu Begegnung mit den Bedrängten und Sündern führt in ihrer Struktur verstanden hin auf Karfreitag und Ostern. Weil Jesus, ohne seinen Anspruch zu erweisen, auf Glauben hin „dient", wird er verworfen. Sein Dienen vollendet sich in dem Todesleiden des gerechten Anaw und in seiner Erhöhung, – gleich, wie weit Jesus selbst dies aussprach (vgl. Mk. 8,31; 10,45; Mt. 5,10; 11,29).

Wenn Jesu Erdenwirken in dieser alles bestimmenden Weise auf Glauben bezogen war und Glaube nur in der Einzelbegegnung mit seiner Person entstand, stellt sich abschließend die Frage: Wie ist dann nach Jesu Ausgang Glaube möglich?

5. *Glaube nach Jesu Ausgang*

a) Würde Glaube als Entscheidung gegenüber dem Wort der Bergpredigt entstehen, dann könnte dieses Wort nach Jesu Ausgang wiederholt werden und weiter diese Entscheidung bewirken. Aber eine Gemeinde Jesu, die durch seine Logien gesammelt worden wäre, hat es nie gegeben! Hätte Jesu urbildliche Gottesgewißheit den Glauben hervorgerufen, so könnte Jesus als Leitbild beschrieben werden und auf diese Weise weiterhin Glauben hervorrufen. Das Urbildmotiv ist in allen Schichten des Neuen Testaments jedoch immer nur ein zweites. Was in den Erdentagen wirklich den Glauben begründete, Jesu Helfen und Vergeben in Zuwendung an den einzelnen, ist schlechterdings an die Begegnung mit seiner Person gebunden.

Dem entspricht, wie allen Überlieferungen zufolge nach Jesu Ausgang tatsächlich Glaube entstand[55]. *Jesus bot sich* in den Ostererscheinungen seinen Jüngern *erneut* vergebend *zur Gemeinschaft dar*. Angesichts dieser durchaus nicht konstatierbaren Erscheinungen gaben die Jünger Gott recht und bekannten: Er hat ihn auferweckt und zum messianischen Herrscher erhöht. Sie nehmen die Begegnung mit Jesus nun abschließend in ihr Verhältnis zu dem Gott Israels hin-

[54] Das Neue Testament und das hermeneutische Problem, ZThK 58 (1961), 205.
[55] Zum folgenden vgl. S. 94 ff.

ein und erweisen, indem sie es neu werden lassen, Glauben. Deshalb ist Glaube nach Ostern, wie Paulus in Röm. 4,24 prägnant formuliert, Glaube an den Gott, der Jesus von den Toten auferweckt hat. Und deshalb hat die Botschaft, die die Jünger von Gott auszurichten haben, genau die Gestalt des Urkerygmas in 1.Kor. 15,3–5. Seine Entfaltung und Anwendung ist „das Evangelium", das von jetzt an Glauben begründet (1.Kor. 15,1 f.). Dieser Glaube hat gegenüber den Erdentagen neue Gestalt und doch dieselbe Struktur.

b) Die Begründung des Glaubens in den Ostererscheinungen entspricht ihrer Art nach noch unmittelbar dem Geschehen der Erdentage. Läßt sich Gleiches noch von der Weise sagen, in der nun *das Evangelium Glauben bewirkt?* Geht es nunmehr nicht lediglich um Gehorsam gegenüber dem Anspruch eines Wortes[56]? Diese umfassende Frage kann nur noch kurz an zwei hier besonders akuten Beispielen nachösterlicher Verkündigung erwogen werden.

Zum ersten muß gefragt werden: *Wozu* wurden *die Heilungserzählungen* der Evangelien verfaßt und in der Gemeinde erzählt? Sind sie Predigtbeispiele, die widerspiegeln, was jetzt durch den Geist des Erhöhten in der Gemeinde geschieht? Gab es einen bei Markus und Lukas zutage tretenden Strom urchristlicher Verkündigung, in dem anders als bei Paulus unter Hinweis auf die einst wie jetzt geschehenden Wunder zum Glauben gerufen wurde[57]? Diese durch die Arbeitshypothese der klassischen Formgeschichte nahegelegte Vermutung wird durch Lukas selbst widerlegt, obgleich er nachdrücklicher als alle anderen neutestamentlichen Zeugen auf Wunder verweist. Er bezieht nämlich in der Apostelgeschichte die Heilungen nie in der Gestalt auf Glauben wie in den Heilungserzählungen seines Evangeliums. Keine Heilung führt hier missionarisch unmittelbar zum Glauben; die Heilungen dienen lediglich als Anknüpfung oder Bezug für die Predigt. Das gilt von Apg. 3,1–8[58] ebenso wie von Apg. 14,8–14. Der Glaube lebt jetzt von der Bezeugung der Auferstehung, die der Auferstandene durch seine Bekundungen gewiß macht. Die Heilung aber ist kein selbständiges Heilszeichen mehr, sondern lediglich eine untergeordnete Ausstrahlung der Auferstehung, die durch die Botschaft von der Auferweckung gedeutet werden muß (Apg. 3,13–16). Bereits diese Hinweise, die hier nicht wei-

---

[56] Röm. 10,14–16: „Wie sollten sie den anrufen, an den sie nicht glauben? Wie sollten sie dem glauben, von dem sie nicht gehört haben? . . . Aber nicht alle waren dem Evangelium gehorsam."

[57] So D. Georgi, Die Gegner des Paulus im 2. Korintherbrief, 1964, 214 f.

[58] Der überladene Satz Apg. 3,16 will wohl nur sagen, daß die Apostel nicht durch magischen Gebrauch des Namens (vgl. Apg. 19,13), sondern durch Glauben an ihn die Heilung vollbracht haben.

ter ausgeführt werden können[59], lassen erkennen, daß die synoptischen Heilungserzählungen gerade nicht die Gemeindesituation widerspiegeln. Sie wollen bewußt von dem vorösterlichen Jesus berichten, um zu bezeugen, wer der Auferstandene ist: Er handelt in gleicher Art, aber nicht in gleicher Gestalt.

Das zeichnet sich noch deutlicher als in der Apg. an der Aussage des *Paulus* über eine ihm widerfahrene Rettung ab. Nach 2.Kor. 1,9f. wurde Paulus durch Lebensgefahr, Seenot oder eher Verfolgung, veranlaßt, „nicht mehr auf sich selbst zu vertrauen, sondern auf den Gott, der die Toten auferweckt". „Nicht mehr auf sich zu vertrauen", sondern nach dem sich in Jesus bekundenden Helfen Gottes auszuschauen, war in den Erdentagen Wesen des Glaubens. Die Hilfe aber ist jetzt nicht mehr primär leibliche Bewahrung, sondern die Auferweckung, das eschatologische Heil. Und doch dankt Paulus dann auch für die vorläufige leibliche Rettung. Er dankt dem, „der uns aus solcher Todesgefahr errettet hat und erretten wird". Die leibliche Rettung wird jetzt gleichsam als Vorzeichen der die Auferstehung wirkenden Kraft „hinzugegeben" (2.Kor. 4,7–15), während sie in den Erdentagen selbständiges Zeichen des anbrechenden Eschatons war.

Um die Anwendung der einzelnen Erzählungen von Jesu Helfen auf diese nachösterliche Situation zu erleichtern, nicht nur aus stilistischen Gründen, hat *Matthäus* in ihnen gegenüber Markus umgestellt und den Ruf zum Glauben vor die helfende Tat gesetzt. So in den Erzählungen von der blutflüssigen Frau und von der Stillung des Sturmes (Mt. 9,22; 8,26).

Glauben wird demnach nach Ostern nicht mehr in der Gestalt wie in den Heilungserzählungen begründet. Daher richten wir zum andern nun an Paulus die Frage: Hat die Begründung des Glaubens durch die Verkündigung des Evangeliums *noch dieselbe Struktur?* Auf diese Frage kann skizzenhaft geantwortet werden:

Auch jetzt bedeutet Glaube nicht, ein religiös-ethisches System anerkennen, sondern sich *in der jeweiligen eigenen Lebenssituation* auf das Angebot *personaler Gemeinschaft mit Gott* einlassen, das ganz beansprucht und ganz rettet. Das Evangelium bringt auch jetzt seinem Wesen nach nicht eine Sache, nicht einen Entscheidungsruf oder die Proklamation einer Herrschaft, sondern das *Verhältnis zu einer Person,* eben „den neuen Bund". Evangelium ist die Bezeugung des gekreuzigten und auferweckten Jesus als des Christus bzw. in der hellenistischen Kirche als des Herrn, durch die er sich selbst bekundet (Apg. 2,36; Röm. 10,9; 2.Kor. 5,20). Der Auferstandene steht nicht als ein

[59] Eine differenzierte Untersuchung dieses Komplexes entwickelt J. Roloff, a.a.O. (Anm. 14), 137–156.

Mensch, der erhöht bzw., hellenistisch gedacht, vergottet wurde, neben Gott, sondern „zu seiner Rechten“, d. h. an Gottes Statt als der, durch den Gottes endzeitliches Werk geschieht[60]. Schon erstaunlich früh wird er in der palästinischen Kirche, ohne daß dies reflektiert wurde, wie Gott angerufen und wie Gott gegenwärtig gewußt[61]. Deshalb deutet Paulus z. B. das Evangelium zugespitzt als Rechtfertigung: Rechtfertigung des Menschen ist gerade nicht die Zuerkennung einer Qualität, auch nicht die der Eigentlichkeit, sondern die einer rechtlichen Relation: Gott macht den Menschen zu seinem Bundespartner, so daß er auf seine Zusage hin leben kann. Röm. 8,31–39: „Ist Gott für uns . . .“ „Christus Jesus ist hier, der gestorben ist, vielmehr der auferstanden ist, welcher ist zur Rechten Gottes.“ Das Wort des Röm. wäre „klingende Schelle“, käme es nicht von einem Du her, um das Du des Glaubens zu schaffen, das mit ihm lebt.

Wie sehr das Evangelium eben auf Grund dieses personalen und in diesem Sinne pneumatischen Charakters auch jetzt jeweils *aktuell auf die besondere Situation des einzelnen* eingeht, wird für die Mission z. B. an der bekannten Episode in 1.Kor. 14,23–25 und für die Gemeinde an Röm. 14,4 sichtbar: „Wer bist du, daß du einen fremden Knecht richtest? Er steht und fällt seinem Herrn.“ Weil der Röm. um das Wesen des Glaubens weiß, bleibt er nicht bei einer pauschalen Grundentscheidung, die immer theoretisch ist, stehen, sondern sucht schließlich in der Anwendung in Röm. 14 f. Glauben als Verhalten im Alltag, das auf Gottes Heilshandeln eingeht und von ihm vorangetrieben wird. Dieser Glaube erst ist wirklich ermächtigt, „Berge zu versetzen“, mit Gott zu überwinden und sich alles dienstbar zu machen, weil er Gottes Schöpfung ist (Röm. 8,37–39; 1.Kor. 3,21–23).

Solcher Glaube wurde begründet, als Jesus Bedrängten seine helfende Gemeinschaft gewährte.

---

[60] Vgl. S. 114 f.

[61] 1.Kor. 16,22: Maranatha; Mt. 18,20: „Wenn zwei oder drei versammelt sind in meinem Namen, bin ich mitten unter ihnen“, überträgt auf den Erhöhten, was die Rabbinen von der Schekhina sagen. Aboth. 3,6: „Wenn zehn sitzen und sich mit der Tora beschäftigen, so weilt die Schekhina (Gott) unter ihnen“, Billerbeck I, 794.

Zum Problem des Menschensohns

Das Verhältnis von Leidens- und Parusieankündigung*

Die Diskussion um den geheimnisvollen Begriff „der Menschensohn“, der im Neuen Testament mit einer Ausnahme (Apg. 7,55) nur als Selbstbezeichnung Jesu begegnet, ist nach einer Zeit der Erstarrung gegenwärtig auch in Deutschland lebhaft in Gang gekommen. Der Überlieferungsbestand ist weithin bekannt und gesichtet, die Diskussion geht um seine Deutung und spitzt sich nunmehr auf folgende Fragen zu[1]: Knüpfen die synoptischen Menschensohnworte an Dan. 7, an die Bilderreden des aeth. Hen. oder an die Verwendung des Begriffes in Ps. 8 und Ez. an? Dieses religions- und begriffsgeschichtliche Problem korrespondiert den exegetischen und traditionsgeschichtlichen Rätseln, die die synoptische Überlieferung aufgibt: Ist der Begriff in dem ersten synoptischen Aussagenkreis, in den Worten vom gegenwärtigen Menschensohn, ursprünglich Würdebezeichnung oder Umschreibung für Mensch? Wie ist es zu erklären, daß die beiden anderen Kreise, die Aussagen über das Leiden des Menschensohns und über seine Parusie – abgesehen von einigen sekundären Stellen – nie miteinander verbunden werden? Warum werden weiterhin die Aussagen über seine Parusie und über das Kommen des Reiches nicht miteinander verknüpft? Soll man aus dem Fehlen der ersten Verbindung mit Bultmann[2] folgern, Jesus habe nur vom kommenden Menschensohn geredet, und aus dem der zweiten mit Vielhauer[3] konsequent weiter schließen, er habe überhaupt nicht vom Menschensohn, sondern nur vom kommenden Reich gesprochen?

Das Schlüsselproblem ist seit langem die Verbindung zwischen den Leidens- und den Parusieaussagen. (Wir verwenden um der Kürze

---

* Erstmals veröffentlicht in: Mensch und Menschensohn, Festschrift für Bischof D. Karl Witte, hrsg. von H. Sierig, Friedrich Wittig Verl. Hamburg, 1963, 21–32.

[1] Einen trefflichen Überblick über den Verlauf der Forschung zwischen 1931 und 1958 gibt A. J. B. Higgins: Son of Man-Forschung since „The Teaching of Jesus“, in: New Testament Essays, Studies in Memory of T. W. Manson, 1959, 119–135; die Diskussion der letzten Jahre bei Eduard Schweizer: Erniedrigung und Erhöhung bei Jesus und seinen Nachfolgern, 1962², 33. 196.

[2] Theologie des NT, § 4, 3, vgl. § 9, 4.

willen den erst in der hellenistischen Kirche aufkommenden Begriff „Parusie"!) Man hat, sobald das Problem bewußt wurde, vor allem drei Lösungen entwickelt[4]: 1. Das Nebeneinander erklärt sich aus verschiedenen Phasen des Erdenwirkens Jesu (z.B. Albert Schweitzer), 2. durch Zuordnung der Aussagen zu verschiedenen Traditionsschichten (William Wrede; Rudolf Bultmann) oder 3. durch ein Ineinander von Niedrigkeit und Hoheit im Selbstverständnis Jesu. Die dritte Lösung wird teils von einem religionsgeschichtlichen, teils von einem soteriologischen Ansatz her entwickelt. Nach ersterem hat Jesus die apokalyptische Menschensohnerwartung mit dem Bild des Ebed Jahwe verbunden und sich als den Gottesknecht verstanden, der nach seinem Leiden und seiner Erhöhung als der Menschensohn-Weltrichter erscheint (Rudolf Otto)[5]. Nach letzterem war Jesu Hoheit, seine Heilsmittlerschaft, dem Wesen seiner Sendung gemäß verborgen; das Messiasgeheimnis war Wirklichkeit seines Erdenwirkens (Julius Schniewind)[6]. Die meisten dieser Lösungen enthalten richtige Gesichtspunkte; sie können einander ergänzen, sobald man sie auf ihr relatives Recht reduziert und neue Gesichtspunkte, auch grundsätzlich methodischer Art, einführt. In dieser Weise wollen wir im Folgenden einiges zur Lösung dieses zentralen Problems beibringen.

1.

Wir gehen von der literarkritischen Analyse aus. Während sich die beiden Aussagenkreise über den gegenwärtigen und über den kommenden Menschensohn in den beiden synoptischen „Quellen" finden, gehören die Leidensankündigungen – abgesehen von einigen Stellen im Sondergut – sämtlich der Markus-Überlieferung an und fehlen in Q. (Mt. 12,40 ist gegenüber par. Lukas sekundär!) Sie fehlen in Q nicht deshalb, weil sie erst nach dieser ältesten Sammlung synoptischer Tradition entstanden wäre, sondern weil Q keine Passionsgeschichte enthält. Q tradiert Jesu Predigen und Wirken, ohne es auf die Passion

---

[3] Philipp Vielhauer in der Festschrift für Günther Dehn, 1957, 51 ff., unter Zustimmung von Hans Conzelmann in ZThK 54 (1957), 277 ff.; dagegen zuletzt R. Schnackenburg: Gottes Herrschaft und Reich, 1959, 110–122, und Heinz Eduard Tödt, Der Menschensohn in der synoptischen Überlieferung, 1959, 298–316.

[4] Einen Überblick über die Forschung von diesem Problem her gibt Tödt, a.a.O. (Anm. 3) 11–18.

[5] Ähnlich zuletzt Oskar Cullmann, Die Christologie des NT, 1957, 163: „Und doch hat er sicher beide Aufgaben, seine gegenwärtige und seine zukünftige, als Einheit aufgefaßt, wenn feststeht, daß er sich als den Ebed Jahwe gesehen hat."

[6] Abgewandelt jetzt bei E. Sjöberg, Der verborgene Menschensohn in den Evangelien, 1955.

oder das Passionskerygma zu beziehen. Diese Art der Jesusüberlieferung ist grundsätzlich nicht älter als die des Markus-Evangeliums, nämlich die Darstellung auf die Passion hin bzw. von ihr her, sondern steht von Anfang an in derselben – nicht etwa in einer anderen[7] – Gemeinde neben ihr als die katechetische Unterweisung, die das missionarische Kerygma, von dem Markus ausgeht, ergänzt. Die Literarkritik gibt demnach den Weg für eine Zurückführung der Leidensankündigungen in die Anfänge frei, wenn die traditionsgeschichtliche Analyse dies ebenfalls nahelegt.

2.

Sobald wir zu einer traditionsgeschichtlichen Analyse der Worte vom Leiden des Menschensohns ansetzen, zeigt es sich, daß sie sich auf mehrere Traditionsstämme verteilen und nach Begriffssprache und anderen Merkmalen in verschiedenen Überlieferungsschichten gewachsen sind.

a) Einen Traditionsstamm bilden die drei Leidensankündigungen im engeren Sinne des Wortes (Mk. 8,31; 9,31; 10,33 par.; vgl. Lk. 17,25; 24,7 S). Sie enthalten, wie die Analyse von Ernst Lohmeyer und W. Michaelis ergab[8], zweifellos Schichten, die aus dem Passionskerygma und der Passionsgeschichte stammen, aber zugleich solche, die von beiden unabhängig sind. Zu letzteren gehört die Mk. 8,31 voranstehende Wendung πολλὰ παθεῖν, viel leiden, die Mk. 9,12 wiederkehrt. Diese Wendung steht jetzt in Spannung zu dem Kontext. Sie verweist jetzt nämlich auf die der Kreuzigung vorhergehenden Leiden[9]; diese liegen jedoch nach der Passionsgeschichte im wesentlichen nicht vor der anschließend erwähnten „Verwerfung" durch das Synedrium. Diese Spannung verrät, daß „viel leiden" ursprünglich genausowenig einzelne Akte der Passion bezeichnete, wie „verwerfen" die

[7] Bultmann, Theologie des NT: In der palästinischen Gemeinde war Menschensohn „der beherrschende Titel" für Jesus, sie erwartete den Auferstandenen als den kommenden Menschensohn (§ 7,5). Die Leidensankündigung legt Jesus das Kerygma der hellenistischen Gemeinde in den Mund (§ 9,4). In anderer Weise auch Tödt, a.a.O. (Anm. 3) 215–231: Die Q-Überlieferung entstand in einer Gemeinde, die die Auferstehung nicht wie Markus zum Ansatz des Kerygmas machte, sondern lediglich als Bestätigung der Vollmacht Jesu verstand und „nichts anderes wollte, als die Verkündigung Jesu zur Weiterverkündigung [auf seine Parusie hin] aufzubewahren" (231).

[8] Ernst Lohmeyer, Meyer Kommentar zu Mk. 8,31; W. Michaelis in ThW V, 912–915.

[9] Entsprechend dem Sprachgebrauch in 2. Makk. 9, 28; Jos. Ant. 15, 268 nach W. Michaelis in ThW V, 913.

Verurteilung durch das Synedrium meint. Beide Wendungen charakterisieren von Hause aus den ganzen Ausgang Jesu[10]! Diesen Sinn hat ἀποδοκιμάζειν, verwerfen, sooft es sonst auf Jesus angewendet wird; dies geschieht – abgesehen von Lk. 17,25 – stets in Anlehnung an Ps. 118,22 (Mk. 12,10 par.; 1.Petr. 2,4.7). In Apg. 4,11 wird die Psalmenstelle abweichend von der LXX mit ἐξουθενεῖν wiedergegeben; Mk. 9,12 findet sich ἐξουθενεῖν in der Leidensankündigung. Das Reden von der Verwerfung Jesu geht wahrscheinlich von dem Psalmwort über den verworfenen Eckstein aus, nicht von den Worten Jeremias von der Verwerfung Israels durch Gott (6,30; 7,29; 14,19; 31,37), und zwar noch im hebräisch-aramäischen Sprachbereich. Diese Deutung der Psalmstelle kann, auch wenn die Formulierung von Mk. 12,10 aus späterer Zeit stammt, von Jesus selbst angeregt worden sein. In dieselbe Traditionsschicht führt die Wendung πολλὰ παθεῖν, viel leiden. Sie hat keine prägnante hebräische Vorgeschichte. Im NT wird ein πολλὰ παθεῖν sonst von Jesus nicht ausgesagt. Jedoch reden einige neutestamentliche Schriften von einem πάσχειν Jesu und meinen dann immer das ganze Todesleiden[11]. Diese Aussagen finden sich wohl nicht zufällig sämtlich ebenso wie die Worte vom Verwerfen in der palästinisch-römischen Traditionsschicht, aus der auch die Grundschrift des Markus-Evangeliums hervorgegangen ist[12]. Diese und andere traditionsgeschichtliche Kriterien legen es nahe, daß die Leidensankündigung ursprünglich gelautet hat: Der Menschensohn muß viel leiden und verworfen werden (und nach drei Tagen auferweckt werden[13]), so daß die wenig betonte, kurze Formulierung in Mk. 9,12 und Lk. 17,25 vielleicht Ursprüngliches bewahrt hat. Dieser Grundbestand der Leidensankündigung ist dann eine vom ältesten Kerygma unabhängige Formulierung, die auch im Judentum noch nicht vorgezeichnet ist.

b) In Mk. 9,9 und 12 par. Mt. (Lk. 9,36 vorausgesetzt) wird die Leidensankündigung, ohne daß neue Elemente auftreten, mit der Verklärung, dem Messiasgeheimnis und der Elia-Erwartung verbunden. Die traditionsgeschichtliche Beurteilung dieser Verbindungen kann hier beiseite bleiben.

---

[10] V. Taylor, The Gospel according to St. Mark, 1957[3], zu den Stellen; Joachim Jeremias, Die Gleichnisse Jesu, 1958[5], 185.

[11] 1. Petr. 2,21.23; 3,18 (v. l.); 4,1 – Lk. 22,15; 24,26.46; Apg. 1,3; 3,18; 17,3 – Hebr. 2,18; 9,26; 13,12. Weiterhin bei den apostolischen Vätern Ign. Trall. 10,1; Smr. 2,1; 7,1; Barn. 5,5.13; 6,7; 7,2.5.10.11 (δεῖ . . πολλὰ παθεῖν); 12,2.5; 2. Clem. 1,2 (ὅσα . . παθεῖν).

[12] Leonhard Goppelt, Christentum und Judentum im 1. und 2. Jahrhundert, 1954, 221–237.

[13] Daß die Verwerfung zur Erhöhung führt, liegt, auch wenn es nicht ausgesprochen wurde, in der Aussage; denn sie hat den leidenden Gerechten im Auge.

c) In Mk. 14,21a.21b (par.) (vgl. Lk. 22,48) wird die Auslieferung des Menschensohnes (παραδιδόναι) durch einen der Zwölf angekündigt. Mk. 9,31; 10,33 f.; 14,41 (vgl. Mt. 26,2) zeigt dasselbe Verbum absolut gebraucht im Passiv die Auslieferung des Menschensohnes durch Gott an. Das in dieser Bedeutung geläufige Verbum findet sich bereits in der palästinischen Schicht der Passionsgeschichte und im Kerygma. Seine Verwendung in einer Ankündigung Jesu ist grundsätzlich möglich[14].

d) Während die bisher genannten Worte lediglich das Faktum der Verwerfung als Gottes Heilsratschluß ankündigen, gibt Mk. 10,45 par. Mt. eine Sinndeutung des Wirkens wie des Sterbens; die Berührung mit dem Kelchwort Mk. 14,24 macht eine Echtheit dieses Wortes trotz der anderen Gestalt dieser Überlieferung bei Lukas wahrscheinlich[15].

Wir können die Traditionsgeschichte[16] dieser Stellen nicht weiter diskutieren; unser Überblick ergibt, daß nach dem gegenwärtigen Stand der Diskussion wie nach den genannten Anzeichen Aussagen über das Leiden des Menschensohnes in sehr frühe palästinische Traditionsschichten, möglicherweise auf Jesus selbst, zurückreichen. Ihren Kern bildet die älteste uns erreichbare Schicht der ersten Leidensankündigung: „Der Menschensohn muß viel leiden und verworfen werden (und nach drei Tagen auferweckt werden)."

3.

Um beurteilen zu können, ob dieses Wort neben den beiden anderen Menschensohnvorstellungen im Erdenwirken Jesu Platz hat, muß zunächst sein Aussagecharakter fixiert werden. Offensichtlich ist dieses Wort seinem Wesen nach nicht, wie z.B. die dritte Leidensankündigung Mk. 10,33 f., ein Vaticinium, eine Vorhersage geschichtlicher Ereignisse; es ist auch keine prophetische Ankündigung, wie sie z.B. nach der Apg. (20,23; 21,4.11) die letzte Reise des Paulus nach Jerusalem begleitet. Es ist vielmehr „Lehre", die aufgrund der Schrift Gottes Heilsratschluß über den endzeitlichen Heilsmittler verkündigt und diesen Ratschluß allerdings dann prophetisch auf die bevorstehende Passahwallfahrt Jesu bezieht. Das „δεῖ" meint den in der Schrift geweissagten Heilsratschluß[17]; die Weissagungen aber reden

---

[14] Nach Joachim Jeremias in: ThW V, 708,1 ff. knüpft die passive Form vermutlich an Jes. 53 an.

[15] Joachim Jeremias, Das Lösegeld für viele, Judaica 3 (1948), 249–264; ders. in: ThW V, 709–713.

[16] Vgl. V. Taylor, a.a.O. (Anm. 10) zu den Stellen.

[17] ThW II, 21 ff.; Erich Fascher, Theologische Beobachtungen zu δεῖ, in: Neu-

nicht von irgendeinem Propheten oder Gerechten, sondern von „dem, der da kommen soll“. Sie künden nicht schicksalhaftes Geschehen, sondern Gottes Handeln zur Vollendung an; die Aussage impliziert eine Heilsbedeutung des Geschehens.

4.

Läßt sich diese Ankündigung mit den übrigen Menschensohnaussagen der Synoptiker verbinden? Lange Zeit suchte man aufgrund eines zu einfachen religionsgeschichtlichen Entwicklungs- und Analogiedenkens nach einem Menschensohnbild in Jesu Umwelt, nach dem er, bzw. die Gemeinde, diese Aussagen gestaltet hätte. Nunmehr dürfte feststehen, daß Jesu Umwelt die Vorstellung eines Menschensohns, der durch Leiden erhöht wird, nicht kannte[18]. Ja, es ist sehr fraglich geworden, ob das Bild des Menschensohns, das wir den Bilderreden des aeth. Hen. entnehmen, das heißt der präexistente, überweltliche Heilsmittler, der im Himmel verborgen ist und am Ende als Weltrichter und Weltvollender hervortritt, der Umwelt Jesu geläufig war[19]. Wir müssen daher stärker als bisher berücksichtigen, daß für die Umgebung Jesu Menschensohn zunächst nach dem üblichen Sprachgebrauch der Mensch als Gattungswesen war. Darüber hinaus erinnerte die Bezeichnung im Rahmen eschatologischer Verkündigung jeden an den vom Himmel kommenden Menschen in Dan. 7, mit dem das Ende dieses Weltlaufs und das Heilsvolk der Endzeit kommt. Diese Vorstellung war in einem apokalyptischen Traditionsstrom, der im aeth. Hen. und im 4. Esra zutage tritt, weiter ausgestaltet worden; aber wie weit diese Ausgestaltung verbreitet war, ist ungewiß[20]. Sie darf

---

testamentliche Studien für Bultmann 1954, 228–254; Tödt, a.a.O. (Anm. 3), 174–178. [18] E. Sjöberg, a.a.O. (Anm. 6), 255–273.

[19] Schon aufgrund der aethiopischen und griechischen Textüberlieferung urteilte C. H. Dodd (Ev. Theol. 12 [1952/53] 448): „Solange wir nicht mehr darüber wissen, dürfen wir nicht als gewiß annehmen, daß die Bilderreden überhaupt vorchristlich sind . . . Sie sind auf alle Fälle ein alleinstehendes und sehr am Rande liegendes Zeugnis dafür, daß man den Titel ‚Menschensohn‘ dem ‚apokalyptischen Messias‘ beilegte, und können daher nicht mit dem geringsten Zutrauen benützt werden, um das NT zu erhellen.“ Die Qumranfunde haben diese Bedenken mehr als bestätigt: Unter den zahlreichen Fragmenten des Hen. findet sich kein einziges Stück der Bilderreden!

[20] Ähnlich urteilt nunmehr auch Eduard Schweizer nach verschiedenen Vorarbeiten a.a.O. (Anm. 1), 33–52. Er neigt der Hypothese zu, Jesus habe die Bezeichnung von der Anrede an Hesekiel her entwickelt. Der Menschensohn sei für ihn zunächst der verworfene endzeitliche Zeuge, der im Gericht als Zeuge gegen Israel auftritt. Meines Erachtens ist der Menschensohn jedoch auch in der Grundschicht der Leidens- wie der Parusieankündigung immer schon der endzeitliche Heilsmittler.

jedenfalls nicht als die herrschende Vorstellung vorausgesetzt werden[21].

5.

Wenn man rekonstruieren will, wie Jesus diese und entsprechende Vorstellungen seiner Umwelt aufgenommen hat, muß man nicht nur prüfen, in welcher Gestalt sie in den Schichten der synoptischen Tradition vorliegen, sondern auch die Denkformen klären, mit denen Jesus generell der alttestamentlich-jüdischen Tradition begegnete.

An seinen Äußerungen zum Gebot der Nächstenliebe, deren Echtheit im wesentlichen unbestritten ist, wird deutlich, daß er zweifellos aus der alttestamentlich-jüdischen Tradition herkommt und auch Eigenes, das er ausdrücklich von ihr unterscheidet, vielfach mit Formeln und Vorstellungen ausdrückt, die in ihr bereits vorhanden waren[22]. Gleichzeitig aber wird sichtbar, daß er das Lehren der Schriftgelehrten bewußt und vollmächtig durchbricht: Das Gleichnis vom barmherzigen Samariter (Lk. 10,29–37) durchbricht jede kasuistische Auslegung des alttestamentlichen Gebotes der Nächstenliebe! Es hebt zugleich den Ansatz dieser Kasuistik, die beschränkende Umschreibung des Nächsten im AT, auf. Diese Aufhebung erfolgt noch nachdrücklicher, wenn in dem zentralen Gebot des Grundbestandes der Bergpredigt der Liebeserweis selbst auf den religiösen Feind, den Feind Gottes, ausgedehnt wird (Lk. 6,27–36 par. Mt.). Diese Fassung des Gebotes steht, gleich ob sie ursprünglich antithetisch formuliert war, in Anti-

---

Wenn Jesus alttestamentliche Vorstellungen über Propheten und Gerechte auf sich bezog, geschah es im Sinne der typologischen Betrachtungsweise (vgl. S. 73); diese Denkform wird in den sehr förderlichen Erwägungen noch nicht genügend berücksichtigt.

[21] Mit dieser religionsgeschichtlichen Einsicht wird der Ansatz hinfällig, den zuletzt Tödts Untersuchung (siehe Anm. 3) von der religionsgeschichtlichen Schule und der ihr folgenden Konzeption Bultmanns her übernahm. Dieser Ansatz äußert sich in zwei Thesen, die Tödt sich zu schnell zu eigen macht und sich dadurch trotz wertvoller Einzelanalysen den Weg zu weiterführenden Lösungen verbaut: 1. Der Menschensohn sei der Umwelt Jesu als transzendente Heilsmittlergestalt im Sinne der Bilderreden des aeth. Hen. geläufig gewesen. 2. Daher sei der Grundbestand der Jesusworte über den kommenden Menschensohn echt und meine eben diese rein transzendente Gestalt, so daß sie nicht mit dem irdischen Jesus identisch sein könne. In Wirklichkeit hat Jesus, wie sich jetzt zeigt, die apokalyptische Menschensohnvorstellung ebensowenig übernommen wie den apokalyptischen Reich-Gottes-Begriff! Sobald man nicht mehr einfach mit der Übernahme vorgegebener jüdischer Vorstellungen rechnen kann, wird man die Reflexion von der Schrift her auch schon bei Jesus annehmen und nicht von vornherein als ein Zeichen der Gemeindetheologie ansehen.

[22] Herbert Braun, Spätjüdisch-häretischer und frühchristlicher Radikalismus II (1957), 83–99.

these zum alttestamentlichen Gebot der Nächstenliebe, nicht nur zu seiner Interpretation in Qumran. Das Gebot wird in dieser Fassung unendlich, eine Forderung, die über die Möglichkeiten dieser Welt hinausführt ins Eschaton!

Nicht weniger vielschichtig als diese Stellungnahme zum Liebesgebot waren sicher die Denkvorgänge, in denen Jesus sein Selbstverständnis gewann und ausdrückte. Auch hier geht er selbstverständlich von der alttestamentlich-jüdischen Tradition aus. Er zieht, wie ein Schriftgelehrter von Schülern begleitet, lehrend durchs Land, aber er lehnt das jüdische Schriftgelehrtentum seiner Umwelt nachdrücklich ab. Hinter dieser Ablehnung steht auch hier die Aufhebung der alttestamentlichen Voraussetzung. In Jesu Jüngerkreis ruht das Lehren nicht mehr auf Tradition, sondern – wie es für die Endzeit verheißen ist – auf einem unmittelbaren Lehren Gottes, das durch Jesus allein vermittelt wird (Mt. 23,8 ff.; Mk. 10,44). Sobald Jesus auf die Männer zu sprechen kommt, die im AT Gottes Sache gegenüber seinem Volk vertreten, macht er sie nicht zu einem Modell, das er im Sinne einer religionsgeschichtlichen Analogie auf sich überträgt, sondern stellt sich zu ihnen in ein Verhältnis, für das Paulus die Bezeichnung „typologisch" einführte[23]: „Hier ist mehr als Jona! Hier ist mehr als Salomo!" (Mt. 12,41 f. par. Lk.; vgl. Mk. 2,25 f. par.). Entsprechend hat Jesus selbst schon Psalmstellen vom leidenden Gerechten auf seinen Weg bezogen, aber in seiner Person stets mehr gesehen als einen Gerechten[24]. Selbst seine Hinweise auf die durch ihn eintretende Erfüllung der Weissagung meinen nie eine nachrechenbare Identität zwischen seinem Wirken und dem alttestamentlichen Bild, sondern rufen zu einem Verstehen aus Glauben (Mt. 11,2–6). Jesus imitiert in keiner Hinsicht vorliegende Bilder; er läßt seinen Weg und sein Selbstverständnis in solch vielschichtigem Austausch mit der Schrift und mit seiner Umwelt von seinem Heilswirken her Gestalt gewinnen.

Diese Denkstruktur erklärt das eben umrissene Ergebnis der religionsgeschichtlichen Analyse der Menschensohnvorstellungen: Jesus hat nicht ein fertiges Menschensohnbild seiner Umwelt auf sich übertragen; dies hätte seiner Denkweise widersprochen. Sie läßt nur erwarten, daß er aus bereitliegendem Material ein eigenständiges gestaltete.

---

[23] Die in der Eschatologie der alttestamentlichen Prophetie wurzelnde und im NT entfaltete Typologie ist eine grundlegend eigenständige Ausprägung des gemein antiken Wiederkehrgedankens.

[24] Mk. 15,34 par. Mt. = Ps. 22,2; vgl. Leonhard Goppelt, Typos, 1966², 120–127.

6.

Aus dem eben entwickelten Denkansatz ergibt sich bereits vorweg eine generelle Erklärung für die Beobachtung, daß die drei Aussagenkreise über den Menschensohn untereinander nur an einigen sekundären Stellen verbunden werden. Auch Jesu Äußerungen zu Gottes Gebot bilden kein System; sie sind nur in der Tiefe darin eins, daß sie alle in je aktueller Zuspitzung die eschatologische Umkehr fordern. Läßt sich Entsprechendes auch von den Aussagenkreisen über den Menschensohn ermitteln?

7.

Wir wollen mit der Einzelanalyse von dem ersten Kreis, den Aussagen über den gegenwärtigen Menschensohn, ausgehen! Hier heben sich Stellen wie Mt. 13,37 und 16,13 sogleich als sekundär ab, aber die beiden Worte der Markus-Überlieferung (2,10.28) und vor allem die drei der Q-Überlieferung (Mt. 8,20; 11,19; 12,32) gelten weithin mit Recht als echt; allerdings setzt man dabei vielfach voraus, daß Menschensohn hier nur in der Bedeutung „Mensch" verwendet sei[25]. Für Mk. 2,28 legt die Verbindung mit 2,27 diese Deutung nahe, dennoch geht es in den synoptischen Sabbaterzählungen nie um das allgemeine Verhalten des Menschen am Sabbat, sondern um das, was Jesus aufgrund seiner Sendung tut bzw. seinen Jüngern erlaubt. Nicht der Mensch, sondern der Menschensohn, den der dritte Aussagenkreis als Weltrichter und Weltvollender ankündigt, hat Vollmacht, das Sabbatgebot aufzuheben bzw. nach Mk. 2,10 „auf Erden Sünden zu vergeben"! Entsprechendes gilt von den drei Q-Stellen: Der Spruch von dem Menschensohn, der im Unterschied zu den Tieren „nicht hat, da er sein Haupt hinlege", Mt. 8,20, scheint in schwermütiger Weisheit vom Menschen zu reden; aber er ist nur sinnvoll, wenn er von dem einen Menschensohn redet, der auf Erden ein Fremdling ist, weil er nach Dan. 7 vom Himmel kommt. Auch an den beiden anderen Q-Stellen ist der Menschensohn der Fremde und Hohe, der in Verborgenheit und Niedrigkeit gegenwärtig ist.

Wenn diese Exegese zutrifft und Worte vom gegenwärtigen Menschensohn auf Jesus selbst zurückgehen[26], dann hat er sich mit dem

[25] Zum Beispiel Bultmann, Theologie des NT, § 4, 3.

[26] Tödt, a.a.O. (Anm. 3) kann ihre Echtheit nur mit der vorgefaßten These (siehe Anm. 21) von der ausschließlichen Transzendenz des Menschensohns bestreiten. E. Sjöberg, a.a.O. (Anm. 6), 238 f., meint sie Jesus absprechen zu müssen, weil sie das Messiasgeheimnis verletzen, — aber sie konnten ja bis heute als Aussagen über den Menschen verstanden werden!

kommenden Menschensohn-Weltrichter, von dem der dritte Aussagenkreis redet, identisch gewußt. Dies wird auch durch den zentralen Spruch des dritten Kreises Mk. 8,38 par.; Mt. 10,32 par. Lk. 12,8 (letzteres wohl die älteste Fassung) nahegelegt; denn die Verben „verleugnen“ und „bekennen“ beziehen sich von Hause aus nicht auf eine Sache, sondern auf eine Person[27]. Wenn bis heute in Frage gestellt werden kann, ob Jesus sich hier mit dem kommenden Menschensohn identifizierte, dann wird gewichtig unterstrichen, daß diese Identifizierung allerdings nicht selbstverständlich war, sondern sich nur mit dem Messiasgeheimnis erschloß.

8.

Wenn Jesus demnach von sich als dem gegenwärtigen und zukünftigen Menschensohn geredet hat, mußte er dann nicht in der Leidensankündigung andeuten, wie aus dem gegenwärtigen der zukünftige wird? Im aeth. Hen. 71,5.14–17 z.B. wird Henoch in den Himmel entrückt und als Menschensohn eingesetzt! Müßte Jesus nicht in entsprechender Weise seine Gegenwart und Zukunft als Menschensohn durch die Ankündigung einer Entrückung oder ähnlichem für die Vorstellung verbinden? Dies würde der Struktur der Menschensohnaussagen widerstreiten; denn keine dieser Aussagen malt Vorstellungen aus, sie deuten alle vielmehr Jesu Wirken, um ihm gegenüber Glauben an Gott bzw. Umkehr zu ermöglichen.

Deshalb ist eine Verknüpfung der Leidens- und der Parusieaussagen, gerade wenn sie auf Jesus zurückgehen, nicht zu erwarten; die beiden Aussagenkreise haben nämlich einen verschiedenen existentiellen Bezug: Der erstere deutet den Jüngern Jesu Weg nach Jerusalem, der letztere macht ihnen wie der Öffentlichkeit mehr oder minder verschlüsselt die Entscheidungssituation gegenüber Jesus deutlich. Der erstere ist Jüngerbelehrung, der letztere ruft die Jünger zur Bewährung und alle zur Umkehr. Eine Verbindung der beiden Aussagen würde der kerygmatischen Situation der Erdentage widersprechen. (Sie wäre nur von einem Vaticinium, das die Gemeinde ex eventu konstruierte, zu erwarten!)

Dieses Verhältnis der Leidensankündigung zu den übrigen Menschensohnaussagen wird durch ihren Sinn und ihre Entstehung noch klarer. In den Leidensankündigungen deutet Jesus den Nachfolgenden, denen sich das Messiasgeheimnis aktuell erschlossen hat, seinen

[27] Nach Tödt, a.a.O. (Anm. 3), 55, ist die Heilsgemeinschaft mit Jesus und mit dem Menschensohn identisch, aber nicht deren Person. Diese befremdliche Schlußfolgerung wird durch den unrichtigen religionsgeschichtlichen Ansatz erzwungen.

Ausgang: Er geht selbst den Weg des Gerechten, der von den Menschen verworfen und eben deshalb von Gott erhöht wird (Mt. 5,3.10. 11 f. par. Lk.). Eine solche Ankündigung lag, wie hier nicht weiter auszuführen ist, sachlich in der Grundlinie seines Erdenwirkens; denn er gab sich als der Anaw, der sich zu den Anawim stellt. Aber er nennt sich nicht „den Gerechten", sondern „den Menschensohn"; er ist der Gerechte schlechthin. Es mag sein, daß bei der Gestaltung der Leidensankündigungen auch die Worte Deutero-Jesajas über den leidenden Gottesknecht eingewirkt haben[28] – in Mk. 10,45 und 14,24 ist dies unverkennbar –, aber die Leidensankündigung entstand nicht einfach aus einer Verbindung des Ebed Jahwe mit der Menschensohngestalt[29]. Jesus hat nicht religionsgeschichtliche Synthesen konstruiert, sondern in vielschichtiger, eigenständiger Meditation von der biblischen Überlieferung her seine Aussagen gestaltet. Die Ansätze dieser Meditation sind für die Leidensankündigung der leidende Gerechte und die Menschensohngestalt in ihrer Ambivalenz[30], zwei Ansätze, die Jesus nach unbestreitbar echten Worten aufgenommen hat.

9.

Die Eigenart der Leidensankündigung über den Menschensohn, ihre Herkunft von Jesus wie ihr Verhältnis zu den Parusieaussagen wird vollends von den christologischen Formeln des Urchristentums her durchsichtig[31].

Die ältesten christologischen Formeln bezeugen, daß Jesus gestorben und auferstanden sei, und deuten die Auferstehung als Erhöhung zum messianischen Herrscher: Apg. 2,23 f. 36; 3,15; 4,10; 5,30 u. a.; 1.Kor. 15,3 f.; Röm. 1,3; 4,25. Das sind sämtlich Formeln der palästinischen Urgemeinde, die, soweit sie bei Paulus stehen, in die hellenistische Kirche übernommen wurden. Sie bleiben auch im Rahmen ihrer Präexistenzchristologie grundlegend. Von einem *πάσχειν* Jesu reden, wie sich oben ergab, nur Formeln im 1. Petrusbrief, im Hebräerbrief und bei Lukas; diese Verwendung von *πάσχειν* im Sinne von

[28] W. Michaelis in: ThW V, 914, versucht den Grundbestand von Mk. 8,31, Joachim Jeremias in: ThW V, 708, 1 f. Mk. 9,31 unmittelbar von Jes. 53 abzuleiten; die Ableitungen sind mehr als unsicher.

[29] So viele seit Rudolf Otto, Reich Gottes und Menschensohn, 1954³, 192–197. Dagegen zuletzt C. K. Barrett, The Background of Mark 10,45, New Testament Essays, St. in Memory of T. W. Manson, 1959, 1–18.

[30] Barrett, a.a.O. (Anm. 29), 9–15.

[31] Zusammenstellung christologischer Formeln: Ethelbert Stauffer, Die Theologie des NT, 1947³, § 63; Rudolf Bultmann, Theologie des NT, § 9, 4; Eduard Schweizer, a.a.O. (Anm. 1), 87–109.

Todesleiden hat nicht die Leidensankündigung gestaltet, sondern geht eher umgekehrt von ihr aus. Die ihr zugrunde liegende Lehre klingt in 1.Petr. 1,11 nach. Weil die Leidensankündigung nicht Vaticinium, sondern Lehre ist, müßte sie, wenn sie der Gemeindetheologie entstammte, im Anschluß an eine christologische Formeltradition gebildet sein. Dies ist offensichtlich nicht der Fall[32]. Die „Lehre" der sogenannten Leidensankündigung ist aus den christologischen Formeln der Urkirche nicht ableitbar!

Auch daß diese „Lehre" die Parusie nicht einbezieht, wird von diesen Formeln her weiter erklärt. Eine Anreihung der Parusie an Leiden und Auferstehen findet sich nämlich nur spärlich und spät in Summarien: Apg. 10,37–42; Pol. Phil. 2,1. Die Parusie erscheint im neutestamentlichen Kerygma in anderen Zusammenhängen: Das missionarische Kerygma bezeugt, daß der allgemein erwartete Weltrichter Jesus sei, und nennt als Beleg seine Auferweckung (1.Thess. 1,9 f.; Apg. 17,31; vgl. 3,23). In der Gemeindepredigt finden wir die Parusie weitaus am häufigsten in Verbindung mit Paränese, um durch Hinweis auf die Vergeltung zu unterstützen, was in anderen Gedankengängen von Tod und Auferstehung Jesu her begründet wurde (1.Thess. 2,19; 3,13; 5,23; 1.Kor. 4,5; 2.Kor. 5,10; 1.Petr. 1,7; 5,4). Daneben erscheint die Parusie hier auch in apokalyptischen Darstellungen der Endereignisse als das Ziel der Herrschaft, die der Auferstandene als der Erhöhte übernahm, und daher als Lösung der Bedrängnis der Gemeinde (1.Thess. 4,15; 1.Kor. 15,23 f.; Phil. 3,20 f.; Offb. 5,9 f.; 19,15 f.; 22,5; vgl. Apg. 1,11; 2.Thess. 2,1 f. 8). Aus dieser Stellung der Parusie im neutestamentlichen Kerygma folgt: Eine Anreihung der Parusie an die Leidensankündigung würde diese zu einer beschreibenden apokalyptischen Spekulation machen und ihren kerygmatischen Charakter entstellen. In der vorliegenden Gestalt aber ist sie Lehre für die Jünger; sie soll sie auf die Begegnung mit dem Auferstandenen, nicht auf die Parusie vorbereiten.

So ergibt sich auch von den christologischen Formeln der Urkirche und von ihrer Verkündigung der Parusie her, daß der Kern der Leidensankündigung gerade aufgrund seiner eigentümlichen Isoliert-

---

[32] Oskar Cullmann, a.a.O. (Anm. 5), 186–192, betont mit Recht, daß die Menschensohnbezeichnung in der synoptischen Tradition nur bescheiden, dagegen in der johanneischen sehr gewichtig entfaltet worden sei. Die Bezeichnung war nie Würdebezeichnung im Kerygma und Bekenntnis einer Gemeinde (vgl. Anm. 7), sie lebte in der Meditation über die Jesusüberlieferung. Die auch hier unabhängig von der synoptischen gebildete johanneische Überlieferung aber stellt eindeutig Aussagen über die „Erhöhung, die Verherrlichung oder das Hinaufsteigen" des Menschensohns, also die Leidensankündigung, in die Mitte. Diese waren also bereits, ehe sich johanneische und synoptische Tradition schieden, zentraler Bestandteil der Menschensohnaussagen.

heit gegenüber den beiden anderen Aussagenkreisen über den Menschensohn auf Jesus selbst zurückgeht und gerade in dieser Gestalt mit ihnen sachlich zu einem einheitlichen Kerygma verbunden ist.

Das Osterkerygma heute*

Die Frage nach der Osterbotschaft ist die Schlüsselfrage christlicher Theologie und christlichen Lebensvollzuges. Im christlichen Sinne glauben heißt nach Paulus glauben „an den, der unseren Herrn Jesus von den Toten auferweckt hat“ (Röm. 4,24). „Ist aber Christus nicht auferweckt worden, dann ist euer Glaube leer“ (1.Kor. 15,17). Und doch ist es für keinen von uns selbstverständlich, daß diese Botschaft wirklich wahr ist!

Wie finden wir heute einen Zugang zu dieser Botschaft? Es scheint die vordringlichste Aufgabe zu sein, diese Botschaft mit dem neuzeitlichen Welt- und Geschichtsverständnis zu konfrontieren. Um diese Aufgabe bemüht sich die systematische Theologie[1]. Vorher aber ist schlichter und elementarer im Sinne der neutestamentlichen Wissenschaft zu fragen: Was besagt die neutestamentliche Osterbotschaft eigentlich? Genauer: Was ist heute historisch-exegetisch über die Osterbotschaft des Neuen Testaments zu sagen? In diesem Sinne wollen wir nach dem Osterkerygma heute fragen. Mit dieser historischen Fragestellung ziehen wir uns nicht aus dem Widereinander zwischen dem Denken der Neuzeit und dem Osterglauben in eine sturmfreie ferne Welt des Neuen Testaments zurück. In der historischen Fragestellung ist vielmehr der Geist der Neuzeit lebendig. Die historische Schriftforschung wurde ja im 18. Jahrhundert eben vom Geist der Neuzeit hervorgebracht. In ihr begegnet der Geist der Neuzeit am unmittelbarsten der biblischen Botschaft. Der historischen Fragestellung weiß sich heute alle ernsthafte Schriftforschung auch innerhalb

---

* Erstmals veröffentlicht in den Luth. Monatsheften 3 (1964), 50–57 (überarbeitet).

[1] Über die systematische Diskussion seit Beginn unseres Jahrhunderts berichtet das förderliche Buch von R. Niebuhr, Resurrection and Historical Reason, 1957; die letzten systematischen Monographien: W. Künneth, Theologie der Auferstehung, 1951[4]; H. Graß, Ostergeschehen und Osterberichte, 1962[2]; G. Koch, Die Auferstehung Jesu Christi, 1959. Die aktuelle Diskussion spiegelt sich in den Sammelbänden: W. Marxsen, U. Wilckens, G. Delling, H. G. Geyer, Die Bedeutung der Auferstehungsbotschaft für den Glauben an Jesus Christus, 1966, und: Diskussion um Kreuz und Auferstehung, Zur gegenwärtigen Auseinandersetzung in Theologie und Gemeinde, hrsg. von B. Klappert, 1967.

der katholischen Kirche theologisch verpflichtet; denn wir sehen unausweichlich den geschichtlichen Charakter der biblischen Bücher. In der Art der historischen Fragestellung aber werden die jeweiligen Denkvoraussetzungen des Exegeten wirksam. Daher werden die theologischen Probleme neuzeitlichen Denkens gerade dann akut, wenn wir historisch-exegetisch nach Gestalt und Sinn des Osterkerygmas im Neuen Testament fragen.

Das wird sogleich sichtbar, wenn wir in einer Einleitung die beiden historisch-theologischen Erklärungen des Osterkerygmas darstellen, von denen die Diskussion unseres Themas in der neueren protestantischen Theologie in Deutschland weitgehend ausgeht.

Die historische Erklärung des Ostergeschehens

Um 1900 entwickelte ein extremer Zweig der historischen Schriftforschung eine Erklärung des Osterkerygmas, die sich von allem schied, was bis dahin christliche Theologie war. Sie spricht aus folgenden Sätzen des bekannten Exegeten Johannes *Weiß*. Er kommt 1909 in einer Stellungnahme zu dem damals erstmals heiß umstrittenen Problem Jesus und Paulus zu folgendem Ergebnis: Schon für Paulus ist das Christentum „Christusreligion, d. h. im Mittelpunkt steht das innige Glaubensverhältnis zum erhöhten Christus. Diese Form der Religion hat Jahrtausende hindurch als das eigentliche Christentum gegolten, und es gibt heute noch ungezählte Christen, die keine andere *Form des Glaubens* kennen und wünschen . . . Daneben geht (heute) eine religiöse Strömung her, welche ein religiöses Verhältnis zum erhöhten Christus nicht mehr zu finden vermag und ihr volles Genüge daran hat, sich von Jesus von Nazareth zum Vater führen zu lassen. Beide Formen religiösen Lebens stehen in unserer Kirche nebeneinander . . . Ich mache kein Hehl daraus, daß ich mit der Mehrheit der neueren Theologen mich zu der zweiten Anschauung bekenne, und daß ich hoffe, diese werde allmählich in unserer Kirche zur Herrschaft kommen“[2]. Diesem Verständnis des christlichen Glaubens entspricht die *historische Erklärung* des Ostergeschehens, die Johannes Weiß in seiner „Geschichte des Urchristentums“[3] wieder als die Durchschnittsmeinung eines breiten Stromes damaliger protestantischer Forschung gibt: Die Ostererscheinungen sind „nicht, wie es (den Jüngern) damals schien, der Grund, sondern eine Wirkung ihres Glaubens“! Unter dem nachwirkenden Eindruck der religiösen Persönlichkeit Jesu faßten die Jünger den kühnen Glau-

[2] J. Weiß, Paulus und Jesus, 1909, 4 f.
[3] J. Weiß, Das Urchristentum, 1917, 22

ben, ihr Meister sei auferstanden. Diesem Glauben entsprangen die Visionen! Die Erzählung vom leeren Grab wurde später hinzugedichtet, weil man sich eine Auferstehung nur als Hervorgehen aus dem Grabe vorstellen konnte. Wie die Osterbotschaft, so ist nach der faszinierenden Darstellung Wilhelm *Boussets* auch ihre Entfaltung in der neutestamentlichen Christologie lediglich die zeitgebundene Form, in der sich der Eindruck der religiösen Persönlichkeit Jesu symbolisch Ausdruck verlieh[4]. In dieser historisch-theologischen Erklärung des Osterkerygmas hatten sich um 1910 die Vertreter der liberalen Theologie und der Religionsgeschichtlichen Schule zusammengefunden. Hinter dieser Erklärung steht – das ist wichtig zu sehen – ein unabhängig von theologischen Erwägungen entwickeltes hermeneutisches Prinzip, nämlich das *Prinzip* des *Historismus:* Die Geschichte ist als lückenloser, immanenter Kausalzusammenhang zu erklären – wie nach der damaligen Naturwissenschaft die Natur. Die liberale Theologie meinte, dieses Prinzip als wissenschaftlich vorgegeben anerkennen und deshalb das Religiöse aus der Geschichte wie aus der Natur in die Innerlichkeit des Menschen zurückverlegen zu müssen. So erklärt Johannes Weiß[5] zu den Ostererscheinungen: „. . . die moderne Betrachtung, die mit dem ununterbrochenen Kausalzusammenhang rechnet, kann diese Erlebnisse der Jünger nur als ‚Visionen' ansehen. Wissenschaftlich versteht man darunter den Vorgang, daß im Gesichtsfeld ein Bild auftaucht, dem kein äußerer Gegenstand entspricht".

Das Osterkerygma existential interpretiert

In dialektischer Antithese zu der historistischen Erklärung, von der er selbst herkam, entwickelte Rudolf *Bultmann* auf Grund der nach 1918 eingetretenen philosophischen und theologischen Wende seinen Entwurf, den wir nun als zweiten in unserer Einleitung charakterisieren wollen. Sein *hermeneutischer Ansatz* geht bekanntlich vor allem von der Existenzphilosophie Heideggers aus, bleibt jedoch ein Stück weit dialektisch mit dem Historismus verbunden. Er analysiert die Texte zunächst weitgehend nach historistischer Methode, um sie dann existential zu interpretieren. Auch dieses hermeneutische Prinzip gibt sich als allgemein gültig. Es ist, wie Bultmann betont, von der Theologie unabhängig, korrespondiert ihr jedoch. Mit diesem philosophisch-hermeneutischen Ansatz verbindet sich ein theologi-

---

[4] W. Bousset, Kyrios Christos, 1913, (1935[4]), 17 f.
[5] A.a.O. (Anm. 3), 20.

scher, der vor allem unter dem Einfluß von Karl Barth entstand. Bultmann sieht, daß es im Neuen Testament nicht um Religion, sondern um das Wort von Gott her und um Glauben geht[6].

Auf Grund dieser Prinzipien *erklärt* Bultmann die *Entstehung* des *Osterkerygmas* folgendermaßen: Jesus war nicht „religiöse Persönlichkeit", die Religion entzündete, sondern der letzte Ruf Gottes, der Glaubensentscheidung will. „Die Entscheidung für Jesu Sendung, die seine Jünger einst durch ihre Nachfolge gefällt hatten, mußte von neuem und radikal gefällt werden infolge der Kreuzigung Jesu ... Die Gemeinde mußte das Ärgernis des Kreuzes überwinden und hat es getan im Osterglauben. Wie sich diese Entscheidungstat im einzelnen vollzog, wie der Osterglaube ... entstand, ist in der Überlieferung durch die Legende verdunkelt worden und ist sachlich von keiner Bedeutung."[7] Diese Glaubensentscheidung spricht sich im Osterkerygma aus; dieses erzeugt seinem eigenen Ursprung gemäß weiterhin in steter Wechselwirkung Glaubensentscheidung und erneute Verkündigung als pneumatische Tradition. Demgemäß gilt: „Der Glaube an die Auferstehung Christi und der Glaube, daß im verkündigten Wort Christus selbst, ja Gott selbst, spricht (2.Kor. 5,20), ist identisch."[8]

Diese Erklärung des Osterkerygmas löste in der Auseinandersetzung um die Entmythologisierung die Frage aus: „Ist für Bultmann der lebendige auferstandene Herr eine Wirklichkeit oder ist nur das Kerygma Wirklichkeit?"[9] Auf sie antwortete Bultmann in dem sein Vermächtnis zusammenfassenden Heidelberger Akademievortrag von 1960[10]: „Mehrfach und meist als Kritik wird gesagt, daß nach meiner Interpretation des Kerygmas *Jesus ins Kerygma auferstanden* sei. Ich akzeptiere diesen Satz." „Er ist völlig richtig, vorausgesetzt, daß er richtig verstanden wird. Er besagt, daß Jesus im Kerygma wirklich gegenwärtig ist, daß es sein Wort ist, das den Hörer im Kerygma trifft." Wieder muß man fragen: Ist er also nur in der Weise präsent, daß es „sein Wort" ist? Was heißt „sein Wort"? Der Glaube im Sinn des Neuen Testaments weiß um Jesu Person hinter dem Wort und ruft sie im Gebet an. Von dieser Wirklichkeit des erhöhten Herrn kann Bultmann auf Grund seiner Hermeneutik nicht reden; er bestreitet sie nicht, aber er schweigt von ihr! So bleibt offen, was nach dem Neuen Testament nicht offenbleiben darf; denn der Ruf zum Glauben wird gesetzliche Forderung, wenn der lebendige Herr hinter dem Kerygma verschwindet.

---

[6] R. Bultmann, Glaube und Verstehen, I (1958^3), 114–133, 256–267.
[7] Theologie des Neuen Testaments, 1959^3, § 7, 3.
[8] A.a.O. (Anm. 7), § 33, 6c.
[9] H. Graß, a.a.O. (Anm. 1), 244, Anm. 1.

Seit etwa zehn Jahren ist diese Aporie in der von Bultmann herkommenden Forschung weithin bewußt geworden. Man bemüht sich nun, das Kerygma durch ein *Zurückfragen* nach der *Person* des *irdischen Jesus* zu füllen. Diese neue Fragestellung hat zusammen mit anderen Faktoren zu einem Umbruch innerhalb der Schule Bultmanns geführt, so daß sich etwa seit 1960 neue Ansätze und neue Gruppierungen abzeichnen.

Die einen, vor allem Günther *Bornkamm*[11], betonen nun, daß der Osterglaube durch eine den Jüngern widerfahrene neue Offenbarung begründet wurde; aber die Aussagen über die Auferstehung bleiben matt, weil der irdische Jesus immer nur als Werkzeug von Gottes Heilswirken und nicht als der Verheißene in Person gesehen wird. Ein anderer Zweig der Schule, Ernst *Fuchs* und Gerhard *Ebeling*, aber rückt nun über diesem Zurückfragen nach dem irdischen Jesus von dem Grundsatz Bultmanns, daß das Osterkerygma der Ansatz des neutestamentlichen Glaubens und Verkündigens sei, ab und zieht sich auf eine Begründung des Glaubens durch den irdischen Jesus zurück. So schreibt Ernst Fuchs jetzt[12]: „Wäre es nicht richtiger, nun auch den sog. ‚Osterglauben' zu entmythologisieren? . . . Oder wie wäre jener Osterglaube etwa von dem Glauben an die Sündenvergebung zu unterscheiden, wie er sich im Gleichnis vom verlorenen Sohn . . . ausspricht?" Eine ähnliche Verflüchtigung des Ostergeschehens durch Interpretation versucht Willi *Marxsen* historisch mit der – exegetisch nicht haltbaren – Annahme zu begründen, den Jüngern sei lediglich ein vieldeutiges „Sehen" des Gekreuzigten widerfahren; sie hätten es ursprünglich nur als Auftrag verstanden, „die ‚Sache Jesu'" weiterzubringen, und erst später als Ausdruck der Auferstehung gedeutet[13].

[10] Das Verhältnis der urchristlichen Christusbotschaft zum historischen Jesus, SAH 1961², 27 (Sperrung vom Vf.).

[11] Jesus von Nazareth, 1956, 168 f. Demgegenüber bleibt H. Conzelmann, Jesu Wirken nach seinem Tode, Kontexte 3, hrsg. von H. J. Schulz, 1966, 119–124, näher bei Bultmann, wenn er S. 123 f. abschließend erklärt: „Die Entscheidungsfrage ist nicht, ob wir uns ein bestimmtes Bild von der Auferstehung Christi machen – es kann immer nur ein Bild sein –, sondern ob wir heute (ebenso wie viele Generationen vor uns in der Geschichte) dafür einstehen, daß Christus der Herr ist, also der Welt ihr Maß setzt." Die Erzählungen von den Erscheinungen des Auferstandenen „verkündigen, daß Christus lebt, daß Gott beim Menschen ist. Aber wie? So, wie es am Kreuz Christi zu sehen ist". „Ihn (den gescheiterten Menschen Jesus) verstehen lernen als den Bringer des ewigen Heils, als die Chance, Maßstäbe für die Unterscheidung zu gewinnen, für Gewalt hier und Frieden dort, für Tod hier und Leben dort, das heißt: begreifen, daß Gott Jesus von den Toten erweckte."

[12] Das Neue Testament und das hermeneutische Problem, ZThK 58 (1961), 205.

[13] W. Marxsen, Die Auferstehung Jesu als historisches und als theologisches Problem, 1965², 19.24 f.; vgl. S. 91 f.

Wir müssen uns hier mit diesen notwendig schematischen Hinweisen begnügen. Wenn man gegenwärtig das Bemühen der von Bultmann herkommenden Forschung um unser Problem verfolgt, gewinnt man insgesamt den Eindruck: Die exegetische Arbeit drängt allenthalben über das hermeneutische Prinzip Bultmanns hinaus, aber sie bleibt ihm vorerst noch verhaftet[14]. Dieses Prinzip, die dialektische Antithese zwischen historistischer Analyse und existentialer Interpretation, bedeutet vor allem dreierlei:

1. Die historische Analyse der neutestamentlichen Texte wird „rein historisch" betrieben; das Ergebnis der Analyse erscheint als eine theologisch unantastbare „wissenschaftliche" Gegebenheit.

2. Der Sinngehalt des Textes wird durch existentiale Interpretation dieses Ergebnisses gewonnen.

3. Nur durch dieses doppelte Filter hindurch wird der Inhalt des Textes Ruf zum Glauben.

Diesem Verfahren korrespondiert der Glaubensbegriff. Glaube ist immer nur Glaubensentscheidung gegenüber einer Selbstverständnis vermittelnden Anrede. Er flieht aus der Geschichte in die Geschichtlichkeit der Existenz. Das Kerygma wird in geradezu magischer Weise zum ausschließlichen Heilsgeschehen; und der Glaubensinhalt geht in geradezu mystischer Weise im Glauben auf. Gerhard Ebeling kann z. B. sagen: „Das Erscheinen Jesu (in den Ostererscheinungen) und das Zum-Glauben-Kommen dessen, dem die Erscheinungen zuteil wurden, war darum ein und dasselbe!"[15]

Dabei wirken im Hintergrund die weltanschaulichen Voraussetzungen des Historismus bis heute nach und treten gegenwärtig neu hervor. Vor kurzem wurde in einem Aufsatz zum Osterkerygma, der sich ausdrücklich in die eben charakterisierte Forschungsrichtung stellt, einleitend erklärt: „Sofern es sich bei der Auferstehung Jesu um ein vergangenes Geschehen handelt, wird das so geschehen müssen, daß wir uns eine möglichst zutreffende Vorstellung dessen bilden, was damals wirklich geschehen ist. Dabei fragen wir im Rahmen eines Vorentwurfs von Wirklichkeit, der gekennzeichnet ist durch die Voraussetzung einer prinzipiellen Gleichartigkeit alles Geschehens, welche es erlaubt, die gegenwärtige Erfahrung von Wirklichkeit als kritischen Maßstab bei der Rekonstruktion des vergangenen Geschehens anzuwenden."[16] Diese These macht sich, wie nach-

---

[14] Zu diesem Ergebnis kommt auch der aufschlußreiche Forschungsbericht des katholischen Theologen E. Schick, Die Bemühungen in der neueren protestantischen Theologie um den Zugang zu dem Jesus der Geschichte, insbesondere zum Faktum seiner Auferstehung, Bibl. Zeitschift NF 6 (1962), 256–268.

[15] Das Wesen des christlichen Glaubens, 1959, 81.

[16] F. Mildenberger, „Auferstanden am dritten Tage nach den Schriften", Ev.

her ausdrücklich bemerkt wird, das Analogieprinzip des Historismus zu eigen[17]. Daher versucht der Aufsatz erneut eine psychologische Rekonstruktion des Ostergeschehens, die gerade nicht historisch ist. Die Ausführungen scheinen für die gegenwärtige Situation bezeichnend zu sein, weil sie so elementar reden und so wenig reflektieren, wie sehr Denken und Weltverständnis vom Glauben und Unglauben abhängig sind.

Demgegenüber verpflichtet uns der Anspruch des Neuen Testaments m. E., die Exegese in einem *ständigen kritischen Dialog* zwischen *historischer Analyse* und *theologischem Verstehen* zu vollziehen. In diesem Dialog ergibt sich, daß nicht wenige „rein historische" Urteile auf zu einfachen weltanschaulichen Vorurteilen und auf sachlichem Mißverstehen beruhen. Der Anspruch des Neuen Testaments fordert weiterhin, daß philosophische Prinzipien[18] ebensowenig wie ein kirchliches Dogma statische Voraussetzung des Verstehens werden; auch sie müssen dem kritischen Dialog mit dem Anspruch des Textes ausgesetzt werden. Das Neue Testament verwirft jede securitas, die von verfügbaren, vorgegebenen Kriterien aus urteilt (Joh. 9,29 f.). Nur auf Grund dieses nie abgeschlossenen kritischen Dialogs kann der Glaube die Verbindung von Offenbarungsgeschehen und geschichtlichen Vorgängen, die für die biblische Offenbarung konstitutiv ist, durchhalten. In dieser Weise, die hier nicht genauer erläutert werden kann, wollen wir Gestalt und Sinn des Osterkerygmas nun an Hand von drei Fragen entwickeln[19].

A. Wie lautet das Osterkerygma?

1. Die *älteste* uns erreichbare *Gestalt* des *Osterkerygmas* ist nicht in den Ostererzählungen der Evangelien zu suchen, sondern in der christologischen Formeltradition aus vorpaulinischer Zeit, die wir durch formgeschichtliche Analyse in den paulinischen Briefen und in der Apg. entdecken. Neben der bekannten Formel 1.Kor. 15,3–5, die Paulus ausdrücklich als Tradition bezeichnet, finden wir in diesen Schriften

Theol. 23 (1963), 265 f.

[17] Ebd. S. 271. E. Troeltsch machte „die prinzipielle Gleichartigkeit alles historischen Geschehens" zur Voraussetzung (Gesammelte Schriften II, 1913, 732).

[18] Auf Grund solchen Dialoges scheint mir gegenwärtig E. Käsemann, Zum Thema der urchristlichen Apokalyptik, ZThK 59 (1962), vor allem S. 258, Anm. 3, von der existentialen Interpretation abzurücken. Eine gute und weiterführende Übersicht über das gegenwärtige Bemühen um die geschichtsphilosophischen Voraussetzungen der Exegese gibt J. Moltmann, Exegese und Eschatologie, Ev. Theol. 22 (1962), 31–66.

[19] Zu weiteren Fragen um das Ostergeschehen vgl. L. Goppelt, Die apostolische und nachapostolische Zeit, 1966², (Die Kirche in ihrer Geschichte Bd. I, A), § 3.

auf Grund stilistischer und begriffssprachlicher Merkmale eine nicht genau abgrenzbare, aber nicht unerhebliche Zahl von Formeln über Jesu Weg und Würde, die ohne ausdrückliche Zitierung in den Text eingeflochten sind[20]. Das älteste Osterkerygma ist nicht in den Sätzen, die auf Grund des Weges die Würde des Erhöhten aussagen (z. B. Apg. 2,36; Röm. 1,3 f.), zu suchen, sondern in den Formeln über Jesu Weg. Unter diesen halten manche Exegeten[21] die kürzesten Formeln, die nur das Faktum aussprechen, für die ältesten, z. B. Röm. 10,9: „Gott hat (Jesus) von den Toten auferweckt", die ausführlicheren, z. B. 1.Kor. 15,3–5 für spätere, theologische Ausgestaltungen. Dieser Gesichtspunkt der Entwicklung ist jedoch zu formal. Wir müssen den „Sitz im Leben" beachten. Dann zeigt es sich, daß diese kurzen Formeln von Haus aus Bekenntnisformeln sind, die der Verkündigung antworten, so jedenfalls Röm. 10,9. Als Verkündigung wären die nur das Faktum aussprechenden Formeln unbrauchbar; denn wie könnte ein jüdischer Mensch diese bloße Behauptung in seinen Glauben hineinnehmen? Sobald wir nach Formeln fragen, die eindeutig Verkündigung sein wollen, heben sich aus dem Formelgut zwei Überlieferungen heraus: Die eine finden wir in den Petruspredigten in Apg. 2–5. Ihnen liegt ein Aufriß der missionarischen Verkündigung unter Israel zugrunde, den Lukas fremde Eigentümlichkeiten als Tradition erweisen. Das Alter dieser Tradition ist einer überraschenden Beobachtung zu entnehmen. Dieser Aufriß deckt sich nämlich in wesentlichen Stücken mit einer zweiten Überlieferung, der Formel in 1.Kor. 15. Diese Formel stammt, wie man inzwischen fast allgemein sieht, in ihrem Grundbestand (V. 3–5) aus der palästinischen Urkirche, d. h. aus Jerusalem[22]. Paulus hat sie aller Wahrscheinlichkeit nach bei seiner Bekehrung oder bei seinem ersten Besuch in der Urgemeinde, also spätestens fünf Jahre nach Jesu Ausgang, als verbindliche Tradition übernommen (1.Kor. 15,3a)[23]. Die Stücke, in denen diese beiden Formelüberlieferungen übereinstimmen, sind demnach die Elemente des ältesten Osterkerygmas.

2. Das älteste Osterkerygma *enthielt* somit *folgende drei Elemente:* a) Eine antithetische Aussage über Jesu Weg. Sie lautet im Aufriß der Petruspredigten (Apg. 2,23; 3,15; 4,10; 5,30):

[20] I. N. D. Kelly, Early Christian Creeds, 1952²; E. Schweizer, Erniedrigung und Erhöhung bei Jesus und seinen Nachfolgern, 1962³, 87–109.

[21] Z. B. H. Conzelmann, RGG³ I, 698 f.; ders., Jesus von Nazareth und der Glaube an den Auferstandenen, in dem Sammelband: Der historische Jesus und der kerygmatische Christus, 1961², 198 f.; ähnlich G. Bornkamm, a.a.O. (Anm. 11), 166.

[22] Dies wurde gegenüber Einwänden zuletzt erhärtet durch B. Klappert, Zur Frage des semitischen oder griechischen Urtextes von 1.Kor. 15,3–5, NTSt 13 (1967), 168–173.

Ihr habt Jesus getötet,
Gott aber hat ihn auferweckt.

Und 1.Kor. 15:

Jesus ist gestorben (für unsere Sünden nach der Schrift
und wurde begraben)
und wurde auferweckt am dritten Tage (nach der Schrift
und ist Kephas erschienen, darauf den Zwölfen).

Diese Aussage ist in 1.Kor. 15 wie in der Apg. mit zwei weiteren Elementen verbunden, nämlich b) mit dem Hinweis auf die Erfüllung der Schrift und c) mit dem Hinweis auf die Zeugen der Ostererscheinungen (vergleiche die Klammern).

3. Wenn dies aller Wahrscheinlichkeit nach der älteste Bestand des Osterkerygmas war, ergeben sich zwei weitreichende Folgerungen über die *Aussageweise*. Dann war das Osterkerygma a) seiner Herkunft nach nicht Ausdruck des Osterglaubens, sondern *deutende Bezeugung* eines *Widerfahrnisses*. Die Ostererscheinungen werden — selbstverständlich im Glauben — bezeugt und als Bekundung der Auferstehung gedeutet. Das Osterkerygma hat dann seine nächste Entsprechung in dem alttestamentlichen Urcredo Dt. 26,5—11[24]. Es will gleich jenem einfach „die großen Taten Gottes" im Glauben bezeugen. Dieses Zeugnis aber ergeht nun b) nie als nur referierender Bericht, sondern als eine Gottes Tat *proklamierende Aussage*. Deshalb liegt dieser Inhalt in den Petruspredigten und in 1.Kor. 15 bereits in unterschiedlicher Ausprägung vor.

4. Worin besteht der Unterschied? Die *beiden Ausprägungen* des Urkerygmas weisen in *unterschiedlicher* Weise auf den Weg Jesu vor der Auferstehung hin. Die Petruspredigt verweist ausdrücklich auf sein Erdenwirken; 1.Kor. 15 dagegen schweigt vom Erdenwirken. Umgekehrt redet 1.Kor. 15 von einer Heilsbedeutung des Sterbens Jesu, während die Petruspredigt davon schweigt. Dieser Unterschied erklärt sich in erster Linie aus einer verschiedenen kerygmatischen Ausrichtung, nicht etwa aus unterschiedlichen Christologien. Der Aufriß der Petruspredigten ist missionarischer Bußruf an die jüdischen Zeitgenossen Jesu. Sie werden bei ihrem Verhalten gegenüber dem

---

[23] Vor kurzem versuchte U. Wilckens, Der Ursprung der Überlieferung der Erscheinungen des Auferstandenen, Zur traditionsgeschichtlichen Analyse von 1.Kor. 15,1—11, in: Dogma und Denkstrukturen, Festschrift für E. Schlink, hrsg. von W. Joest und W. Pannenberg, 1963, 37—81, zu zeigen, daß 1.Kor. 15,3—5 erst nachträglich aus verschiedenen Formeln zusammengewachsen sei. Diese der weithin einhelligen Auffassung der Exegese widerstreitende Analyse überzeugt jedoch ebensowenig wie die entsprechende These, daß der Aufriß der Petruspredigten in der Apg. nicht alte, vorlukanische Tradition sei (ders., Die Missionsreden der Apg., 1961). Vgl. die Diskussion bei L. Goppelt, a.a.O. (Anm. 19), 8 f., 14 f.

[24] G. von Rad, Theologie des Alten Testaments I (1957), 127 f.

Gottesmann Jesus behaftet (vgl. Mt. 11,20–24). Demgegenüber ist 1.Kor. 15,3–5 katechetische Zusammenfassung des Osterkerygmas für die Gemeinde, die sie sich im Wir-Stil des Bekenntnisses zu eigen macht; ihr wird der Tod Jesu als für sie geschehen zugesprochen.

Daß das Osterkerygma von Anfang an in einer nach außen und in einer nach innen gewandten Ausprägung auftrat, ist nicht überraschend; denn beide Aspekte waren bereits im Erdenwirken Jesu wirksam, einfach weil sie durch die Sache gegeben waren: In den Erdentagen ruft Jesus im Blick auf das nahe Kommen des Reiches alle zur Umkehr (Mt. 4,17). Aber „das Geheimnis des Reiches Gottes" (Mk. 4,11), nämlich das gegenwärtige Kommen des Reiches in seinem Wirken, und das Geheimnis seiner Würde wie seines Ausganges erschließt er nur den Nachfolgenden (vgl. Mk. 8,30 f.); denn dies ist nur dem Glauben zugänglich[25]. Daher ist es nicht verwunderlich, daß nach Jesu Ausgang beide Aspekte, wenn auch abgewandelt, erneut auftraten, sowohl bei der Gestaltung des Osterkerygmas wie bei seiner Entfaltung in der Mk- und Q-Überlieferung. Für die historistisch verobjektivierende Analyse fallen die beiden Gestalten des Osterkerygmas ebenso auseinander wie die beiden Seiten des Erdenwirkens Jesu und die beiden Stämme der synoptischen Tradition (Mk und Q); für eine theologisch verstehende Analyse gehören sie als missionarisches und katechetisches Kerygma sachlich zusammen.

So ergibt sich: Das Osterzeugnis war auf Grund seines Inhaltes kerygmatisch ausgerichtet und wurde daher von Anfang an immer in *kerygmatischer Interpretation* wiedergegeben. Seine kerygmatische Interpretation aber führte zu einer Entfaltung, die das Osterkerygma zur Wurzel der gesamten urchristlichen Verkündigung, die ihren Niederschlag im Neuen Testament fand, machte.

Daß das Osterkerygma die *Wurzel* der *gesamten urchristlichen Verkündigung* wurde, ist weithin anerkannt, unklar aber ist, wie dies geschah. Das Osterkerygma wurde m. E. in zwei Richtungen entfaltet. Es mußte einerseits von Jesu Erdenwirken her erläutert werden. Dies war der entscheidende Ansatz für die Entstehung der Evangelienüberlieferung. Sie stellt vom Osterkerygma her Jesu Erdenwirken auf das Kreuz hin dar und sagt der Gemeinde, wer der Auferstandene ist. Was der Erhöhte der Gemeinde zu sagen hat, verkündigt die Gemeindepredigt, von der die neutestamentliche Briefliteratur ausgeht. Sie entspringt entscheidend der Entfaltung des Osterkerygmas in der anderen Richtung, nämlich seiner Anwendung auf die Gemeindesituation, vor allem durch christologische Interpretation. Dieser doppelten Entfaltung des Osterkerygmas können wir hier nicht weiter

[25] L. Goppelt, Der verborgene Messias, in: Der historische Jesus und der kerygmatische Christus, 1961², 371–384; s. S. 11–26.

nachgehen; denn dringlicher als sie ist in unserem Zusammenhang die Frage nach seiner Entstehung.

B. Wie entstand die Aussage: „Er ist auferstanden"?

1. Fragen wir zunächst: Was konnte die *jüdische Umwelt* zu dieser Aussage beitragen? Wenn man die Aussage „Er ist auferstanden" mit den Ohren der Umwelt hört, dann enthält sie eine völlig einzig dastehende, ungeheure Behauptung. Schon im außerbiblischen Griechisch bedeuten die hier im Neuen Testament verwendeten Worte (ἀνίστημι, ἐγείρω, ἀνάστασις) in Anwendung auf Verstorbene die Rückkehr in eine leibhafte Existenz, z. B. die Wiederbelebung eines Scheintoten, aber nie ein Fortleben der Seele. In der jüdischen Umwelt der ersten Gemeinde bezeichnen diese Worte, bzw. ihre hebräisch-aramäischen Entsprechungen, präzise gebraucht, die Auferweckung zum ewigen Leben in einer neuen Welt[26]. Diese Vorstellung hatte die alttestamentlich-jüdische Apokalyptik, einsetzend mit der Apokalypse in Jes. 24–27 (25,8; 26,19) und Dan. 12,2 entwickelt; sie war in den Tagen Jesu verbindliche Lehre des pharisäischen Rabbinismus geworden. Viele Juden lehnten, wie Jesu Gespräch mit den Sadduzäern erkennen läßt, diese Erwartung mit Spott ab (Mk. 12,18–27). Auf jeden Fall aber behauptete niemand von einem Verstorbenen, er sei auferstanden[27]! Die Auferstehung, eine neue leibhafte Existenz, erwartete man durchweg erst beim Anbruch der kommenden neuen Welt[28]. Wenn die Jünger von der Auferstehung Jesu reden, dann sagen sie von diesem einen das eschatologische Ereignis schlechthin aus. Es ist in ihrem Sinne, wenn Paulus die Auferweckung Jesu mit der eschatologischen Totenauferweckung zusammenstellt und den Auferstandenen als den Erstling der neuen Welt kennzeichnet (1.Kor. 15,20–26). So ist das *Osterkerygma* für die jüdische Welt eine *einzigartige* und *unerhörte Aussage*. Der hellenistischen Welt aber liegt sie ferne. Dort kennt man als nächste Analogien Mythen von einem Sterben und Wiederaufleben von Göttern, z. B. des Osiris, das in der Vorzeit geschah und durch Riten gegenwärtig wirksam gemacht

[26] Die Entwicklung des Sprachgebrauches wird sorgfältig dargestellt von E. Fascher, Anastasis – Resurrectio – Auferstehung, ZNW 40 (1941/42), 166–229; vgl. A. Oepke, ThW II, 332 ff.

[27] Mt. 27,52 f. sagt bildlich aus, was Jesu Auferstehung bedeutet. Mk. 6,14 meint eine Wiederverkörperung.

[28] K. Schubert, Die Entwicklung der Auferstehungslehre von der nachexilischen bis zur frührabbinischen Zeit, Bibl. Zeitschrift NF 6 (1962), 177–214; Billerbeck II, 223–233; III, 827 ff.; IV, 971 ff.

wird[29], oder die Apotheose großer Menschen durch Entrückung[30], — aber keinen Bericht, der seiner sachlichen Struktur nach dem Osterzeugnis entsprechen würde (vgl. Apg. 17,32).

Wie kommen die Jünger zu ihrer Aussage? Sie können sie nicht aus jüdischen Vorstellungen erschließen, sie können tatsächlich, wie das Kerygma besagt, nur ihnen *Widerfahrenes bezeugen.* Nichts legte nahe, die Auferstehungserwartung der jüdischen Apokalyptik auf Jesus zu übertragen. Auch weiterhin begründet nach dem Neuen Testament nicht sie den Osterglauben, sondern dieser begründet umgekehrt die Auferstehungshoffnung der Christen (1.Kor. 15,12 f.). Die Apokalyptik gab lediglich das Ausdrucksmittel an die Hand, um ein unerhörtes Widerfahrnis zu verstehen und in Worte zu kleiden.

Was ist den Jüngern widerfahren? Sie haben nicht die Auferstehung selber wahrgenommen. Das ist sachgemäß; denn die Auferstehung ist nicht, wie die Wiederbelebung des Lazarus, eine Rückkehr in dieses Leben, sondern eschatologisches Ereignis, Anbruch der neuen Welt Gottes. Es widerspricht dem Wesen des Vorgangs, wenn das apokryphe Petrusevangelium die Wächter das Hervorgehen aus dem Grabe wahrnehmen läßt. Im Neuen Testament findet sich allein bei Matthäus ein kleiner Schritt in dieser Richtung: Er läßt im Zuge der ihm eigenen Grabeswächtererzählung das Öffnen des Grabes be-

---

[29] Eine gute kritische Übersicht über diese Vorstellungen gibt G. Wagner, Das religionsgeschichtliche Problem von Röm. 6,1—11, 1962, 69—269.

[30] Eine Apotheose durch Entrückung in die Götterwelt wurde in der griechisch-hellenistischen Sage zunächst von Heroen wie Herakles und Asklepios, später auch von Gestalten wie Romulus und schließlich von hellenistischen Herrschern und römischen Kaisern, aber auch von „göttlichen Männern" wie Apollonius von Tyana erzählt (E. Rhode, Psyche II, 1921[7.8], 371—378). Typisch ist die seit Ennius Ann. I, 65 oft berichtete Entrückung des Romulus (vgl. Rosenberg, Pauly-W. I A, 1, 1097 f.). Nach Plutarch, Romulus cp. 27 f., war er bei einer im Freien gehaltenen Volksversammlung während eines Unwetters in der Verwirrung plötzlich verschwunden. Einige behaupteten, er sei von den Senatoren beseitigt worden. Diese aber erklären, er sei zu den Göttern entrückt und werde „nun aus einem guten König ein gnädiger Gott für sie werden". Sie fanden Glauben, als ein anerkannter Freund des Romulus kurze Zeit später auf dem Forum unter Eid versicherte, Romulus sei ihm in der Stadt erschienen (φανείη) „schön und groß anzusehen wie nie zuvor und mit feurig glänzender Rüstung geschmückt" und habe ihm erklärt, er sei zurückgekehrt in den Himmel, aus dem er nach dem Rat der Götter gekommen war, um eine große Stadt zu gründen: „Ich werde euch der gnädige Gott Quirinus sein." Plutarch bemerkt zu dieser u. ä. Sagen kritisch, man brauche nicht die Leiber der Guten wider die Natur mit in den Himmel aufsteigen zu lassen, aber man dürfe annehmen, daß die Seelen derer, die Großes wirken, von den Göttern stammen und kraft ihrer göttlichen Natur zu den Göttern emporgehoben werden. Vgl. A. Ehrhardt, Emmaus, Romulus und Apollonius, in: Mullus, Festschrift für Theodor Klauser, 1964, 93—99; H. Braun, Gesammelte Studien zum Neuen Testament und seiner Umwelt, 1962, 258 f., stellt diese und ähnliche hellenistische Vorstellungen zu undifferenziert mit ntl. Aussagen zusammen.

obachten (Mt. 28,2–4). Nach dem Osterkerygma wird die Auferstehung nicht wahrgenommen, sondern auf Grund der Ostererscheinungen bezeugt.

2. Das Osterkerygma beruft sich – das muß in diesem Zusammenhang kurz festgehalten werden – auch nicht auf das *Leerfinden des Grabes,* weder in 1.Kor. 15 noch in den Petruspredigten des Apg. Dieses Schweigen ist nicht traditionsgeschichtlich, sondern sachlich begründet. Die Berichte über das Leerfinden des Grabes beruhen trotz ihrer legendären Gestalt, wie zuletzt Wolfgang Nauck[31] zeigte, auf sehr alter und zuverlässiger Überlieferung. Nach der Erzählung im ältesten Evangelium bewirkte das Leerfinden des Grabes bei den Jüngern jedoch nicht den Osterglauben, sondern, wie es Mk. 16,8 heißt, „Zittern und Zagen". Die Engelstimme, die den Frauen das leere Grab erklärt, verweist auf die Ostererscheinungen (Mk. 16,6 f.). So war das Leerfinden des Grabes ursprünglich ein vieldeutiges Zeichen, das die Ostererscheinungen vorbereitet und erst durch sie gedeutet wird. Das Osterkerygma in 1.Kor. 15,4 setzt es mit der betonten Wendung „er wurde begraben" wohl voraus, aber es gründet sich nicht auf dieses Zeichen, sondern auf die Erscheinungen. (Dem Zeichen wurde lediglich die Zeitangabe „am dritten Tage" entnommen.)

3. Wie ergibt sich aus den *Ostererscheinungen* die Aussage: Er ist auferstanden?

Das *Kerygma* kennzeichnet den Inhalt der Erscheinungen mit dem griechischen Wort ὤφθη (1.Kor. 15,5–8; Lk. 24,34; Apg. 13,31; vgl. 9,17; 26,16). Dieser Begriff ist nicht zu übersetzen „er wurde gesehen", sondern *„er erschien"*. Der Begriff ist bereits in der griechischen Übersetzung des AT Terminus, der ein Offenbarungsgeschehen bezeichnet, selbst wenn es nicht mit visionellen Wahrnehmungen verbunden war[32]. „Offenbarung" ist dabei streng theozentrisch als Selbstdarbietung Gottes zur Gemeinschaft zu verstehen. Diesen Sprachgebrauch nimmt im Neuen Testament z. B. die Stephanusrede auf und sagt Apg. 7,2: „Der Gott der Herrlichkeit erschien unserem Vater Abraham, als er (noch) in Mesopotamien war ... und sprach zu ihm" (vgl. 7,30–35). Schon nach der Terminologie des Osterkerygmas sind die Erscheinungen demnach nicht durch Augenschein konstatierbare „historische" Vorgänge, aber auch nicht Wahrnehmungen von Toten, wie sie im Traum oder durch Spiritismus erfolgen (vgl. 1.Sam. 28, 5–25), sondern Offenbarungen Gottes, die zum Glauben rufen. Entsprechend kennzeichnet Paulus selbst die ihm widerfahrene Erschei-

---

[31] W. Nauck, Die Bedeutung des leeren Grabes für den Glauben an den Auferstandenen, ZNW 47 (1956), 243–267.

[32] Gen. 12,7; 17,1; 26,2; 35,9 u. o.; vgl. Anm. 34 und W. Michaelis, ThW V, 358 f.; K. H. Rengstorf, Die Auferstehung Jesu, 1960⁴, 117–127.

nung ausdrücklich als eine Offenbarung Gottes: Es hat Gott gefallen, „mir seinen Sohn zu offenbaren“ (Gal. 1,15 f.). Dieser Wesensbestimmung wird es noch nicht gerecht, wenn Hans Graß in seiner Monographie über das Ostergeschehen erklärt: Die Ostererscheinungen waren „objektive Visionen“. Gott „hat in einer Reihe von Visionen einem auserwählten Jüngerkreis Christus als lebendigen und erhöhten Herrn offenbart, so daß sie gewiß wurden: Er lebt“[33]. Diese Erklärung rückt „offenbaren“ zu sehr in die Nähe von „mitteilen“. Für das Neue Testament aber ist Offenbarung Selbstdarbietung Gottes. Den Jüngern wird nicht ein Bild gezeigt, das ihnen die Auferweckung Jesu mitteilt; ihnen bietet sich vielmehr, wie schon in den Erdentagen, durch Jesus Gott zur Gemeinschaft dar. Daher haben die Aussagen des Kerygmas über das Erscheinen wie die Erscheinungserzählungen als Gattung ihre nächste Analogie in alttestamentlichen Berichten über Theophanien[34], nicht etwa in apokalyptischen Visionen wie Offb. 1,12–18.

All dies läßt sich bereits dem Osterkerygma über Inhalt und Art der Erscheinungen entnehmen. Ehe wir weiterfragen, wie aus ihm das Bekenntnis der Auferweckung folgte, werfen wir einen Blick auf die *Erzählungen der Evangelien* über die Ostererscheinungen. Diese Erzählungen stellen schwierige *traditionsgeschichtliche* Fragen: Sie fehlen in unserem ältesten Evangelium. Wurden sie getilgt oder waren sie nie vorhanden? In den drei übrigen Evangelien aber sind sie Sonderüberlieferung. Es fehlt hier anders als in den Berichten über

---

[33] A.a.O. (Anm. 1), 246–249.

[34] Die Entsprechung ist nicht in den Theophanien zu suchen, die von einem Kommen Gottes zum Gericht reden, das Schrecken für die Betroffenen bedeutet. Diese wurden zuletzt von J. Jeremias, Theophanie, Die Geschichte einer alttestamentlichen Gattung, Neuk. 1965, untersucht (vgl. S. 1 f.). Dagegen finden sich in Struktur und Begrifflichkeit Berührungen mit den Theophanien, in denen Gott in anthropomorpher Weise dem Hörenden und Sehenden zum Heil wahrnehmbar wird. Diese Theophanien widerfahren wenigen Erwählten, voran den Vätern und später den Propheten. Der Erscheinende ist verhüllt und wird nur durch sein Wort erkennbar. In der Darstellung der Erscheinungen begegnen Leitbegriffe wie ὤφθη und προσέρχομαι (Mt. 28,18) bzw. ἔρχομαι (Joh. 20,19.26; 21,13). Z. B. heißt es in dem aus der Frühzeit stammenden Bericht über eine Abraham widerfahrende Theophanie Gen. 18,1: „Es erschien ihm aber (LXX: ὤφθη δὲ αὐτῷ) . . . Ve 2: Als er nun die Augen aufhob, sah er plötzlich drei Männer, die vor ihm standen . . . Ve 10 . . . über ein Jahr komme ich wieder (ἥξω).“ Weiterhin Ex. 3,2: „Es erschien (ὤφθη) ihm aber der Engel des Herrn im brennenden Busch.“ Erst durch die Anrede erfaßt Mose in der Erscheinung die Selbstbekundung des Gottes der Väter. Ve 6: „Ich bin der Gott deiner Väter . . . Ve 8 Ich bin herabgestiegen . . . Ve 10 Ich sende dich . . .“ Nach 1.Sam. 3,4–9 versteht Samuel den Anruf Gottes zunächst nicht. Ve 10: „Da kam der Herr, trat heran und rief.“ Ve 15: „Und Samuel fürchtete sich, Eli das Gesicht (τὴν ὅρασιν) mitzuteilen.“ (Vgl. J. Barr, Theophany and Anthropomorphism in the Old Testament, in: Suppl. to Vetus Testamentum VII (1960), 31–38; E. Pax, ΕΠΙΦΑΝΕΙΑ, 1955, 100–112).

Jesu Erdenwirken eine gemeinsame synoptische Tradition. Begnügte man sich ursprünglich mit dem Osterkerygma? Schwerlich! Die Überlieferung der Erscheinungserzählungen, die in unseren Evangelien erhalten ist, bietet vor allem eine Erscheinung vor dem Zwölferkreis (Mt. 28,16; Lk. 24,33; Joh. 20,19.24). Dies entspricht den zu ihrer Entstehungszeit geltenden sekundären Vorstellungen von den Zwölf Aposteln. Leider fehlt eine neuere traditionsgeschichtliche Analyse der Ostererzählungen[35]. Für unsere Fragestellung muß daher ein verkürztes Verfahren genügen. Wir versuchen, die allen Berichten gemeinsamen Grundlinien zu ermitteln; diese Grundlinien sind, da die Berichte sehr verschiedenen Überlieferungsströmen angehören, alte Tradition, zumal wenn sich ihr Ansatz mit dem Kerygma deckt. Was einzelne Erzählungen über diese Grundlinien hinaus als isolierte Aussagen enthalten, erweist sich schon von diesen Grundlinien her vielfach als spätere Ausgestaltung.

Nach den allen Erzählungen gemeinsamen Grundlinien sind die Ostererscheinungen nicht lediglich Schauungen, sondern *personhafte Begegnungen* zwischen dem Erscheinenden und seinen Jüngern, bei denen das *Gespräch* entscheidend war. Diese Begegnungen hatten eine doppelte Wirkung:

Die eine Wirkung war das *Wiedererkennen*. Der Erscheinende wird als Jesus von Nazareth nicht schon an seinem Aussehen, sondern erst an seinem Verhalten erkannt. Sein Erscheinen als solches erregt zunächst Frage und Zweifel (Mt. 28,17; Lk. 24,32.41; Joh. 21,4; Apg. 9,5). Er wird an seinem Verhalten erkannt, weil es das Entscheidende zum Ziel führt, was er seinen Jüngern in den Erdentagen erwiesen hatte. Die erste Erscheinung widerfährt dem Jünger, der ihn verleugnet hatte, Petrus. Wenn der Verleugnete sich ihm zeigt, wird die gebrochene Gemeinschaft vergebend wiederhergestellt, nicht ein Faktum demonstriert. Vergebende Selbstdarbietung war bereits die Grundlage der Nachfolge gewesen; sie kommt in dieser Erscheinung zum Ziel (1.Kor. 15,5; Lk. 24,34).

Gleicher Art sind die Begegnungen mit den übrigen Jüngern: Sie haben ihn verlassen und aufgegeben, er gewährt ihnen erneut die Gemeinschaft. Vielleicht hat er ihnen erneut als Hausvater das Brot gebrochen (Lk. 24,30.41 ff.; Apg. 1,4; 10,41; Joh. 21,13). Vielleicht hat er ihnen, die Jüngerbelehrung der Erdentage abschließend, den Sinn seines Weges erschlossen (Lk. 24,25 f., 45). Die eine Seite der Erscheinungen war auf alle Fälle das erneute Anbieten der Gemeinschaft.

---

[35] Vgl. C. H. Dodd, The Appearences of the Risen Christ: an Essay in Form-Criticism of the Gospels, in: Studies in the Gospels, Essays in memory of R. K. Lightfoot, 1957, 9–35.

Die andere war die *Sendung*. Ein Kreis der Osterzeugen wird mit dem Apostolat beauftragt. Das setzt das Kerygma in 1.Kor. 15,7 f. ebenso voraus wie die Ostererzählungen (Mt. 28,19; Lk. 24,47; Joh. 20,21; 21,15). In den Evangelien ist der Auftrag so formuliert, wie ihn die zweite christliche Generation verstand; er ist auf die Elf beschränkt und auf die universale Wandermission bezogen. Ursprünglich hat der Erscheinende, das steht fest, einen bestimmten Kreis der Osterzeugen beauftragt, als seine Stellvertreter in besonderer Weise sein Erdenwirken, das „Dienen", fortzusetzen. Mit diesem Auftrag hängt eine Reihe von Weisungen zusammen, von denen wir nicht mehr ermitteln können, wie weit sie die Überlieferung zu Recht mit den Ostererscheinungen verbindet: der Taufbefehl (Mt. 28,19 b) und die Verheißung der über Raum und Zeit erhabenen Gegenwart bei Mt. (28,20; vgl. 18,20) bzw. die Verheißung des Geistes bei Lk. (24,49; Apg. 1,7 f.; vgl. Joh. 20,22).

Demnach waren die Ostererscheinungen insgesamt Begegnungen, welche die Selbstdarbietung Jesu an die Seinen in den Erdentagen abschlossen; sie haben nichts mit der Parusie gemein. Daher entspricht es ihrem Wesen, daß sie nach allen Berichten auf die Jesus in den Erdentagen Nahestehenden beschränkt blieben. Sie widerfahren keinem Gegner, keinem Fernstehenden, keinem Späteren. Paulus bezeichnet sich selbst als die Ausnahme: „Am letzten von allen als der unzeitigen Geburt erschien er auch mir" (1.Kor. 15,8)[36].

Das *Ziel* der *Erscheinungen* ist nach den Ostererzählungen wie nach dem Kerygma nicht anders als bei der Selbstdarbietung in den Erdentagen nicht Wissen, sondern *Glauben*. Die Erscheinungen erwecken grundsätzlich nicht in anderer Weise Glauben als die Begegnungen der Erdentage. Glaube bedeutet hier wie dort, Jesu Auftreten in den Glauben an den Gott Israels hineinnehmen. Was ist jetzt der Inhalt dieses Auftretens? Jesus begegnet nach dem Kerygma wie nach den Erzählungen abschließend als der, der sich an Gottes Statt vergebend zur Gemeinschaft darbietet, und als der, der die Seinen nicht als Vertreter einer Sache, sondern als seine persönlichen Stellvertreter, als Apostel, sendet. Er *begegnet* auf diese Weise als *Person* im *Vollsinn,* d. h. in der Sprache des Neuen Testaments *leibhaft!* (Noch für Paulus ist Leib seinem Wesen nach das, was wir Person nennen; in die lukanischen und johanneischen Ostererzählungen sind Elemente

[36] Bei Lukas bringt die „Himmelfahrt" als zeichenhafter Abschluß einer Erscheinung schematisch zum Ausdruck, daß die Erscheinungen abgeschlossen sind (Apg. 1,9 ff.; vgl. Lk. 24,51). Das ganze Neue Testament unterscheidet die Ostererscheinungen grundsätzlich von den Christusvisionen im Geist, die vielen weiterhin zuteil wurden (2.Kor. 12,1). Vgl. weiter L. Goppelt, a.a.O. (Anm. 19), 12 f.

des substanzhaften griechischen Leibbegriffes eingedrungen[37].) Leibhafte Existenz eines Verstorbenen aber ist nach alttestamentlich-jüdischer Vorstellung das Wesen der Auferstehung (1.Kor. 15,35 ff.), die Seelen der Verstorbenen sind nur Schatten (2.Kor. 5,1 ff.)[38]. Sobald die Jünger demnach die personhaften Begegnungen mit Jesus bei den Ostererscheinungen in ihren Glauben an den Gott Israels hineinnehmen, können sie nur bekennen: Gott hat an ihm das eschatologische Heilswerk vollbracht: Er hat ihn auferweckt!

Dese Auferweckung eines einzigen wäre ein sinnloses Mirakel, wenn sie irgendeinem Menschen, einem Rabbi oder Propheten, widerfahren wäre. Die Jünger aber können sie *im Glauben verstehen*, so wenig sie aus dem Glauben zu folgern war. Die Jünger bekunden dies Verstehen, indem sie *die Auferweckung*, wie die ältesten christologischen Formeln besagen, *als Erhöhung* deuten (Apg. 2,36; Röm. 1,3 f.). Auferstehung und Erhöhung gehören vom AT her zusammen. In den ältesten Auferstehungsworten der Bibel, in Ps. 73,23–28, in Jes. 26, 7–19 und in Dan. 12,1–3 ist die Auferweckung die Erhöhung der Gerechten, die von den Menschen verworfen wurden. Jesus aber ist für die Jünger der Gerechte schlechthin; wahrscheinlich hat Jesus selbst bereits typologisch seinen Weg im Licht der atl. Worte von den Gerechten gesehen[39]. Daher verstehen die Jünger seine Auferweckung und deuten sie als seine Erhöhung zum himmlischen messianischen Herrscher, der Gottes endzeitliche Herrschaft weiterhin durch Dienen aufrichtet, bis er sie in naher Zukunft durch seine sichtbare Parusie vollendet.

Demnach wurde die Begegnung mit Jesus in den Ostererscheinungen von zwei alttestamentlich-jüdischen Traditionen her gedeutet: Die apokalyptische Erwartung der universalen, eschatologischen Auferstehung, wie sie das nachalttestamentliche Judentum ausbildete, gab den Vorstellungsrahmen; die alttestamentliche Gewißheit um die Erhöhung des Gerechten aber, die Auferstehung bedeutet, die

---

[37] So auch M. E. Dahl, The Resurrection of the Body, 1962, 94. Paulus betont 1.Kor. 15,50 ff. Jesus folgend (Mk. 12,18–27 par) entgegen den apokalyptischen und rabbinischen Vorstellungen von der Auferstehung als einer verbesserten Wiederkehr (Billerbeck I, 889 f.; III, 473 ff.), daß sie ein eschatologisches Neuwerden bedeutet. Demgegenüber scheinen Lk. 24,39–42 und Joh. 20,27 von der Begegnung mit einem wiederbelebten irdischen Leib zu reden. Beide Evangelisten wollen entgegen dem Doketismus und der Verwechslung mit Totenerscheinungen die Leibhaftigkeit betonen, aber nicht eine welthafte Konstatierbarkeit; sie heben ihre mißverständliche Begrifflichkeit selbst auf, wenn sie zugleich sagen, daß er bei verschlossenen Türen kam und ging (Lk. 24,36; Joh. 20,19.26).

[38] K. Schubert, a.a.O. (Anm. 28), 177, 187 f.

[39] L. Goppelt, Typos, Die typologische Deutung des Alten Testaments im Neuen, 1966[2], 12–127; E. Schweizer, a.a.O. (Anm. 20), 21–32, 53–62.

eigentliche Mitte. Auf diese Weise *entstand* in den *Ostererscheinungen* der *Osterglaube*. (Was wir gedanklich rekonstruieren, vollzog sich natürlich in meditativer Unmittelbarkeit.) Im Osterkerygma aber wird sachgemäß nicht der Glaube, sondern die ihn begründende Tat Gottes proklamiert.

Deshalb begegnet uns das *Osterkerygma* in 1.Kor. 15 als eine *historische Tradition*, d. h. als Formel, die historische Elemente enthält und wörtlich weitergegeben wird (1.Kor. 15,3 a). Wäre das Osterkerygma in seinem Wesen Ausdruck einer Glaubensentscheidung der Jünger, dann hätte es nur gelautet: Jesus ist auferstanden, und es könnte als Chiffre für ein Selbstverständnis aufgenommen und als rein pneumatische Tradition im Sinne Rudolf Bultmanns und Gerhard Ebelings weitergegeben werden. Dann wäre ein rein funktionaler Kirchen- und Amtsbegriff im Recht. Bei Paulus aber wird das Osterkerygma als historische Tradition weitergegeben, *und doch zugleich* in 1.Kor. 15,1 f. als „Evangelium", als zum Glauben überführende Anrede, bezeichnet[40]. Wie kann diese Tradition, die historisch und kerygmatisch zugleich ist, im Glauben aufgenommen werden, ohne daß der Glaube zum Fürwahrhalten historischer Angaben wird? Das ist unsere letzte Frage.

C. *Wie ist Glaube an das Osterkerygma möglich?*

Die Zeugen der ntl. Zeit wissen nicht weniger als wir, daß Glaube gegenüber der Osterbotschaft alles andere als selbstverständlich ist. Sie geben die Perikope über Jesu Streitgespräch mit den Sadduzäern weiter, nach der selbst innerhalb Israels eine beachtliche religiöse Richtung die Erwartung einer Auferweckung, die allerdings im Sinne des Pharisäismus gedacht wird, als absurd ablehnt (Mk. 12,18). Lukas, der das Werden der Kirche unter den Griechen im Auge hat, geht auf diese Haltung der Sadduzäer besonders ein (Lk. 20,34–40; Apg. 4,1 f.; 23,6–8), weil er bei den Vertretern des griechischen Geistes eine ähnliche Ablehnung findet (Apg. 17,32). Unter der Einwirkung hellenistischen Denkens wird bereits in paulinischer Zeit auch innerhalb der Gemeinde die Auferstehung umgedeutet und verflüchtigt; deshalb wurde 1.Kor. 15 geschrieben (1.Kor. 15,12 f.; vgl. 2. Tim. 2,18).

Gegenüber dieser breiten Front der Ablehnung versucht das Neue Testament bei allen Unterschieden im einzelnen nirgends wie die

---

[40] Zur Diskussion vgl. L. Goppelt, Tradition bei Paulus, Kerygma und Dogma 4 (1958), 213–233.

Rabbinen[41] und seit 1.Clem. 20 die christliche Apologetik die Auferstehung als solche *aus der Welterfahrung* wahrscheinlich zu machen. Es geht vielmehr durchweg von der Osterbotschaft aus und deutet sie als die Tat-Zusage einer heilvollen Existenz, insbesondere der Auferweckung der Glaubenden: „Jetzt aber wurde Christus auferweckt von den Toten, als Erstling der Entschlafenen" (1.Kor. 15,20). Ähnlich Apg. 4,2: „Sie verkündigten in Jesus die Auferstehung von den Toten" (der Satz ist im Sinne von Apg. 26,23 gemeint). Die Osterbotschaft wird nicht aus der Welterfahrung begründet, sie widerspricht ihr, sie kann allein von sich aus Glauben abgewinnen. Sie wird, vor allem nach Paulus, auf doppelte Weise selbstmächtig wirksam:

1. Sie wirkt Glauben *kraft ihres Inhalts*. Nirgends wird im Neuen Testament verlangt, daß Menschen die Auferstehung Jesu als isoliertes Faktum für wahr halten sollen, weil glaubwürdige Zeugen es bekunden. Die Osterbotschaft ist ja nicht lediglich Bericht, sondern gleich allen wesentlichen biblischen Aussagen über Gott Glaubenszeugnis von einer Offenbarung Gottes in der Geschichte[42]. Daher richtet sich auch der ihr entsprechende *Glaube immer auf Gott*, nie auf das Faktum der Auferstehung als solches. Die Bekenntnisformel Röm. 10,9: „Wenn du in deinem Herzen glaubst, daß Gott ihn von den Toten auferweckt hat", ist im Sinne von Röm. 4,24 gemeint: „Wir glauben an den (Gott), der Jesus auferweckt hat." Gott begegnet als der Gott, „der Jesus auferweckt hat" (Röm. 8,11; 1.Kor. 6,14; Gal. 1,1; vgl. 1.Petr. 1,21). Die Osterbotschaft aufnehmen bedeutet, abschließend Gott im Sinne seiner Offenbarung als Gott anerkennen. Es bedeutet genauer, die Auferstehung als Tat-Zusage Gottes aufnehmen und auf sie hin leben, wie Abraham auf Gottes Verheißung hin seinen Weg ging (Röm. 4,16–25).

Um diesen Glauben zu erschließen, wird die Auferweckung des Gekreuzigten *verstehend als die entscheidende Erweisung der Gottheit Gottes expliziert*, auf die seine bisherigen Heilsbekundungen abzielen und von der sie endgültig ausgehen. Bereits die Formel in 1.Kor. 15,3–5 verweist zurück auf die Schrift und auf das Kreuz, in dem sich Jesu Erdenwirken zusammenfaßt, und führt mit dem „Für uns" hin zu ihrer Auswirkung, die 1. Kor. 15,17–33.53–57 in kos-

---

[41] Billerbeck I, 888 f.

[42] Bultmann verkennt den Aussagecharakter des Osterkerygmas, wenn er, a.a.O. (Anm. 7), § 54,4, zu 1.Kor. 15 erklärt: „Wenn Paulus noch – inkonsequent gegenüber seiner grundsätzlichen Erkenntnis – die Auferstehung wie ein historisches Faktum durch die Aufzählung von Zeugen sicherstellen will, . . ." Demgegenüber kennzeichnet Paulus selbst die Formel zugleich als historische Tradition (1.Kor. 15,3a) und als „Evangelium" (1.Kor. 15,1), d. h. als anredendes Wort.

mischer Weite entfaltet wird. Die Auferstehung verkennen bedeutet: „keine Erkenntnis Gottes haben" (1.Kor. 15,34). (Jesus selbst hält nach Mk. 12,24 den Sadduzäern vor: „Ihr kennt weder die Schrift noch die Kraft Gottes.")

a) Die begründende Entfaltung der Osterbotschaft *nach rückwärts* wird, um es an einigen Beispielen zu illustrieren, wie folgt vollzogen: Um zu zeigen, daß die Auferweckung Jesu *„nach der Schrift"* erfolgte (1.Kor. 15,4), verweist Paulus anders als die Missionspredigten der Apostelgeschichte nicht so sehr auf einzelne Schriftstellen als vielmehr auf heilsgeschichtliche Zusammenhänge. Christus, der „Leben schaffender Geist" wurde, ist das vorgesehene Gegenbild Adams, durch den über alle das Sterben kam (1.Kor. 15,22.45; Röm. 5,14). Der Glaube an den Gott, der Jesus auferweckte, ist die typologische Erfüllung des Glaubens, zu dem Abraham, der Vater der Verheißung, gerufen war (Röm. 4,17.23 f.). Das sind nicht geschichtsphilosophische Spekulationen, die die Auferstehung als notwendiges Glied eines kosmischen Ablaufes erweisen sollen, sondern höchst unsystematische typologische Meditationen, die Jesu Auferweckung vom Alten Testament her als Ziel der bisherigen Heilsoffenbarung Gottes verstehen lassen[43]. Vollends wird in *Jesu* Auferweckung sein *Erdenweg* vollendet, nicht nur bestätigt: Weil er bis zum Tod gehorsam war, „deshalb hat ihn Gott erhöht" (Phil. 2,8 f.). Wenn die Berichte der Evangelien über Jesu Erdenweg, wie die formgeschichtliche Analyse ergab, vom Osterkerygma her und auf dieses hin entworfen sind, dann tragen sie nicht Fremdes ein, sondern stellen den eigentlichen Sinn seines Erdenwirkens heraus: Jesus zielte mit seiner totalen Umkehrforderung wie mit der bedingungslos vergebenden Selbstdarbietung an die Sünder und die Hilfesuchenden auf radikal Neues ab. Er wäre Utopist, wenn das Neue in seiner Auferweckung nicht grundlegend leibhaft realisiert würde. So tritt nach Paulus in der Auferweckung Jesu endgültig Gottes Gemeinschaft stiftende Verheißungstreue, seine Gerechtigkeit, hervor (Röm. 4,25). Ihre Verkündigung bezeugt endgültig den Sinn aller biblischen Gottesoffenbarung, näm-

[43] Diese heilsgeschichtliche Betrachtungsweise will unterschieden sein von apokalyptischer Geschichtsschau. Von letzterer her sucht W. Pannenberg, Offenbarung als Geschichte, 1961[2], 108 f. das Verstehen des Osterkerygmas zu erschließen: „Die urchristliche Heidenmission hat also mit gutem Grund die Erwartung des Endes und der Totenauferstehung zum Bestandteil ihres Missionskerygmas gemacht (1.Thess. 1,9 f.; Hebr. 6,2). Paulus sah mit Recht in ihr die Voraussetzung der Erkenntnis der Auferweckung Jesu (1.Kor. 15,16)." In Wirklichkeit begründet Paulus umgekehrt durch die Interpretation des Osterkerygmas von der Schrift her die Enderwartung (1.Kor. 15,20–28); die Apokalyptik hat lediglich, wie deutlich wurde, traditionsgeschichtlich den Begriff der Auferstehung, z. T. in fragwürdiger Gestalt, an die Hand gegeben.

lich daß Gott sich uns in unserem Lebensbereich, in der Geschichte, zur Gemeinschaft darbietet und damit seine universale heilvolle Herrschaft aufrichtet; denn die Auferweckung entspricht als Gegensatz dem Kennzeichen aller Geschichte, dem Sterben (1.Kor. 15,17–28).

b) Deshalb ist die Auferweckung Jesu, immer gesehen als die Vollendung – nicht lediglich als die Bedeutsamkeit – seines Sterbens für alle, zugleich *Ausgangspunkt* des uns treffenden und auf die Vollendung der Welt zielenden Heilswirkens Gottes. So wird die Auferweckung des Gekreuzigten von Paulus in Röm. 4,25 verkündigt als das Hervortreten unserer Rechtfertigung, in Röm 6,4 ff. als Berufung der Getauften zum Mitleben, in Röm. 8,11 als das Einsetzen des Geisteswirkens und in dem vorpaulinischen Grundbekenntnis Röm. 1,3 f. vor allem als der Anbruch der messianischen Herrschaft Christi. Diese Entfaltung der Osterbotschaft stellt den Angeredeten in ein ihn gegenwärtig umgebendes und treffendes Heilswirken Gottes hinein. Die Auferstehung Jesu ist kein abgeschlossenes Ereignis, sie bezieht durch die Botschaft, insbesondere durch die Taufe und das Herrenmahl, und durch das im Wort von dem Erhöhten ausgehende Geisteswirken den Angeredeten ein und stellt ihn unter die Herrschaft des Auferstandenen in die Gemeinde, mit deren Berufung verborgen die neue Welt anbricht (1.Kor. 15,20–28).

2. Dieses Weiterwirken des Ostergeschehens vollzieht sich demnach nicht durch die Geschichtsmächtigkeit Gottes, wie sie die Apokalyptik darstellt, sondern durch das Wort, das sich in Taufe und Herrenmahl leibhaft konkretisiert. Das Wort, das das Osterkerygma expliziert, begegnet zunächst *als menschliches Zeugnis* von einer vergangenen Tat Gottes und ihrer Bedeutung, aber nicht nur als dieses. *Im Wort der Zeugen wird* vielmehr *Gott selbst auch gegenwärtig wirksam.* Paulus kann von seiner Verkündigung sagen: „Gott vermahnt durch uns" (2.Kor. 5,20). Wer glaubt, nimmt sie nicht als Menschen-, sondern als Gotteswort auf (1.Thess. 2,13). Das Wort der Verkündigung läßt im Herzen den Glauben aufleuchten wie einst das Schöpfungswort „es werde Licht" die Helle in der Welt (2.Kor. 4,6). Das Ich des Glaubens ist nicht der alte Mensch, der sich, eine ihm angebotene Möglichkeit ergreifend, für Gott entscheidet, sondern ein neues Ich, das dem alten gegenübertritt und Gott antwortet (2.Kor. 5,17). Als Antwort des neuen Ich ist der Glaube für Paulus zugleich Gehorsam des Menschen (Röm. 10,16). Der Glaube ist in seinem Wesen ein Überführtsein, aber er ist nicht magischer Zwang, sondern personaler Gehorsam, weiterhin Erkennen, Verstehen und für Johannes sogar Sehen!

Wir kommen zu dem Schluß: Die Auferstehung Jesu wird die Mitte unseres Glaubens an Gott, wenn wir sie als Ziel, Mitte und Anfang seines Heilswirkens sehen und dieses Heilswirken uns selbst erreicht und einbezieht. Wir sind einbezogen, wo immer das entfaltete Kerygma im Heiligen Geist das neue Ich ins Dasein ruft, das „sich für tot der Sünde und lebend für Gott in Christo erachtet" (Röm. 6,11).

Die Frage nach der „*Denkmöglichkeit*" der Auferweckung Jesu ist damals wie heute *die Frage nach der Wirklichkeit Gottes* selbst. Die Auferweckung Jesu ist sicher kein historisches Ereignis im Sinne des Historismus; denn sie sprengt, was der Historismus als Voraussetzung postuliert, nämlich die innerweltliche Geschlossenheit des Weltgeschehens. Und doch kann sie nicht von der Geschichte gelöst werden; denn sie wird von einem eben verstorbenen Menschen der Geschichte ausgesagt: Sie ist die eschatologische Durchbrechung des Weltlaufes, die allein Freiheit von Gesetz, Sünde und Tod erschließt. Genau das wollen die den gleichen Vorgang meinenden Termini „Auferstehung" und „Erhöhung" aussagen; sie wurden von dem Gottesglauben her entwickelt, den sie abschließend ausdrücken. Sie wollen von ihm her interpretiert werden, aber sie können — um es in der Sprache der Mission auszudrücken — nicht durch „ungetaufte" Begriffe ersetzt werden. Die Auferweckung Jesu entspricht dem Gott, der allem, was Welt heißt, als der Schöpfer und Herr gegenübersteht. Diese Gottesvorstellung ist dem antiken Denken im Grunde nicht weniger fremd als dem neuzeitlichen. Die alte Welt denkt die Gottheit bei den Griechen kosmologisch, im alten Orient naturmythologisch als der Welt innewohnendes Prinzip. Als der Schöpfer und demgemäß als der eschatologische Vollender im Gegenüber wird Gott nur in Israel erfaßt, wo man auf seine Zusage hin geschichtlich lebt[44]. Die Frage nach der Auferweckung Jesu ist die Frage: Was halten wir von Gott? Vielleicht muß heute extrem formuliert gesagt werden: Gott kommt abschließend von Ostern her auf uns zu oder er entschwindet uns mit Ostern!

Es ist das Wesensmerkmal des verheißenen und in Jesus anbrechenden Heilswirkens Gottes gegenüber dem Weltgeschehen, daß Gott selbst durch dieses eschatologische Eingreifen sein das Weltgeschehen bestimmendes Verhalten nach dem Gesetz durchbricht. Die von der Aufklärung herkommende ratio der Neuzeit sieht die Gesetzmäßigkeit in Natur und Geschichte noch strenger als der Mensch der neutestamentlichen Zeit. Wir müssen es, wie wir eingangs sag-

---

[44] Nach K. Koch, Wort und Einheit des Schöpfergottes in Memphis und Jerusalem, ZThK 62 (1965), 253—271, redet auch das Denkmal memphitischer Theologie auf dem Schabaka-Stein von dem schöpferischen Wort des einen Schöpfergottes. — Diese Vorstellung steht jedoch ihrem Zusammenhang nach der Worttheologie sehr fern, die für das Alte Testament zur Grundlinie wird.

ten, der systematischen Theologie überlassen, den Osterglauben und diese ratio samt ihren Welt- und Geschichtsbildern zueinander ins Verhältnis zu setzen. Grundsätzlich aber war die Situation des Menschen der neutestamentlichen Zeit nicht anders als unsere. Auch der antike Mensch kennt das Gesetz, daß keiner von den Toten wiederkehrt. Die Weisheit redet in erschütternder Weise über dieses Geschick. Glaube bedeutet immer entgegen dem Augenschein dem trauen, der das Nichtseiende ins Dasein ruft, der den Sünder gerecht macht und uns und unsere Toten mit Christus in ein neues Leben ruft. Der Glaube lebt nicht von einem Wort, das Welt und Geschichte nur deutet, sondern von dem Wort, das wirkt, was es sagt (Röm. 4,17.21), das uns aus den Teilwahrheiten in die Wahrheit und aus den Teilwirklichkeiten in die Wirklichkeit stellt.

Die Herrschaft Christi und die Welt

Die Herrschaft Jesu Christi über die Welt erscheint heute in der ganzen Ökumene faszinierend als das Prinzip, das die Sendung der Kirche in der Welt, insbesondere ihren Beitrag zur Sozialethik, bestimmt. In diesem Prinzip theologischen Denkens und christlichen Handelns kommt zweifellos das zentrale Bekenntnis des Neuen Testaments „Herr ist Jesus" in unserer Zeit zur Geltung. Dieses Urbekenntnis wurde in der Kirche über alle konfessionellen Aufspaltungen hinweg durch die Jahrhunderte ihrer Geschichte vertreten, aber sehr unterschiedlich verstanden und angewendet. Jesu Herrsein wurde verschieden gesehen, weil man das Evangelium von Jesu Sendung je verschieden deutete und weil man es auf unterschiedliche geschichtliche Situationen der Kirche in der Welt anwenden mußte[1]. Im 4. Jahrhundert z. B. preisen griechische Theologen die Begünstigung der Kirche durch den Kaiser als „augenfälliges Zeichen für die Königsherrschaft" Christi[2], koptische Christen aber gehen als Anachoreten in die Wüste, um dort den Kampf ihres Herrn gegen die Dämonen zu führen. Auch heute ist das Reden von der Königsherrschaft Christi von bestimmten theologischen Entwicklungen wie auch von dem Willen zur Situationsbezogenheit geprägt; nicht selten droht es, in mythische Spekulation oder in Ideologie abzugleiten. Daher bedarf unser Reden von der Herrschaft Christi auch heute der kritischen Klärung durch das neutestamentliche Zeugnis, ohne in seiner Wiederholung aufgehen zu können. Das biblische Zeugnis muß auch in dieser Frage neu angewendet werden, wie es selbst schon situationsbezogen war und daher vielschichtig ist.

Um die Schichtung der neutestamentlichen Zeugnisse in den Blick zu bekommen, ziehen wir zuerst skizzenhaft einen Querschnitt und

---

* Erstmals veröffentlicht in: Luth. Rundschau 17 (1967), 22–50 (überarbeitet).

[1] Vgl. Georg Kretschmar, Die zwei Imperien und die zwei Reiche, in: Ecclesia und Res Publica, Festschrift für K. D. Schmidt, Hrsg. G. Kretschmar und B. Lohse, 1961, 89–112; Heinrich Bornkamm, Luthers Lehre von den zwei Reichen im Zusammenhang seiner Theologie, 1960[2]; Franz Lau, Die Königsherrschaft Christi und die lutherische Zweireichelehre, in: Kerygma und Dogma 6, (1960), 306–326.

[2] Euseb, Hist. eccl. X, 4, 20.

gehen dann den für unsere Fragestellung besonders wichtigen Aussagen des Kolosserbriefes und der Offenbarung genauer nach.

I. Wie entstand das Bekenntnis: Herr ist Jesus?

1. Das Erdenwirken Jesu

In seinen Erdentagen redet Jesus nicht von seiner[3], sondern von *Gottes Königsherrschaft*. Die Botschaft, daß Gottes Königsherrschaft komme, bildet die Mitte seines Wirkens. Das Reich Gottes ist also vor Jesu Auftreten noch nicht da, es kommt erst! Und doch ist Gott für Jesus wie für seine jüdische Umwelt gemäß der Schrift bereits als der Schöpfer Herr alles Weltgeschehens. Jesus gibt diesem Glauben von dem kommenden Reich her eine noch lange nicht genügend beachtete, neue Gestalt: Ein Unglücksfall ist für ihn nicht, wie die pharisäische Geschichtstheologie will, als individuelle Vergeltung zu verrechnen, sondern Zeichen des Zornes, das jetzt alle zur Umkehr ruft (Lk. 13,1–5). Die Fürsorge für die Kreatur ist nun im Lichte des kommenden Reiches Zeichen der Güte des Schöpfers, die das Sorgen verwehrt (Mt. 6,25–33). Die Münze des Kaisers ist nicht Ausdruck eines determinierten Geschichtsplans, wie ihn die Apokalyptik voraussetzt, sondern Zeichen einer geschichtlichen Setzung Gottes, die heute verpflichtet (Mt. 22,18–21; Lk. 17,20 f.). So tritt Gottes „Weltregiment" in das Licht seiner kommenden „Königsherrschaft" (S. 127 f.). Diese aber ist für Jesus – darin folgt er dem generellen Sprachgebrauch seiner Umwelt – Gottes endzeitliche, heilvolle Herrschaft, in der sein gnädiger Wille geschieht und das Böse wie das Übel ausgetilgt sind.

Wie diese endzeitliche Herrschaft Gottes im einzelnen aussehen und kommen werde, stellten sich die Richtungen des Judentums unterschiedlich vor. Jesus schließt sich keiner dieser Sondermeinungen an, auch nicht, wie vielfach angenommen wird, der apokalyptischen, sondern entwickelt aus dem Wesen seiner Sendung heraus im Vollzug seines Wirkens, nicht als Theorie, eine eigene Vorstellung. Er sieht das Reich Gottes, wie die Seligpreisungen und das Vaterunser voraussetzen, seiner inhaltlichen Struktur nach primär nicht als kosmischen Zustand, sondern streng theozentrisch als heilvolles Geschehen von Gott her, das allerdings im Ergebnis eine neue Welt bedeutet.

---

[3] „Mein Reich" (Mt. 20,21; Lk. 22,29 f.) ist ebenso wie „das Reich des Menschensohns" (Mt. 13,41; 16,28) sekundär. „König" nur Mt. 25,34.40 als Gleichnis in Jesu Mund, sonst historisch in der Kreuzesinschrift und sekundär in Mt. 21,5.

Deshalb kann er in eigentümlicher Spannung bald sagen, daß es in naher Zukunft, bald, daß es schon gegenwärtig komme[4].

Jesu öffentliche Predigt vom *nahen Kommen des Reiches* faßt das Summarium Mt. 4,17 in dem Satz zusammen: „Kehrt um; denn das Reich Gottes ist nahe herbeigekommen." Wie Jesus diese Botschaft entfaltete, ist seinen in der sogenannten Bergpredigt Mt. 5–7 zusammengestellten Worten zu entnehmen. Nach den Seligpreisungen wird das Reich Gottes den Armen zuteil, die nichts von sich und der Welt, aber alles von Gott erwarten. Wie die Seligpreisungen als Verheißung zur Umkehr auf das Reich Gottes hin rufen, so die Antithesen, Mt. 5,21–47, als Forderungen. Jedes dieser Gebote fordert das neue Herz, das sich Gott zuwendet, und zugleich damit ein Verhalten, das die Lebensmöglichkeiten dieser Welt sprengt. Die Gebote entsprechen der Gottesherrschaft, deren Kommen den Menschen total für Gottes gnädigen Willen in Anspruch nimmt und zugleich rückwirkend den ursprünglichen Willen des Schöpfers aufleuchten läßt (vgl. Mt. 6,25–33). So fordert das Verbot der Ehescheidung die Überwindung des harten Herzens, die für die Heilszeit verheißen ist, und ruft zu dem ursprünglichen Willen des Schöpfers (Mt. 19,4–8). Gleichzeitig vertritt Jesus jedoch auch den Verzicht auf die Ehe und das Verlassen der Familie um des „Himmelreiches" willen (Mt. 19,12; Lk. 14,26 f.). Demnach fordert Jesus nebeneinander Einigung mit dem *Willen Gottes, des Schöpfers* und *des Vollenders,* und setzt überdies das Weitergelten *des Gesetzes* voraus. Letzteres stellt die Präambel der Antithesen, Mt. 5,17–19, sachgemäß heraus[5]. Mt. 5,18, ein von Matthäus sinngemäß erweitertes, echtes Logion, sagt: „Amen, ich sage euch, bis Himmel und Erde vergehen, soll nicht ein Jota oder Häkchen vom Gesetz vergehen, bis alles geschieht." Das will sagen: Das Gesetz, nach dem es z. B. Ehescheidung gibt, soll unverkürzt gelten, solange Himmel und Erde bestehen und, wie Matthäus ergänzt, bis es durch die eschatologische Erfüllung abgelöst wird. Diese eschatologische Erfüllung aber will Jesus bringen: „Meint nicht, daß ich gekommen sei, Gesetz und Propheten aufzulösen; ich bin nicht gekommen, aufzulösen, sondern zu erfüllen" (Mt. 5,17). Zur „Erfüllung", zu einer Realisierung des Willens Gottes, wie sie für die Heilszeit verheißen ist, führt Jesus zunächst durch die folgenden Antithesen (S. 33 f.).

In diesem „Ich aber sage euch", das in drei Antithesen ursprünglich, in den übrigen zumindest sinngemäß ist, redet Jesus als einer, der *gleich Gott gebietet:* „Ihr wißt, daß – von Gott durch Mose – zu

[4] Dies wird im einzelnen nachgewiesen durch Werner Georg Kümmel, Verheißung und Erfüllung, 1956[3], und George Eldon Ladd, Jesus and the Kingdom, 1966.

den Alten gesagt wurde ... Ich aber sage euch" (Mt. 5,21 f.). Schon auf Grund dieses Lehrens in Vollmacht nehmen die üblichen Höflichkeitsanreden „Rabbi" und „mein Herr" (Mari) Jesus gegenüber einen besonderen Klang an, so daß sich ein erster Ansatz für die nachösterliche Anrufung und Bezeichnung als Herr, insbesondere für die Kennzeichnung seiner Logien als „Worte des Herrn" (1.Kor. 7,10; 9,14; vgl. 9,5; Gal. 1,19), zeigt[6].

Bis heute aber ist die Frage offen, *wie Jesu Forderungen realisiert werden* wollen. Nach der Präambel meint die antithetische Formulierung nicht eine einmalige chronologische Ablösung des Gesetzes durch die Gebote Jesu, sondern eine je aktuelle Aufhebung, wie sie Jesus selbst gegenüber dem Sabbat praktizierte. Dieser bleibend aktuellen Antithetik zum Gesetz wird von den vielen Deutungen, die im Laufe der Kirchengeschichte entwickelt wurden[7], immer noch Luther am besten gerecht, wenn er – einen Ansatz der Zweireichelehre entwikkelnd – zu Mt. 5,39 sagt: „So geht dies beides fein miteinander, daß du zugleich Gottes Reich und der Welt Reich genug tuest, äußerlich und innerlich, zugleich Übel und Unrecht leidest, und doch Übel und Unrecht strafest, zugleich dem Übel nicht widerstehest und doch widerstehest; denn mit dem einen siehest du auf dich und das deine und mit dem anderen auf den Nächsten und auf das seine."[8] Diese Erklärung wurde vielfach als statische Aufteilung des Gehorsams mißdeutet. Nach der „Gesinnungsethik" der liberalen Theologie z.B.

[5] Traditionsgeschichtlich gesehen ist Mt. 5,17 f. vom Evangelisten ausgeformt. Die Aussage mag, wie 5,19 nahelegt, in der Diskussion der palästinischen Kirche um die Geltung des Gesetzes eine Rolle gespielt haben. Sie ist jedoch nicht aus ihr entstanden, sondern geht im Ansatz auf Jesus zurück. Auf alle Fälle hat der Evangelist durch sie Jesu Stellung, insbesondere den Sinn der folgenden Antithesen, richtig gedeutet. Vgl. zur Diskussion Eduard Schweizer, „Mt. 5,17–20 – Anmerkungen zum Gesetzesverständnis des Matthäus", in: Neotestamentica, 1963, 399–406; Wolfgang Trilling, Das wahre Israel, 1964[3], 171–183.

[6] Anders als „Rabbi" ist die Anrede „Herr" in den frühen Schichten der synoptischen Überlieferung nur spärlich belegt. In der Markus-Überlieferung nur 7,28, in Q nur Mt. 8,(6.)8. Die Bezeichnung als Herr findet sich bei Markus nur in der spät formulierten Erzählung 11,3. Im Sondergut mehrt sich die Verwendung ungemein; unter dem Einfluß der Gemeindesprache wurden bescheidene Ansätze ausgestaltet. In der Situation der Erdentage bestand kein besonderer Anlaß, Jesus als Herrn anzureden und zu bezeichnen, aber die Anrede wurde sicher auch gebraucht. Da nach Ostern die in den Erdentagen naheliegende Anrede und Bezeichnung als Lehrer ungeeignet war, trat „Herr" hervor. Diese Entwicklung wurde auch durch die Gleichnisse gefördert, die im Bild von dem kommenden Herrn redeten (Mk. 13,33–37; Mt. 24,45–51; 25,14–30). Zur Diskussion und Einzelanalyse vgl. Ferdinand Hahn, Christologische Hoheitstitel, 1963, 74–95 und Philipp Vielhauer, Ein Weg zur neutestamentlichen Christologie? Prüfung der Thesen F. Hahns, Ev. Theol. 25 (1965), 31–41.

[7] Dargestellt bei Thaddäus Soiron, Die Bergpredigt Jesu, 1941, 1–96.

[8] WA 11, 255.

soll der Christ im bürgerlichen Beruf aus christlicher Gesinnung nach dem üblichen Ethos handeln, Feindesliebe usw. aber im privaten Bereich üben. Luthers Erklärung weist jedoch in eine andere Richtung; in diese führen auch neuere exegetische Einsichten.

Fragen wir, wie nach der Überlieferung der Evangelien die Realisierung der Forderungen Jesu in seinen Erdentagen Gestalt gewann, so zeigt sich: Es wird nirgends berichtet, dieser Bußruf Jesu sei darin zum Ziel gekommen, daß Menschen sich für Gott entschieden oder heilvoll Wartende wurden. Dieses Schweigen ist nicht zufällig; denn wie Jesu Bußruf auf das kommende Reich hin tatsächlich verwirklicht wurde, berichten die beiden Kapitel über Jesu Heilswirken, nämlich Matthäus 8 und 9. Die Armen, an denen sich die Seligpreisung erfüllt, treten in Erscheinung als Menschen, die bei Jesus Gottes Hilfe suchen und finden, so daß ihnen gesagt wird: „Dein Glaube hat dich gerettet." Der Glaube, der in der Begegnung mit Jesu Heilen entsteht, ist der grundlegende Vollzug der Umkehr (vgl. Mt. 11, 20–24). Das gleiche gilt erst recht von der Nachfolge. „Nachfolgen" bedeutet in Jesu Umwelt in dieser Anwendung: Schüler eines Rabbi werden. Aber kein Rabbi hat in Jesu Weise Schüler durch den apodiktischen Befehl: Folge mir nach! gewonnen. Vor allem aber ist Jesu Befehl in völlig einzigartiger Weise Angebot geschenkter Gemeinschaft. Wenn der Gottesmann von Nazareth den Zöllner Levi zur Nachfolge auffordert, bietet er ihm eine Gemeinschaft an, die vergebende Gemeinschaft mit Gott bedeutet (Mt. 9,9–13). So ergibt sich: Die Umkehr, die die Seligpreisungen wie die Antithesen wollen, wird grundlegend realisiert durch den Glauben oder durch die Nachfolge, die Jesus, von Gott her helfend und vergebend, den Menschen abgewinnt, die sein Wort hören[9].

Demgegenüber scheint das *Gleichnis vom Weltgericht*, Mt. 25,31–46, allen, die in der Menschheit Barmherzigkeit geübt haben, ohne Jesus zu kennen, den Anteil am Reich Gottes zuzusprechen. Dieses erregende universale Wort geht in seinem Kern wohl auf Jesus selbst zurück[10]. Nun war bereits den Rabbinen wie auch dem ägyptischen Totenbuch geläufig, daß die Menschen letztlich nach ihrer Barmherzigkeit beurteilt werden. Das Besondere an dem Gleichnis ist, daß es erklärt, alle echte Barmherzigkeit (Mt. 6,2–4) sei Jesus als dem Anaw, dem „Armen", schlechthin erwiesen; er werde daher die Barmherzigen als der Menschensohn-Weltrichter im Sinne von Lk. 12,8 annehmen. Daß alle Barmherzigkeit Jesus selbst erwiesen sei, ist hier nicht gnostisch im Sinne einer ideellen Gegenwart des Erlösers in einer bestimmten Gattung von Menschen gemeint, sondern juridisch im Sinne eines Zurechnens im Gericht. Diese eigentümliche Vorstellung überträgt auf Jesus, was Rabbinen von Gott sagen: „Meine Kinder, wenn ihr

---

[9] Vgl. Leonhard Goppelt, Jesus, Paul and Judaism, 1964, 66–76; vgl. S. 38 f.

den Armen zu essen gegeben habt, so rechne ich es euch so an, als ob ihr mir zu essen gegeben hättet."[11] So wird der Menschensohn als Weltrichter jeden Erweis der Barmherzigkeit als ihm selbst erwiesen anrechnen. Wozu wird dieses Gleichnis erzählt? Es will wohl nicht als apokalyptische Offenbarungsrede Wissen über das Verfahren des Weltrichters vermitteln, das es den Jüngern erlauben würde, über die Humanität anderer zu urteilen und sie als Jesus dargebracht zu mystifizieren. Wer das Gleichnis aus Jesu Mund hört, wird mit letzter Autorität gefragt, ob er solche nichtrechnende Barmherzigkeit übt. Es wird ihm zugleich gesagt, daß Jesus selbst die Seligpreisung der Barmherzigen erfüllt, und zwar als der Weltrichter, der vorher als der Anaw auf Erden war und Barmherzigkeit suchte – allerdings nicht als der ihrer Bedürftige, sondern als der Barmherzige (Mt. 11,29 f.; 18,23–35). Kann ein Mensch anders barmherzig im Sinne dieses Gleichnisses werden als durch die ihm in Jesus begegnende Barmherzigkeit Gottes?

Sobald man diesen Zusammenhang zwischen dem Bußruf auf das Reich Gottes hin und dem Heilswirken Jesu sieht, versteht man, daß Jesu genau im Blick auf sein Heilswirken von einem *gegenwärtigen Kommen der Gottesherrschaft* redet. Lk. 11,20: „Wenn ich mit dem Finger Gottes die Dämonen austreibe, dann ist Gottes Herrschaft schon zu euch gelangt." Jesu Heilen hat also einen über die Menschenwelt hinausgreifenden Hintergrund; es ist Ausdruck dessen, daß der Satan durch den Stärkeren entmächtigt ist. Die Macht des Bösen wird ausgeschaltet, und die Welt wird bis ins Leibliche hinein heil. Jetzt geschieht, was für die Heilszeit verheißen ist: „Die Blinden sehen, die Lahmen gehen . . . und den Armen wird das Evangelium verkündigt" (Mt. 11,3–5). Das Evangelium ist nach Jes. 52,7 die Botschaft: Dein Gott ist König geworden! Dieses gegenwärtige Kommen in Jesu Heilswirken ist „das Geheimnis des Reiches Gottes", das die Gleichnisse in Mt. 13 den Jüngern erschließen (Mk. 4,11): So gewiß aus dem Senfkorn der große Baum wird, so gewiß ist das verborgene Heilswirken Jesu der Anfang des Kommens der Gottesherrschaft, die eine neue Welt bedeutet (Mt. 13,31 f.).

So bringt Jesus das Reich Gottes grundsätzlich in anderer Weise, als es seine jüdische Umwelt erwartete. Nach dem pharisäischen Rabbinismus nimmt man „das Joch der Königsherrschaft Gottes" gegenwärtig schon auf sich, wenn man „das Joch des Gesetzes" trägt. Jesus aber bringt das Reich nicht in Gestalt eines Gesetzes oder eines ethischen Prinzips – es ist für ihn nicht „die Menschheit organisiert nach Tugendgesetzen" –, sondern durch sein Heilswirken, das letztlich die Selbstdarbietung seiner Person ist. Das Reich kommt auch nicht, wie es die Apokalyptik erwartet, durch einen kosmischen Prozeß als Neu-

---

[10] Vgl. Joachim Jeremias, Die Gleichnisse Jesu, 1962[6], 204–207.
[11] Midr. Tann. 15,9 bei Jeremias, ebd., 205; ebenso Röm. 3,26.

gestaltung der Verhältnisse, so daß es nur darauf ankommt, die Zeichen zu sehen und den rechten Platz einzunehmen. Es bricht vielmehr an in dem verborgenen Heilswirken Jesu als das Neuwerden des Menschen durch das Heilwerden seines Verhältnisses zu Gott, mit dem allerdings ein Neuwerden der ganzen Welt beginnt. Jesus bringt das Reich Gottes nicht, wie alle Richtungen des Judentums erwarteten, durch den Erweis von Macht und Recht, sondern als Dienender (Mk. 10,41–45). Daher kommt sein Erdenwirken in der Weise zum Ziel, wie er es beim Abschiedsmahl anzeigt, nämlich in dem Sterben des Gottesknechts für die Vielen und in seiner erneuten, nun von Raum und Zeit freien Selbstdarbietung (Mt. 26,26–28). Durch das Ostergeschehen wird das radikal Neue jenseits des Übels und des Bösen, auf das Jesu gesamtes Erdenwirken abzielt, grundlegend realisiert.

Aus dieser Einsicht folgt *eine entscheidende Weichenstellung in der Diskussion* unserer Frage. Die von der Aufklärung des 18. Jahrhunderts ausgehende geistesgeschichtliche Situation, die für uns unausweichlich geworden ist, veranlaßte eine beachtliche Strömung der protestantischen Theologie, von dem „Wunder" des Ostergeschehens abzurücken. Teils eliminierte man es ganz und zog sich auf Jesu Erdenwirken, d. h. in unserer Frage auf seine Predigt vom Reich Gottes, zurück[12]. Dieser Rückzug widerspricht jedoch dem Sinn und der Intention des Erdenwirkens, das in jeder Hinsicht über sich hinausweist, und führt daher zu einer philosophischen Umdeutung des Reiches Gottes[13]. Entsprechendes gilt von einer existentialen Interpretation des Ostergeschehens, die erklärt, der Osterglaube der Jünger besage lediglich: Jesu Vollmachtsanspruch gelte weiter. Das Herrsein Jesu sei lediglich Chiffre für dieses Weitergelten.

Aus dem Ostergeschehen ergab sich vielmehr Neues, die Herrschaft Jesu, die durch das Bekenntnis fortschreitend zur Sprache gebracht wurde.

---

[12] Entgegen vielen verklausulierten Äußerungen in dieser Schlüsselfrage gibt Johannes Weiß, Paulus und Jesus, 1909, 4 f., ein erfreulich eindeutiges Votum ab, das heute noch aktueller ist als vor wenigen Jahren. Nach ihm stand im „Urchristentum" wie „durch die Jahrtausende hindurch" im Mittelpunkt der christlichen Religion „das innige Glaubensverhältnis zum erhöhten Christus". Weiß aber bekennt sich „mit der Mehrheit der neueren Theologen" zu einer „religiösen Strömung", „welche ein religiöses Verhältnis zu dem erhöhten Christus nicht mehr zu finden vermag und ihr volles Genüge daran hat, sich von Jesus von Nazareth zum Vater führen zu lassen". Er hofft, „dieses werde allmählich in unserer Kirche zur Herrschaft kommen".

[13] Christian Walther, Typen des Reich-Gottes-Verständnisses. Studien zur Eschatologie und Ethik im 19. Jahrhundert, 1961.

2. *Die Anfänge des Bekenntnisses zur Herrschaft Jesu in der palästinischen Kirche*

Sinn der *Ostererscheinungen* war, daß sich Jesus in Person seinen Jüngern erneut von Gott her zur Gemeinschaft darbot. Deshalb bekennen sie seine Auferweckung (1.Kor. 15,3–5) und verbinden damit, wie wir aus spärlichen Traditionen erschließen können, die Gewißheit: Gott hat ihn „zu einem Herrn und Christus" gemacht (Apg. 2,36). Diese Gewißheit ergab sich aus dem Glauben an seine Auferweckung; denn Auferweckung bedeutet nach alttestamentlich-jüdischer Tradition Erhöhung des Gerechten, der von den Menschen verworfen wurde (Ps. 73,23–28; Jes. 26,7–19). Daher kann diese Auferweckung des Einen nach Jesu Vollmachtsanspruch nur seine Erhöhung zum *messianischen Herrscher* sein. Das besagt auch die Bekenntnisformel, die Paulus in Röm. 1,3 f. der Tradition der palästinischen Urkirche entnimmt: „Er wurde geboren aus dem Samen Davids nach dem Fleisch, er wurde eingesetzt zum Sohne Gottes in Kraft nach dem Heiligen Geist seit der Auferstehung von den Toten." „Sohn Gottes in Kraft", messianischer Herrscher ist der Auferstandene für „seine ecclesia" (Mt. 16,18), das Gottesvolk der Endzeit. Seine Jünger, die sich in Jerusalem sammeln, erwarten, daß nun ganz Israel durch die Taufe, den Vollzug der Umkehr, in Jesu messianische Herrschaft eingefügt wird und daß durch die eschatologische Völkerwallfahrt nach Zion die Heidenvölker hinzukommen werden (vgl. Mt. 8,11). All dies wird sich in Kürze vollziehen und sichtbar, leibhaft als neue Welt vollendet werden, wenn Jesus als Menschensohn zum Weltgericht kommt[14].

Schon die älteste aramäisch sprechende Gemeinde bittet in der Liturgie ihrer sakralen Mahlfeier: „*Maranatha*", unser Herr, komm! (1.Kor. 16,22). Sie bittet mit diesen Worten um sein baldiges Kommen zur Weltvollendung, das er im eschatologischen Wort der Abendmahlseinsetzung (Mk. 14,25) wie im Logion von der Zukunft des Menschensohnes (Lk. 12,8) verheißen hat. Daß der Ruf dieses zukünftige Kommen meint, legt der Kontext an allen frühen Stellen, die das Wort aufnehmen, nahe (Offb. 22,20; Did. 10,6; vgl. 1.Kor.

[14] Hahn, a.a.O. (Anm. 6), 105–109, verteilt die Erwartung Jesu als Menschensohn und seine Erhöhung zum messianischen Herrscher auf zwei einander folgende Entwicklungsstufen urchristlicher Christologie. Dies widerstreitet jedoch dem Sinn des Osterglaubens der ersten Jünger wie auch den ältesten Formeln, z. B. dem Maranatha. Dagegen Oscar Cullmann, Die Christologie des Neuen Testaments, 1963[3], 218, und Eduard Schweizer, Erniedrigung und Erhöhung bei Jesus und seinen Nachfolgern, 1962[3], 81. Der Ruf „Unser Herr, komm!" setzt in der Tat einen Herrn voraus, der ihn schon gegenwärtig hört. Der Ruf ist nicht eine verschlüsselte Umschreibung von Apg. 3,20.21a.

11,26 b). Die Anrede „unser Herr“ setzt voraus, daß er bereits gegenwärtig messianischer Herrscher über seine Gemeinde ist. Aber der Ruf denkt wohl nicht an das gegenwärtige Kommen, obgleich dieses nach der Stiftung von Anfang an primär Sinn der Mahlfeier war[15].

Der Ruf weist dem Erhöhten eine Funktion zu, die im jüdischen Vorstellungsbereich keine Analogie hat. Die at.lich-jüdischen Messiaserwartungen kennen keine Anrufung des Verheißenen. Fragt man, *wie diese einzigartige Anrufung entstehen konnte*, so ergibt sich folgendes:

1. Diese Anrufung war durch die at.lich-jüdische Messiaserwartung in keiner Weise vorbereitet; diese kennt weder eine Anrufung des Messias noch seine Bezeichnung als Herr[16]. Insgesamt findet sich *im palästinischen Judentum* nur eine Entsprechung: Wie Qumrantexte erkennen lassen, hat man Gott nicht nur als Adonai angeredet, sondern gelegentlich auch als Mari, während diese Anrede sonst im Aramäischen nicht auf Gottheiten bezogen wird[17]. Diese Anwendung von Mari hat der Anrufung des Erhöhten vielleicht den Weg geebnet, aber sie sicher nicht veranlaßt; sie wurde nicht auf den Erhöhten „übertragen“, — obgleich die Anrufung von Anfang an, ohne daß man dies reflektierte, Gebetscharakter hatte.

2. Die Bitte, daß der Erhöhte durch sein endzeitliches Kommen aus der Bedrängnis retten möge, war für die Jünger terminologisch und vor allem sachlich dadurch vorbereitet, daß man den Irdischen um helfendes Eingreifen gebeten hatte. Diese Bitte lautete z. B. nach Mt. 8,8: „Herr, ich bin nicht würdig, daß du unter mein Dach kommst; aber sprich nur ein Wort . . .“ Nach Ostern hat man die Vollmacht des Irdischen, an Gottes Statt zu vergeben, zu helfen und zu gebieten, entsprechend entschränkt, aber ohne ihren Charakter als „Dienen“ zu ändern, auf den Erhöhten übertragen. Daher konnte die geläufige Bitte um seine Hilfe nun diese eschatologische Gestalt annehmen.

---

[15] ThW VI, 141 f. Vgl. Cullmann, a.a.O. (Anm. 14), 217 f., und Hahn, a.a.O. (Anm. 6), 105—109. Diskussion über die Entwicklung der Anrufung Jesu als Herr zuletzt bei Schweizer, a.a.O. (Anm. 14), 77—86.

[16] Siegfried Schulz, Maranatha und Kyrios Jesus, ZNW 53 (1962), 125—144, betont S. 141 mit Recht die Analogielosigkeit dieses Rufes im Raum der jüdischen Messianologie. Er ordnet ihn jedoch trotzdem — im Grunde inkonsequent — in diesen religionsgeschichtlichen Rahmen ein, wenn er S. 138 erklärt: Er sei lediglich „Höflichkeitsanrede und Bitte an den apokalyptischen Funktionär Gottes, bald sein Richteramt zu übernehmen“. Weil die beachtliche Untersuchung auch weiterhin methodisch in dieser Weise verfährt, kommt sie S. 143 zu der Gesamtthese: „Von dieser apokalyptisch-enthusiastischen Maranatha-Theologie . . . führt kein noch so schmaler Weg zur Kyriologie, in der der präsente Herr epiphan wird . .“

[17] Schulz, a.a.O. (Anm. 16), 134 ff. unter Hinweis auf das 1961 edierte Genesis-Apokryphon von Qumran.

3. Auf Grund dieser Voraussetzung entstand der Ruf „unser Herr, komm“ letztlich deshalb, weil Jesus selbst auf ein zweifaches eschatologisches Kommen verwiesen hatte, nämlich das Kommen des Menschensohns (Lk. 12,8; Mt. 10,23) und das Kommen des Reiches Gottes (Mt. 6,10). Da die Gemeinde die Bezeichnung Menschensohn nicht in ihre Bekenntnis- und Gebetsformeln aufnahm, wurde sie in dem Ruf durch die Anrede „unser Herr“ ersetzt. Der Ruf gab zugleich der Vaterunserbitte um das Kommen des Reiches, die weiter gebetet wurde, eine personale Zuspitzung: Die Königsherrschaft Gottes kommt nun – anders als nach at.lich-jüdischer Erwartung – zukünftig wie gegenwärtig durch die messianische Herrschaft des Erhöhten! Deshalb tritt das Reden von der Königsherrschaft Gottes in der nachösterlichen Gemeinde gegenüber dem Hinweis auf das Herrschen des Erhöhten zurück. Dieses wird zunächst mit den Prädikaten „der Christus“, „der Sohn Gottes“ und „unser Herr“ ausgesagt.

Auch weiterhin wird, wie wir bereits hier festhalten wollen, das Herrschen des Erhöhten in den ntl. Schriften nur sehr selten mit den Begriffen vom Stamm βασιλεύειν *als Königsherrschaft* bezeichnet. Wenn diese Bezeichnung auftritt, meint sie nur zuweilen, vor allem in den Evangelien, die königliche Funktion des Verheißenen[18]. Meist besagt sie, daß Christus die Königsherrschaft Gottes in der Welt aufrichtet und, schließlich, daß er dabei den Königen der Erde überlegen sei[19].

Eindrucksvoll weist das *Johannesevangelium* auch hier schon terminologisch auf das Wesentliche hin. Es ersetzt in seiner Interpretation der Jesusüberlieferung „Reich Gottes“ fast durchweg durch „Leben“: Das Leben ist als die Existenz in Gemeinschaft mit Gott das Heil. Demgemäß ist Jesus,

---

[18] Vor allem die in Anm. 3 genannten Stellen in den Evangelien.

[19] In ersterem Sinn redet von der „Königsherrschaft Christi“ vor allem 1.Kor. 15,24 f.: „Wenn er die βασιλεία Gott, dem Vater, übergibt . . . er muß βασιλεύειν . . .“ Weiterhin Kol. 1,13: Gott „hat uns versetzt in das Reich seines lieben Sohnes“. Demgemäß Eph. 5,5: „Reich Christi und Gottes.“ Spät als formelhafte Umschreibung des gegenwärtigen himmlischen (2.Tim. 4,18) und des zukünftigen endzeitlichen Heils (2.Tim. 4,1; 2.Petr. 1,11). Die Vorstellung ist am meisten entfaltet in der Offenbarung: Durch das Kreuz richtet Christus die βασιλεία für Gott auf, nämlich über sein Volk (5,9 f.; 12,10), durch Christi Sieg über die Mächte wird Gott König der Welt (11,17; 19,6), oder auch: „Die Königsherrschaft über die Welt ist unseres Herrn und seines Christus geworden“ (11,15). Der polemische Sinn der Bezeichnung kommt 17,14 hinzu: „Das Lamm wird sie (nämlich die Könige der Erde) besiegen; denn es ist Herr der Herren und König der Könige“ (ebenso 19,16 und formelhaft 1.Tim. 6,15). Schließlich wird 20,4–6 das messianische Zwischenreich Bild für die Bedeutung der „ersten Auferstehung“ als „Mitherrschen“, als uneingeschränkter Anteil an der βασιλεία, der jetzt noch nicht gegeben ist (5,9 f.; vgl. 22,5). Nach dieser Übersicht entspricht es nicht dem neutestamentlichen Sprachgebrauch, von der Himmelfahrt bis zur Parusie von der Königsherrschaft Christi, dann von der Gottes zu reden, weil 1.Kor. 15,28 bemerkt wird, daß der Sohn dann dem Vater die Herrschaft übergibt.

wie dem Vertreter des Imperiums gegenüber erklärt wird, „König" als der Zeuge der Wahrheit, die den Menschen für Gott frei macht; sein „Königreich" ist nicht von der Art der Reiche dieser Welt (Joh. 18,36 f.). Das entspricht sachlich dem Wort Mk. 10,44 f.

Demnach nimmt das Reden von einer „Königsherrschaft" Jesu im Neuen Testament nur einen schmalen Raum ein. Das ist nicht zufällig; denn seine Herrschaft ist von Grund aus anderer Art als alle irdische Herrschaft. Das Neue Testament redet von ihr durch alle Schichten hindurch mit Hilfe des Begriffs „Herr", der von der Anrede an den Irdischen ausgeht und durch alle Wandlungen bis hin zu Joh. 20,28 das Gesicht Jesu von Nazareth festhält.

4. Verfolgen wir nach dieser Zwischenbemerkung die Frühentwicklung der Vorstellung vom Herrsein des Erhöhten weiter, so muß auf *Ps. 110,1* verwiesen werden. Denn die Vorstellung vom Erhöhten, die aus dem Maranatha spricht, wird insbesondere durch diese at.liche Stelle, die, schon sehr früh aufgenommen, das häufigste Schriftzitat im Neuen Testament wurde, weiter artikuliert und ausgestaltet.

Die Stelle erlaubt es, das Verhältnis des Erhöhten zu Gott mit Hilfe der bildlichen Wendung: „Er ist zur Rechten Gottes" auszusagen (Apg. 7,55; Mk. 14,61 f.). Sie regte weiter die im Erdenwirken vorgezeichnete Vorstellung an, daß der Aufrichtung der messianischen Herrschaft durch die Sammlung der Heilsgemeinde als Kehrseite die Niederwerfung der Feinde Gottes entspreche: „Er muß herrschen, bis er alle Feinde zum Schemel seiner Füße legt" (1.Kor. 15,25). Das Gericht über die Widersacher Gottes, das für die gesamte at.lich-jüdische Erwartung konstitutiv ist, wird nun allerdings Folge, nicht Voraussetzung des anbrechenden Heils; denn Jesus brachte schon in den Erdentagen Heil für alle und Unheil nur für die, die ihn verwerfen.

Schließlich legte die Stelle vielleicht schon im aramäischen, auf alle Fälle aber im griechischen Bereich nahe, „unser Herr" als eine von der Schrift gewiesene Bezeichnung des Erhöhten anzusehen und zu bekennen: „Gott hat ihn (durch die Auferweckung) zu einem Herrn und Christus gemacht" (Apg. 2,36; vgl. Mk. 12,35–37).

In der hellenistischen Kirche tritt diese Bezeichnung auf Grund neuer Zusammenhänge in Gestalt des absoluten ὁ κύριος beherrschend in den Vordergrund.

3. Das Bekenntnis der hellenistischen Kirche aus der Völkerwelt: Herr ist Jesus

Maßgeblich durch den Aposteldienst des Paulus gewann von Antiochien aus die Kirche, auf anderem Wege, als ursprünglich erwartet, in der hellenistischen Welt die ihr bestimmte Gestalt: Sie wurde das Gottesvolk aus Juden und Heiden. Ihr zentrales Bekenntnis aber lautete: *„Herr ist Jesus."*

Dieses Bekenntnis ist nun als Taufbekenntnis Ausdruck des Glaubens, der das Evangelium von der Auferweckung des gekreuzigten Jesus von Nazareth aufnimmt und dadurch das Heil empfängt (Röm. 10,9). Es ist zugleich im Gemeindegottesdienst Kriterium, an dem sich die Geister scheiden (1.Kor. 12,3). Daß sich alle Kreatur in diesem Bekenntnis zusammenfinde, ist das heilvolle Ziel des Weltlaufes, das die Gemeinde im Hymnus doxologisch vorwegnimmt (Phil. 2,10 f.; vgl. Offb. 5,13)[20]. Obgleich Phil. 2,10 alle Kreatur einbezieht, ist der Satz: Herr ist Jesus, seiner inhaltlichen Struktur nach Bekenntnis, Antwort des Glaubens (Röm. 10,6), nicht Akklamation als Rechtsakt[21].

Die *Faktoren, die dieses zentrale Bekenntnis entstehen ließen,* erschließen zugleich seinen Aussagegehalt. Es sind ihrem ursprünglichen Sinn nach differierende Faktoren, aber sie wurden durchwegs weitergeführt, um Neues auszusagen. Sie schließen daher einander nicht, wie es der auf ihre Herkunft blickenden religionsgeschichtlichen Analyse zunächst erscheint, aus; sie wirkten vielmehr, wie die nt.lichen Texte ausweisen, einander ergänzend zusammen.

1. Den grundlegenden Ansatz bot die eigene *christliche Überlieferung,* die von der aramäisch sprechenden palästinischen Kirche her über Zwischenglieder in die hellenistische Kirche einströmte. In der Liturgie des sakralen Mahles, das Paulus Herrenmahl nennt, behält das maranatha im aramäischen Wortlaut seinen Platz (1.Kor. 16,22). Nichts spricht für die Annahme, es sei erst nachträglich aufgenommen worden. Sobald diese vorgegebene Anrede und Bezeichnung des Erhöhten ins Griechische übertragen wurde, weitete sich durch den umfassenden Hintergrund des griechischen Wortes κύριος der Aussagegehalt ungemein. Aber das Bekenntnis: „Herr ist Jesus", entsteht nicht lediglich durch einen Übersetzungsprozeß!

2. Mit dem absoluten ὁ κύριος wird vielmehr apologetisch und missionarisch ein umfassender Vorstellungszusammenhang, der für den *hellenistischen* Menschen wichtig war, aufgegriffen und mit dem Erhöhten konfrontiert. Anders als das aramäische Mari war ὁ κύριος nämlich seit dem 1. vorchristlichen Jahrhundert im vorderen Orient

[20] Diskussion über den Charakter als Vorwegnahme bei Ernst Käsemann, Kritische Analyse von Phil. 2,5–11, Exegetische Versuche und Besinnungen I, 1960, 85–89, und W. Kramer, Christos Kyrios Gottessohn, 1963, 61–80.

[21] So mit Recht auch Kramer, a.a.O. (Anm. 20), 63. Wie weit das Bekenntnis im Gemeindegottesdienst in Form einer Akklamation laut wurde, können wir nicht mehr ermitteln. Den Begriff der Akklamation erklärt Erik Peterson, ΕΙΣ ΘΕΟΣ, 1926, 141 f.

stehende Bezeichnung für die Gottheit einer Kultgemeinschaft, an die man im Gottesdienst Gebet, Fürbitte und Akklamation richtete, weil man sie als Helfer und Gebieter ihrer Verehrer — nicht auch als Herrn aller Menschen oder des Kosmos — ansah[22]. Diese Vorstellung spricht Paulus in 1.Kor. 8,5 f. an und kennzeichnet Jesus ihr gegenüber exklusiv als den Herrn: „Wie es ja viele Götter und Herren gibt, wir aber haben einen Gott, den Vater, von dem alles ist und wir auf ihn hin, und einen Herrn Jesus Christus, durch den alles ist und wir durch ihn." Das hier zitierte Bekenntnis lehnt sich in der Form an die hellenistische εἷς θεός-Formel an, die wir auch in folgender Doppelung kennen: Εἷς Ζεὺς Σάραπις, μεγάλη Ἶσις ἡ κυρία[23]. Die formale Anlehnung verrät die Blickrichtung der Bekenntnisformel. Gerade in dieser Ausrichtung aber ist sie im Sinn des at.lich-jüdischen Bekenntnisses Dt. 6,4 gemeint, das bei ihrer Entstehung wohl ebenfalls im Blick stand: κύριος ὁ θεὸς ἡμῶν κύριος εἷς ἐστιν. Jahwe ist der eine, nicht nur für diese Kultgemeinschaft, sondern absolut! Das gleiche gilt nun von dem Erhöhten als dem Herrn gegenüber allen Herren! Gerade diese Absolutsetzung des Erhöhten aber würde, wenn sie von hellenistischen Vorstellungen her gedacht wird, das alttestamentliche Urbekenntnis, die Einzigkeit Gottes, antasten. Paulus und seine Gemeinde aber können, ohne die Einzigkeit Gottes zu verletzen, Jesus den Herrn neben Gott nennen, weil sie beide von der alttestamentlichen Gottesvorstellung her sehen. Diese Beziehung wurde unmittelbar durch einen weiteren begriffsgeschichtlichen Faktor vermittelt:

3. Das Neue Testament gibt in den Septuaginta-Zitaten den alttestamentlichen Gottesnamen mit ὁ κύριος wieder. Die jüdischen Septuaginta-Handschriften setzten zwar, wie nunmehr deutlich geworden ist[24], das Tetragramm, aber beim Lesen wurde es mit ὁ κύριος wiedergegeben. Dieser durch die allgemeine Verwendung von ὁ κύριος als Gottesbezeichnung veranlaßte Sprachgebrauch ermöglichte es, *alttestamentliche Aussagen über Jahwe, den Herrn, auf Jesus, den Herrn, zu übertragen.* Diese Übertragung geschieht gerade an grundlegenden Stellen nicht wahllos auf das Stichwort hin, sondern er-

---

[22] Werner Foerster, ThW III, 1048–1056 und Schulz, a.a.O. (Anm. 16), 127. Erst im Laufe des ersten nachchristlichen Jahrhunderts bürgerte es sich von Ägypten her ein, Herrscher im Sinne dieses Gottesprädikats als κύριος zu bezeichnen. Der erste Beleg aus dem griechischen Raum für die Anwendung des absoluten ὁ κύριος auf den römischen Kaiser ist wohl Apg. 25,26. Diese Anwendung tritt bei der Bezeichnung Jesu als Herr erst in späteren Stadien in den Blick, z. B. in Offb. 19,16: „König der Könige und Herr der Herren."

[23] Peterson, a.a.O. (Anm. 21), 230 (vgl. ThW V, 1013). Auf diese Beziehung verweist auch die sorgfältige formgeschichtliche Analyse von 1.Kor. 8,6 bei Kramer, a.a.O. (Anm. 20), 91–95.

[24] Schulz, a.a.O. (Anm. 16), 128–130.

staunlich sachgebunden. Für die bereits vorpaulinische Formel „den Namen des Herrn anrufen“ verweist Röm. 10,13 auf Joel 3,5. Die Stelle verheißt die eschatologische Rettung am Tage Jahwes dem, der seinen Namen anruft, d. h. glaubt; diese Verheißung erfüllt sich jetzt durch Anrufung des Erhöhten. Der gleichfalls vorpaulinische Christushymnus der hellenistischen Kirche in Phil. 2 nimmt in 2,10 f. mit mehreren Wendungen und daher sichtlich im Blick auf den Zusammenhang die für Dt.-Jes. zentrale Aussage Jes. 45,18–25 auf: Jahwe ist als Schöpfer bereits Herr der Geschichte, aber Heil bedeutet erst seine Anerkennung, die er durch sein endzeitliches Hervortreten wirkt: „So spricht der Herr, der den Himmel geschaffen, er, der alleinige Gott, der die Erde gebildet . . .: Wendet euch zu mir und laßt euch retten, alle Enden der Erde . . . Mir wird sich beugen jedes Knie, mir Treue schwören jede Zunge und sprechen: Nur in dem Herrn ist Heil und Stärke.“ Die Heil vermittelnde endzeitliche Anerkennung des Schöpfers erfolgt nun als das Bekenntnis: Herr ist Jesus.

Die Septuaginta-Aussagen bringen in dieses Bekenntnis ein Doppeltes ein: Der Erhöhte erscheint von ihnen her gesehen nicht als ein göttliches Wesen neben Gott, sondern als *der, durch den Gottes endzeitliches Werk geschieht*. Gerade durch die Übertragung der endzeitlichen Funktion Jahwes wird der Erhöhte in die at.liche Einzigkeit Gottes integriert.

Dieser at.liche Aspekt klärt zugleich, wie es für hellenistische Menschen nötig war, das *Verhältnis des Erhöhten zum Kosmos*. Der palästinische Mensch sah die Welt als Geschichte, so daß Jesus als der Verheißene verkündigt wurde, der die eschatologische Wende der Geschichte bringt. Der hellenistische Mensch versteht die Welt als den Kosmos, dessen Gesetzmäßigkeiten und Mächte ihn umschließen. Für ihn war es Evangelium, wenn Jesus als der Herr verkündigt wurde, durch den die befreiende Vollendung für die Welt kommt, die bereits durch ihn geschaffen wurde (1.Kor. 8,6). Der alles umschließende Kosmos wird auf diese Weise als endzeitlich zu erlösende Schöpfung dem einen Herrn gegenüber qualifiziert und die den Herrn Bekennenden als eschatologische neue Schöpfung gekennzeichnet.

Demnach wurden die verschiedenen Faktoren, die dem zentralen Bekenntnis der hellenistischen Kirche Gestalt gaben, in der Sache letztlich von der Überlieferung über die Sendung Jesu und von dem Weltverhältnis Gottes nach dem Alten Testament zu einer neuen *Einheit integriert*. Sie gibt in Umrissen folgendes *Bild von dem Herrsein des Erhöhten* für seine Bekenner: Grundlegend ist für alle Stimmen des Neuen Testaments aus der hellenistischen Kirche, daß

Jesus der Herr ist kraft seines Sterbens und Auferstehens, also in soteriologisch-eschatologischem Sinn. Phil. 2,9 f. „... indem er gehorsam war bis zum Tod, ja zum Tod am Kreuz. Deshalb hat ihn Gott erhöht und ihm einen Namen gegeben, der über alle Namen ist", nämlich den Namen Herr.

Demgemäß ist es seine Funktion, 1. *vor Gott für die Seinen einzutreten.* Dies besagen die beherrschenden Bilder, die den Erhöhten im Neuen Testament kennzeichnen: Für Paulus ist er der Anwalt, der zur Rechten Gottes für die Seinen eintritt, für den Hebräer-Brief der Hohepriester, der sein sühnendes Blut vor Gott bringt, und für die Offenbarung das Lamm mit der Todeswunde, das durch sein Blut Menschen aller Völker für Gott zur basileia erkauft hat. Demgemäß wird seine Herrschaft gegenwärtig letztlich durch die κοινωνία realisiert, die das Herrenmahl herstellt: In ihm wird „der Becher des Herrn" gereicht, d. h. der Becher, mit dem der Herr sich selbst als den für alle Gestorbenen darreicht, um sich den Empfangenden durch Glauben zuzueignen.

2. Der Erhöhte wird jedoch nie wie die „Herren" genannten hellenistischen Gottheiten lediglich als Helfer und Gebieter seiner Kultgemeinde gesehen, sondern immer als *der zum Herrn des Kosmos gesetzte.* Er ist dem Kosmos gegenüber in der Weise der Herr, daß ihm der Geschichtsablauf und das kosmische Geschehen bereits in die Hand gegeben sind. Er lenkt sie jedoch nicht als „Weltregent", sondern als der, der durch die Versöhnung und das Gericht die neue Welt herbeiführt (1.Kor. 15,25; Hebr. 1,4–14; Offb. 5,15). Er wird nicht zufällig im Neuen Testament nie „Herr der Welt"[25] oder gar „Kosmokrator" genannt. Kosmokrator sind „die Mächte" oder für die alte Kirche der Satan (Eph. 6,12)[26]. Der Erhöhte tritt nicht an ihre oder der Heimarmene Stelle, sondern wird, sie entmächtigend, über sie gesetzt. Er ist dieser Welt gegenüber der Herr, um es für die neue zu werden. Das Walten der Mächte und in anderem Sinne Gottes „Weltregiment" treten unter das Vorzeichen seines Herrseins. Das bedeutet, wenn es *unmittelbar von Gott selbst her ausgesagt* wird: Die Offenbarung der Gerechtigkeit und des Zornes Gottes löst nach Röm. 1,17–3,21 sein „geduldiges Zuwarten" (Röm. 3,24 f.) gegenüber der unter Gesetz, Sünde und Tod stehenden Welt ab (vgl. S. 157 f.).

---

[25] So erstmals Barn. 5,5. „Herr der Welt" ist sehr häufige rabb. Anrede an Gott, die sein Weltregiment meint (Strack/Billerbeck II, 176). Ihre Übertragung auf Christus, auch schon in der Präexistenz, enteschatologisiert sein Herrsein. Phil. 2 bezog auf den Erhöhten das eschatologische Herrwerden Jahwes (S. 115)! Die Bezeichnung Gottes als Pantokrator, die später ebenfalls auf Christus übertragen wird, ist stärker eschatologisch orientiert (ThW III, 913 f.; 1084, 20 ff.).

[26] Vgl. ThW III, 913.

Diese Ablösung kann jedoch nicht als chronologisch vollzogener, statischer Zustand beschrieben, sondern nur als „jetzt" geschehende Weltumwandlung verkündigt und vom Glauben bekannt werden.

3. Die Aussagen über den *Vollzug* dieser Weltumwandlung und d. h. über die Aufrichtung der Herrschaft Christi gehen daher in der Bestimmung des Schon und Noch-Nicht auseinander. Dies wird an den Aussagen über die Kehrseite der Herrschaft, nämlich die Niederwerfung der Feinde, besonders deutlich. Nach 1.Kor. 15,25 f., Hebr. 10,13 und Offb. 6–19 (vgl. 5,9 f.; 19,16) ist die Niederwerfung der Mächte, voran der Sünde und des Todes, die in Kreuz und Auferstehung schon grundsätzlich überwunden sind, anhebende Auswirkung und zukünftiges Ziel seiner Herrschaft. Dagegen wird in Kol. 2,10. 15 – aber auch 1.Kor. 2,6 – hymnisch verkündigt, daß die Mächte schon unterworfen und entmächtigt seien. Diese Spannung zeichnet sich speziell an der unterschiedlichen Anwendung von Ps. 8,7 und Ps. 110,1 ab: In Eph. 1,20–22 werden Ps. 8,7 und Ps. 110,1 ohne den Vorbehalt: „Bis ich lege die Feinde zum Schemel deiner Füße" als bereits vollzogen auf den Erhöhten angewendet. Dagegen wird in Hebr. 2,5–9 und ähnlich 1.Kor. 15,27 betont: „Wir sehen noch nicht den, ‚dem alles unterworfen ist'" (Ps. 8,7). Es wird zu klären sein, ob diese Differenz einen Gegensatz oder eine polare Spannung bedeutet. Für letzteres spricht, daß das Herrsein Christi als eschatologisch-soteriologisches Geschehen in dieser Weltzeit nur aus Glauben bekannt werden kann.

Daher entspricht diesem Bild vom Herrsein des Erhöhten, was es *für die Existenz des Glaubenden* bedeutet. Es bedeutet für sie zuerst, daß das Heil für die Welt vor allem Zutun der Menschen in ihm da ist, aber zugleich, daß es durch eine universale Mission der Welt vermittelt werden muß: Das Evangelium „von Jesus Christus, unserem Herrn" ist nach dem Eingang des Römerbriefes das Evangelium von der Rechtfertigung, das Paulus als einer der endzeitlichen Freudenboten (Röm. 10,15, vgl. Jes. 52,7) durch die Ökumene trägt (Röm. 1,3 f. 16 f.; 15,16.24; vgl. Mt. 28,19 f.). Die Spitze der Herrschaft Christi ist die Rechtfertigung des Sünders aus Glauben (Röm. 4,5). Diese Herrschaft wird bis in die Lebensordnungen dieser Welt hinein von den Glaubenden gelebt (z. B. Röm. 12 f.); das Zeugnis des Wortes ist nicht von dem des Verhaltens zu lösen (2.Kor. 4,1 f.; 1.Petr. 2,11 f.). Die Überlegenheit des Herrn über die Mächte aber gibt dem Glaubenden die Gewißheit, daß ihn wie die Kirche keine Macht von der Liebe Gottes trennen kann, daß ihn vielmehr alle Widerfahrnisse dem Heil entgegenführen (Röm. 8,28–39; Offb. 7).

Diese Übersicht mag zu einer Orientierung über Grundlinien und Schichtung des nt.lichen Zeugnisses von Jesus, dem Herrn, genügen.

Sie läßt erkennen, daß Jesu Herrsein in keiner nt.lichen Schrift so weitgehend wie im Kolosser- und Epheser-Brief als bereits bestehende Herrschaft über den Kosmos verstanden wird. Daher beruft sich die sogenannte christokratische Konzeption vor allem auf diese Briefe, und daher versuchen wir unsere Frage, in welchem Sinn der Erhöhte Herr gegenüber der Welt ist, zunächst vom Kolosserbrief aus genauer zu klären.

II. Christi Herrsein gegenüber der Welt nach dem Kolosserbrief

Nach Kol. 2,10 ist der Erhöhte bereits „Haupt jeder Herrschaft und Macht".

„Mächte" in diesem Sinn erwähnen im Neuen Testament nur Paulus und der 1. Petrusbrief; sonst erscheinen nur gute und böse Engel als kosmisch wirksam. Bereits in der jüdischen Apokalyptik nahmen die Engel unter dem Einfluß des Gestirnglaubens gelegentlich den Charakter von kosmischen Mächten an[27]. Diese Entwicklung führte Paulus weiter, als er sich mit der hellenistischen Welt auseinandersetzen mußte, in der Gestirnglaube und Magie als Geheimreligionen verbreitet waren. Unmittelbar nötigten dazu gnostische Strömungen in seinen Gemeinden, die z.B. in Kolossae Zwischenmächten (στοιχεῖα) entscheidenden Einfluß auf die Menschen zuschrieben[28]. Paulus hält diese Mächte nicht lediglich für subjektive Angstvorstellungen des unerlösten Menschen; sie sind für ihn Realitäten, auch wenn sie der Mensch nicht mehr vergötzt. 1.Kor. 8,5: „Wie es ja sogenannte Götter im Himmel und auf Erden gibt, wie es ja wirklich viele Götter und Herren gibt." Versucht man diese in die Mitte jenes mythischen Weltbildes hineingreifende Vorstellung in unser Weltbild zu übertragen, dann läßt sich vielleicht sagen: Paulus meint mit den Mächten, was für uns Gesetzmäßigkeiten und überindividuelle Kräfte in Natur und Geschichte sind, z. B. politische, soziologische, wirtschaftliche Strukturen und Kräfte, sobald wir sie in ein Verhältnis zu Gottes Walten in der Welt bringen.

Wenn Christus *Haupt* der Mächte ist, dann ist ihm seit seiner Erhöhung das gesamte Geschehen in Natur und Geschichte grundsätz-

---

[27] Vgl. Heinrich Schlier, Der Brief an die Epheser, 1957, 87; G. H. C. MacGregor, „Principalities and Powers: The Cosmic Background of Paul's Thought", New Testament Studies 1 (1954/55), 17–28.

[28] Die Mächte sind für die hellenistischen Menschen praktisch weithin das, was für die Juden das Gesetz ist (vgl. Gal. 4,3 und 9; Kol. 2,8 und 20). Aber im Unterschied zum Gesetz sind sie nicht nur Ordnungen, über denen Engel wachen, sondern Mächte und Kräfte.

lich unterworfen. Haupt ist hier nämlich nicht nur, wie im gemeingriechischen Sprachgebrauch, Abbild für das Obere, das Überlegene und Bestimmende, sondern, wie in der LXX, für den Herrscher[29].

Den eigentlichen Sinn der Aussage erschließt ihr religionsgeschichtlicher Hintergrund. Wird Christus als Haupt der Mächte proklamiert, dann wird ihm zugeschrieben, was man in der hellenistischen Welt vielfach als das Heil erwartet, nämlich daß der Kosmos unter einem Haupt als Leib zu einer sinnvollen Harmonie geeint wird[30]. Der Kolosserbrief nennt, diese Vorstellung aufnehmend, Christus das Haupt der Mächte, aber mit Nachdruck nur die Kirche, nicht den Kosmos oder die Mächte, seinen Leib (Kol. 1,18.24; 2,18 f.)[31]. Die Erneuerung des Kosmos, die ihn dem Widereinander und der Sinnlosigkeit entreißt, gewinnt also nur in der ecclesia, dem Leib Christi, Gestalt. Christus wird das Haupt zum Heil nur dadurch, daß „das Evangelium in aller Schöpfung unter dem Himmel verkündigt wird", d. h. durch eine hier als kosmisches Geschehen verstandene Mission (Kol. 1,23). Allein die Kirche ist der Bereich seiner basileia, seiner heilvollen Herrschaft; denn sie hat „durch ihn die Erlösung, die Vergebung der Sünden" (Kol. 1,13 f.).

Die Mächte aber sind nicht in dem Sinne unterworfen, daß sie nun der Herrschaft des Erhöhten eingegliedert sind, so daß sie ihm gehorchen und dienen; ihre Zuordnung zu Christus, dem Haupt, wird vielmehr wie folgt bestimmt:

a) Der Sinn ihrer Unterwerfung wird am Ende des hymnischen Abschnitts (Kol. 2,9–15), den der Hinweis auf sie in 2,10 einleitet, durch den Satz erklärt: „Er (nämlich Gott) hat die Herrschaften und Mächte entkleidet (nämlich ihrer Würde und Mächtigkeit) und hat sie öffentlich (durch sein Urteil) bloßgestellt, indem er durch ihn über sie triumphierte" (Kol. 2,15). Nach dem Kontext stehen die Mächte hier als Vertreter der in dieser Welt geltenden Gesetzmäßigkeit im Blick; denn anschließend wird aus ihrer *Entmächtigung* gefolgert, daß die Christen von den Satzungen frei sind (Kol. 2,16 f.). Die Unterwerfung der Mächte will hier also besagen, daß der Erhöhte als „der Stärkere" (Mt. 12,29) soteriologisch von ihnen frei macht, sofern sie die Eigengesetzlichkeit und Eigenmächtigkeit der Welt repräsentieren. Dies wird gegen eine Bewegung in der Gemeinde gesagt, die Christus als Prinzip unter die Weltprinzipien einordnen und die sich aus diesem spekulativen Weltbild ergebende neue Gesetzmäßigkeit verbindlich machen will (Kol. 2,8.16–19).

---

[29] Ri. 10,18; 2.Sam. 22,44; Jes. 7,8 f.; vgl. ThW III, 673 f.

[30] Eduard Lohse, „Christusherrschaft und Kirche im Kolosserbrief", New Testament Studies 11 (1964/65), 204 f.

[31] So die treffliche Analyse Eduard Schweizers, ThW VII, 1072–1075.

b) Eine zweite, nun positiv ausgerichtete Erklärung über das Verhältnis des Erhöhten zu den Mächten findet sich im Anfang und Ende des Hymnus Kol. 1,15–20, in dessen Mitte das Wort von Christus als dem Haupt seines Leibes steht: Die Mächte sind gleich dem ganzen All von Gott durch Christus und auf Christus hin geschaffen (1,16) und, sofern sie Kreatur sind, mit dem All bereits von Gott durch Christus und auf ihn hin *versöhnt* (1,20) – aber sie sind noch nicht dem mit dem Haupt zur Einheit verbundenen Leib eingefügt (Kol. 2,18 f.).

c) Daher münden die hohen Worte, daß die Mächte schon unterworfen und entmächtigt bzw. versöhnt seien, jeweils in *Paränese* an die Gemeinde aus. Sie soll durch Glauben die durch die Verkündigung des Evangeliums vermittelte Versöhnung festhalten (1,21–23) und nicht mehr durch Konformismus mit den Satzungen der Mächte das Heil suchen (2,16–3,4): „Wenn ihr mit Christus den Prinzipien dieser Welt abgestorben seid, was laßt ihr euch noch Satzungen geben, als würdet ihr noch in der Welt leben" (2,20). Hier ist „nicht mehr Grieche und Jude . . . Sklave und Freier" (3,11). Und doch: „Ihr Sklaven, gehorchet in allem eurem Herrn nach dem Fleische" (3,22).

Ganz ähnlich finden wir in dem verwandten Epheserbrief neben der plerophoren, hymnischen Verkündigung, daß die Mächte schon unterworfen seien (Eph. 1,20–23), die Paränese, aus Glauben gegen die Mächte zu kämpfen, wenn sie Gottwidriges ins Werk setzen (Eph. 6,12), und zugleich auch hier eine Haustafel. Dieselben Elemente umfaßt der 1. Petrusbrief (2,13; 3,22; 4,3 f.; 5,8 f.).

Aus diesem Zusammenhang ergibt sich die *entscheidende Frage:* Wie ist die Aussage: Christus ist schon Haupt der Mächte, sie sind schon unterworfen und entmächtigt, und das All ist schon versöhnt, im Rahmen dieser Paränese zu verstehen?

Als *religionsgeschichtliche Analogien* bieten sich folgende Beziehungen an: Nach den Bilderreden des äth.Hen. wird der Menschensohn am Ende vor dem ganzen Kosmos inthronisiert (Hen. 61,8; 62,2), und vor ihm beugen sich akklamierend die himmlischen Mächte (61,7.11) wie die Machthaber der Erde (62,3). Solche Vorstellungen mögen den urchristlichen Aussagen über die Inthronisation des Auferstandenen in den Anfängen als Vorstellungshintergrund gedient haben. Phil. 2,9–11 berührt sich ein Stück weit mit ihnen, der Kolosserbrief jedoch geht, wie wir sahen, von kosmischen Spekulationen des Hellenismus über Haupt und Leib aus. Vor allem aber redet er von der Einsetzung Christi zum Herrn der Mächte und des Weltgeschehens nicht im Stil apokalyptischer Offenbarungsrede, die Wissen um die vorerst noch verhüllten Hintergründe des Weltgeschehens vermitteln will, sondern im Stil des doxologischen Hymnus. In diesem Stil sind auch die meisten übrigen Aussagen des Neuen Testaments über die Einsetzung Christi zum Herrn des Weltgeschehens formuliert, Eph. 1,20–23 ebenso wie Phil. 2,6–11 und 1.Petr. 3,22[32].

Deshalb erinnern diese Aussagen nach Gattung und Inhalt an die Jahwe-Königs-Psalmen, die rätselvoll als Präsens aussagen, was Dtjes. 52,7 vom Eschaton erwartet: „Jahwe ist König (geworden)!" Wie bei der Exegese dieser Psalmen, ergab sich auch bei unseren Hymnen die Vermutung, daß sie eine mythische Inthronisation meinen, die im Kultus – hier vielleicht im Taufgottesdienst[33] – nacherlebt wird[34].

In diese Richtung geht eine Hypothese E. Käsemanns. Nach ihm entstammen diese Hymnen in ihrer ursprünglichen Form einer enthusiastischen Frömmigkeit der frühen hellenistischen Gemeinde. Diese übertrug die mythische Erwartung, daß dem Kosmos unter einem Haupt Friede und Wohlfahrt beschert werde, auf Christus, wie sie die 4. Ekloge Vergils auf den Herrschaftsantritt des Augustus bezog und zur Reichsideologie machte. Der Kolosser- wie der Epheserbrief korrigieren diesen Enthusiasmus durch ihre Paränese; eben deshalb steht diese in Spannung zu den hymnischen Aussagen[35]. Noch entschiedener als diese Deuteropaulinen hat Paulus selbst entgegen diesem Enthusiasmus „die Aussage, daß die Reiche und Mächte dieser Welt Christus untertan geworden seien, in 1.Kor. 15,28 aus dem Perfekt oder Präsens in das Futur" gerückt und „infolgedessen den Kosmokratortitel Jesus noch nicht beigelegt". Die christokratische Konzeption, wie sie „K. Barth und die Seinen" vertreten, schützt sich „nicht genügend" gegenüber der Gefahr, in die Nähe jenes urchristlichen Enthusiasmus und der hinter ihm stehenden Mythologie zu geraten[36].

Diese religions- und traditionsgeschichtliche Hypothese läßt zwei heute vielfach vertretene Auffassungen von dem Herrsein Christi gegenüber der Welt scharf hervortreten.

---

[32] Analyse der Gattung bei Gottfried Schille, Frühchristliche Hymnen, 1965.

[33] Z. B. Schille, ebd., 103 f. „Wir sind schon im Himmel!, jubelt (nach Eph. 2,6) die Schar der Getauften und behält recht. Aber ihr müßt noch auf Erden leben und Gottes Anspruch im Alltag bewähren, fügt der Apostel hinzu. Seht zu, daß ihr nicht fallt!" (S. 105).

[34] Eine andere Erklärung legt die Beobachtung nahe, daß jene Psalmen wahrscheinlich ein Israel durch die Erwählung erschlossenes lobendes Bekenntnis zu seinem Gott als dem Schöpfer, Herrn und Richter der Welt wiedergeben. Vgl. Hans-Joachim Kraus, Psalmen, 1961², XLIII, 197–205.

[35] Ernst Käsemann, Exegetische Versuche und Besinnungen II, 1964, 213. Unter Berufung auf ihn als seinen Lehrer führt Schille, a.a.O. (Anm. 32), diesen Ansatz aus. Er versucht, durch gattungsgeschichtliche Untersuchungen nachzuweisen, daß im Kolosser- und im Epheserbrief hymnische Gemeindetradition aufgenommen wurde und daß deren Eschatologie der sonst in diesen Briefen vertretenen widerstreitet (S. 107). [36] Käsemann, a.a.O. (Anm. 35), 213 f.

Die christokratische Konzeption wurde in ihrer heute maßgeblichen Gestalt vor allem von Karl Barth entwickelt[37] und in der neutestamentlichen Diskussion selbständig und eindrucksvoll vor allem von Oscar Cullmann vertreten[38]. Sie nimmt die Aussage jener Hymnen, daß Christus schon die Herrschaft über die Welt übertragen sei, betont auf. Nach Cullmann gleichen Kirche und Welt gegenüber der Herrschaft Christi zwei konzentrischen Kreisen: Der innere Kreis, die Kirche, weiß im Glauben um Christi Herrschaft, der äußere, die Welt, weiß noch nicht um sie. Aber sie ist ihr dennoch unterworfen. Die Mächte haben zwar noch eine gewisse Selbständigkeit, auch die Möglichkeit zu dämonischer Rebellion, aber sie sind auf alle Fälle an die Leine genommen[39]. Die Christen gehorchen den irdischen Herren, z. B. der römischen Obrigkeit, weil sie wissen, daß Christus bereits deren Herr ist[40]. Diese christokratische Begründung der Weisung von Röm. 13,1 wird zusätzlich durch die angelologische Deutung der ἐξουσίαι unterbaut: Paulus sieht hinter den ἐξουσίαι, den staatlichen Machthabern, die himmlischen ἐξουσίαι, die Engelmächte, die jetzt Christus unterworfen sind[41]. Allerdings folgert Cullmann aus der Christusherrschaft in den beiden konzentrischen Kreisen nur warum, aber nicht wie der Christ im politischen Raum handeln soll. Während nach K. Barth das Leben in der Bürgergemeinde ein Stück weit in Analogie zu dem in der Christengemeinde gestaltet werden soll[42], zieht Cullmann aus dem Vergleich zwischen Röm. 12 und 13 die exegetisch unausweichliche Folgerung, daß kirchliches und staatliches Handeln wesensverschieden sind: „Der Staat verfährt nicht nach dem Prinzip der Liebe, sondern der Vergeltung.“[43]

Die gegenwärtige systematische Ausformung der christokratischen Konzeption versteht das Schon der Christusherrschaft über die Welt im Grunde nicht als apokalyptische Enthüllung einer kosmischen

[37] Evangelium und Gesetz, 1935, 1956²; Rechtfertigung und Recht, 1938, 1948³; Eine Schweizer Stimme 1938–45, 1945, 1953²; Christengemeinde und Bürgergemeinde, 1946. Aufgenommen und weitergeführt in Werner Schmauch/Ernst Wolf, Königsherrschaft Christi, Theologische Existenz heute, Heft 64, 1958.

[38] Königsherrschaft Christi und Kirche im Neuen Testament, Theologische Studien, Heft 10, 1946².

[39] Vgl. Oscar Cullmann, Christus und die Zeit, 1962³, 169–172.

[40] A.a.O. (Anm. 38), 33.

[41] A.a.O. (Anm. 38), 35; ders., a.a.O. (Anm. 39), 174–189; ders., Der Staat im Neuen Testament, 1956, 67–80.

[42] Christengemeinde und Bürgergemeinde (Anm. 37), 22 f.: „Das politische Wesen kann weder eine Wiederholung der Kirche noch eine Vorwegnahme des Reiches Gottes darstellen.“ „Die Gerechtigkeit des Staates in christlicher Sicht ist seine Existenz als ein Geheimnis, eine Entsprechung, ein Analogon zu dem in der Kirche geglaubten und von der Kirche verkündigten Reich Gottes.“

[43] Der Staat (Anm. 41), 41.

Struktur, sondern als Ausdruck der Erwählung. Sie lehrt, in den Strukturen geschichtlichen Lebens gnädige Setzungen Gottes und in den Menschen, auch wenn sie noch nicht berufen sind, Erwählte zu sehen: „In Jesus Christus ‚ist kein Mensch verworfen, sind alle Menschen erwählt', und die noch nicht Berufenen sind auf jeden Fall ‚die künftig zu Berufenden'. Das bedeutet ‚die unbedingte Bereitschaft, in ihnen, den Fremden von heute, heute schon die Brüder von morgen zu erblicken', d. h. Solidarität mit der Welt zu üben."[44]

Diese eindrucksvolle Konzeption sieht richtig, daß die Paränese im Kolosser die hymnischen Aussagen über Christus als das Haupt der Mächte nicht korrigieren will, sondern durch sie begründet wird (Kol. 2,16). Aber sie versteht diese Begründung zu geradlinig und kann daher die spannungsreiche Vielgestalt der Paränese nicht erklären. Sie macht, generell gesehen, mit Recht geltend, daß die Herrschaft Christi eine Wirklichkeit ist, die allem menschlichen Handeln, aller Geschichte vorgegeben ist und ihr Ziel und Grenze setzt; unscharf aber bleibt, wie sie vorgegeben ist und daher in der Geschichte wirksam wird. Für den Kolosser ist Christi Herrschaft nicht apokalyptisch als Überwelt vorgegeben, so daß man über sie prophetisch Bescheid sagen und von ihr her ein Ethos proklamieren könnte. Sie kann vielmehr nur durch den missionarischen Ruf zum Glauben in der Geschichte wirksam werden (Kol. 1,21–23). Es gibt für den Brief wie für Paulus generell – der Brief gehört ihm wahrscheinlich zu – auch keine Erwählung, die nicht als Berufung zum Glauben wirksam würde (Röm. 8,29 f.; 11,28 f.).

Auf letzteres legt die Konzeption der *Kerygma-Theologie* mit Recht den Nachdruck. Für sie spricht Käsemann, wenn er die hymnischen Aussagen über das Schon als Gemeindefrömmigkeit eliminiert und erklärt: Für Paulus ist Christus der Welt gegenüber Kyrios „in eigenartiger Verborgenheit, nämlich so, daß mit der Botschaft von ihm und dem Dienst der Gemeinde der Angriff der Gnade auf die Welt vorangetragen wird"[45]. Schon diese Formulierung aber führt bewußt über den Leitsatz der Kerygma-Theologie in unserer Frage hinaus, der besagt: Die Botschaft von der Herrschaft Christi über die Welt ist *nichts anderes* als das Wort von der Versöhnung[46]. Von diesem Ansatz aus kann sich die Herrschaft Christi in ein Wortgeschehen verflüchtigen, das aus der Geschichte in die Geschichtlichkeit der Existenz und aus einer die Strukturen der Geschichte ernstnehmenden

---

[44] Ernst Wolf, Was heißt „Königsherrschaft Christi" heute?, in: Unter der Herrschaft Christi, Beiträge zur evangelischen Theologie, Bd. 32, 1961, 67–91, mit Zitaten aus K. Barth, KD IV, 3/2, S. 556, 563, 566.

[45] Käsemann, a.a.O. (Anm. 35), 213.

[46] Z. B. Günther Bornkamm, Christus und die Welt in der urchristlichen Bot-

Sozialethik in ein personales Entscheidungsethos der Liebe führt. Demgegenüber betont *Käsemann,* Christus sei wohl das Ende des Gesetzes, aber nicht das der Geschichte, auch die apokalyptische Dimension, die 1.Kor. 15,25–28 entwickelt, sei theologisch relevant: Die Verkündigung löst in der Kraft der Auferstehung Christi eine Umwandlung der Geschichte aus. Diese manifestiert sich im Gehorsam der Gemeinde und der ihm entsprechenden fortschreitenden Entmächtigung der Mächte und führt einer leibhaften Vollendung entgegen[47].

Hier wird der zweifellos zentral paulinische – und auch reformatorische – Ansatz, daß Christi Herrschaft in der Geschichte durch die Botschaft von der Versöhnung bzw. Rechtfertigung realisiert wird, nicht unter das Vorzeichen des neutestamentlichen Schon, sondern in den Rahmen eines apokalyptischen Weltprozesses gestellt. Deshalb rückt der Akzent von dem Glauben, der schon neue Schöpfung ist, auf den Gehorsam, durch den sich die Welt wandelt, von der Gegenwart des Neuen in der Geschichte auf sein Werden in einem apokalyptischen Prozeß (S. 134 f.). Weil die Spannung zwischen dem Schon und Noch-Nicht zugunsten des letzteren entschärft wird, kommt hier wie bei der umgekehrt verfahrenden christokratischen Lösung die Spannung innerhalb der neutestamentlichen Paränese nicht zum Tragen.

Der eigentliche *Sinn der Aussagen über das Herrsein Christi gegenüber der Welt* erschließt sich, wenn es gelingt, *der Spannung zwischen dem Schon und Noch-Nicht Rechnung zu tragen* und von ihr her die Paränese zu erklären. Als unmittelbare, sachliche Analogie für die rätselvolle Aussage: Die Mächte sind schon unterworfen, entmächtigt, versöhnt, bietet sich 2.Kor. 5,19 an: „Gott war in Christus als einer, der die Welt mit sich versöhnte." Diesem präteritalen Indikativ folgt in 2.Kor. 5,20 der Imperativ: „Lasset euch versöhnen mit Gott!" Das bedeutet: Die Welt, das ist hier die Menschheit, ist, ohne es zu wissen, durch Christi Sterben und Auferstehen bereits in dem Sinne mit Gott versöhnt, daß sie durch „den Dienst der Verkündigung" gebeten werden muß: „Lasset euch versöhnen", d. h. laßt die geschehene Versöhnung durch Glauben für euch wirksam werden. Nun folgt den Aussagen über die Versöhnung und die Entmächtigung der Mächte in Kol. 1,16.20; 2,10.15 allerdings kein Imperativ an sie; das ist nicht möglich, sie können ja nicht zum Glauben ge-

---

schaft, in: Das Ende des Gesetzes, 1952, 157–172: „Mit allem, was wir sagten, haben wir nur zu umschreiben versucht, daß die urchristliche Botschaft von der Herrschaft Jesu Christi über die Welt nichts anderes ist als das Wort von der Versöhnung, das Evangelium von der Rechtfertigung" (S. 171). Forschungsbericht bei Wolfgang Schrage, Die konkreten Einzelgebote in der paulinischen Paränese, 1961, 13–48.

[47] Käsemann, a.a.O. (Anm. 35), 127–131.

rufen werden. Den Imperativ vertritt die folgende Paränese an die Gemeinde; auch sie setzt voraus, daß das Gesagte nicht kosmisch vorfindlich ist, sondern durch Glauben in der Geschichte wirksam werden muß, bis es als Gericht und Vollendung in Erscheinung tritt.

So dürfen wir diese Aussagen, daß Christus schon Haupt der Mächte sei, als *kerygmatische Indikative* verstehen. Sie sind dann nicht Ausdruck des enthusiastischen Perfektionismus, den Paulus z. B. in der Gemeinde von Korinth scharf zurückweist (1.Kor. 4,8). Der kerygmatische Indikativ ist nicht Bericht über einen konstatierbaren, vorfindlichen, kosmischen oder psychischen Vorgang. Er verkündigt vielmehr als Wort von Gott her, was Gott verborgen in Jesu Sterben und Auferstehen getan und gesetzt hat. Diese Setzung soll durch Glauben nicht nur anerkannt, sondern in der Geschichte wirksam werden. Wenn der kerygmatische Indikativ sagt: Gott hat es getan, so fügt der kerygmatische Imperativ hinzu: Er will es durch euch, nämlich durch euren Glaubensgehorsam, tun. Das Reden in Indikativ und Imperativ ist spezifischer Ausdruck der Theologia crucis, d. h. einer Theologie, für die das Heil verborgen durch das Kreuz für den Glauben kommt. Die kerygmatischen Indikative über das Herrsein Christi gegenüber der Welt sind insbesondere, wie die hymnische Form anzeigt, Ausdruck des anbetenden Glaubens, für den Gott und seine Setzung wirklicher ist als alle Wirklichkeit. Sie haben *doxologischen* Charakter. (Ob die Hymnen anders gemeinte Vorlagen verarbeiten, ist hier nicht zu untersuchen; es ist meines Erachtens nicht sehr wahrscheinlich.)

Das Gesagte läßt sich noch an dem Hymnus in Phil. 2 illustrieren, der die Einsetzung Jesu zum Herrn des Kosmos in der Gestalt des Inthronisationszeremoniells darstellt. Nach Phil. 2,9 wurde der bis zum Tod am Kreuz Gehorsame in der Weise zum Herrn des Kosmos eingesetzt, daß Gott ihm als dem Auferstandenen „den Namen gegeben hat, der über jeden Namen ist" (nämlich Herr), und ihm damit diese Stellung zugewiesen hat. Diese Einsetzung zum Herrn gegenüber dem Kosmos soll in der Geschichte nicht, wie z. B. die Einsetzung des neuen Kaisers, durch Proklamation in Verbindung mit Propaganda und Macht durchgesetzt werden, sondern durch die Verkündigung, die Glauben als „neue Schöpfung" schafft, deren Kehrseite das Gericht und deren Ziel die leibhafte Vollendung ist. Das ganze Neue Testament kennt kein Kommen der Herrschaft Christi an Verkündigung und Glaube vorbei, das nicht Gericht, sondern Heil für die Menschen wäre. *Christi Herrsein gegenüber der Welt hat streng kerygmatischen, weil eschatologischen und soteriologischen Charakter*[48].

[48] Das macht mit Recht auch Eduard Schweizer, Jesus Christus, Herr über Kirche

Aus einem so verstandenen Herrsein Christi gegenüber der Welt ergibt sich die auf den ersten Blick so überraschend vielgestaltige Paränese des Kolosserbriefes.

III. Christi Herrsein gegenüber der Welt als Begründung der Paränese nach dem Kolosserbrief

Nach der Paränese des Kolosserbriefs gewinnt das Herrsein Christi gegenüber der Welt in der Geschichte in folgender Weise Gestalt:

1. Das Herrsein Christi gegenüber der Welt bekundet sich zuerst durch eine *universale missionarische Verkündigung* des Evangeliums „in der ganzen Schöpfung unter dem Himmel" (Kol. 1,23). Durch diese Verkündigung und ihre Zueignung in der Taufe entsteht die ecclesia (Kol. 2,11 f.). Sie ist der Leib, dessen Haupt Christus ist (Kol. 1,18.24), der Bereich seiner heilvollen eschatologischen Herrschaft (Kol. 1,13), in dem das neue Menschsein entsteht (Kol. 3,10). Deshalb sind in ihr die Lebensordnungen dieser Welt aufgehoben: „Hier ist nicht mehr Jude und Grieche . . . Sklave und Freier" (Kol. 3,11).

Wenn Paulus in anderen Briefen die Situation in der Gemeinde genauer ausführt, wird sichtbar, daß es *auch in ihr ein Noch-Nicht* gibt. Sie existiert als die Schar der Glaubenden „im Fleische" (vgl. Gal. 2,20). Daher ist innerhalb der Gemeinde neben dem „Dienen", das der basileia des Kyrios entspricht (1.Kor. 12,5; Mk. 10,43), auch noch ein Ordnen und Sich-Unterordnen nötig[49]. Auch der Unterschied zwischen Mann und Frau ist noch nicht restlos aufgehoben (1.Kor. 11,2–16). Deshalb wird die Herrschaft Christi gewiß in der Gemeinde und durch sie in der Geschichte wirksam; aber sie wird in der Welt nicht von ihr, weder durch ihre Amtsträger noch durch ihren Gehorsam, sondern nur vom Kyrios selbst repräsentiert. Die Gemeinde ist noch nicht zum „Mitherrschen" gelangt (1.Kor. 4,8; vgl. Offb. 5,9 f.; 22,5)[50]. Dieses Noch-Nicht verbindet die Gemeinde gleichsam von unten her mit den Lebensordnungen dieser Welt.

2. Die Paränese des Kolosserbriefes schließt an die Weisungen für das Leben in der Gemeinde unmittelbar die *„Haustafel"* an (Kol.

---

und Welt, in: Libertas Christiana, Festschrift für Friedrich Delekat, hrsg. von E. Wolf und W. Matthias, 1957, 175–187, geltend.

[49] Dies habe ich näher ausgeführt in einem Aufsatz über „Kirchenleitung in der palästinischen Urkirche und bei Paulus", in: Reformatio und Confessio, Festschrift für W. Maurer, Hrsg. F. W. Kantzenbach und G. Müller, 1965, 1–8.

[50] Man darf jedoch bei der Kirche das Noch-Nicht und bei der Welt das Schon des Erwählt- bzw. des Angesprochenseins nicht so stark betonen, daß der Unterschied zwischen Kirche und Welt eingeebnet wird.

3,18–4,1). Diese Haustafel ist kein zufälliger paränetischer Entwurf, sie gibt vielmehr die maßgebliche sozialethische Tradition des Urchristentums wieder. Die Haustafel-Tradition regelt die mitmenschlichen Verhältnisse, die in der Ethik der Reformation als weltliche Stände, heute als Schöpfungs- oder Erhaltungsordnungen oder auch als gesellschaftliche Institutionen bezeichnet werden, nämlich das Verhältnis zwischen den Ehegatten, zwischen Eltern und Kindern, Herren und Knechten, und im 1. Petr. auch das zur Obrigkeit. Letzteres wird hier in gleicher Weise behandelt wie in Röm. 13,1–7. Die Haustafel hat im Kol. und in Eph. 5,22–6,9 das christliche Haus, in 1.Petr. 2,13–3,7 den Christen unter Nichtchristen im Auge.

Das entscheidende Problem wird sichtbar, wenn gesagt wird: Im Rahmen des (christlichen) Hauses sollen die Glaubenden einander auch als Sklaven und Herren nach der geschichtlichen Lebensordnung jener Zeit begegnen (Kol. 3,22–4,1), während in der Gemeinde gilt: Hier ist nicht mehr „Sklave und Freier“ (Kol. 3,11). Und dabei werden diese und entsprechende Weisungen der kurzen Haustafel nicht weniger als siebenmal durch Hinweis auf den Kyrios motiviert. Daraus folgt *die Frage: Warum sollen die Christen* gerade um des Herrn willen, der sie von den Lebensordnungen dieser Welt wie vom Gesetz frei gemacht hat, sich weiterhin *diesen Lebensordnungen einfügen?*

Die christokratische Konzeption gibt die bestechende Antwort: „Alle irdischen, materiellen Einrichtungen, die, losgelöst vom Regnum Christi, höchst fragwürdig und dämonisch sind, wie das Schwertführen (Röm. 13,4), werden geadelt und die Staatsbeamten werden zu ‚Gottes Beamten‘ λειτουργοὶ Θεοῦ (Röm. 13,6) dadurch, daß sie ihren Platz im Regnum Christi erhalten.“[51] Aber der Kosmos ist für den Kol. ja gerade noch nicht als Leib Christi dem Haupt zugeordnet; wäre er seiner basileia eingegliedert, dann wären all diese Unterschiede aufgehoben. Christi Herrsein gegenüber der Welt bedeutet für den Kol. nicht, daß sie schon von ihm regiert wird, wohl aber, daß sie *durch ihn und auf ihn hin geschaffen und durch ihn* bereits geltungshaft *mit Gott versöhnt* ist (Kol. 1,16.20). In diesem Bekenntnis wird das vom Übel und Bösen durchflochtene geschichtliche Leben rückläufig eingefangen, neu als Schöpfung erschlossen und neu verpflichtend. Das ist ein zentraler, sich bereits in Jesu Worten öffnender Aspekt (S. 103). Weil das geschichtliche Leben in dieser Weise auf den Kyrios bezogen ist, sind die Glaubenden wirklich um seinetwillen verpflichtet, sich den Lebensordnungen dieser Welt einzufügen. Der Partner im weltlichen Stand ist von der Geschichtsho-

[51] Cullmann, a.a.O. (Anm. 38), 33; vgl. Anm. 61.

heit des Schöpfers gesetzt und zugleich schon durch Christus mit Gott versöhnt, er ist „zum Miterben der Gnade des Lebens“ bestimmt – so wird diese Begründung in 1.Petr. 2,13; 3,7 entfaltet.

Demnach werden die zum Glauben Berufenen von ihrem Herrn *in doppelter Gestalt* in Anspruch genommen. Die eine Gestalt wird in der Paränese der paulinischen Briefe durch die Leitworte „dienen“ (διακονεῖν) und „Liebe erweisen“ (ἀγαπᾶν), die andere durch „sich-unterordnen“ (ὑποτάσσεσθαι) angezeigt. Die Berufenen haben einerseits durch „Dienen“ auf Glauben hin und durch den Erweis der Bruder- und Nächstenliebe unter Verzicht auf die Anwendung von Macht und Recht die angebrochene, endzeitliche basileia in der Geschichte zu bezeugen und durchzusetzen (vgl. Röm. 12,3–21). Und sie haben andererseits durch Ordnen und Sich-Unterordnen, auch unter der Anwendung von Macht und Recht, die Geschichte auf den verborgenen und sichtbaren Anbruch der basileia hin zu erhalten (vgl. Röm. 13,1–7; 1.Petr. 2,12). Beide Bereiche sind für sie auf den Kyrios bezogen, allerdings in unterschiedlicher Weise, und in beiden gehorchen sie demselben Herrn, allerdings in unterschiedlicher Gestalt. Selbst vom Gehorsam des Sklaven gegen seinen irdischen Herrn kann gesagt werden: „Was ihr tut, das tut von Herzen als dem Herrn und nicht den Menschen“ (Kol. 3,23).

Wie sehr die Beziehung auf den Herrn *auch die Gestalt des Handelns im weltlichen Stande prägt*, ohne die geschichtlichen Lebensordnungen aufzulösen, ist einer *traditionsgeschichtlichen Analyse der Haustafeln* und des Abschnitts Röm. 13,1–7 zu entnehmen. Als man die Berührung der Haustafeln mit den Pflichtentafeln der Stoa oder von Röm. 13 mit hellenistischem Staatsethos beobachtete, entstand zuerst der Eindruck, die Urchristenheit habe sich, als die Parusie verzog, den Erfordernissen des Lebens in dieser Welt angepaßt und Stücke stoisch-hellenistischer Sozialethik übernommen[52]. Eine genauere Analyse ließ jedoch einen theologisch sehr bedeutsamen traditionsgeschichtlichen Vorgang erkennen. Die neutestamentliche Paränese hat in der Tat nicht das alttestamentliche Gottesrecht übernommen oder ein utopisches christliches Sozialethos entworfen. Sie hat vielmehr die geschichtlich gewordenen Lebensordnungen der hellenistischen Welt aufgenommen, aber auf Grund ihrer Glaubenserkenntnis gesichtet und umgeprägt[53].

---

[52] Martin Dibelius, Handbuch zum Neuen Testament, Exk. zu Kol. 4,1; ders., Rom und die Christen im ersten Jahrhundert, Botschaft und Geschichte II, 1956, 183 f.; Bericht über die Diskussion seiner These bei Schrage, a.a.O. (Anm. 46), 13–26.

[53] Einzelnachweis für Röm. 13 bei Leonhard Goppelt, Die Freiheit zur Kaisersteuer, in: Ecclesia und Res Publica (Anm. 1), 41–47, s. u., für die Haustafeln bei

Das ethische Prinzip der Haustafeln erinnert zunächst an die *Pflichtentafeln der Stoa.* Gleich diesen entwickeln die Haustafeln nicht Regeln, die kasuistisch anzuwenden wären, sondern verweisen auf mitmenschliche Verhältnisse, die durch die Struktur der Gesellschaft gegeben und der jeweiligen Situation gemäß zu realisieren sind. Aber die Haustafeln wählen aus der Fülle der mitmenschlichen Beziehungen, die in den Pflichtentafeln genannt werden, wenige grundlegende aus. Sie appellieren nicht wie jene im Stil der Diatribe an die Einsicht des Weisen, der sich selbst zu verwirklichen sucht, sondern verpflichten als apodiktische Gebote, den sozialen Beziehungen, in die der Glaubende gestellt ist, gerecht zu werden. Wie dies im einzelnen zu geschehen hat, soll sich aus Recht und Sitte[54] und aus der Einsicht des Glaubens[55] ergeben.

Dieses Prinzip übernehmen die Haustafeln jedoch nicht lediglich aus der Stoa, sondern entscheidend aus einer von Jesus selbst begründeten *christlichen Tradition.* Jesus lehrt, den Nächsten, auf den das Gebot der Nächstenliebe verweist, nicht kasuistisch zu bestimmen, sondern in der geschichtlichen Begegnung zu suchen (Lk. 10,29–37). Er schiebt das alttestamentlich-jüdische Scheidungsrecht beiseite und gebietet, in der Ehe das Verhältnis zu wahren, das der Schöpfer am Anfang gesetzt hat (Mt. 19,3–8). Entsprechend verweist er für die Frage nach der Kaisersteuer auf die geschichtliche Setzung Gottes (Mt. 22,19–21). Jesus erschließt also eine neue Unmittelbarkeit für den durch die geschichtliche Situation ergehenden Anspruch Gottes, des Schöpfers und Herrn der Geschichte, weil er das Gesetz und die ihm entsprechende „Herzenshärtigkeit" eschatologisch aufhebt (Mt. 19,8). Dennoch weist er nicht lediglich in ein personales Entscheidungsethos, das sich allein aus der jeweiligen Situation ergibt, sondern in mitmenschliche Verhältnisse, die von Gott vor den jeweiligen menschlichen Begegnungen gesetzt sind. Nach diesem Prinzip verweist auch die Paränese in Röm. 12,3–13,7 durch eine Aufreihung vielfach traditioneller Einzelweisungen beispielhaft auf mitmenschliche Verhältnisse, in denen das „erneuerte Denken" (Röm. 12,2), d.h. ein Denken aus Glauben, jeweils aus der Situation Gottes Weisung erfassen soll. (Was wir „mitmenschliche Verhältnisse" nennen, bezeichnete die Reformation als Stände. Sie kam damit dem nt.lichen Denken näher als das Reden von Schöpfungs- oder Erhaltungsordnungen oder von Institutionen, Funktionen und Rollen der Gesellschaft. Paulus weist die Christen in ein Feld mitmenschlicher Bezie-

---

David Schroeder, Die Haustafeln des Neuen Testaments, Diss. Hamburg 1959 (Maschinenschrift).

[54] Kol. 3,18: „Wie es sich geziemt", 4,1: „Was recht und billig ist", u. ä.

[55] Röm. 12,1 f.

hungen, die als geschichtliche Formen von Gott gesetzt sind.) Dieses ethische Prinzip steht auch hinter den Haustafeln.

Warum gerade die vier mitmenschlichen Verhältnisse, die in 1.Petr. 2,13—3,7 zusammen genannt werden, durch apodiktisches Gebot verbindlich gemacht werden, wird nirgends aus der Struktur der Geschichte oder der Natur begründet. Wir können von uns aus feststellen, daß, verglichen mit den Pflichtentafeln der Stoa, nur solche Verhältnisse ausgewählt sind, die zur *Erhaltung* des geschichtlichen Lebens unumgänglich nötig sind. Im Neuen Testament wird jedoch die der rabbinischen Theologie geläufige Vorstellung der Erhaltung[56] nirgends entwickelt. Noch weniger wird, wie später im 1. Clemensbrief, auf *Ordnungen* der Natur reflektiert; die nachdrückliche Verwendung der Begriffe vom Stamm „Ordnung" (τάξις) in Röm. 13,1 f. und in den Haustafeln verweist lediglich auf die ordnende Funktion dieser Verhältnisse. Die Verhältnisse werden, wie sie für die Gemeinde durch den Lebensvollzug gegeben waren, von der alttestamentlichen Schöpfungs- und Geschichtstheologie her in ihrer geschichtlichen Gestalt als Setzungen Gottes, des Schöpfers und Allherrschers, auf Grund der durch den Kyrios gegebenen Unmittelbarkeit des ganzen Menschen zu Gott aus seiner Hand genommen.

Aus dieser Begründung ergibt sich die Haltung und *die Art, wie die Christen sich* diesen Fomen geschichtlichen Lebens *einfügen*. Sie handeln in ihnen von dem erhöhten Herrn her und auf ihn hin, aber nach den dieser Welt gegebenen und mit der Sünde verflochtenen Regeln[57]. Sie handeln dabei jedoch aus anderen Motiven und daher oft in andererWeise als die Menschen dieserWelt. Deshalb ist ihr Handeln im weltlichen Stand ständig von Spannungen und Konflikten begleitet. Der Aspekt des Konfliktes fehlt zwar noch in den Haustafeln des Kol. und des Eph. wie in Röm. 13, aber er tritt nachdrücklich in der Haustafel des 1. Petr. hervor. Die Leitweisung der Haustafeln, „sich unterordnen", bedeutet nicht lediglich, Weisungen „gehorchen"[58], sondern verantwortlich handeln. Nach dem 1. Petr. soll in den Ständen aus einem „an Gott gebundenen Gewissen" getan werden, was „recht und billig ist"[59]. Nirgends wird der Liebeserweis, dessen Zeichen das „Nicht-Widerstehen" ist, zur maßgeblichen Richtschnur des Handelns in den Ständen gemacht, wie dies im Verhältnis zum Nächsten und zum Bruder der Fall ist. Man kann nur sagen, daß die Christen auch in den Ständen durchweg aus Liebe handeln sollen, sofern man unter Liebe die freie Zu-

---

[56] Tos. Jeb. 8,4 (250): Ben Azzai begründet seine Ehelosigkeit mit dem Satz: „Was soll ich tun? Meine Seele hängt an der Tora; mag die Welt durch andere erhalten werden" (Strack/Billerbeck I, 807).

[57] S. Anm. 54; Gal. 4,4: „Getan unter das Gesetz."

[58] Vgl. 1.Petr. 3,5 und 6; 1.Petr. 2,18 und Kol. 3,22.

[59] 1.Petr. 2,19; vgl. Röm. 13,5.

wendung zu den Menschen versteht, die ihr Leben will (Röm. 13,8—10). Genausowenig wird das Handeln in den Ständen als „dienen" in dem prägnanten neutestamentlichen Sinn gekennzeichnet[60]; „dienen" ist das Handeln der Gemeinde auf Glauben hin[61].

Weil das Handeln der Christen in den weltlichen Ständen von der verborgenen Gegenwart der basileia ausgeht, hat es immer auch *das Ende der Geschichte* durch deren schaubares Kommen vor Augen und daher entgegen allem Perfektionismus und allem immanenten Heilsglauben die Vorläufigkeit der sozialen Ordnungen (Röm. 13,11 f.; 1.Kor. 4,8). In diesem Sinn gilt von Ehe, Familie usw. auch „haben, als hätte man nicht" (1.Kor. 7,29—31; vgl. Röm. 13,11 f.). Dieses Prinzip ist jedoch keineswegs das einzige oder auch nur das beherrschende im Weltverhältnis des Apostels[62].

Demgemäß ist beim Handeln in den weltlichen Ständen für die Christen *das letzte Ziel* nicht die Erhaltung oder die Reform der geschichtlichen Lebensformen, sondern das Zeugnis von der kommenden heilvollen Herrschaft Gottes. Sie legen dieses Zeugnis ab auch durch die Art, wie sie sich den weltlichen Ständen einfügen (1.Petr. 2, 12; 3,1 f.; vgl. 1.Kor. 7,16), erst recht aber durch das Dienen und den Liebeserweis, durch welche die Lebensformen dieser Welt gesprengt werden (Röm. 12,3—21), und die ihnen entsprechende Verkündigung. Sie demonstrieren und fordern von der Welt nicht ein Ethos, das die Welt als Welt nicht praktizieren kann. Sie machen z. B. die Unscheidbarkeit der Ehe oder die Gewaltlosigkeit nicht zu einem Gesetz für diese Welt. Aber sie rufen durch ihr Verhalten wie durch ihr Wort zu dem Glauben, der das über dieser Welt stehende Gesetz hinter sich läßt, indem er es durch den ganzen Gehorsam aufhebt (Röm. 1,18—3,20; 3,31; 10,4; 13,8—10).

So werden die Christen durch die neutestamentliche Sozialethik

---

[60] Röm. 13,4: Die Obrigkeit als Θεοῦ διάκονος ist eine Ausnahme im Sprachgebrauch, nicht in der Sache. Unabhängig davon ist auch das Handeln in den Ständen Gottesdienst im Sinne von Röm. 12,1.

[61] Heinz-Dietrich Wendland, Die Weltherrschaft Christi und die beiden Reiche, in: Kosmos und Ekklesia, Festschrift für W. Stählin, hrsg. von H.-D. Wendland, 1953, unterscheidet nicht klar genug zwischen Motiv und Gestalt des Handelns nach den Haustafeln, wenn er S. 30 sagt: Diese „sozialen Relationen" werden „hineingenommen in den Leib Christi, transponiert in den Raum und die Welt der Herrschaft Christi". „Die menschlichen sozialen Akte werden diakonisch, Dienste der Liebe unter solchen, die von Christus geliebt sind (Eph. 5,2.25 ff. 29)."

[62] In letzterem Sinne versteht Rudolf Bultmann, Theologie des Neuen Testaments, 1961[4], § 40,2, Paulus: „... der am Handel und Wandel der Welt teilnimmt, aber in der Distanz des ὡς μή ..., d. h. als Freier." Dagegen mit Recht Wolfgang Schrage, Die Stellung zur Welt bei Paulus, Epiktet und in der Apokalyptik. Ein Beitrag zu 1.Kor. 7,29–31, in: Zeitschrift für Theologie und Kirche, 61, (1964), 125–154.

zur Einfügung in die Lebensordnungen einer Welt gerufen, die unter dem Gesetz und der Sünde steht, aber dennoch durch Christus und auf ihn hin geschaffen und von ihm bereits geltungshaft erlöst ist. Der unausbleibliche Konflikt, in den dieser Ruf nach dem 1. Petr. führt, verweist auf einen weiteren Aspekt.

IV. Herrschaft Christi als Kampf gegen die gottwidrigen Mächte und als Gericht über sie nach der Offenbarung des Johannes

Das Herrsein Christi gegenüber der Welt bedeutet für ihn wie für die Seinen auch *Kampf gegen die widergöttlichen Mächte in der Welt*, der durch das Kreuz zum Sieg und zur Austilgung des Bösen führt.

Dieser Aspekt tritt, wie wir sahen, im Kolosser- und Epheserbrief nur am Rande in Erscheinung, er wird bei Paulus grundlegend in dem Kapitel von dem „letzten Feind", dem Tode, nämlich in 1.Kor. 15,25–27 umrissen, er wird auch in den übrigen Schriften des Neuen Testaments vertreten, vor allem aber in der Offenbarung entfaltet. Die Offenbarung stellt in unserer Frage den *Gegenpol* zu den Ausführungen des Kolosser- und des Epheserbriefes dar. Als bekanntester Ausdruck dieser Polarität ist Offb. 13 das Gegenstück zu Röm. 13, nicht der Gegensatz, sondern die notwendige polare Ergänzung.

Um so bemerkenswerter ist es, daß die *Darstellung der Herrschaft Christi in der Offenbarung*[63] vom selben *Ansatz* ausgeht wie bei Paulus (vgl. S. 116). Ansatz des Endgeschehens, das die Offenbarung darstellt, ist anders als in aller alttestamentlich-jüdischen Apokalyptik die Erhöhung Christi. Die Visionen des Endgeschehens (Offb. 4,1–22,5) werden durch die Bilder vom Thronenden und vom Lamm in *Offb. 4 f. eingeleitet*. Offb. 4 verkündigt die Voraussetzung alles Weltgeschehens: Mag es noch so viel widergöttliche Empörung in der Welt geben, Gott allein ist der Herr alles Geschehens, er ist der παντοκράτωρ (Offb. 4,8). Er sollte von aller Welt als ihr Schöpfer geehrt werden (Offb. 4,11). Aber wie soll es dazu kommen? Gottes Weltplan liegt als ein siebenfach versiegeltes Buch in seiner Hand (Offb. 5,2 f.). Niemand vermag es zu öffnen; niemand vermag Gottes Weltplan zu vollstrecken. Da erscheint das Lamm mit der Todeswunde, der vom Kreuz erhöhte Christus, und empfängt das Buch. Er, und er allein, ist würdig, das Buch zu öffnen; denn er hat, wie der Hymnus in Offb. 5,9 f. sagt, durch sein Blut aus jedem Volk Menschen zu Gottes Eigentum erkauft und „sie Gott zu einer basileia

---

[63] Die Art, nach der im folgenden die Offenbarung gedeutet wird, habe ich in dem Artikel „Apokalypse (Offb.)" im Evangelischen Kirchenlexikon II, 365–369, erläutert und begründet.

gemacht“, und „sie werden königlich herrschen auf Erden“. In der durch Christi Sterben gewonnenen Gemeinde Gottes ist das Ziel des Weltlaufes Wirklichkeit geworden. In ihr ist Gottes endzeitliche Herrschaft aufgerichtet, wenn sie auch erst bei der Parusie „auf Erden herrschen“, d. h. Gott ganz dienen wird. Weil er auf diese Weise das Ziel des Weltlaufes verwirklicht hat, kann der Erhöhte den gesamten Weltplan vollstrecken. Aber wie sieht die *Herrschaft des Lammes gegenüber der Welt,* aus der die Gemeinde ausgesondert ist, aus? Das Lamm öffnet die Siegel, und die apokalyptischen Reiter ziehen über die Erde. Die je sieben Siegel-, Posaunen- und Schalenvisionen kündigen eine bis zur Parusie nicht abreißende Kette von Schrecknissen an. Diese Schrecknisse sind das eschatologische Zorngericht über die Welt[64], die ihr Nein zu Gott durch die Ablehnung Christi und seiner Gemeinde endgültig gemacht hat.

So wird hier das aus Paulus zu gewinnende *Bild des Herrseins Christi* im Ansatz bestätigt und bedeutsam ergänzt: Auch nach der Offenbarung ist der Erhöhte „Herr aller Herren und König aller Könige“ (Offb. 17,14; 19,16), nicht nur, weil er stärker ist als alle Mächte, sondern vor allem, weil er durch sein Sterben die eschatologische *basileia Gottes in der Gemeinde* aufgerichtet hat. Die Auseinandersetzung um die Herrschaft Christi vollzieht sich in der Welt von seiner Gemeinde aus.

Die Welt nun, die die Offenbarung in den Blick faßt, ist nicht wie im Kolosserbrief die durch Christus und auf Christus hin geschaffene Menschheit, die bereits geltungshaft versöhnt ist (Kol. 1,16—20), sondern die Menschheit, die durch das Zeugnis der Zeugen Christi nur zur letzten Empörung gegen Gott gereizt wird (Offb. 11,7—10). Diese Empörung stellt sich abschließend in einem Gegenbild des Reiches Christi dar, das die Welt in bewußter und unbewußter Antithese zu Christus organisiert, der Herrschaft des *Antichrists* (Offb. 12,17; 13).

Von dieser Welt wird die Gemeinde, soweit sie wirklich Gemeinde ist, ausgestoßen und am Ende der Weltzeit gleich ihrem Herrn ausgetilgt (Offb. 11,7; 13,7.15—17). In dieser Welt ist *für ein „Sich-Einfügen“ der Christen kein Raum mehr.* Schon 1.Kor. 7,15 rät, aus der Ehe auszuscheiden, wenn der nichtchristliche Partner die Gemeinschaft versagt. Diese Situation ist nun generell geworden. Die Offenbarung schweigt daher ebenso wie das Johannes-Evangelium von dem Sich-Einfügen in Staat, Ehe und Arbeitsverhältnis. Das Johannes-Evangelium wie der 1. Johannesbrief reden nur von der Bruderliebe, nicht einmal von der Nächstenliebe (Joh. 13,34 f.; 15,18—16,4).

Das Verhältnis der Gemeinde zur Welt tritt nun unter folgende *paränetische Imperative:* Die Weltmacht, die verführerisch „Frieden

[64] Offb. 15,7; 16,1; vgl. 6,16 f.; 11,18; 19,15.

und Sicherheit" bietet[65], trotz allen Druckes nicht anbeten, sich die Existenz nicht gleich allen anderen von ihr sichern lassen (Offb. 13,8)! Das Zeugnis gegenüber der Welt bis ans Ende ausrichten, auch wenn die Zeugen verfolgt werden (Offb. 11,1–7)! Gegenüber Anfeindungen kein Widerstehen, das Widerstehen im Sinn von Mt. 5,39 wäre! Im Leiden ausharren und Glauben halten (Offb. 13,10)! Die Erwählten werden Glauben halten (Offb. 13,8). Die Christus ablehnende Welt aber ist dem Gericht verfallen, gleich ob Kultur und Wirtschaft blüht oder ob sie sich selbst zerfleischt (Offb. 11,18; 18,11–19).

Dieses Bild von der Situation der Gemeinde in der nachchristlichen Welt ist, wie die auch hier auffallend nahen Berührungen mit dem Johannes-Evangelium zeigen, nicht ein Zeitgemälde im Stil einer apokalyptischen Karikatur, sondern eine Wesensschau echter Prophetie. Diese Wesensschau *beruht* nicht, wie der Exodus der Qumran-Sekte und ihre Weltverurteilung, auf selbstgerechter Gesetzlichkeit und pessimistischem Dualismus, sondern auf der Kreuzigung Jesu: Die Zeugen liegen erschlagen „auf den Straßen der großen Stadt . . ., wo auch ihr Herr gekreuzigt wurde" (Offb. 11,8; Joh. 15,18).

Deshalb ist auch dieser Aspekt, wenn man ihn an der Mitte des Neuen Testaments mißt, verbindlich. Durch die Verkündigung des Evangeliums entsteht *auch die Wirklichkeit einer antichristlichen Welt.* Die christokratische Konzeption steht in der Gefahr, das Schon der Herrschaft Christi so stark zu betonen, daß sie den Blick für diese Wirklichkeit verliert und ihr ratlos gegenübersteht. Diesen Blick zu öffnen und zu schärfen, ist ein wesentliches Ziel der johanneischen Schriften. Sie versuchen, diese Wirklichkeit nicht nach Art apokalyptischer Geschichtsdarstellungen gegenständlich zu beschreiben, sondern ihre Wesenszüge kerygmatisch zu kennzeichnen, damit sie der Glaube erkennt. Fragen kann man, ob das von den johanneischen Schriften gewiesene Weltverhältnis ausschließlich von einzelnen Christen oder christlichen Gruppen gelebt werden will und gelebt wurde oder ob es neben dem paulinischen als ein Aspekt der wechselnden Situation gemäß beachtet wurde. Die Kirche des 2. Jahrhundert hat die johanneischen Schriften wohl richtig verstanden, wenn diese im zweiten Sinn zusammen mit den synoptischen Evangelien und den paulinischen Briefen kanonisiert wurden.

Diesen kerygmatischen Charakter der johanneischen Aussage zu sehen, ist besonders wichtig, wenn wir diese neutestamentliche Unterscheidung zwischen vor- und nachchristlicher Existenz in unsere weithin von einer Begegnung mit dem Evangelium gezeichnete Situation übertragen. Diese Unterscheidung will das geschichtliche Leben nicht

[65] Vgl. 1.Thess. 5,2; Offb. 13,18.

in Bereiche und die Menschheit nicht in Gruppen aufteilen; aber sie will die zum Glauben Berufenen veranlassen zu prüfen, ob die jeweilige Lebens- und Weltgestaltung, voran ihre eigene, aus Glauben kommt oder aus einem Noch-nicht-Betroffensein oder aus der bewußten bzw. unbewußten Absicht, das Evangelium zu ersetzen. Die Offenbarung will nicht wie die Apokalyptik einen als Entwicklung verlaufenden, ablesbaren Weltprozeß darstellen, der den Wissenden zum Gesetzesgehorsam veranlaßt, sondern das Wesensbild einer Weltumwandlung durch Gnade und Gericht auf die Vollendung hin, das zum Glaubensgehorsam ruft.

Diese Beobachtung führt uns zu der *abschließenden Frage: Was ergibt sich* aus den neutestamentlichen Aussagen über die Herrschaft Christi gegenüber der Welt *für die gegenwärtige Diskussion?* Die neutestamentlichen Aussagen sind ungemein vielschichtig. Sie spiegeln den grundlegenden, rasch fortschreitenden Aufbruch der Glaubenserkenntnis in der anspruchsvollen weltanschaulichen Diskussion der jüdischen und hellenistischen Spätkultur wider. Die Grundlinie aber ist eindeutig: „Das Reich Gottes", d. h. das Heil, der Friede zwischen Gott und Mensch wie unter den Menschen, die Befreiung vom Übel und vom Bösen, kommt für die Welt allein durch Jesus von Nazareth, den sichtbar Gekreuzigten und verborgen Auferweckten, als den Herrn. Gott hat ihn in der Verborgenheit zum Herrn über die Welt gesetzt: Seine Herrschaft wird in der Geschichte aufgerichtet durch das Zeugnis in der Ganzheit leibhaften Dienstes, das durch die Taufe zum Glauben und damit in die ecclesia beruft und dessen Ablehnung Gericht bedeutet. Christi Herrschaft ergreift Menschen zum Heil nie am Glauben vorbei.

Weil die eschatologische *Herrschaft Christi verborgen* in der Geschichte anbricht, fordert sie den zum Glauben Berufenen in der doppelten Weise zum Gehorsam, die Luthers *Zweireichelehre* meint. Sie bringt für den Menschen, soweit er aus Glauben lebt, das Ende des Gesetzes, aber nicht das Ende der Geschichte; sie erschließt ihm vielmehr rückläufig die Geschichte neu als den Bereich des Schöpfers. Sie ruft daher den Glaubenden zugleich zum Gehorsam im Zeichen der basileia, der ein Dienen und Liebe-Erweisen unter Verzicht auf Macht und Recht entspricht, wie im Zeichen der Geschichtshoheit des Schöpfers, die das Sich-Einfügen in die Strukturen geschichtlichen Lebens, auch die Anwendung von Recht und Macht, erfordert. Die neutestamentliche Exegese führt somit zwingend zu der Einsicht, auf die sich auch die neuere systematische Diskussion dieser Frage zubewegt[66]. „Herrschaft Christi" und „Zweireichelehre" schließen ein-

[66] H. Thielicke, Theologische Ethik I, Tüb. 1958², 589–610; Paul Althaus und Johannes Heckel, Zwei-Reiche-Lehre, in: EKL III (1959), 1927–1947; Franz Lau,

ander, recht verstanden, nicht aus, sondern fordern und bedingen einander. Nach dem Neuen Testament hat der Glaubende immer einem Herrn zu gehorchen, aber dieser weist ihn in zwei Bereiche, indem er diese beiden Bereiche zugleich erschließt und verklammert. Weil der Glaube an den lebendigen Herrn und nicht an ein Prinzip gebunden ist, ist jede statische Aufteilung des Gehorsams auf ein doppeltes Ethos ebenso verwehrt wie ein Einheitsethos. Wer im Glauben erkennt, daß Gott nach der ganzen Schrift nicht nach zeitlosen Prinzipien, sondern je nach dem von ihm gesetzten Verhältnis handelt und fordert, wird verstehen, daß der Anspruch wie der Gehorsam vielgestaltig ist. Er wird sich durch die spannungsreiche Konkurrenz der Anforderungen, die nicht in einem Einheitsethos zur Ruhe kommen läßt, sondern stets wagende Entscheidung fordert und nur auf Grund der Rechtfertigung des Sünders gelebt werden kann, vom Neuen Testament auf die „Erlösung des Leibes" verweisen lassen, die nicht nur die persönliche, sondern die universale Vollendung bedeutet. Die vor allem menschlichen Zutun gesetzte, universale Ausrichtung des Glaubens wie der Hoffnung ist der zentrale Sinn des Redens von der Herrschaft Christi über die Welt.

Zwei-Reiche-Lehre, in: RGG³ VI (1962), 1945–1949; Heinz-Dietrich Wendland, Die Kirche in der modernen Gesellschaft, 1958², 69 ff.; Gerhard Ebeling, Notwendigkeit der Lehre von den beiden Reichen, in: Wort und Glaube, 1962², 410; Ernst Wolf, Königsherrschaft Jesu Christi und Zwei-Reiche-Lehre, Dritte Variation zu einem heute aufgegebenen Thema, in: Vom Herrengeheimnis der Wahrheit, Festschrift für H. Vogel, Hrsg. K. Scharf, 1962, 301 f.

Der Missionar des Gesetzes*

Zu Röm. 2,21 f.

Neben den urchristlichen Missionaren, die als die Heilsboten der Endzeit (Röm. 10,15 = Jes. 52,7) über die Erde eilten, warben in der hellenistischen Welt viele andere „Missionare“ für Religion und Sittlichkeit: die kynisch-stoischen Wanderprediger und die Vertreter der Mysterienreligionen ebenso wie die jüdischen Schriftgelehrten, die „Land und Meer“ durchzogen, „um einen Proselyten zu machen“ (Mt. 23,15). Haben die urchristlichen Missionare diesen religiös-sittlichen Idealismus gesehen? Paulus nimmt dazu in dem großen Wort über den religiös-sittlichen Bestand der vorchristlichen Menschheit Röm. 1,18–3,20 zentral Stellung.

I

Paulus fügt sein Urteil über den religiös-sittlichen Idealismus des Heidentums in die Anklage ein, die er in Röm. 2 gegen die idealen Vertreter des Judentums entwickelt. Jede gute Tat eines Heiden wird im Weltgericht genauso bewertet werden wie der Gehorsam des Juden gegen ein Gebot des Gesetzes, und die Weisung, die im Herzen des Heiden ergeht und ihn zu dieser Tat ruft, wird genau so viel gelten wie die Unterweisung des Juden durch das Gesetz. Paulus denkt, wie wir an anderen Stellen sehen, hoch von den sittlichen Regeln, die auf Grund dieser Herzensweisungen unter den Heiden gelten. Er fordert die Gemeinde auf, das auch zu tun, was unter den Heiden als „geziemend“ oder als „Tugend“ gilt[1]. Demgemäß verwendet er in seinen Tugend- und Lasterkatalogen wie in den Haustafeln ethische Traditionen der außerbiblischen Welt[2]. Von dieser Auffassung her

* Aus: Basileia, Festschrift für W. Freytag, hrsg. von J. Hermelink und H. J. Margull, Ev. Missionsverl. Stuttg. 1959, 199–207.

[1] Phil. 4,8; Kol. 3,18.20.

[2] A. Vögtle, Die Tugend- und Lasterkataloge im Neuen Testament, 1936; K. Weidinger, Die Haustafeln, 1928; vgl. S. 128 f.

kann Paulus in Röm. 2 Gutes von dem religiös-sittlichen Heiden sagen, um den Juden zu beschämen. Aber das Endurteil über den Juden, das auf diese Weise vorbereitet wird, fällt auch auf den sittlichen Heiden zurück. Die Ausführungen schließen ja in Röm. 3,19 f. mit der Feststellung: „Was das Gesetz sagt, das sagt es denen unter dem Gesetz, damit *jeder* Mund verstumme und *alle* Welt vor Gott strafwürdig werde." *Wenn der Mensch, der Gottes Gesetz vertritt, „der Jude", versagt*, und zwar ohne Ausnahme (Röm. 3,22), weil notwendig versagt, *dann ist aller religiös-sittliche Idealismus in der Menschheit mitverurteilt*[3].

II

Dieses Versagen „des Juden" wird vor allem in Röm. 2,17–24 erwiesen, oder richtiger: verkündigt. Dieser Abschnitt ist gleichsam das Glied, das die Kette der Anklage gegen die Menschheit in Röm. 1,18–3,20 auch gegenüber dem sittlich-religiösen Menschen schließt.

Dieser Abschnitt zeichnet in seiner ersten Hälfte (2,17–20) das Bild eines Vertreters von Religion und Sittlichkeit, das Platos Bild von Sokrates verblassen läßt: ein Mensch, der Gottes Gesetz zur Grundlage seiner Existenz macht, der nicht nur seiner Geburt nach Jude ist, sondern es mit allen Fasern seines Wesens sein will. Dieser Mensch hat ein helles Wissen um Gottes Willen und ein klares Urteil, worauf es in der Menschheit ankommt. Er behält dieses Wissen nicht für sich, sondern bekennt und vertritt es allen gegenüber als ein *„Wegweiser"* und *„Erzieher" der Menschheit!* Paulus denkt dabei an die Männer, die waren, was er wohl selbst einst werden wollte, nämlich Schriftgelehrte, die den Gott Israels und sein Gesetz in der Diaspora unter den Heiden apologetisch und auch missionarisch vertraten. Die Stimme dieser Vertreter des Judentums kennen wir aus der „Missionsliteratur" des hellenistischen Judentums[4]. Diese Männer werden vielfach als jüdische Missionare bezeichnet. Aber sie sind keine Missionare; sie sind nicht „gesandt", weder von einer Gemeinde noch durch eine Eingebung von oben. Sie machen sich aus eigener Initiative zu Vertretern des Gesetzes[5]. „Du hast (von dir selbst aus) das Zutrauen, daß du Wegweiser der Blinden seiest" (Röm. 2,19).

---

[3] L. Goppelt, Christentum und Judentum im 1. und 2. Jahrhundert, 1954, 101 ff.

[4] J. Jeremias, Jesu Verheißung für die Völker, 1956, 10. Paulus hat gerade in Röm. 1,18 ff. diese Literatur, z. B. die Sap. Sal., unmittelbar verwendet und unterscheidet sich doch grundlegend von ihr.

[5] Die sog. Missionsliteratur des hellenistischen Judentums will zum größten Teil das Judentum apologetisch rechtfertigen, dagegen nur zu einem sehr geringen Teil missionarisch Heiden für den Glauben Israels gewinnen. Es gab um die Zeitwende keine jüdische Mission, die von den jüdischen Gemeinden getragen worden wäre,

„Du stützest dich auf das Gesetz“ (Röm. 2,17). Ihre Arbeit ist Gesetzeswerk. Diese Andeutungen wollen nicht einen ironischen Ton in das leuchtende Bild bringen. Sie wollen auch nicht anklagen; sie wollen nur sachgemäß beschreiben.

Die *Anklage* setzt erst in der zweiten Hälfte unseres Abschnittes mit V. 21 ein. Sie wirft dem „Missionar“ des Gesetzes nicht vor, daß seine Grundintention verfehlt sei (das geschieht in Röm. 10,2 f.), auch nicht, daß sein Herz nicht Gott gehöre (davon redet erst Röm. 2,28 f.), sondern ganz schlicht, daß er selbst nicht tut, was er lehrt, und dadurch seine Botschaft schändet. So lesen wir in Röm. 2,21–24:

> „Nun, der du den anderen lehrst, lehrst dich selbst nicht?
> Der du verkündigst: nicht stehlen! stiehlst?
> Der du sagst: nicht ehebrechen! brichst (selbst) die Ehe?
> Der du die Götzen verabscheust, beraubst (ihre) Tempel?
> Der du dich des Gesetzes rühmst, schändest Gott durch die Übertretung des Gesetzes?“

Wir können diese fünf gleich gebauten Sätze als Fragen[6] oder als Behauptungen[7] lesen, sie haben auf alle Fälle affirmativen Sinn. Sie fragen „den Juden“ nicht, ob es sich so mit ihm verhält, sondern werfen ihm dies vor. Aber *wie kann man den Juden, der andere das Gesetz lehrt,* den Rabbi, *derartig massiver Vergehen anklagen?* Diese Frage hat bei der gewichtigen Stellung dieses Abschnittes im Gedankenzusammenhang von Röm. 1–3, die wir uns eben deutlich machten, zentrale Bedeutung. Sie ist jedoch in den Kommentaren noch nicht befriedigend beantwortet; deshalb wollen wir sie erneut erwägen.

III

Die übliche neuere Auslegung versteht „stehlen“, „ehebrechen“ und „Tempelraub“ als Rechtsbruch im landläufigen Sinn. Aber wie kann Paulus dies „dem Juden“ vorwerfen?

---

sondern nur eine Bereitschaft der Gemeinden, Heiden den Zugang leicht zu machen, und einzelne Juden, die von sich aus Proselyten zu gewinnen suchten. An eine eigentliche Missionierung der Völkerwelt dachte niemand. Dies wurde allerdings wieder zu einseitig herausgearbeitet von S. Aalen, Die Begriffe „Licht“ und „Finsternis“, 1951, 202–232, und J. Munk, Paulus und die Heilsgeschichte, 1954, 259 bis 265.

[6] So zuletzt P. Althaus, Der Brief an die Römer (NTD) 1954[8] und O. Michel, Der Brief an die Römer (Meyer-Kommentar) 1955[10], z. St.

[7] So Th. Zahn, Der Brief des Paulus an die Römer, 1925[3] und A. Schlatter, Gottes Gerechtigkeit, 1935, z. St.

1. B. Weiß erklärt mit vielen anderen: Paulus will sagen, „daß dies ... *auch bei den Juden vorkäme*“[8]. Demgemäß bringt H. Lietzmann[9] als historisches Material zur Stelle einige Belege, daß Juden tatsächlich gelegentlich einen heidnischen Tempel beraubten oder Gaben für den Jerusalemer Tempel unterschlugen. Würde Paulus es so meinen, dann würde er pathetisch aussprechen, was für jeden Juden selbstverständlich ist und was daher, sogar in Zuspitzung auf die Rabbinen, in den rabbinischen Schriften gelehrt wird: Ab. R. Nat. 29 (8a): Abba Schaul ben Nannos (ca. 130—160 n. Chr.) sagte: „Du hast manchen Menschen . . ., der andere lehrt und sich selbst nicht lehrt.“ Dt. r. 2 (198b): R. Simlai (ca. 250) hat gesagt: „. . . da sitzt ein Gelehrter und trägt öffentlich vor der Gemeinde vor, . . . du sollst nicht rauben! Und er selbst raubt.“[10] Paulus aber sagt nicht, daß es „manche“ derartige jüdische Lehrer gebe; er redet vielmehr, wie O. Michel[11] richtig betont, *grundsätzlich und generell:* „Der Jude“, der Rabbi tut dies[12]!

2. A. Schlatter und ihm folgend P. Althaus sehen diesen *generellen Charakter der Aussage* und versuchen ihn, ohne von der eben vorausgesetzten Exegese des Stehlens usw. abzugehen, aus einem *Ganzheitsdenken* zu erklären. P. Althaus[13] bemerkt: „Paulus meint nicht, daß jeder Jude stehle oder hure oder ein Tempelräuber sei, er redet von dem Volk im ganzen. Aber allerdings: Das Mißverhältnis zwischen jüdischem Hochgefühl und Wirklichkeit des eigenen Lebens besteht nach dem Urteil des Paulus bei allen.“ Doch Paulus denkt hier nicht an das jüdische Volk, sondern an „den Juden“ als einen Typ, als den Menschen, der „sich auf das Gesetz stützt“. So prägt A. Schlatter[14] diesen Gesichtspunkt besser aus, wenn er sagt: „Paulus zerlegt weder die heidnische Gesellschaft noch die Judenschaft in isolierte einzelne.“ Paulus erwägt hier nur, „wie weit das Vermögen der Gemeinschaft reicht“, in der das Gesetz gelehrt wird. „Wenn aber ein einzelner Jude von der verderbenden Wirkung der Gemeinschaft nicht ergriffen wird“, „dann haben andere Kräfte sein Leben gestaltet als nur sein Wissen um Gottes Gebot“, und er wird dem Urteil des Paulus nicht widersprechen.

---

[8] Der Brief an die Römer (Meyer-Kommentar) 1899[9], 126; ebenso zuletzt O. Kuß, Der Römerbrief, 1957, 86.

[9] Handbuch zum Neuen Testament, Teil 8, An die Römer, 1928[3].

[10] Dies und weiteres bei Billerbeck III, 107.

[11] A.a.O., 24.

[12] Th. Zahn versucht diese Feststellung und damit das Problem durch einen philologischen Winkelzug zu umgehen: Er faßt V. 21 f. als Fortsetzung des in V. 17 beginnenden Konditionalsatzes und erst V. 23 als Nachsatz: „(Wenn du), der du also (wie gesagt) einen anderen lehrst, dich selbst nicht lehrst; (wenn du) . . .“

[13] Althaus, a.a.O., z. St. [14] Schlatter, a.a.O., z. St.

Damit hat A. Schlatter im Grunde selbst ausgesprochen, daß es *in unserem Abschnitt nicht um Ganzheiten geht*, sondern um Typen, hier speziell um den Menschen unter dem Gesetz.

Paulus denkt gewiß ganzheitlich, wenn er von Gottes Gericht sagt, daß es alle mit Adams Tat behaftet (Röm. 5,12 ff.), oder andererseits auf Grund der Verheißung erwartet, daß „ganz Israel" gerettet wird (Röm. 11,25 f.). In Röm. 1,18–3,20 aber redet er nicht von Gottes Setzungen, sondern vom Schuldigwerden des Menschen, nicht von Ganzheiten, sondern von Typen. Hier werden nicht durch das Versagen einzelner alle kollektiv gezeichnet; hier sündigen vielmehr *alle einzelnen* eines Typs *in grundsätzlich gleicher Weise*, weil sie – das wird erst Röm. 5,12 ff. und 7,7 ff. ausgesprochen – unentrinnbar sündigen. Die Anklage ist genau in demselben Sinne generell und doch individuell gedacht wie Jesu Anklage gegen „die Schriftgelehrten" oder gegen „die Pharisäer"[15]. Aber wie ist dann ihr Inhalt zu verstehen?

IV

Versuchen wir einen eigenen Weg zu finden, dann entdecken wir eine *ähnlich generelle Anklage in den essenischen Schriften*[16]. Merkwürdig nahe berührt sich mit unserer Stelle die Aussage Dam. 4,15 ff.[17]: Belial fängt ganz Israel in „drei Netzen". „Das erste ist die Unzucht, das zweite ist der ungerechte Reichtum, das dritte ist die Befleckung des Heiligtums. Wer dem einen entgeht, wird vom anderen erfaßt werden. Und wer von einem gerettet wird, wird vom anderen erfaßt werden." Sie sündigen alle, weil sie das Gesetz nicht in dem verschärften Sinn beachten, wie es die Gruppe versteht.

So fragen wir: Läßt sich auch die Anklage, die Paulus hier erhebt, aus einem *verschärften Gesetzesverständnis* erklären? Sicher hat Paulus das Gesetz nicht, wie die Damaskusschrift, ritualistisch und kasuistisch verschärft[18]. Aber ihm ist genauso wie der Gemeinde, an die er schreibt, das radikale Gesetzesverständnis Jesu bekannt. Und unser Zusammenhang erinnert unmittelbar daran; denn V. 19 klingt Jesu Bußwort gegen die Schriftgelehrten wörtlich[19] und in unseren Versen mit seinem Grundton an[20].

---

[15] Goppelt, a.a.O. (Anm. 1), 42.

[16] Alle, die nicht in den Bund, d. h. in die Gruppe, eintreten und sich dadurch reinigen lassen, sind der Sünde verfallen (H. Braun, Spätjüdisch-häretischer und frühchristlicher Radikalismus, I, 1957, 41 ff. für die Sektenregel und 133 ff. für die Damaskusschrift).

[17] Bereits genannt bei Michel, a.a.O., 174, Anm. 2.

[18] Für sie ist z. B. die Polygamie Unzucht (Dam. 4,21 ff.).

[19] Die Wendung von den blinden Blindenführern begegnet abgewandelt auch

Nun versuchte z. B. schon Luther[21] unsere Sätze von *Jesu Forderung des Herzensgehorsams* her zu erklären: „Jeder, der eine Frau ansieht, sie zu begehren, der hat schon Ehebruch mit ihr begangen in seinem Herzen“ (Mt. 5,28). Meint „ehebrechen“, „stehlen“ usw. hier die Versündigung des Herzens? Wir stellten bereits fest, daß der Unterschied zwischen Herzenshaltung und Legalität erst in Röm. 2,28 f. im Blick steht, daß es hier jedoch wie in Mt. 23,3 f. um den Gegensatz zwischen Lehren und Tun geht. Das Tun aber *mißt Paulus* in Röm. 2 nicht an Jesu neuem Gebot – dieses entfaltet er in Röm. 12 f. –, sondern am Gesetz, und zwar an dem unverkürzten Wortlaut seiner zentralen Gebote (Röm. 2,13; 13,8 f.).

Röm. 2 gehört also mit Jesu anklagendem Bußruf gegen die pharisäischen Schriftgelehrten zusammen. In welchem Sinne wirft dieser ihnen Verletzung des Gesetzes vor? *Sie umgehen mit Hilfe ihrer Gesetzesauslegung des Gesetz*[22]! Das weist ihnen Jesus in Mk. 7,10 ff. par. Mt. für das 4. Gebot nach. Genauso könnte er ihnen zeigen, wie sie mit Hilfe ihrer Schriftgelehrsamkeit, also im Grunde mit Hilfe des als Satzung verstandenen Gesetzes selbst, auch, wie Paulus hier behauptet, das 6. und 7. Gebot verletzen. Aus welch nichtigen Gründen konnte man nach rabbinischer Kasuistik seiner Frau einen Scheidebrief ausstellen[23]! Wie wurde die Übervorteilung der Heiden kasuistisch gerechtfertigt[24]! Das Logion Mk. 12,40 par. Lk. wirft den Schriftgelehrten unmittelbar vor: „Sie verzehren die Häuser der Witwen.“ Das will sagen, sie nützen die ehrerbietigen Zuwendungen, die ihnen von Witwen gewährt werden, oder die fromme Fürsorge, die sie für Witwen üben[25], „geldgierig“, wie sie nach Lk. 16,14 sind, aus, um sich persönlich zu bereichern. So wird hier „die Frömmigkeit Mittel zur Bereicherung“[26], bis ins grob Materielle hinein. Wie leicht dies

---

sonst (ThW V, 103 f.); aber an unserer Stelle dürfte das Logion Mt. 15,14a, vgl. 23,16.24, aufgenommen sein.

[20] Mt. 23,3: „Sie sagen es und tun es nicht“, 23,4 par. Lk.: „Sie binden schwere Lasten . . . ; sie selbst aber wollen sie nicht mit einem Finger bewegen.“

[21] J. Ficker, Luthers Vorlesung über den Römerbrief 1515/16, Die Glosse, 1925³, 22: Moecharis, sc. per concupiscentiam interiorem coram deo, vgl. Die Scholien, 46 f.

[22] Mk. 7,8.13 par. Mt.

[23] R. Akiba (gest. ca. 135) liest aus der Bestimmung des Gesetzes über den Scheidebrief, Dt. 24,1, heraus: Der Mann kann seine Frau entlassen, „auch wenn er eine andere findet, die schöner ist als sie; denn es heißt Dt. 24,1: ‚und wenn sie keine Gnade (= Anmut) in seinen Augen findet‘“ (Git. 9,10 bei Billerbeck I, 313).

[24] R. Schemuel (gest. ca. 254): „Das, um was er (der Heide) sich (z. B. bei einem Geschäft) irrt, ist erlaubt“ (man darf es behalten) (B Q 113b bar bei Billerbeck III, 109).

[25] Belege für beide Möglichkeiten bei V. Taylor, The Gospel according to St. Mark, London 1957⁴, z. St. [26] 1.Tim. 6,5.

geschehen kann, sobald der Mensch nicht mehr nach dem Evangelium, sondern nach dem Gesetz dient, illustrieren neutestamentliche Berichte über manche christliche Lehrer[27].

So führt der gesamte Zusammenhang, in dem unsre Stelle steht, angefangen bei den Anklagen der Pharisäer und Essener gegen die Jerusalemer Priesterschaft bis hin zu Jesu Worten gegen die Schriftgelehrten, zu der Einsicht, daß *„stehlen" und „ehebrechen" hier in einem tieferen Sinn* verstanden werden müssen. Paulus sagt dem Rabbi von Jesu radikalem Gesetzesverständnis her: Du stiehlst und du brichst die Ehe; denn du umgehst das Gesetz, das du predigst, selbst in vielfältiger Weise. In dieser Art verletzen *alle* Schriftgelehrten das Gesetz; denn dieses Verhalten entspricht der Wesensart ihrer Schriftauslegung. Sie legen das Gesetz so aus, daß die Erfüllung ihres Begehrens ermöglicht und gerechtfertigt wird. So erliegen sie genau den beiden Sünden, die sie als typisch heidnisch verabscheuen: der Habgier und der Unzucht.

Läßt sich auch die *dritte Anklage: du begehst Tempelraub*, in dieser Weise verstehen? –

Hier ist die rabbinische Kasuistik, anders als bei der Ehescheidung, keineswegs großzügig. Die Rabbinen wenden Dt. 7,25, das Israel verbietet, Gold und Silber von eroberten Götterbildern zu nehmen, im großen und ganzen lückenlos auf ihre Zeit an. Die Fälle, in denen die Ausbeutung von Götzen freigegeben wird, sind so beschränkt und belanglos[28], daß man schwerlich mit F. Delitzsch[29] folgern kann, die Juden sähen die Beraubung eines Götzentempels im Grunde als ein gutes Werk an. Auf keinen Fall kann man sagen, daß der Rabbi mit Hilfe von Kasuistik u. ä. eine Ausbeutung heidnischer Heiligtümer betreibe. Die dritte Aussage kann also *nicht parallel zu den beiden ersten* erklärt werden. Dies ist auch nicht zu erwarten, denn sie geht ihnen inhaltlich nicht parallel. Die Verletzung der beiden zentralen Gebote des Dekalogs steht in jeder Hinsicht auf einem anderen Blatt als das bei Juden seltene Vergehen des Tempelraubes.

Wir müssen also fragen: Wie kommt Paulus zu dieser durch die Praxis keineswegs nahegelegten dritten Anklage? *Ist sie durch Tradition gegeben?* Wir beobachteten bereits in der Traditionsgeschichte der beiden ersten Anklagen, daß die essenischen Gruppen und die Pharisäer wiederholt gegen die Jerusalemer Priesterschaft den Vorwurf erheben, sie beflecke das Heiligtum, bereichere sich und treibe Unzucht[30]. Z. B. Test. Levi 14,4 ff.: „Was werden alle Heiden tun,

---

[27] 1.Tim. 6,5; 2.Kor. 11,20; 1.Petr. 5,2. [28] AZ 4,1–7, s. Billerbeck III, 113 f.

[29] F. Delitzsch, Paulus des Apostels Brief an die Römer in das Hebräische übersetzt und aus Talmud und Midrasch erläutert, 1870, 77.

[30] Für die essenischen Gruppen vgl. Dam. 4,15 ff. (s. o. S. 141); 6,15 f. u. a. und

wenn ihr euch verblendet in Gottlosigkeit? Ihr werdet die Opfer des Herren stehlen und von seinen Anteilen rauben und, bevor ihr dem Herrn opfert, das Auserlesene stehlen, in Verachtung es verzehrend mit Huren. In Habsucht werdet ihr die Gebote des Herren lehren, die Verheirateten (Frauen) schänden ..."

Diese Analogie könnte nahelegen, ἱεροσυλεῖν auf den *Jerusalemer Tempel* zu beziehen. Auf ihn haben es, unabhängig von dieser Begründung, v. Hofmann u. a. bezogen[31]. Sie nahmen damit eine Auslegung auf, die bereits der älteste uns erhaltene Römerbriefkommentar, das geniale Werk des Origenes, voraussetzt. Origenes entwickelt von dieser Beziehung aus eine allegorische Deutung: „Du begehst Tempelraub, indem du den wahren Tempel Gottes, der Christus ist, schändest."[32] Diese allegorische Deutung lebte durch die Jahrhunderte in der Kirche weiter. Sie findet sich im Ambrosiaster: „Du bist Tempelschänder, wenn du Christus, den Gesetz und Propheten als Gott verkündigen, leugnest."[33] Und bei Luther: „Sie beflecken das Herz, welches der Tempel Gottes ist, durch Begierden."[34] Zuletzt wurde die Stelle in dieser Richtung von A. Nygren ausgelegt; er erklärt, indem er spätere Formeln Luthers aufnimmt: „Du raubst Gott, was sein ist."[35]

Wir können dieser Deutung *nicht* folgen. Der Kontext verbietet es, ἱεροσυλεῖν auf den Tempel Gottes zu beziehen. Unsere Stelle besteht, wie die Übersetzung zeigt, aus gleichgebauten Sätzen. Der Nachsatz steht immer in Antithese zum Vordersatz. Die Antithese zu „Du verabscheust die Götzen" kann nur lauten: du beraubst *ihre* Tempel, du reißt die Götzen an dich.

Auch wenn wir ἱεροσυλεῖν nicht auf den Jerusalemer Tempel beziehen dürfen, kann die eben angesprochene palästinische Tradition die Bildung dieses Wortes mit angeregt haben. Möglicherweise hat daneben eine Tradition griechischer Lasterkataloge, die Tempelraub neben anderen schweren Verbrechen nennen, eingewirkt; sie wurde im hellenistischen Judentum aufgenommen[36]. Conf. Ling. 163 nennt Philo Tempelraub neben Stehlen, Ehebrechen und Morden. Aber

---

für die Pharisäer: Ps. Sal. 8,10 ff.: „Sie brachen die Ehe, ein jeder mit seines Nächsten Weib, und das Heiligtum Gottes raubten sie aus ..."

[31] J. Chr. K. v. Hofmann, Die Heilige Schrift Neuen Testaments, 3. Teil, 1868, z. St.; weitere bei B. Weiß, a.a.O., 126, Anm. Zuletzt bei Michel, z. St. als Möglichkeit offengelassen.

[32] Nach Rufin MPG 14, 894–899 bei K. H. Schelkle, Paulus, Lehrer der Väter. Die altkirchliche Auslegung von Röm. 1–11, 1956, 86.

[33] MPL 17, 70 f. bei Schelkle, a.a.O., 87.

[34] Ficker, a.a.O., Scholien, 47, Glosse, 23.

[35] A. Nygren, Der Römerbrief, 1951, 100.

[36] ThW III, 256, 2 ff. 33 ff.

unser Wort ist nicht wie die ähnliche Reihe in 1.Kor. 5,11: Hurer, Geizige, Götzendiener . . . ein derartiger Lasterkatalog. Es ist vielmehr vom 6. und 7. Gebot des Dekalogs aus entwickelt. Die erwähnte palästinische Tradition bleibt die nächste Analogie.

Diese Tradition, die vielleicht am meisten zur Bildung dieser dreigliedrigen Anklage beitrug, gibt uns auch einen Hinweis, wie sie gemeint war. Sie begegnet uns bei Paulus wieder in 2.Kor. 6,14–7,1. Diesen Abschnitt hat Paulus aus einer christlichen Tradition übernommen, die von den essenischen Gruppen beeinflußt war[37].

In 2.Kor. 6,16a aber wird zunächst in Gestalt eines Vergleiches gesagt: Die Gemeinde hat mit heidnischem Treiben genauso wenig zu schaffen wie der Tempel Gottes mit den εἴδωλα, den Götzen und den Götzenbildern. In V. 16b wird der Vergleich zur Allegorie: Die Gemeinde ist der Tempel Gottes. Damit werden auch die Götzenbilder, ohne daß es ausgesprochen wird, allegorisches Bild für heidnisches Wesen. Die bildliche Deutung des Tempels auf die Gemeinde ist in der ganzen Urchristenheit verbreitet[38]. Auch die Qumrangemeinde hatte schon durch diese Allegorie ihr Selbstverständnis zum Ausdruck gebracht[39]. So führt ein breiter Vorstellungszusammenhang auf die Möglichkeit, εἴδωλα, das sind die Götzen und ihre Bilder, und ἱερόν, das Heiligtum, *übertragen* zu verstehen. Dabei ist das übertragene Verständnis nur formal „allegorisch", in Wirklichkeit eine vertiefende Sinndeutung.

Von diesem Vorstellungszusammenhang her, dem das Wort traditionsgeschichtlich nahesteht, kann Paulus die εἴδωλα und das ἱεροσυλεῖν in Röm. 2,22 sehr gut *bildlich, besser: übertragen gemeint* haben, und seine Leser konnten es in dieser Weise verstehen[40]. Die beiden vorher genannten Versündigungen führen geradezu auf dieses Verständnis hin; denn sie sind genau die Wesenszüge heidnischen Verhaltens, die der Jude „verabscheut" (1.Kor. 10,6–8; Eph. 4,19). In Kol. 3,5 (vgl. Eph. 5,5) wird Habgier unmittelbar als Götzendienst bezeichnet. *Röm. 2,22 würde dann besagen:* Der Jude „verabscheut die Götzen" des Hei-

[37] K. G. Kuhn in Ev. Theol., 1951, 74: Der Abschnitt „erweist sich als völlig in die Terminologie, Denk- und Sprechweise der Qumrantexte gehörig"; vgl. Grossouw, in Studia Cath., 1951, 203 ff.

[38] Paulus setzt im Korintherbrief diese Vorstellung als der Gemeinde geläufig voraus (1.Kor. 3,16; 6,19). Die Vorstellung hat sich in der Christenheit auf Grund der Worte Jesu zum Tempel gebildet (ThW IV, 890, 25 ff.).

[39] 1 QS 5,6; 8,9; 9,6.

[40] Schrenk, ThW III, 256 meint, daß ein derartiger Lasterkatalog von Lesern jener Zeit nur eigentlich verstanden werden konnte. Wir sehen nun: Unsere Stelle hängt nur sehr lose mit der Tradition der Lasterkataloge zusammen. Die Tradition aber, zu der sie eigentlich gehört, legt eine vertiefte Deutung von „stehlen" und „ehebrechen" wie eine übertragene Deutung von „Tempelraub" nahe.

den, nämlich Unzucht und Habgier, und reißt sie doch gierig an sich: *Er „beraubt ihre Tempel", indem er Ehebruch und Diebstahl begeht.* Dann faßt die dritte Wendung die beiden vorhergehenden zusammen (wie die fünfte Zeile die ganze Reihe) und deckt zugleich den theologischen Sinn dieser Anklage auf. Hinter der Gesetzesübertretung des Juden steht genauso wie hinter den Lastern des Heiden (Röm. 1,24 ff.) eine götzendienerische Verleugnung Gottes (Röm. 1,21.23). Auch in diesem Sinne „schändet er durch seine Gesetzesübertretung Gott" (Röm. 2,23). Wenn wir die Stelle so verstehen, ist sie wirklich ein stichhaltiges Glied in der großen Anklage des Menschen vor Christus, die Röm. 1—3 entwickelt.

V

Die Anklage in Röm. 1,18—3,20 aber gilt in erster Linie dem „Juden" und dem „Heiden", der als *„alter Mensch" in den Gläubigen weiterlebt*[41]. Die Christen können diesen alten Menschen in dieser Welt nie zeitlich dahinten, sondern immer nur im Glauben unter sich lassen. Die Anklage in Röm. 1,18–3,20 kann Missionspredigt werden. Aber sie ist in dieser Gestalt Wort an die Gemeinde und nur für sie verständlich. Sie ist nicht andemonstrierbar; sie ist Verkündigung, die letztlich vom Kreuz ausgeht und daher erst von dem Glauben, der den alten Menschen unter sich läßt, aufgenommen wird.

[41] So schon Origenes (nach Rufin MPG 14, 897 bei Schelkle, 87): Das Wort des Paulus gilt noch mehr als den Juden „allen, die nur den Namen der Religion und der Frömmigkeit haben, denen aber die Werke, die Weisheit und der Glaube fehlen", ja „mit größerem Ernst als anderen uns selber".

Versöhnung durch Christus[1]

Die Botschaft von der Versöhnung der Welt durch Christus ist heute in doppelter Weise akut. Als zentraler Ausdruck des Evangeliums und als Leitthema der abendländischen Dogmatik bietet sie sich für das Gespräch zwischen den getrennten Kirchen an; denn nichts kann ihrer Annäherung mehr dienen als ein gemeinsames Bemühen um die Mitte des Evangeliums. Zugleich spricht dieses Thema eine Aufgabe aller Christen an der Welt an, in der sie sich bereits zusammengefunden haben, nämlich ihre Mitverantwortung für den Frieden unter den Völkern. Auch um diese mit viel Unklarheit belastete Verantwortung zu klären, ist es wichtig, neu zu untersuchen, wie die Versöhnung durch Christus im Neuen Testament gemeint ist.

Ehe wir diese Frage an das Neue Testament stellen, ist eine Klärung des *deutschen Begriffes Versöhnung* nötig. „Versöhnung" hat nämlich heute in der Umgangssprache einen anderen Sinn als in der Luther-Bibel und in unserer Dogmatik. In der Dogmatik wird bei uns vor allem seit dem 19. Jahrhundert unter dem Thema „Versöhnung" gemeinhin die Bereinigung des Verhältnisses zwischen Gott und Mensch durch den sühnenden Opfertod Christi dargestellt. Die lateinisch formulierende alte Dogmatik bezeichnete dieses Thema gewöhnlich als redemptio, nur selten als reconciliatio.

Dieser Sinn des Wortes Versöhnung in der Dogmatik erklärt sich aus der Sprachgeschichte[2]. Das neuhochdeutsche Wort versöhnen ist aus dem mittelhochdeutschen versuenen hervorgegangen. Luther verwendete das Wort in der Form versunen oder versünen. Es bezeichnet in der Reformationszeit gleich dem bereits aufkommenden „versönen" allgemein „die Wiederherstellung eines Rechtsverhältnisses", des Friedens, durch „objektiven Ausgleich". In diesem Sinn heißt es im Kirchenlied der Reformationszeit: „hat versöhnt des Vaters Zorn". Demgemäß übersetzte Luther im Neuen Testament mit versünen zwei verschiedene griechische Wörter: καταλλάσσω und ἱλάσκομαι. Die

[1] Als Referat vorgetragen bei dem Gespräch zwischen Theologen der EKiD und der Russ.-Orth. Kirche in Höchst am 4. 3. 1967. Erstmals veröffentlicht in den Luth. Monatsheften 6 (1967), 263–269.

[2] Grimm, Deutsches Wörterbuch 12, 1, Leipzig 1956, 1350–1354.

revidierte Lutherbibel setzte für beide „versöhnen". In der neuhochdeutschen Umgangssprache bedeutet versöhnen jedoch lediglich, ein gestörtes gutes Verhältnis zwischen zwei Personen durch subjektive Zuwendung zu einander wiederherstellen. Diese Wortbedeutung deckt nicht mehr das zweite griechische Wort; dieses hat nämlich im Neuen Testament abgesehen von Lk. 18,13 durchweg den Sinn „sühnen", so das Verbum in Hebr. 2,17 und das Substantiv in 1.Joh. 2,2; 4,10. Dem neuhochdeutschen Wort „versöhnen" entspricht im griechischen Neuen Testament lediglich καταλλάσσω. Es deckt auch nicht den dogmatischen Begriff „Versöhnung"; daher greifen die Systematiker seit dem 19. Jahrhundert verschiedentlich auf den archaischen Begriff „versühnen" zurück[3].

Angesichts dieses Wortgebrauchs richten wir nicht die durch das dogmatische Thema „Versöhnung" gestellten Sachfragen an das Neue Testament, sondern gehen von dem neutestamentlichen Begriff καταλλάσσω bzw. καταλλαγή aus, der dem deutschen Wort „Versöhnung" in seinem heutigen Sinn entspricht, ohne es genau zu decken. Wir wollen diesen Begriff nicht, wie es in Kittels ThW notwendig geschieht, isoliert für sich analysieren, sondern gerade auf seine Verbindung mit anderen Begriffen achten und dadurch die von ihm gemeinte Sache, Christi Heilswerk an der Welt in bestimmter Ausrichtung, zu erfassen suchen. Wir finden die Sache auf diesem Wege über die Begriffe klarer und zuverlässiger, als wenn wir das Neue Testament nach der von uns gemeinten Sache befragen und dadurch Gefahr laufen, es in einen Fragebogen zu zwängen.

Gehen wir in diesem Sinn von dem Leitbegriff καταλλαγή, d.h. Versöhnung, aus und versuchen zuerst einen Überblick über seine Verwendung im Neuen Testament und der damaligen Umwelt zu gewinnen, so erschließt sich ein umfassender Sachzusammenhang.

I. Versöhnung in der Welt des Neuen Testaments

Fragt man, *wo das Neue Testament von Versöhnung redet*, so macht man eine überraschende Feststellung: Während alle neutestamentlichen Zeugen z. B. die Wendung „Vergebung der Sünden" wenigstens gelegentlich in den Mund nehmen, schweigen sie bis auf einen von Versöhnung. Der eine ist *Paulus!* Und auch er redet nur an fünf Stellen seiner Briefe von Versöhnung. Aber diese Stellen sind, abgesehen von der kurzen Zwischenbemerkung Röm. 11,15, Höhe-

---

[3] Zur Terminologie vgl. auch O. Weber, Grundlagen der Dogmatik II, 1962, 203–218.

punkte der Verkündigung. Das gilt von Röm. 5,10 f. und 2.Kor. 5,18—20 ebenso wie von Kol. 1,19—23 und Eph. 2,14—18.

Was das Wort „*versöhnen*“ an diesen Stellen philologisch bedeutet, ist am Kontext eindeutig abzulesen. Nach ihm wird durch die Versöhnung Feindschaft, nicht etwa Schuld, behoben (Röm. 5,6—8; Eph. 2,14). Demgemäß steht an drei der vier Stellen als Parallelbegriff *Friede,* und nicht Entsühnung (Röm. 5,1; Kol. 1,20; Eph. 2,14. 17 f.). Paulus verwendet das Wort für das Verhältnis zwischen Gott und Mensch zunächst in der gleichen philologischen Bedeutung wie in 1.Kor. 7,11 für die Wiedergewinnung des getrennten Gatten (vgl. Mt. 5,24 διαλλάσσειν). Die Vorstellung des Versühnens ist nirgends in dem Wort enthalten, und doch nimmt es durch die Art, wie die Versöhnung hier vollzogen wird, besonderen Charakter an; das Subjekt, von dem die Versöhnung ausgeht, ist an allen Stellen Gott.

Was das Wort in dieser Anwendung bei Paulus aussagen will, tritt deutlicher hervor, wenn wir nach dem begriffs- und traditionsgeschichtlichen Hintergrund fragen: Wie kam Paulus dazu, Christi Heilswerk als Versöhnung zu kennzeichnen?

1. Hat man bereits vor Paulus *in der hellenistischen* oder *in der atl.-jüdischen* Welt von einer Versöhnung zwischen Gott und Mensch geredet?

In der hellenistischen Welt[4] werden die Verben καταλλάττειν und διαλλάττειν gleichsinnig in verschiedenen Bedeutungen, u. a. auch für versöhnen verwendet, aber so gut wie nie auf das Verhältnis zwischen Gott und Mensch angewendet.

Dagegen zeigen sich zwar nicht im Alten Testament, wohl aber im Judentum einige allerdings sehr bescheidene Ansätze: Die Septuaginta gebraucht das Wort selten. Sie entwickelt jedoch in einer späten Schrift, dem 2. Makkabäer, mit einer gewissen Formelhaftigkeit die Aussage: Gott werde, wenn die Menschen ihn bitten bzw. wenn sie umkehren, seinen Zorn aufgeben und sich mit ihnen versöhnen, d. h. ihnen wieder gnädig sein: καταλλαγείη ὑμῖν (2.Makk. 1,5; vgl. 7,33; 8,29; auch 5,20). Das Wort in dieser Weise auf Gott anzuwenden, war dem griechisch sprechenden Judentum, aus dem Paulus stammt, anscheinend geläufig; denn diese Formel kehrt bei Josephus wieder (Ant. 6,143).

Eine ähnliche Wendung findet sich in der Sprache der Rabbinen, und sie nennen daneben gelegentlich auch die Sühnung. Eine nicht datierbare Tosephta-Stelle[5] sagt: „Die Gemeindeopfer schaffen Versöhnung und Sühnung zwischen Israel und ihrem Vater im Himmel.“

---

[4] Zum Folgenden vgl. F. Büchsel, ThW I, 254.

[5] T Schᵉqalim 1,6 (174) nach Billerbeck III, 519.

Für Versöhnung steht eine Form von רצה, d. h. im rabb. Hebr. begütigen, versöhnen, für Sühnung כפר sühnen.

Bemerkenswert ist noch, daß die Qumrantexte zwar nachdrücklich von einer Rechtfertigung sola gratia, aber nicht von Versöhnung reden.

So kennt das Judentum, aus dem Paulus herkommt, anders als das Alte Testament ein Reden von Versöhnung im Verhältnis zwischen Gott und Mensch, aber es ist selten, unbetont und vor allem anders orientiert: Versöhnung ist das Gnädigwerden Gottes, das von Menschen veranlaßt wird. Sachlich gehört dieser Wortgebrauch in den Rahmen der atl.-jüdischen Vorstellungen über Sündenvergebung und Bundeserneuerung, denen wir hier nicht nachgehen können[6]. Dieses spärliche Reden von Versöhnung in seiner jüdischen Umwelt hat Paulus sicher nicht veranlaßt, sondern es ihm höchstens erleichtert, Christi Werk als Versöhnung zu deuten. Lassen sich andere Ansätze für diese Aussagen ermitteln?

2. Redete man *im Urchristentum schon vor Paulus* von Versöhnung? Stilkritische und formgeschichtliche Analysen haben seit längerem zu der traditionsgeschichtlichen Vermutung geführt, daß die beiden Stellen über die Versöhnung im Kolosser- und im Epheserbrief „Hymnen" der hellenistischen Kirche verarbeiten. In Kol. 1,12–20 soll, wie zuletzt angenommen wurde, ein Initiationslied, in Eph. 2,14–18 ein Erlösungslied der hellenistischen Kirche zugrunde liegen[7]. Neuerdings wurde weiter die – schwerlich zutreffende – Vermutung geäußert, daß auch in 2.Kor. 5,19–21 „ein vorpaulinisches Hymnenstück" verarbeitet sei[8]. All dies ergab die Vermutung, Paulus habe die Deutung der Heilstat Christi als Versöhnung aus einer Tradition „hymnisch-liturgischen Charakters, also aus der Doxologie der hellenistischen Gemeinde", übernommen[9].

Diese Tradition aber soll, wie weiter gefolgert wird, letztlich in erheblichem Maße mythischen Ursprungs sein. Das römische Imperium war nämlich erfüllt von der *Idee der Pax Romana:* Augustus hatte Frieden, Sicherheit und soziale Wohlfahrt gebracht. Mit seiner Herrschaft sieht Vergil in der 4. Ekloge das goldene Zeitalter eines mythischen universalen Friedens unter den Menschen wie in der Natur anbrechen. Auf diese Weise wird eine das Imperium mythisch verklärende Reichsideologie erzeugt[10]. Aus dieser Situation folgert

[6] Zuletzt: K. Koch, Sühne und Sündenvergebung um die Wende von der exilischen zur nachexilischen Zeit, Ev. Theol. 26 (1966), 217–239.

[7] G. Schille, Frühchristliche Hymnen, 1965, 24–31, 81 f.

[8] Ernst Käsemann, Erwägungen zum Stichwort „Versöhnungslehre im Neuen Testament", in: Zeit und Geschichte, Festschrift für R. Bultmann, 1964, 49 f.

[9] Käsemann, ebd. 48 f.

[10] C. K. Barrett, Die Umwelt des Neuen Testaments, 1959, 19–21.

die eben wiedergegebene Hypothese, die ersten christlichen Gemeinden in der hellenistischen Welt hätten im Überschwang der Geistbegabung diese mythische Erwartung enthusiastisch auf Christus als den Kosmokrator übertragen. Gegen diese Vermutung spricht jedoch bereits entscheidend die Verwendung des Wortes „versöhnen". Vergleicht man nämlich Vergils Ekloge und verwandte Texte mit den Hymnen in Kol. 1 und Eph. 2, so ist zwar hier und dort von einer universalen, endzeitlichen Befriedung durch einen neuen Herrscher die Rede. Aber in jenen Texten der hellenistischen Herrscherverehrung fehlt genau das hier in der Mitte stehende Schlüsselwort: Versöhnung!

Es fehlt nicht zufällig. *Dort wird der universale Friede nicht durch Versöhnung*, sondern durch die überlegene Staatskunst, deren sich Augustus in seinen Res Gestae rühmt, in Verbindung mit einem Mechanismus der Vorsehung und der mythischen Umwandlung der Verhältnisse herbeigeführt[11]. Demgegenüber kann der kosmische Friede durch Versöhnung nur dort erwartet werden, wo Gott dem Menschen als Person begegnet und ihn dadurch zur Person macht. Die hellenistische Welt aber kennt Gott nur als das Göttliche, das als Kraft und als Ordnungsprinzip den Kosmos durchwaltet und als Inspiration aus göttlichen Menschen spricht. Die hellenistischen Schriftsteller pflegen unpersönlich neutral von dem θεῖον, dem Göttlichen, der θεία φύσις oder der θεία δύναμις zu reden. Diese Ausdrucksweise war so beliebt, daß sie auch in die Literatur des hellenistischen Judentums, vor allem in die späteren Schriften der Septuaginta, voran das 4. Makk.-Buch, und natürlich bei Josephus und Philo eindrang[12]. Dasselbe Eindringen beobachten wir in der spätesten Schrift des Neuen Testaments, in 2.Petr. 1,3 f., und seit den Apostolischen Vätern bei den Kirchenvätern, — ohne daß dadurch die Personalität Gottes preisgegeben würde. Dennoch ist es bemerkenswert, daß das Neue Testament abgesehen von dieser einen Stelle, 2.Petr. 1,3 f., die Worte θεῖος und θειότς vermeidet und sie nur anwendet, wenn die Gottesvorstellung der Heiden gemeint ist (Apg. 17,29; Röm. 1,20). Der Gott des Neuen Testaments ist der streng personhafte Gott des Alten Testaments; er gibt den Menschen nicht Orakel, „er gibt ihnen sein Wort", so daß eine Partnerschaft entsteht, die einer Ehe zwischen zwei Menschen verglichen werden kann (Röm. 3,2—5). Nur wenn man Gott so personhaft sieht, kann man in der Weise unserer Paulusstellen von Versöhnung zwischen Gott und Mensch reden. Wenn Paulus den Begriff Versöhnung mit der hellenistischen Botschaft vom kosmischen Frieden wie mit der atl.-jüdischen von der Rechtfertigung verbindet,

[11] Barrett, ebd. 12—17.
[12] H. Kleinknecht, ThW III, 122 f.

dann scheidet er den Frieden von der Friedensideologie des Hellenismus und die Rechtfertigung von der iustificatio sola gratia sub lege in Qumran!

Nach diesen Beobachtungen ist es sehr unwahrscheinlich, daß man *in der Urkirche* schon vor Paulus von der Versöhnung durch Christus redete. Aller Wahrscheinlichkeit nach hat Paulus selbst zuerst Christi Werk als Versöhnung gedeutet; das Wort findet sich nicht zufällig in der ganzen christlichen Literatur des 1. Jahrhunderts nur bei ihm[13]. Es entspricht seiner Art, Christi Heilswirken streng als Wirken Gottes zu sehen.

3. Die urchristliche Tradition hat ihm nicht den Begriff, wohl aber *den sachlichen Ansatz* zu dieser Deutung gegeben. Es ist, wie hier nur thetisch resümiert werden kann, der Skopus der synoptischen Überlieferung über *Jesu Erdenwirken,* daß Jesus nicht als Prophet den Menschen Heil, Vergebung, Anteil am Reich Gottes zugesprochen hat, sondern an Gottes Statt in Person den Sündern seine und damit Gottes vergebende, heilvolle Gemeinschaft gewährte. Das Gleichnis vom verlorenen Sohn deutet den Beteiligten verkündigend, was geschieht, wenn Jesus einem Zachäus seine Gemeinschaft gewährt oder einen Levi in seine Nachfolge ruft. Jesus übt selbst den uneingeschränkten, auch den Feind Gottes einschließenden Liebeserweis, den er in der Bergpredigt fordert (Mt. 5,44 f.); er gibt nicht nur etwas, sondern sich selbst. Seine Selbstdarbietung zur Gemeinschaft ist aufgenommen, wenn der Mensch sie von Gott her annimmt, d. h. glaubt, bzw. wenn er nachfolgt. Diese Vergebung Gottes aber entzieht sich dem Menschen, wenn er seinem Nächsten nicht vergibt; dieser Friede mit Gott entschwindet, wenn der Mensch nicht Frieden mit seinem Nächsten macht. Das schärfen das Gleichnis vom Schalksknecht und eine Reihe von Logien ein (Mt. 18,23–35; 5,23; 6,12.14 f.). Der Bruder des verlorenen Sohnes würde in das Sohnesverhältnis zum Vater heimkehren, wenn er sich über die Heimkehr des Bruders mitfreuen könnte (Lk. 15,32).

So vollzog sich in Jesu Erdenwirken in räumlich-zeitlicher Beschränkung ein Gemeinschaftstiften zwischen Gott und Mensch und unter den Menschen, das in seiner Struktur genau dem entspricht, was bei Paulus als Versöhnung bezeichnet wird. Es würde historischem Denken widersprechen, hier eine einzigartige sachliche Entsprechung festzustellen und einen traditionsgeschichtlichen Zusammenhang zu leugnen. Jesu Erdenwirken wird jedoch in keiner neutestamentlichen Schrift anders als auf Kreuz und Auferstehung hin

---

[13] In den Schriften der Apostolischen Väter fehlen die Begriffe καταλλάσσω und καταλλαγή ganz.

und von ihnen her gesehen. So geht auch Paulus nicht unmittelbar von dieser Überlieferung über Jesu Erdenwirken aus, sondern von dem Urbekenntnis der ersten Zeugen, in dem Jesu ganzer Erdenweg auf Grund der Ostererfahrung gemäß den Abendmahlseinsetzungsworten und anderen Selbstzeugnissen Jesu zusammengefaßt wird: „Christus ist gestorben für uns, als wir noch Sünder waren" (Röm. 5,8; vgl. 1.Kor. 15,3–5) bzw. : „Er ist gestorben für alle", d. h. für die ganze Menschheit (vgl. 2.Kor. 5,14 f.; Mk. 14,24; 1.Kor. 11,24 f.). Dieses „Für alle" bedeutet im Bekenntnis: Jesu Sterben war stellvertretende Sühne zugunsten aller. Diesem „Für alle" entnimmt Paulus einmal nur das „Zugunsten" und deutet es als Liebeserweis Gottes, mit dem er sich der Welt zuwendet, um Versöhnung zu stiften (Röm. 5,6–8.10); ein andermal entnimmt er ihm zugleich die stellvertretende Sühne und deutet es als rechtfertigende Erweisung der Gerechtigkeit Gottes (Röm. 3,25 f.).

So wird durch die Frage der historischen Herkunft der paulinischen Aussagen über die Versöhnung sichtbar, wo sie ihren Platz im Leben haben: Inmitten der Pax Romana und ihrer ideologischen Verherrlichung kündigt Paulus auf Grund des urchristlichen Bekenntnisses von Jesu Sterben für alle den wahren Frieden für die Welt an. Er kommt durch die Versöhnung. Die Versöhnung durch Christus ist der Schlüssel zum eigentlichen Frieden. Wie sieht dieser Schlüssel aus? Wie geschieht die Versöhnung, die die neue Welt des Friedens erschließt? Das soll nun in der zweiten Hälfte unseres Referats ausgeführt werden:

II. Versöhnung durch Christus

Wie die Versöhnung geschieht, wird deutlich, wenn Paulus die Versöhnung mit der Rechtfertigung und mit dem Frieden verbindet.

1. Versöhnung als Rechtfertigung

In den beiden genuin paulinischen Stellen Röm. 5 und 2.Kor. 5 verbindet Paulus die Versöhnung mit der Rechtfertigung. In Röm. 5 führt er von der Rechtfertigung (5, 1a) zur Versöhnung (5,1b.10) und in 2.Kor. 5 umgekehrt von der Versöhnung (5,18–20) zur Rechtfertigung (5,21). Beide Begriffe beschreiben offensichtlich denselben Vorgang, das Heilwerden des Verhältnisses zwischen Gott und Mensch. Sie werden nämlich in einer Reihe von Aussagen parallel zueinander gebraucht. Die Aussage über die Versöhnung in Röm. 5,10 geht nach Form und Inhalt der über die Rechtfertigung in Röm. 5,9 parallel

Der Dienst am Evangelium kann Dienst der Versöhnung oder Dienst der Rechtfertigung genannt werden (2.Kor. 3,9; 5,18). Die beiden Begriffe entwickeln zwei Vorstellungszusammenhänge, die das Heilswiderfahrnis in menschlichen Bildern beschreiben. Die Rechtfertigung, δικαίωσις bzw. δικαιοῦν, deutet das Gottesverhältnis von dem rechtlichen Charakter des alttestamentlichen Gottesbundes her (vgl. Röm. 3,2–6): Sie geht aus von der Erweisung „der Gerechtigkeit Gottes", die „die Verurteilung" des „Ungerechten" aufhebt und ihn zum „Gerechten" macht. Die Versöhnung deutet das Gottesverhältnis von dem alttestamentlichen Gottesbund als erwählender Liebe her (vgl. Röm. 9,11.13; Kol. 2,12): Sie geht aus von der Erweisung „der Liebe Gottes", die aus „dem Feinde Gottes" einen macht, „der Frieden mit Gott" hat. Und doch sind diese beiden Vorstellungszusammenhänge nicht nur auswechselbare Bilder. Mit ihrer Hilfe bringt Paulus je besondere Seiten des Heilswiderfahrnisses zur Sprache.

a) Die besondere Aussage der Rechtfertigung

Mit Hilfe der *Rechtfertigung* bringt Paulus zum Ausdruck, daß sich in Christus der Gott des Alten Testaments, getreu seiner Zusage handelnd, geradezu rechtlich an den Menschen bindet und ihn zu seinem Bundespartner macht. Die Botschaft von der Rechtfertigung erfaßt den Kern des Verhältnisses Gottes zum Menschen und den Menschen inmitten der Masse der Menschheit als verantwortlichen Einzelnen Gott gegenüber.

Die Vorstellung „Rechtfertigung" erfaßt die Tiefe des Gottesverhältnisses, wenn sie das Unheil des Menschen, seine Verfallenheit an die Sünde und an das Sterben, als Gottes Verurteilung kennzeichnet (Röm. 5,18 f.; 8,1 f.) und alles Heil von Gottes Gerechtigkeit, d. h. dem Stehen Gottes zu seiner Zusage (Röm. 3,2; 9,6), der Erweisung seiner Verheißungs- und Bundestreue erwartet (Röm. 3,3–6; 9,4 f.). Gottes Gerechtigkeit ist für Paulus gerade nicht, wie man in neuerer Zeit mehrfach sagte[14], allgemein seine Treue zu seiner Schöpfung, sondern die Treue zu der vom Alten Testament bezeugten Zusage; sie ist gerade als solche universal; denn die Abraham gegebene Verheißung umschließt „alle Völker" (Röm. 4,16 f.). Gottes Zusage ist für Paulus der Ansatz seines Glaubens und Denkens. Röm. 9,6: „Es ist aber nicht möglich, daß Gottes Wort hinfällig geworden sei." Christus aber ist das Ja Gottes zu all seinen Verheißungen (2.Kor.

---

[14] E. Käsemann, Gottes Gerechtigkeit bei Paulus, in: Exegetische Versuche und Besinnungen, 2. Bd., 1964, 181–193, und P. Stuhlmacher, Gerechtigkeit Gottes bei Paulus, 1965, 89 f.

1,20), die Erweisung der Gerechtigkeit Gottes in Person (1.Kor. 1,30).

Christus ist dies letztlich *durch sein Sterben;* nur aus diesem Zusammenhang erschließt sich der eigentliche Sinn des Kreuzes: „Ihn", nämlich den Gekreuzigten, „hat Gott öffentlich hingestellt als Sühnedeckel ... durch sein Blut zur Erweisung seiner Gerechtigkeit" (Röm. 3,25). Das Wort vom ἱλαστήριον ... ἐν τῷ αὐτοῦ αἵματι erinnert jeden bibelkundigen Hörer unmittelbar an Lev. 16[15]. Im Sterben Jesu hat Gott endgültig gemäß der aus Lev. 16 sprechenden Heilsordnung, also gemäß seiner Zusage, Heil gewirkt. Der Karfreitag war der eschatologische „Tag der Sühnung" und als solcher die Erweisung der Gerechtigkeit Gottes. Wenn des Menschen Unheil in seiner Tiefe Verurteilung ist und das Heil rechtliche Selbstbindung Gottes an den Menschen, dann ist das Kreuz in seiner Tiefe Versühnung. Das Sterben Jesu ist dies selbstverständlich nur als Sterben auf die Auferstehung hin (Röm. 4,25). So bezieht Paulus die *Versühnung* in die *Rechtfertigung* ein. Die Sühne ist nun nicht mehr, wie es oft in der historischen Exegese erscheint, ein isoliertes jüdisches Motiv, das auf Jesu Sterben angewendet wird, und nicht mehr, wie oft in der Dogmatik, eine objektive Vorgabe; sie ist hier vielmehr die Art des eschatologischen Hervortretens Gottes, die es als Erweisung seiner Gerechtigkeit qualifiziert.

Weil die Rechtfertigung die Tiefe des Christusgeschehens erfaßt, führt Paulus in 2.Kor. 5 die Botschaft von der Versöhnung (5,18–20) zu dieser Mitte hin und erklärt in 5, 21: Gott „hat den, der die Sünde nicht kannte, für uns zur Sünde gemacht, damit wir Gerechtigkeit Gottes durch ihn würden". Das Gotteshandeln, das ihn sühnend und stellvertretend den Tod des Sünders sterben ließ, begegnet uns als „die Erweisung der Gerechtigkeit" Gottes. Diese „rechtfertigt", d. h. sie *macht uns gerecht;* sie verleiht nicht eine Qualität, sondern stellt in eine personhafte Relation. Sie setzt den Glaubenden als Bundespartner Gottes. Sie versieht den Menschen nicht mit dem Etikett: „gerecht", das er für wahr halten soll; sie weist ihm einen Platz am Tische Gottes zu, den einzunehmen, um zu leben, glauben bedeutet.

---

[15] F. Büchsel, ThW III, 320–324. Demgegenüber will G. Fitzer, Der Ort der Versöhnung nach Paulus, Theol. Zeitschrift 22 (1966), 167–173 übersetzen: „Gott hat Jesus vorgreifend zum Ort der Gnade gesetzt, im gewaltsamen Tod zum Erweis seiner Gerechtigkeit ..." (S. 183). Wenn jedoch, wie hier vorausgesetzt wird, an Lev. 16 gedacht ist, müssen ἱλαστήριον und ἐν τῷ αὐτοῦ αἵματι verbunden werden. Der Gekreuzigte ist dann mit der Stätte der gnädigen Gegenwart Gottes verglichen, an der Gott das sühnende Blut entgegennimmt. Der „Versöhnungstag" ist für das Alte Testament יום הכפרי, nach der LXX ἡμέρα ἐξιλασμοῦ, der Tag der Sühnung (Lev. 23,27; vgl. 16,30; 25,9). Dieses Verständnis von Lev. 16 wird im Judentum festgehalten (Billerbeck III, 165. 179–185) und in Hb. 9,7.12 f. vorausgesetzt.

In Qumran ist die Gerechtigkeit Gottes eine Macht, die sola gratia Kraft zur Erfüllung des radikalisierten Gesetzes vermittelt und zugleich die Gabe, die das Versagen deckt[16]. Paulus bezieht die Rechtfertigung nicht auf das Gesetz, sondern auf den Glauben. Für ihn bedeutet Rechtfertigung: Gott schafft sich den Glaubenden als Partner. Deshalb kann und muß er die Rechtfertigung umgekehrt durch die *Versöhnung* erläutern, während dieser Begriff in Qumran nicht zufällig fehlt.

b) Die besondere Aussage der Versöhnung.

In Röm. 5 führt Paulus von der Rechtfertigung, die vorher in 3,21 bis 4,25 verkündigt wurde, zur *Versöhnung:* „Gerechtfertigt nun aus Glauben, haben wir Frieden mit Gott durch unseren Herrn Jesus Christus" (Röm. 5,1). Dieser Friede ist, wie anschließend in 5,6–8.10 f. erklärt wird, durch die Versöhnung zustande gekommen. Besagt die Rechtfertigung, daß Gott in Christus den verantwortlichen Einzelnen will, so die Versöhnung, daß er das Herz des Menschen will: „Die Liebe Gottes ist ausgegossen in unsere Herzen . . ." (Röm. 5,5). Und doch besagt gerade sie zugleich, daß er nicht lediglich den Seelenfrieden des Einzelnen oder eines Konventikels will, sondern den Frieden der Welt. Deckte die Rechtfertigung die Tiefe des Geschehens zwischen Gott und Mensch als rechtliche Verbindlichkeit auf, so erschließt die Versöhnung seine kosmische Weite. Wie dort das Wort von der eschatologischen Versühnung Röm. 3,25 f. den zentralen Ansatz bildet, so hier das – nicht minder theozentrisch formulierte – vom eschatologischen Friedensschluß 2. Kor. 5,19: „Gott war in Christus als einer, der die Welt mit sich versöhnte." Nicht zufällig wird bei Paulus nie gesagt: Gott hat die Welt gerechtfertigt; denn Rechtfertigung meint die Setzung einer rechtlichen Relation durch Schaffung des Glaubens. Dagegen kann gesagt werden: Gott hat sich in Jesu Sterben mit einem universalen Liebeserweis der feindlich gegen ihn stehenden Menschheit zugewandt, noch ehe sie davon weiß.

Dieser Liebeserweis, die Versöhnung, ist für Paulus *im Sterben Jesu geschehen;* das wird in Röm. 5,10 ausdrücklich gesagt: „Versöhnt durch den Tod seines Sohnes." Jesu Sterben hatte allerdings nur deshalb diese Bedeutung, weil es das Sterben des Mensch gewordenen Sohnes Gottes war, der im Unterschied zu allen anderen gehorsam war (Röm. 8,3 f.; Phil. 2,6–9). Die *Inkarnation* ist für Paulus die

---

[16] Vgl. J. Becker, Das Heil Gottes, 1964, 115–126. 149–155; Stuhlmacher, a.a.O. (Anm. 14), 148–167.

Vorbereitung, aber noch nicht der Vollzug der Versöhnung. (Auch Joh. 3,16 ist nicht anders gemeint.) Dieses Sterben nun war Gottes universale Versöhnungstat; denn es war nach Jesu Selbstzeugnis und nach dem Osterkerygma ein Sterben für alle (Mk. 10,44 f.; 14,24; vgl. 1.Kor. 11,24 f.; 15,3–5). Aus diesem „Für alle" folgt: „Dadurch, daß Christus, als wir noch Sünder waren, für uns starb, erweist Gott seine Liebe zu uns" (Röm. 5,8). Daß das Sterben Jesu Gottes Liebeserweis nicht nur allgemein als seine Zuwendung zur Welt, sondern speziell als sühnende Tilgung der Sünde war (vgl. 2.Kor. 5,19b), wird in diesem Vorstellungszusammenhang nicht ausgeführt. Hier wird nur betont: Durch diese Liebestat nimmt Gott die noch feindlich gegen ihn stehende Menschheit in seine Gemeinschaft auf: „Er versöhnt sie mit sich" (2.Kor. 5,19), seine Liebe umfängt sie.

Aber in welchem Sinn ist dies *für die Menschheit wirklich?* Paulus erklärt: Gott hat mit der Versöhnungstat zugleich die διακονία τῆς καταλλαγῆς, den Dienst der Versöhnung, bzw. den λόγος τῆς καταλλαγῆς, das Wort der Versöhnung, gesetzt (2.Kor. 5,18 f.). Diese Aussage kann man geradezu historisch verstehen: In den Ostererscheinungen wurde das Apostolat begründet, das die Versöhnung verkündigt (1.Kor. 15,3–8). Das war die Stiftung des kirchlichen Amtes. Das kirchliche Amt hat die verborgen im Kreuz vor Jerusalem geschehene Versöhnung nicht etwa nur bekanntzugeben, sondern in der Welt durchzusetzen. „So sind wir Botschafter an Christi Statt, indem Gott durch uns aufruft; so bitten wir an Christi Statt: Lasset euch versöhnen mit Gott" (2.Kor. 5,20). Versöhnt ist, wer, wie vorher in 5,17 gesagt wurde, ἐν Χριστῷ, in Christus ist. In Christus ist, wer durch die Taufe in den Leib Christi, die Kirche, eingegliedert ist und diese Existenz aus Glauben als „neues Geschöpf" lebt.

Für den Versöhnten aber sind die alte Welt und der alte Mensch nicht einfach entschwunden. Gerade der Glaubende, der Versöhnte, sieht das *Zornesgeschehen*, das Paulus in Röm. 1,18–3,20 und weiter in 7,7–25 entwickelt. Röm. 7 redet, wie die Exegese heute ziemlich einhellig annimmt, von dem alten Menschen, wie ihn der Glaube rückblickend sieht. Dieser alte Mensch ist nach Röm. 6,6 auch für den Glauben, ja gerade für ihn immer wieder virulent. Die Getauften müssen immer aufs neue aufgerufen werden, das Alte für tot zu erachten (Röm. 6,11). Nach Röm. 1,18 tritt das Zorneswirken Gottes gerade zugleich mit der Offenbarung seiner Gerechtigkeit als endzeitliches Geschehen hervor und wird daher zugleich mit ihm wahrgenommen. Dieses Zorneswirken trifft eine Menschheit, die, ob sie es weiß oder nicht, im Widerstreit zu ihrem Schöpfer und daher im Widerstreit untereinander lebt (Röm. 5,10; Kol. 1,21). In ihr ist das Verhältnis zu Gott und daher auch das Verstehen des Mitmenschen

„vom Fleisch" bestimmt, das sich, gerade weil es zum Sterben bestimmt ist, selbst behaupten will (Röm. 8,6–8; vgl. 7,14; 2.Kor. 5,16). Gottes Zorn gibt den Menschen diesem Widerstreit, der Sünde, dahin und wird endgültig im Gericht nach dem Gesetz wirksam (Röm. 1,24.26.28; 2,4–11). Gott steht gegen den Menschen und stößt ihn von sich.

Was bedeutet angesichts dieser Wirklichkeit des Zornes, die die Wirklichkeit unseres alten Menschen wie unserer Welt ist, der *große Indikativ: „Gott hat die Welt mit sich versöhnt?"* Er will jedenfalls nicht im Sinn einer Aufklärung sagen: Gottes Zorn ist nur der Angsttraum des bösen Gewissens, Gott ist in Wirklichkeit der liebende Vater. Er ist ebensowenig im Sinn der apokalyptischen Äonenvorstellung gemeint; er will nicht sagen: Die Weltzeit, die unter Gottes Zorn stand, ist vergangen; seit Ostern ist diese Welt zuständlich und vorfindlich von der Versöhnung geprägt. Beides würde der Wirklichkeit unserer Welt wie dem Evangelium widersprechen.

Die Frage, wie der Indikativ gemeint ist, verbindet sich gegenwärtig mehrfach mit der Diskussion um die *Herrschaft Christi*. Es wird öfter erklärt: Ostern bzw. die Taufe bedeuten einen Herrschaftswechsel. Das ist sicher richtig; aber man muß erklären, in welchem Sinn Christi Herrschaft nunmehr aufgerichtet ist. Christus wird nicht in der Weise Herr der Welt wie der römische Kaiser. Der Kaiser wurde in Rom inthronisiert; darauf wurde seine Inthronisation in allen Provinzen proklamiert und dadurch alle zur Akklamation verpflichtet. Dieses Wort der Proklamation war Macht, weil hinter ihm nicht nur die Macht der Legionen, sondern das Ordnungsprinzip stand, von dem die Welt lebte. Kann man das Evangelium von der Herrschaft Christi mit dieser Proklamation vergleichen? Das Evangelium verkündigt nicht nur einen anderen Namen als Herrn der Welt, sondern eine Herrschaft anderer Art und hat deshalb selbst anderen Charakter. Deshalb erläutert Paulus die urchristliche Botschaft von der Herrschaft Christi eben durch die Begriffe Rechtfertigung und Versöhnung. Christus *ist* deshalb *Herr* der Welt, weil Gott sie durch ihn mit sich versöhnt hat, und er *wird* ihr *Herr*, wenn sie sich durch das Evangelium und den Glauben mit ihm versöhnen läßt.

Diese beiden Sätze, 2.Kor. 5,18 und 20, verhalten sich nicht wie Anfang und Fortgang, beide meinen vielmehr *das Ganze*. Man kann z. B. den ersten Satz nicht umschreiben: „Er war dabei, die Welt mit sich zu versöhnen", und erklären: Diese Handlung erreiche erst ihren Abschluß, die Welt dürfe noch nicht versöhnt genannt werden[17]. Nein, die Welt ist schon versöhnt! Aber dies will nicht sagen, daß der Äon des Friedens den des Widerstreites bereits abgelöst hätte;

[17] F. Büchsel, ThW I, 257.

diese apokalyptische Erklärung wäre Enthusiasmus. Die Aussage ist kerygmatischer Indikativ: Sie verkündigt, *was Gott* in Jesu Sterben und Auferstehen *verborgen auf Glauben hin getan und gesetzt hat.* Die Aussage: Gott hat die Welt mit sich versöhnt, gilt in demselben Sinn wie der Satz: Jeder Getaufte ist mit Christus gestorben, um mit ihm zu leben (Röm. 6,3—10). Das Neue ist nicht als Überwelt gegenwärtig, über die Bescheid gesagt und die einsichtig anerkannt wird, sondern als Gottes Zuwendung zur Welt, die im Glauben aufgenommen werden will. Das Reden im Indikativ und Imperativ ist spezifischer Ausdruck der Kreuzestheologie, die auf Glauben abzielt. Der Indikativ sagt, was Gott gesetzt hat, aber was gerade nicht im Weltbestand aufweisbar ist, sondern nur entgegen dem Augenschein verkündigt und geglaubt werden kann als das Werk des Gottes, der das Nichtseiende ins Dasein ruft, der den Sünder rechtfertigt, den Feind mit sich versöhnt und die Toten lebendig macht. Der Indikativ sagt: Gott hat es getan, der Imperativ: Er will es durch euch tun. Der Imperativ ruft als Wort Gottes zum Glaubensgehorsam.

Paulus versucht nun nicht, spekulierend und objektivierend zu erklären, wie sich diese Erweisung der Liebe Gottes sachlich, insbesondere zeitlich, zur Bekundung seines Zornes verhalte. Er bringt die Wörter *Versöhnung* und *Zorn* nie direkt zusammen. Er verkündigt die Versöhnungstat Gottes und ruft alle auf, sich mit Gott versöhnen und dadurch aus dem Zorn retten zu lassen.

Für den Glauben ist der Zorn gerade nicht entschwunden, er sieht ihn mehr als jeder andere Mensch, aber der Glaube findet allen Bekundungen des Zornes gegenüber, auch gegenüber dem Zorn des Endgerichtes, das *große Dennoch:* Nichts „kann uns scheiden von der Liebe Gottes“ (Röm. 8,28 f.). In dieser Weise, als Gewißheit, nicht als Sicherheit, ist mitten in der Anfechtung und mitten unter den Zeichen des Zornes das Heil für den Glauben da: „Denn wenn wir, als wir Feinde waren, mit Gott versöhnt wurden durch den Tod seines Sohnes, um wieviel mehr werden wir als Versöhnte durch sein Leben aus dem Zorn (des Endgerichtes) gerettet werden“ (Röm. 5,9).

Weil die Versöhnung verborgen durch Kreuz und Auferstehung geschehen ist, kann sie immer nur als Ruf zum Glauben verkündigt, aber nicht zu einem weltanschaulichen Prinzip gemacht werden, das unabhängig vom Glauben in der Welt gelten soll. Und doch meint die Versöhnung nach Paulus nicht nur das Herz des Menschen (Röm. 5,6—8), sondern den *Frieden des Kosmos.* Die Liebe Gottes macht das Herz, d. h. das Denken und Wollen des Menschen neu, damit die Welt neu werde. Diese Beziehung der Versöhnung auf den kosmischen Frieden wird im Kolosser- und im Epheser-Brief zum sachlichen Skopus.

2. Versöhnung als Friede für den Kosmos

Die Ausrichtung der Versöhnung auf den *kosmischen Frieden* ist im Kolosser- und im Epheser-Brief – ebenso wie im Römer-Brief ihre Beziehung auf die Rechtfertigung – nicht das unmittelbare Thema der Ausführungen, wohl aber ihr sachlicher Skopus. Kol. 1 redet von Versöhnung, um in Auseindersetzung mit der Gnosis entgegen allem Dualismus das All für Christus in Anspruch zu nehmen. Eph. 2 redet von ihr um des Mysteriums der Kirche willen, die die neue Menschheit aus Juden und Heiden darstellt. An beiden Stellen wird die Versöhnung in der plerophoren Sprache eines Hymnus verkündigt. Wahrscheinlich verwendet Paulus hymnische Formulierungen, in denen die Gemeinde seine Botschaft von der Versöhnung aufgenommen hat. Die hymnische Formulierung erweckt, wie wir sahen, den Eindruck, hier rede ein enthusiastischer Perfektionismus. Daher sind zuerst die Aussagen über die vollzogene Versöhnung des Alls zu klären.

a) Die geschehene Versöhnung als Stiftung des Friedens

In Kol. 1,20 wird in gehobener Sprache doxologisch bekannt: Es gefiel Gott, „durch ihn", nämlich durch Christus, *„das All zu versöhnen* auf ihn hin, indem er Frieden machte durch das Blut seines Kreuzes, durch ihn (zu versöhnen) alles, sei es, was auf Erden, sei es, was im Himmel ist". Diese gefüllten Sätze weiten, was 2.Kor. 5,18 f. von der Menschheit sagte, auf die ganze Schöpfung aus. Wie nach der vorhergehenden Strophe des Hymnus, Kol. 1,15–17, das All durch Christus geschaffen ist, auch die kosmischen Mächte, so ist es nach dieser durch ihn versöhnt. In 2.Kor. 5,18 wurde die Versöhnung im Nachsatz als „Nicht-Zurechnen der Sünde" erläutert, hier als „Frieden-Stiften". Die Versöhnung des Alls und das Frieden-Stiften sind hier nicht anders als die Versöhnung der Menschheit in 2.Kor. 5 als kerygmatische Indikative gemeint[18]. Gewiß folgt diesem Indikativ hier nicht wie dort der Imperativ. Das ist nicht möglich; denn die außermenschliche Kreatur kann nicht zum Glauben gerufen werden. Wohl aber wird hier in Kol. 1,21–23 die Gemeinde aufgerufen, die ihr widerfahrene Versöhnung durch Glauben in der Welt zu bewähren. Der Friede, der durch Jesu Sterben für die ganze Welt kam, ist also kein ideeller oder mythischer Weltzustand, über den die Menschen nur aufgeklärt werden müßten, sondern eine Stiftung Gottes, die wirklich ist, weil sie vor ihm gilt. Versöhnung und Friede sind

---

[18] Diskussion und Begründung s. S. 120–126.

auch hier nicht weltanschauliche Prinzipien, die unabhängig vom Glauben in der Welt wirksam werden, sondern Gottes verborgene Setzung, die als Ruf zum Glaubensgehorsam verkündigt wird. Glaube bedeutet, dieser von Gott durch Christi Sterben und Auferstehen gesetzten Wirklichkeit gemäß leben.

b) Der aus Glauben zu lebende Friede

Der Kolosser-Brief will durch die kosmische Ausweitung der Versöhnung die Vorstellung abweisen, die eine judaistische Gnosis in der Gemeinde von Kolossae verbreitet, nämlich daß kosmischen Mächten neben Christus eigenständige Bedeutung zukomme und die ihnen entsprechende Eigengesetzlichkeit der Welt auch für die Christen bestimmend sei. Auf Grund der Botschaft von der universalen Versöhnung sollen die Glaubenden in der Welt die Gewißheit leben, daß keine Macht in Natur und Geschichte und keine Gesetzlichkeit gegenüber der Versöhnung durch Christus eigenständige Bedeutung behält (Kol. 2).

Diese Gewißheit macht für den Glaubenden *das geschichtliche Leben* jedoch gerade nicht gleichgültig, sondern verpflichtet ihn, sich ihm einzufügen. Das Leben des Glaubenden, des neuen Menschen, für den nicht nur das Böse und das Sterben, sondern auch die Lebensordnungen der alten Menschheit überwunden sind (Kol. 3,9–11), gewinnt soziologisch Gestalt in der Gemeinde, und nicht nur in ihr, sondern auch in einem neuen Verhältnis zum Nächsten und selbst in einem neuen Engagement in den Lebensformen der Gesellschaft, reformatorisch geredet in den weltlichen Ständen (Kol. 3,18–4,1). Nicht zufällig läuft die Paränese des Kolosser-Briefes aus in die „Haustafel" 3,18–4,1. Siebenmal wird in dieser kurzen Haustafel durch Hinweis auf den Herrn begründet, daß die Glaubenden sich den weltlichen Ständen, Ehe, Familie, Arbeitsverhältnis einfügen sollen. Diese auf den ersten Blick überraschende Begründung erklärt sich aus den indikativischen Aussagen des Hymnus in Kol. 1: Eben weil das All von Gott durch Christus und auf Christus hin geschaffen ist und durch Christus bereits geltungshaft mit Gott versöhnt ist, sollen sich die Glaubenden „um des Herrn willen" den Ständen dieser Welt einfügen. Die neue Motivierung gibt dem Verhalten auch neue Gestalt, ohne die Struktur des geschichtlichen Lebens aufzulösen. Die Auswirkung dieses Verhaltens läßt die Haustafel des Kolosser-Briefes noch nicht erkennen. Aber schon bald nachher wird sichtbar: Das neue Verhalten in der Gesellschaft führt zum Konflikt, so kennzeichnet der 1. Petrus-Brief die Situation (2,11–3,7), und weiter zur

Ausstoßung der Christen aus der Gesellschaft, so sieht es die Prophetie der Offenbarung (Offb. 13), — aber auch zu einer Wandlung gesellschaftlicher Formen, das sehen wir über das Neue Testament hinaus nach einem weiten Weg der Kirche in der Geschichte.

Wie nimmt auf diese Weise *der mit der Versöhnung gesetze Friede in der Welt Gestalt an?* Wir finden drei Antworten:

1. Kol. 3,15 mahnt: „Der Friede Christi walte *in euren Herzen*, zu welchem ihr berufen wurdet in einem Leib" (vgl. Phil. 4,7). Wer „Frieden mit Gott hat" (Röm. 5,1—4), kann für sich bekennen: „Ich bin gewiß, daß weder Tod noch Leben, weder Engel noch Mächte, weder Gegenwärtiges noch Zukünftiges . . . noch eine andere Kreatur uns von der Liebe Gottes scheiden kann, die in Christus Jesus, unserem Herrn, ist" (Röm. 8,39). Wie wenig dieser Friede im Herzen ein Zustand ist, bekundet der paränetische Charakter von Kol. 3, 15: Der Friede Christi bleibt immer gleich der Gerechtigkeit die fremde Gabe, zu der wir berufen sind. Die Berufung des einzelnen zum Frieden aber geschah zugleich als Berufung „in den Leib". Daraus folgt das Nächste.

2. Eph. 2,14—18 bekennt *die Gemeinde:* „Christus ist unser Friede"; denn er hat den Riß zwischen der oberen und unteren Welt wie auch unter den Menschen geheilt. Das Gesetz ließ den Riß zwischen Israel und Gott wie zwischen Israel und den Heiden aufklaffen und zum Widerstreit werden, weil es der Selbstbehauptung, dem Für-Sich-Sein-Wollen des Menschen dienstbar ist. Wer durch die Taufe Christus zugeeignet ist, ist in ein Für-einander gestellt: Was den Widerstreit unter den Menschen hervorruft, gilt für ihn nicht mehr, es ist durch Neues aufgehoben. Abgetan ist nicht nur die Feindschaft, sondern auch die Unordnung, die entsteht, weil jeder auf seinen Weg sieht (1.Kor. 14,33). Und doch muß die Gemeinde, die dies bekennt, sogleich in der Paränese Eph. 4,1—3 aufgefordert werden: „Ich ermahne euch nun, . . . würdig zu wandeln der Berufung, die euch widerfahren ist, . . . als solche, die einander in Liebe ertragen und eifrig darauf bedacht sind, die Einheit des Geistes durch das Band des Friedens zu wahren." Auch in der Gemeinde kann die Versöhnung nur gelebt werden aus dem Glauben, der in der Liebe wirksam wird, weil er auf den Gott baut, der „das Nichtseiende ins Dasein ruft" (Röm. 4,17). Das illustrieren die bitteren Auseinandersetzungen in den frühchristlichen Gemeinden, die sich in den paulinischen Briefen spiegeln. Nicht die Gemeinde repräsentiert den Frieden Gottes, sondern Christus „ist unser Friede" (Eph. 2,14). Gerade deshalb aber ist die Kirche gerufen und ermächtigt, immer aufs neue der Paränese zum Frieden zu folgen und sich nicht mit Zwiespalt und Unfrieden in den eigenen Reihen abzufinden.

3. Wie der Friede Gottes für die Getauften und zum Glauben Berufenen immer nur die fremde Gabe ist, zu der sie gerufen sind, so erst recht für die Menschen, die nicht getauft sind und nicht im Glauben stehen. Die Versöhnung und der Friede, den Gott durch Christus gestiftet hat, begegnet der *Menschheit, soweit sie noch nicht glaubt*, zuerst und zuletzt als „das Evangelium des Friedens" (Röm. 10,15; Eph. 2,17; 6,15). Dieses Evangelium ruft in das Reich Gottes, das eine neue Welt der „Gerechtigkeit und des Friedens" bedeutet (Röm. 14,17), nicht zu einer fortschreitenden sittlichen Umwandlung dieser Welt. Wer unter dem Evangelium des Friedens steht, bekundet dies auch durch den Erweis der Nächstenliebe selbst gegenüber dem Feind; dieser Erweis ist Abglanz des Liebeserweises, durch den Gott das Böse überwunden und die Welt mit sich versöhnt hat (vgl. Röm. 12,17 bis 21). Mit dem Ruf zum Dienen in der Gemeinde und zum Erweis der Nächstenliebe in Röm. 12 aber verbindet Röm. 13,1–7 in hoher Spannung die Aufforderung, die staatliche Lebensform anzuerkennen, die durch Übung von ordnender Macht und von Recht dem Bösen wehrt. Solange der Friede Gottes selbst in den Herzen und in der Gemeinde der Glaubenden immer nur in der Spannung des Schon und Noch-Nicht waltet, muß das Handeln des Christen in der Welt die zwiespältige Gestalt haben, die das Nebeneinander von Röm. 12,19: „Rächet euch selbst nicht, Geliebte . . ." und Röm. 13,4: „Sie ist eine Rächerin zum Zorn . . ." unübersehbar anzeigt. Die Mitarbeit der Christen im staatlichen Bereich, die in neutestamentlicher Zeit noch nicht möglich war, wird eindeutig der pax terrena gelten. Dabei verwehrt es die unterschiedliche Gestalt des Handelns nach Röm. 12,3 bis 21 und nach 13,1–7, die Aufrichtung der pax Christi und der pax terrena zu vermengen, nicht minder aber verpflichtet das gemeinsame Vorzeichen Röm. 12,1 f., die Bemühung um beide nicht voneinander zu trennen.

Die Glaubenden haben nach Paulus den Frieden ebenso wie die Gerechtigkeit und die Erlösung immer nur so, daß sie *auf „die Erlösung des Leibes" hoffen*, die den Unfrieden in ihrer eigenen Existenz wie in der Kirche und in der Welt durch Gottes Gericht erlöschen läßt und für alle Kreatur mit dem Frieden zugleich Gerechtigkeit, Leben und Freude bringt (Röm. 8,18–25; vgl. 8,6; 14,17; 15,17).

Weil Paulus so nüchtern eschatologisch von der Versöhnung der Welt durch Christus geredet hat, so fern allem enthusiastischen Perfektionismus und Evolutionismus, hat seine Botschaft heute nach 2000 Jahren nichts von ihrer Leuchtkraft eingebüßt. Er vertrat sie in einer Welt, in der eine relative pax terrena hergestellt war, uns ist sie in einer noch weit davon entfernten Welt aufgetragen. Wenn wir verstehen, daß die Versöhnung durch Christus immer nur in der Engführung durch den Glauben als Gottes Heilswirken kommt, werden wir trotz aller Rückschläge in der Geschichte der Mission und aller Enttäuschungen an den Menschen, insbesondere an den Menschen in der Kirche, die Botschaft von der Versöhnung festhalten und in unserer Welt die unsre eigene Existenz prägende Bitte weitergeben: „Lasset euch versöhnen mit Gott!“

Israel und die Kirche, heute und bei Paulus*

In unserer Generation ist es zu einem Gespräch zwischen Juden und Christen gekommen, wie es, seitdem sich in ausgehender apostolischer Zeit Kirche und Synagoge schieden, nicht möglich gewesen war. Zahlreiche Vereinigungen und Institute haben es sich zur Aufgabe gemacht, dieses Gespräch in Gang zu halten und es in den Alltag des kirchlichen Lebens einzufügen. Es kennzeichnet nicht nur die Situation in Deutschland, wenn beim 10. Evangelischen Kirchentag 1961 in Berlin in der Halle der Arbeitsgruppe über Kirche und Judentum Tausende zusammenströmten und den anspruchsvollen Diskussionen, an denen auch jüdische Experten beteiligt waren, mit Bewegung folgten[1].

Die Bereitschaft zu diesem Gespräch wurde sicher durch das jüdische Geschick in unserer Generation entscheidend gefördert. Inmitten des christlichen Abendlandes fielen Millionen von Juden einer wahnwitzigen, nachchristlichen Ideologie zum Opfer, und inmitten einer säkularisierten Welt entstand als Frucht des Zionismus im „Heiligen Land" ein Staat Israel, den Juden aus aller Welt, geeint in der biblischen Sprache, aufbauen[2]. Während sich so für Israel ein Stück irdischer Heimat auftut, werden die Christen durch die moderne Welt vielfach in ihre eigentliche Existenz, die Existenz „der Fremdlinge in der Diaspora" (1.Petr. 1,1), zurückgewiesen. Sie erfahren heute, was für die Juden durch die Jahrhunderte die Galut bedeutete, „die Bitternis des ‚nur' Gastsasseseins im ganzen Erdenraum"[3].

---

* Erstmals erschienen in: Luth. Rundschau 13 (1963), 429–452.

[1] Bericht: Der ungekündigte Bund. Neue Begegnung von Juden und christlicher Gemeinde. Im Auftrag der Arbeitsgemeinschaft Juden und Christen beim Deutschen Evangelischen Kirchentag, hrsg. von D. Goldschmidt und H.-J. Kraus, 1962. Übersicht über den gegenwärtigen Bestand der Gesellschaften für christlich-jüdische Zusammenarbeit, der Instituta Judaica und der Judenmission in RGG³ II, S. 1509 f.; III, S. 785 f., 976 ff.

[2] Lit.: Der ungekündigte Bund, 297–304; J. Haar, Das Mysterium Israel, Ein Überblick über neueres Schrifttum zur Geschichte und zur geistigen Situation des Judentums in der Gegenwart, Monatsschrift für Pastoraltheologie 50 (1961), 36–48. 111–120; J. Melzer, Deutsch-Jüdisches Schicksal, Wegweiser durch das Schrifttum der letzten 15 Jahre: 1945–1960, 1960 (Bibliographie!).

Insbesondere sind in unserer Generation erstmals in der Geschichte Juden und Christen in großem Umfang zusammen verfolgt worden. Aber das verbindende Geschick führte nur deshalb zu dem jetzigen Gespräch, weil dieses seit langem durch die innere theologische Entwicklung und die geistesgeschichtliche Situation vorbereitet und angebahnt war. Um die heutige Begegnung zu verstehen, müssen wir den weiten Weg von der Trennung vor 19 Jahrhunderten zu dem neuen Kontakt kurz skizzieren[4].

I.

Die christliche Gemeinde, die sich nach Jesu Ausgang in Palästina bildete, lebte soziologisch gesehen zunächst gleich Pharisäern und Essenern als religiöse Gruppe innerhalb der Volksgemeinde Israels, obgleich sie sich selbst bereits grundsätzlich als Kirche verstand. Die Trennung begann, als Stephanus Jesu Wort über die Vorläufigkeit des Tempels aufnahm und deshalb als Gotteslästerer ausgestoßen wurde (Apg. 7,54—60). Die seiner Art der Verkündigung folgenden Jünger mußten aus Jerusalem fliehen; durch ihre Mission entstand in Antiochien die erste große Gemeinde, in der christusgläubige Juden und Heiden das mosaische Gesetz dahinten ließen und als eine von der Synagoge getrennte Gemeinschaft lebten, so daß in ihrer Umgebung für sie die neue Bezeichnung „Christen" aufkam (Apg. 11,19 ff.). Die Trennung wurde weitergetrieben, als Paulus in den Diasporasynagogen Kleinasiens und Griechenlands Juden und Heiden den gleichen Weg zum Heil allein durch den Glauben an Christus unabhängig vom Gesetz predigte und deshalb allenthalben samt den von dieser Predigt Erfaßten aus dem Synagogenverband ausgeschlossen wurde (Apg. 13,44—52). Die Trennung kam zum Abschluß, als die Synagoge, um nach der Katastrophe des Jahres 70 den Bestand des Judentums zu sichern, gegen Ende des 1. Jahrhunderts die Fluchformel über die Häretiker, insbesondere die Judenchristen, in ihr zentrales Gebet aufnahm und dadurch auch die nach dem Gesetz lebenden Judenchristen ausschied.

Diese Auseinandersetzung mit dem Christentum hat zusammen mit dem Fehlschlagen der messianischen Aufstände gegen Rom und

[3] H. J. Schoeps, Jüdisch-christliches Religionsgespräch in neunzehn Jahrhunderten, 1949, 156.

[4] Treffliche Übersichten geben von jüdischer Seite H. J. Schoeps, Israel und die Christenheit, ergänzte Neuauflage von: Jüdisch-christliches Religionsgespräch (Anm. 3), 1961, und von christlicher: W. Maurer, Kirche und Synagoge, 1953. Zuletzt: Christen und Juden. Ihr Gegenüber vom Apostelkonzil bis heute, hrsg. von R.-D. Marsch und K. Thieme, 1961 (293—299 Lit.!).

der sich nach 70 durchsetzenden Alleinherrschaft des pharisäischen Rabbinismus das Gesicht des Judentums geprägt, das am Ende der apostolischen Zeit der Kirche gegenüberstand. Die Kirche aber gab ihre missionarischen Bemühungen um dieses Judentum schon um die Wende zum 2. Jahrhundert aufs Ganze gesehen auf[5]; sie sah Israel als „verstockt" an und beschränkte sich auf die Fürbitte. Als das Christentum im 4. Jahrhundert im römischen Reich Staatsreligion wurde, nötigte der Staat die restlichen Heiden zur Taufe und drängte die Juden in ein gettohaftes Leben. Die Haltung der Kirche ihnen gegenüber war weithin von richtender Selbstgerechtigkeit gezeichnet. Erst die neue säkulare Welt, die die Aufklärung im 18. Jahrhundert heraufführte, schloß die Tore des Gettos auf und stellte die Juden ebenso wie die Christen vor die Aufgabe, sich in ihr zurechtzufinden und den in die eigenen Reihen einbrechenden Säkularismus zu bewältigen. Die Bewältigung dieser ihnen je in eigener Weise gestellten Aufgabe hat beide einander nähergebracht.

Das europäische Judentum, das im 17. und 18. Jahrhundert vor allem im Osten durch den Chassidismus, eine mystische Bewegung, entscheidend geprägt worden war, drohte sich nach der Emanzipation zunächst an die Assimilierung zu verlieren. Aber im Laufe des 19. Jahrhunderts *fanden führende Geister des Judentums* zwischen Assimilierung und Orthodoxie *einen neuen Weg*. Sie fanden ihn vor allem mit Hilfe des von der Neuzeit entbundenen geschichtlichen Denkens. „Die Juden begannen sich ihrer Geschichte, ihrer Jahrtausende zu erinnern. In diesem großen Akte der Erinnerung war, fast könnte man sagen, eine Rettung gegeben." „Mit dem erschlossenen Sinn für die europäische Geschichte verband sich, in neuer Form, der lebendige Sinn für die jüdische Tradition." „Judentum und Europa konnten sich verbinden."[6]

Dieses geschichtliche Denken brachte es mit sich, daß man auch Jesus und die Heidenkirche dem Judentum in neuer Weise zuordnete. Jesus wurde, ähnlich wie in der protestantischen Leben-Jesu-Forschung, historisch von Paulus und der kirchlichen Christologie distanziert und, wie es Schalom Ben Chorin, Jerusalem, kürzlich ausdrückte[7], in das jüdische Volk (außerhalb der jüdischen Orthodoxie) heimgeholt. Martin Buber kann bekennen: „Jesus habe ich von Jugend auf als meinen großen Bruder empfunden."[8]

---

[5] Vielfältige missionarische Einzelbemühungen um die Juden gingen durch die Jahrhunderte weiter (RE³ 13, 171–192).

[6] L. Baeck, Das Judentum auf alten und neuen Wegen, in: Judaica 6 (1950), 140 f.

[7] Der ungekündigte Bund (Anm. 1), 66; vgl. E. Stauffer, Die Heimholung Jesu in das jüdische Volk, ThLZ 88 (1963), 97 f.

[8] M. Buber, Zwei Glaubensweisen, 1950, 11. Einen trefflichen Überblick über

Weit darüber hinaus fanden jüdische Gelehrte, die als repräsentativ für das neuzeitliche Judentum gelten dürfen, den Weg zu einer geschichtlichen Anerkennung des Paulus und der Heidenkirche: Das Christentum ist für die Heidenwelt der Weg zu Gott geworden! Hans-Joachim Schoeps, Professor für Religionsgeschichte an der Universität Erlangen, der vor kurzem in einem beachtlichen Paulusbuch den Heidenapostel in die jüdische Religionsgeschichte einzuordnen versuchte[9], entwickelt dieses erregende neue Geschichtsbild in der Sprache des Historikers, wenn er sagt: „Trotz der Parusieverzögerung brachte Jesu Leben und Sterben eine Äonenwende. Die auf seinen Namen begründete Kirche bedeutet für die ‚Glaubenden aus den Heidenvölkern' den Weg zum Heil. Aber für die Judenheit bedeutet es dies nicht, denn für die Judenheit ist keine Äonenwende eingetreten wie für die Völker. Die Synagoge hält am mosaischen Gesetze fest, kommentiert durch 63 Bücher Mischna und Gemara, weil die Frage, von der ... die ganze jüdisch-christliche Diskussion abhängt: an qui venturus Christus anuntiabatur iam venit an venturus adhuc ... von den Juden bis heute im letzteren Sinn beanwortet wird. Sie sind bei der Verwerfung der Messianität Jesu geblieben, weil sie ... die messianischen Weissagungen, die sie wörtlich verstehen, nicht in Jesus verwirklicht finden. Jesu Kritik am Gesetz ist dieser Ablehnung zufolge in der Synagoge ungehört verhallt ... Doch der Extrakt dieser Kritik (wie er eben herausgestellt wurde) ... hat seine Aktualität noch nicht verloren, ja wurde erst in heutiger Zeit für den Teil der Judenheit wiedergewonnen, der das Gesetz nicht mehr als rabbinisches Gewohnheitsrecht ausübt, sondern als Anruf und Forderung Gottes an Israel je und je neu erfährt. Für diesen Teil der gläubigen Judenheit ... ist die Auseinandersetzung Jesu mit dem Gesetz — als innerjüdische Frage — durch den Spruch des Synedriums im Jahre 30 bis zum heutigen Tag nicht abgeschlossen worden."[10]

Es entspricht solcher Geschichtsdeutung, wenn Rabbiner Dr. Leo Baeck, der große geistige Führer des deutschen Judentums, auf einer Studientagung für Kirche und Judentum 1948 mit folgenden Worten Juden und Christen aufrief, das Nebeneinander, das leicht zu einem Gegeneinander wird, durch das Bemühen um gegenseitiges Verstehen abzulösen: „Das Judentum sollte nie vergessen, daß aus seiner Mitte das Christentum hervorgegangen ist ... (Es) sollte dessen be-

---

die jüdische Jesusforschung und ihr Jesusbild gibt G. Lindeskog, Die Jesusfrage im neuzeitlichen Judentum, 1938. Die klassische jüdische Jesusdarstellung ist wohl J. Klausner, Jesus von Nazareth, 1952[3].

[9] Paulus, Die Theologie des Apostels im Lichte der jüdischen Religionsgeschichte, 1959.

[10] H. J. Schoeps, Aus frühchristlicher Zeit, 1950, 220.

wußt bleiben, worauf seine großen Denker des Mittelalters[11] hinwiesen, daß ein Weg göttlicher Vorsehung, göttlichen Planes sich hier offenbare. Je mehr das Judentum sich selber versteht, um so mehr wird es das Christentum, das Große in ihm begreifen. Und die christliche Kirche sollte nie vergessen, daß es für sie keine Bibel ohne die jüdische Bibel geben kann. Seit den Tagen Markions . . . hat es sich schon so manches Mal gezeigt, welchen Weg das Christentum geführt wird, wenn das Verständnis hierfür verlorengeht oder zurückgedrängt wird . . . Und ebenso sollte hier immer jenes Mysterium gegenwärtig bleiben, von dem der Römerbrief spricht . . . Wer aber das Mysterium ahnt, der wird nur mit Ehrfurcht vom Judentum und vom jüdischen Volk sprechen . . . Er wird sich auch nicht vermessen, wenn sich die Sünde in der Welt erhebt und ihr erstes und rohestes Verbrechen immer wieder gegen das jüdische Volk begeht, dann hochmütig lästernd zu sagen, daß Gott dieses Volk verworfen, es als Zeichen der Verdammnis hingestellt habe... Der fromme Christ harrt des Tages, an dem das Judentum den Weg zum Christentum finde... Echte Hoffnung hat niemals getrennt, sie führt zum Verstehen. Das letzte Ziel, die letzte Antwort liegt in Gottes Geheimnis verborgen."[12]

Über diesen Aufruf zu einem Gespräch mit dem Ziel, einander und sich selber besser zu verstehen, den wir in ähnlichen Worten wiederholt von Martin Buber hören, geht der Appell Hermann Levi Goldschmidts[13] hinaus. Er fordert „eine heilsgeschichtliche Arbeitsteilung" zwischen Juden und Christen: „Weder Judenmission noch Christenmission darf es weiterhin geben", wohl aber „Mission, als innere Mission, Heidenmission und Sendungsfreude des Judentums und Christentums", die „Weltmission der biblischen Botschaft." „Keine der Weltreligionen kann von der Welt ablassen . . ., aber die jüdische und die christliche Weltreligion können und sie müssen davon absehen, sich gegenseitig bekehren zu wollen. Die Neuzeit ermöglicht, und d. h. zuletzt: sie verlangt diesen Schritt . . . Dieser Verzicht, kein anderer Entschluß, . . . ist der Prüfstein ihrer heutigen und jeder künftigen Begegnung." Wie weit kann die Kirche auf diese Angebote, die auch durch ihr Bemühen um Israel herbeigeführt wurden, eingehen?

Von christlicher Seite führten in Deutschland vor allem zwei theolo-

[11] Maimonides, der größte jüdische Religionsphilosoph des Mittelalters, der im islamischen Spanien lebte, hatte gelehrt, daß das Christentum den Weg für den kommenden Messias ebne, der die Welt auf den wahren Gottesdienst gründen werde.

[12] L. Baeck, a.a.O. (Anm. 6), 146 f.; vgl. R. Mayer, Christentum und Judentum in der Schau Leo Baecks, Studia Delitzschiana VI (1961), 108 ff.

[13] H. L. Goldschmidt, Die Botschaft des Judentums, 1960, 157 ff.

gische Ansätze der gegenwärtigen Begegnung mit Israel entgegen. Der Neuprotestantismus hat von Schleiermacher bis Adolf von Harnack weder ein Verhältnis zum Alten Testament noch einen Zugang zu dem Geheimnis Israels gefunden! Schleiermacher entwickelt in der „Glaubenslehre" die These: „Das Christentum steht zwar in einem besonderen geschichtlichen Zusammenhang mit dem Judentum; was aber sein geschichtliches Dasein und seine Abzweckung betrifft, so verhält es sich zu Judentum und Heidentum gleich."[14] Es tritt als Religion des „Erlösers" der nomistischen Religion des Judentums gegenüber. Dieses „ist schon lange eine tote Religion"[15]. Harnack kann nur eine durch die Herkunft bedingte „jüdische Schranke" bei Paulus sehen, wenn der Apostel Israel in Röm. 11 eine bleibende religiöse Sonderstellung zubilligt. „Das ist eine verhängnisvolle Rückständigkeit, die nicht bestehenbleiben durfte, wenn die Selbständigkeit der christlichen Religion gegenüber der jüdischen aufgerichtet werden sollte."[16]

Dagegen führt die der Erweckung entspringende *heilsgeschichtliche lutherische Theologie des 19. Jahrhunderts* gewichtig der heutigen Gesprächssituation entgegen. Sie nahm im 19. Jahrhundert neben Theologen wie Tholuck das bis heute ausstrahlende missionarische Bemühen des Pietismus um Israel mit neuen theologischen Vorzeichen auf. Nach dem Erlanger Theologen Johann Christian Konrad von Hofmann hat Israel nicht nur den „heilsgeschichtlichen Beruf", in seiner alttestamentlichen Geschichte das Kommen Christi und seiner Gemeinde vorzubereiten, sondern geht einem „noch zu erfüllenden (endzeitlichen) Beruf" nach Röm. 11,25 f. entgegen. Deshalb ist es Sinn der Judenmission, Israel nicht jetzt schon durch eine generelle Bekehrung auszulöschen, sondern es „für den großen Tag des Heils vorzubereiten, der seiner wartet". Diese Aufgabe fordert von der Kirche Selbstbesinnung auf ihr Verhalten und Verzicht auf die Anmaßung, Israel seine Sünden vorzuhalten; sie soll vielmehr der

---

[14] Der Christliche Glaube, 1861[5], § 12; dem entspricht sein Urteil über das Alte Testament in § 132.

[15] Ders., Über die Religion. Reden an die Gebildeten unter ihren Verächtern, 5. Rede (hrsg. von Rade, 225).

[16] Lehrbuch der Dogmengeschichte I (1931/32[5]), 99 f. Diese Betrachtungsweise wirkt sichtlich nach in der Art, wie G. Strecker in einem Aufsatz, Christentum und Judentum in den ersten Jahrhunderten, Ev. Theol. 10 (1956), 458–477, das Hervorgehen des Christentums aus dem Judentum darstellt: Das Christentum trat dem Judentum, das „eine Gesetzesreligion" war (459), ursprünglich als ein neuer Glaube sola gratia gegenüber; jedoch erlagen Judenchristentum und Heidenchristentum schon in der zweiten Generation in steigendem Maße „jüdisch-nomistischem Denken". Dieses viel zu einfache Schema wird in ein Bild des Urchristentums eingezeichnet, das unter ständiger Berufung auf R. Bultmann entworfen wird.

Mühe und Arbeit gedenken, die Israel auch für sie getragen hat, indem es seinen Beruf erfüllte[17]. In ähnlicher Weise stellten Hofmann folgend vor allem Franz Delitzsch und Chr. Ernst Luthardt die bleibende heilsgeschichtliche Bedeutung Israels heraus. Der erstere gründete 1886 in Leipzig das Institutum Judaicum Delitzschianum, das sich jetzt in Münster unter der Leitung von Professor K. H. Rengstorf um ein Verstehen und ein Gespräch zwischen Christentum und Judentum auf theologischer Basis bemüht.

Während diese lutherischen Theologen von der eschatologischen Verheißung für Israel und seinem heilsgeschichtlichen Weg ihr entgegen her dachten, setzt der zweite wichtige theologische Anstoß für die gegenwärtige Diskussion, die nachdrückliche und wirksame Stellungnahme *Karl Barths*, bei einem neuen Verständnis von Erwählung ein, das er aus reformierter Tradition entwickelte. Für Karl Barth geschieht Gottes Werk so sehr in der Erwählung, und die Berufung zum Glauben wird so sehr zu einem zweiten, daß er am Ende einer 100 Seiten umfassenden meditativen Auslegung[18] von Röm. 9–11 zu 11,26 erklären kann: „Das ‚Geheimnis' besteht nicht etwa in der dereinst zu erwartenden Veränderung hinsichtlich Israels, in dem der Natur Israels entsprechenden, seine Erwählung bestätigenden Wiedereingepfropftwerden der jetzt abgehauenen Zweige . . . Dies wird ja eben das der Natur entsprechende und durch die Berufung und Bekehrung der Heiden bereits angezeigte und vorbereitete, das mit ihr in doppelter Hinsicht bestimmt zu erwartende Ereignis sein. Das Geheimnis dagegen besteht in der Verborgenheit des Sinnes der Tatsache, daß dieses Ereignis bis jetzt nicht eingetreten ist."[19]

Demgemäß bestimmt er in einem Vortrag ihren gegenwärtigen Stand: „Die Juden sind ohne allen Zweifel bis auf diesen Tag Gottes erwähltes Volk im gleichen Sinn, wie sie es nach dem Alten und Neuen Testament von Anfang an gewesen sind. Sie haben Gottes Verheißung, und wenn wir Christen aus den Heidenvölkern sie auch haben, dann als die mit ihnen Erwählten, dann als die in ihr Haus gekommenen Gäste, die auf ihren Baum versetzten Schosse. Die christliche Gemeinde existiert nicht anders als die Juden: wunderbar erhalten durch alle Zeiten, ein Volk von Fremdlingen auch sie, und

---

[17] H.-J. Barkenings, Die Stimme der Anderen, in: Marsch-Thieme, a.a.O. (Anm. 4), 219–225. P. Althaus, Die letzten Dinge, 1933⁴, wendet sich S. 294–302 mit Recht gegen die chiliastischen Elemente in diesen Aussagen Hofmanns, aber er wird Röm. 11 nicht gerecht, wenn er mit Zustimmung den Satz Kliefoths zitiert: „Mit dem Berufe, den Israel wirklich hatte, war es der Natur der Sache nach aus und zu Ende . . ., als der Heiland seine Stätte auf Erden gefunden hatte, und Israel trat damit von selbst in die Reihe der anderen Völker zurück."

[18] K. Barth, Die kirchliche Dogmatik II, 2 (1942), 215–336.

[19] Ebd. II, 2, 328 f.

der Anstoß, den die Antisemiten an den Juden nehmen, ist derselbe, den auch die christliche Gemeinde notwendig erregen wird. Was trennt uns von ihnen? Merkwürdigerweise dasselbe, was uns mit ihnen verbindet: der Jude, der Jude am Kreuz von Golgatha, den wir als die Erfüllung der Verheißung . . . erkennen. Die Juden erkennen diesen einen Juden nicht . . ."[20]

Diese Theologie der Erwählung bestimmte seit den 30er Jahren viele Theologen, sich für Israel einzusetzen. Sie prägte gewichtig auch die Äußerungen der Arbeitsgruppe des Kirchentages; ihre Schlußerklärung spitzt sich auf die These zu: „Gegenüber der falschen, in der Kirche jahrhundertelang verbreiteten Behauptung, Gott habe das Volk der Juden verworfen, besinnen wir uns neu auf das Apostelwort: ‚Gott hat sein Volk nicht verstoßen, das er zuvor ersehen hat' (Röm. 11,2). Eine neue Begegnung mit dem von Gott erwählten Volk wird die Einsicht bestätigen oder neu erwecken, daß Juden und Christen gemeinsam aus der Treue Gottes leben, daß sie ihn preisen und ihm im Lichte der biblischen Hoffnung überall unter den Menschen dienen."[21] Einer der Mitverfasser[22] erklärt zu dieser These: „Der Apostel Paulus gebraucht in Röm. 11 das Bild von der Aufpfropfung eines wilden Ölzweiges auf einen Ölbaum. Wir stehen also in lebensmäßigem Zusammenhang mit Israel. Nur so sind wir auch mit den Verheißungen Gottes, die Israel gelten, verbunden. Wenn wir diese Verbundenheit verleugnen, wird aus unserem christlichen Glauben eine Weltanschauung." „Wir sind auch Israel das Christuszeugnis schuldig, aber nicht in der Form, daß wir ihm als ‚die Besitzenden' entgegentreten." „Der augenblicklichen Lage, zumal in Deutschland, gemäß ist nicht die Mission, sondern das Gespräch mit Israel, der Dialog (als) die rechte Form der neuen Begegnung mit Israel."

Diese Thesen und manche sie begleitenden unklaren, einseitigen Äußerungen riefen theologische Einsprüche hervor. Über sie berichtet von seiten der Arbeitsgruppenleitung Pfr. Dr. H. G. Schroth[23], Berlin; die kurze Entgegnung, mit der der Bericht schließt, erinnert bis in den Wortlaut hinein an die Ausführungen Karl Barths, aus denen wir oben zitierten.

Diese Hinweise auf die Entwicklung, die zu dem gegenwärtigen Gespräch führte, müssen hier genügen! Schon sie machen uns bewußt, daß es nicht nur bessere Einsicht, sondern geschichtliche Fügungen waren, die zu der gegenwärtigen Begegnung führten; dies gebietet uns im Urteilen gegenüber früherem kirchlichen Verhalten

---

[20] Judaica 6 (1950), 72.
[21] Der ungekündigte Bund (Anm. 1), 125.
[22] G. Harder, ebd. 139 f.
[23] Ebd. 172–181.

in dieser Frage Zurückhaltung. Die Hinweise lassen die entscheidenden theologischen Fragen erkennen, um die es hier für die Christen geht: *In welchem Sinne gilt Israel noch heute Gottes Erwählung?* In welchem Sinn ist Gottes Bund mit Israel „ungekündigt", und in welchem Sinne ist er „alter Bund"? Insgesamt: Welche heilsgeschichtliche Bedeutung kommt Israel heute zu und wie ist demnach das Verhältnis zwischen Synagoge und Kirche zu bestimmen?

II.

Antwort auf diese Fragen[24] suchen wir in der Schrift, und zwar dort, wo sie erstmals aufbrechen und für alle Zeiten grundlegend von Jesu Erscheinung her beantwortet wurden, nämlich *bei Paulus*. Wir übersehen nicht, worin sich die Situation, für die Paulus redet, von der unseren unterscheidet. Juden wie Christen sind heute andere als damals; Gott hat beiden eine zweitausendjährige wechselvolle Geschichte widerfahren lassen und sie durch diese Geschichte gezeichnet. Das muß heute in der Begegnung zwischen Juden und Christen zur Sprache kommen. Die Grundlage des Gespräches aber bleibt, was Gott für beide durch sein Offenbarungshandeln, das für die Christen in Christus zum Ziel gekommen ist, gesetzt hat. Und eben das stellt Paulus, wenn auch im Rahmen seiner Situation, heraus.

Es ist für alle Äußerungen des Apostels zu unserer Frage wichtig, daß er im wesentlichen nicht empirische Analysen jüdischen Verhaltens entwickelt, sondern von Gottes Offenbarungshandeln her von *„dem Juden"* als *Typ* redet. Jude ist für ihn der Mensch, der durch die Beschneidung dem Gesetz verpflichtet ist (Röm. 2,9 f.; 3,9.29), aber zugleich durch die Verheißung vor anderen zum Evangelium gerufen ist (Röm. 1,16; 3,1 f.). Deshalb kann Paulus sich selbst nach seiner Bekehrung nicht mehr als Juden bezeichnen; er ist nur „von Natur Jude" (Gal. 2,15). Dagegen kann er sich weiterhin „Israelit" nennen (2.Kor. 11,22; Röm. 11,1); denn „Israel" ist für ihn Bezeichnung des durch die Verheißung und die Bundesschlüsse zum Heil berufenen Volkes (Röm. 9,4 f.; Eph. 2,12). Wenn Paulus in Röm. 1 bis 8 durchweg von dem „Juden", in 9—11 dagegen von „Israel" redet, wird die unterschiedliche Blickrichtung der beiden Teile sichtbar.

---

[24] Was im Folgenden nur in Grundzügen entwickelt werden kann, habe ich eingehend dargestellt und belegt in meinem Buch: Christentum und Judentum im ersten und zweiten Jahrhundert. Ein Aufriß der Urgeschichte der Kirche, 1954; Franz. Übersetzung: Les origines de l'église. Christianisme et judaïsme aux deux premiers siècles. Paris 1961 (Bibliothèque Historique); engl. Übersetzung: Jesus, Paul and Judaism. An Introduction to New Testament Theology. New York 1964.

„Der Jude" bzw. „Israel" hat nach Paulus *eine dreifache theologische Bedeutung:* 1. Der Jude ist in seinem Verhalten gegenüber dem Gesetz, das in der Begegnung mit Jesus abschließend offenkundig wurde, Typ des unerlösten, adamitischen Menschen, der dem Anspruch Gottes den Gehorsam versagt. 2. Das alttestamentliche Israel ist als Gottes Bundesvolk mit seinen vom Alten Testament bezeugten Heils- und Gerichtserfahrungen heilsgeschichtlicher Typos der Kirche. 3. Israel, das das Evangelium ablehnt, bleibt im Sinn von Röm. 11 unter Gottes Verheißung. Diese Differenzierung läßt die *theologischen Grundsätze* erkennen, von denen aus Paulus hier denkt. Er sieht Israel nicht als einen unwandelbaren, ewigen Gedanken Gottes, sondern in seinem geschichtlichen Gottesverhältnis. Das Gottesverhältnis Israels ist nicht einfach durch eine vorzeitliche Erwählung, die „das Wort" kundgibt, sondern durch Gottes geschichtliche Anrede in Verheißung, Gesetz und Evangelium gesetzt (Röm. 4). Es ist so gesetzt, daß die jeweilige Antwort des Menschen einbezogen wird. Dem entspricht der paulinische Begriff von *Erwählen.* Paulus kennt gemäß altbiblischer Tradition kein Erwählen, das nicht geschichtlichen Ausdruck im *Berufen* findet[25]. Berufen bedeutet in der Regel: zum Glauben überführen. Nur an einer Stelle, in Röm. 11,28 f. im Blick auf Israel ist es bisher erst ein Rufen; aber es bleibt auch hier verbum efficax[26], auch diese Berufung wird zum Ziel kommen. Wir dürfen von Erwählung nur so reden, daß Verkündigung und Glaube mit im Blickfeld bleiben. Gottes Setzungen werden für Paulus durch das Wort nie nur mitgeteilt, sondern immer geschichtlich wirksam. Das bedeutet andererseits jedoch nicht, daß das Erwählen aktualistisch im Berufungsakt bzw. in der Glaubensentscheidung aufgeht; die Berufung besagt vielmehr, daß Gott sich an diesen Menschen bereits gebunden hat, daß er ihn erwählt bzw. zuvor ersehen hat (s. u.). Weil Paulus in dieser Weise über Gottes Erwählen und Berufen, über heilsgeschichtliche Setzung und Verkündigung denkt, kann er nur in dieser differenzierten Weise über Israels theologische Bedeutung reden. Die Diskussion spitzt sich heute auf die dritte Bedeutung Israels für Paulus zu, aber wir bekommen diese nur dann recht in den Blick, wenn wir vorher von den beiden anderen reden.

1. *Die exemplarische Bedeutung.* Wenn Paulus im Römerbrief sein Evangelium zusammenfassend darlegt, erscheint „der Jude" an expo-

[25] 1.Kor. 1,26 f.: Seht an eure Berufung! Das Törichte der Welt hat Gott erwählt; Röm. 8,28 f.: Die er zuvor ersehen hat . . ., die hat er auch berufen; in diesem Sinne redet Röm. 8,33 von den Auserwählten; auch Röm. 9,11 f. und 11,28 f. stehen beide Begriffe zusammen. Die einzige Ausnahme im Neuen Testament ist Mt. 22,14 (vgl. ThW III, 496).

[26] ThW III, 490, vgl. 493 f.

nierter Stelle als exemplarischer Erweis für das Versagen des natürlichen Menschen gegenüber dem Anspruch Gottes. Paulus will in Röm. 1,18–3,20 aufzeigen, daß „alle der Herrschaft der Sünde verfallen“ sind (Röm. 3,9). Das Schlußglied in der Beweiskette ist der Jude; in 2,17–24 erhebt Paulus auch gegen ihn die Anklage, daß er Gottes Anspruch wohl kenne und sogar laut bekenne, aber ihm doch den Gehorsam versage[27]. Er hat hier den Juden im besten Sinn des Wortes im Auge, ein Bild, das vielleicht einmal sein eigenes Lebensziel war, den pharisäischen Rabbi, der seine Existenz auf das Gesetz stellt und es lehrend und missionierend allen gegenüber vertritt. Dieser Jude ist das Beste, was die Menschheit aufzuweisen hat. Aber auch er, ja gerade er versagt: „Der du verkündigst: nicht stehlen, stiehlst, der du gebietest: nicht ehebrechen, brichst die Ehe!“ Paulus meint diese Anklage wohl im Sinn der Bußworte, die Jesus vom Gesetz, nicht erst von seinem neuen Gebot her an die pharisäischen Schriftgelehrten richtete: Sie umgehen gerade mit Hilfe ihrer Kasuistik Gottes Gebote (Mk. 12,40 par. Lk.; Mk. 10,11 f.); sie können nicht anders! Paulus redet hier ebenso wie Jesus nicht analytisch, sondern kerygmatisch aufgrund einer Gesamtschau. Er lehnt sich am Ende von Röm. 2 an das Schlußurteil der alttestamentlichen Prophetie an: Schon sie sah Israel an Gottes Anspruch scheitern und konnte Gehorsam nur von einer endzeitlichen Erneuerung der Herzen erhoffen.

In Röm. 9,30–10,13 führt Paulus diese Anklage wie ihre Begründung weiter in die Tiefe: „Sie haben Eifer um Gott!“ „Israel jagt dem Gesetz der Gerechtigkeit nach, aber es hat das Gesetz nicht erreicht!“ Warum nicht? Nicht nur, weil sie den einzelnen Geboten nicht gerecht wurden, sondern weil die Richtung ihres Strebens verfehlt war: „Sie versuchten ihre eigene Gerechtigkeit aufzurichten.“ Deshalb wurde ihnen „der Stein“, den Gott „in Zion setzte“, Christus, zum Stein des Anstoßes. In der Begegnung Israels mit Jesus wurde offenkundig, was Paulus – nun nicht mehr ausdrücklich vom Juden, sondern grundsätzlich von dem Menschen unter dem Gesetz – sagt: Sie wollten das Gute, Gottes Gesetz aufrichten, aber sie taten das Gegenteil (Röm. 7,14–25)!

Nun weiß gewiß auch der Pharisäer um Verfehlungen gegenüber dem Gesetz und sucht dafür im Vertrauen auf die Gnade Gottes, die durch die Abrahamverheißung jedem Beschnittenen zugesagt ist, durch Buße Vergebung. Diese Verbindung von Gesetz und Gnade ist für Paulus jedoch nicht möglich; denn das Versagen ist nicht partiell, sondern total. Der Mensch geht insgesamt in falscher Richtung.

---

[27] Vgl. L. Goppelt, Der Missionar des Gesetzes, in: Festschrift für W. Freytag, 1960, 199–207, s. o. S. 137–146.

Das wird für Paulus an der Verwerfung des Verheißenen durch das Volk der Verheißung sichtbar, sobald er vor Damaskus der Auferstehung Jesu und damit seiner Messianität gewiß wird (Phil. 3,4–11). Die Messianität Jesu ergibt sich für Paulus nicht aus einer nachrechenbaren Erfüllung einzelner messianischer Weissagungen, sondern daraus, daß durch Jesus der Glaubende in das neue Gottesverhältnis gestellt wird, das für die Endzeit verheißen ist, d. h. in den neuen Bund (2.Kor. 1,20; 3,2 f. 16 ff.).

Deshalb muß Paulus, was im Judentum seiner Zeit und weithin auch im Alten Testament verbunden ist, „Verheißung" und „Gesetz" als Heilswege grundsätzlich scheiden (Röm. 4), so gewiß auch für ihn die jüdische Existenz beides umschließt (3,1 f.; 9,4 f.). „Verheißung" und „Gesetz" sind in der Art, wie Paulus diese Worte gebraucht, neue Begriffe, die weder das Alte Testament noch das Judentum kennt. Aber in dieser von Jesu Wirken und Geschick her gewonnenen Einsicht kommt zum Ziel, worauf die Gerichtspredigt der vorexilischen Prophetie hinführt[28].

In diesem Sinn stellt bereits die Grundlinie der *synoptischen* Tradition *die Verwerfung Jesu*, die mit seiner Kreuzigung endet, dar. Es ist in gleicher Weise verfehlt, wenn man durch die Jahrhunderte das jüdische Volk immer wieder selbstgerecht als das Volk der Christusmörder verurteilte, wie wenn man durch historische Kritik an den Evangelien beweisen will, daß für die Hinrichtung Jesu der Römer und eine mit ihm konspirierende Clique des jüdischen Adels, aber nicht das Judentum als solches verantwortlich war[29]. Nach der synop-

---

[28] Die jüdische Paulusdarstellung sieht diesen paulinischen Ansatz sehr scharf, mißversteht ihn jedoch als „Mißverständnis". So H. J. Schoeps, a.a.O. (Anm. 9), 230: „Weil für Paulus die Einsicht in den Charakter der hebräischen berith als eines Gegenseitigkeitsvertrages nicht mehr gegeben ist, hat er auch den innersten Sinn des jüdischen Gesetzes nicht mehr erkennen können, daß sich in seiner Befolgung der Bund realisiert. Deshalb beginnt die paulinische Gesetzes- und Rechtfertigungstheologie mit dem verhängnisvollen Mißverständnis, daß er Bund und Gesetz auseinanderreißt und Christus als des Gesetzes Ende an dessen Stelle treten läßt." Und weiter S. 278: „Es wird für immer denkwürdig bleiben, daß die christliche Kirche sich von einem den väterlichen Glaubensvorstellungen weithin entfremdeten Assimilationsjuden der hellenistischen Diaspora hat ein völliges Zerrbild vom jüdischen Gesetz überreichen lassen, das in ihm nicht die Heiligkeitssatzung der Israelberith sieht, sondern auf ethische Gerechtwerdung und rituelle Leistung reduziert worden ist. Und wohl noch erstaunlicher ist das Faktum, daß die kirchliche Theologie zweier Jahrtausende die Resonanzlosigkeit Pauli unter den Juden auf jüdische Verstocktheit zurückführt und sich fast niemals die Frage gestellt hat, ob es nicht auch daran liegen könne, daß der Apostel an den Juden vorbeiredete, weil er schon im Ansatz alles falsch verstanden hat."

[29] In diese Richtung geht eine historische Apologetik jüdischer Gelehrter bei Lindeskog, a.a.O. (Anm. 8), 277–296, zuletzt P. Winter, On the Trial of Jesus, 1961, wie eine pädagogische christliche Apologetik, der auch die Schwalbacher

tischen Überlieferung vertreten die Pharisäer Jesus gegenüber das Judentum, und Jesus hat sie als die Vertreter des Judentums anerkannt. Sie verwerfen Jesus, weil er durch sein Heilswirken das Gesetz aufhebt (Mk. 3,6 par.). Das Gerichtsverfahren gegen Jesus aber stellen die Evangelien unter den Leitbegriff „ausliefern": Judas liefert Jesus aus an das Synedrium, dieses an Pilatus und dieser an die Soldaten (Mk. 15,1.10.15). Hinter der Auslieferung Jesu steht also nicht nur das Synedrium als die Vertretung des Judentums, sondern auch einer der Zwölf; und wie sehr alle Zwölf an seiner Tat teilhaben, zeigt ihr Fragen bei der Verratsankündigung: „Bin's etwa ich?" (Mk. 14,19). Alle geben ihn preis, um sich selbst zu behaupten; auf seine Verurteilung aber drängen vor allem die, die sich durch das Gesetz selbst behaupten wollen.

Diese Linie, die im Bild des Judentums abschließend durch die Begegnung mit Jesus von Nazareth hervortritt, hat in der ihm eigenen radikalen Einseitigkeit das *Johannes-Evangelium* ausgezogen: Es redet in einer typischen Weise von „den Juden". „Die Juden" sind nach diesem dem Joh.-Ev. eigenen Sprachgebrauch die ideellen Vertreter des Judentums, das aufgrund des Gesetzes Jesus ablehnt: „Und die Juden antworteten ihm (nämlich Pilatus): Wir haben ein Gesetz, und nach dem Gesetz muß er sterben" (Joh. 19,7). Auf diese Weise handeln „die Juden" an Jesus als die Vertreter „der Welt", d. h. der adamitischen Menschheit. Von der Stunde, in der „die Juden" Jesus ans Kreuz bringen, wird gesagt: „Jetzt kommt der Fürst dieser Welt" (Joh. 14,30; vgl. 7,7). „Die Juden" werden Vertreter „der Welt" Jesus gegenüber grade, weil „das Heil von den Juden kommt" (Joh. 4,22), gerade weil die Sonne der besonderen Offenbarung Gottes über ihnen scheint: Das Gesetz, auf das sie sich gegen Jesus berufen, zeugt in Wirklichkeit für ihn (Joh. 5,39).

Demnach ist dem erwählten Volk zunächst die leidvolle Funktion auferlegt, daß es „wie ein Spiegel ist, in welchem uns vorgehalten wird, wer oder was, d. h. wie schlimm wir alle sind . . . Die Sonne über ihnen brachte und bringt es an den Tag – wohlverstanden: wie es in Wahrheit mit uns allen steht"[30].

In zugespitzter Weise stellte zuletzt E. Käsemann Israels Bedeutung als exemplarisch, und nur als dies, dar: „In und mit Israel wird der verborgene Jude in uns allen getroffen, der Mensch, der aus der Gottesgeschichte mit sich Recht und Forderung Gott gegenüber geltend macht und insofern der Illusion statt Gott dient . . . Wenn wirkliches Heil nur vom Richter unserer Illusionen zu uns kommt, dann

Thesen, Judaica 7 (1951), 237–240, nahestehen. Eine wissenschaftlich zuverlässige Darstellung der Vorgänge gibt J. Blinzler, Der Prozeß Jesu, 1960³.

[30] K. Barth, in: Judaica 6 (1950), 70.

gibt es echte Verheißung immer nur für die Zerbrochenen ... Eben dies findet Paulus im Alten Testament illustriert." „Verheißung entfaltet sich nicht aus der Kontinuität menschlicher Geschichte. Dort leuchtet sie gerade umgekehrt nur über unserem Scheitern ... Verheißung gibt es auch für den Frommen nur wie zu Ostern und von Ostern her, nämlich so, daß Gott sich selber treu bleibt." „Diese Solidarität mit den Gottlosen eint aber das Volk Israel nach dem Fleisch mit den Heiden, die zuvor nicht Volk Gottes waren. So ist Rechtfertigung der Gottlosen und Auferweckung von den Toten die einzige Hoffnung wie der Welt überhaupt so auch Israels." Israel hat demnach in jeder Hinsicht, auch hinsichtlich seiner Erwählung und seiner Zukunft, *nur exemplarische Bedeutung!*

Der theologische Ansatz dieser Betrachtungsweise spricht aus dem Satz: „Recht und Gerechtigkeit haben wir nur, sofern Gott sie uns täglich neu gewährt, also im Glauben. Nicht Gaben garantieren, so sagt 1.Kor. 10,1–13, Kontinuität, sie weisen uns vielmehr auf den Geber zurück."[31] Die Selbstdarbietung Gottes und der Glaube werden hier im Sinne der von Rudolf Bultmann angeregten „kerygmatischen Theologie" rein aktuell gefaßt. Diese Auffassung wehrt jedem billigen Reden von Verheißung und Erwählung, das nur menschlicher Selbstsicherheit dient. Aber sie reduziert zugleich die drei Aussagen des Apostels über Israel auf die erste.

Für Paulus haben die alttestamentlichen Aussagen über Israel nicht nur exemplarische, frömmigkeitskritische, sondern typologisch-heilsgeschichtliche Bedeutung (1.Kor. 10). Ebenso unterscheidet er die Zukunft Israels und die der Heidenvölker, sonst wäre Röm. 11 nicht geschrieben worden[32]! An Röm. 9–11 wird die Aporie der kerygmatischen Theologie sichtbar: Wichtig ist für Paulus nicht nur, wie sich Israel aktuell gegenüber Gottes Gabe und Anspruch verhält (Röm. 1–8), sondern was Israel vor und trotz seinem Verhalten von Gott her ist (Röm. 9–11). Verheißung bedeutet nicht nur, daß Gott sich selbst treu bleibt und sich immer aufs neue in derselben Weise darbietet, sondern daß er den Erwählten treu bleibt und sie ans Ziel bringt (1.Kor. 10,12 f.). Diese Erwägungen führen uns zu den beiden anderen Aussagen des Apostels über die theologische Bedeutung Israels.

2. *Israel, das Volk des alten Bundes.* Die Gemeinde Jesu lebte zwar nach Ostern soziologisch gleich Pharisäern und Essenern innerhalb der

---

[31] E. Käsemann, Paulus und Israel, in: Exegetische Versuche und Besinnungen II, 1964, 194–197.

[32] Nach R. Bultmann, Theologie des Neuen Testaments, 1953, 477, „entspringt" das „heilsgeschichtliche μυστήριον (Mysterium) Röm. 11,25 ff. der spekulierenden Phantasie"!

Volksgemeinde Israel, aber sie sah ihr Verhältnis zu Israel von den ersten Anfängen an anders als jene. Sie versteht sich nicht wie Pharisäer und Essener als „das wahre Israel", das Gottes Bund und Gesetz gerecht wird, während die übrigen Israeliten unechtes, ganz oder teilweise abgefallenes Israel sind. Sie trat vielmehr von Jesu Auferstehung her als die Ekklesia, das Volk des zum messianischen Herrscher erhöhten Jesus (Mt. 16,18), d. h. als das neue Israel, über dem das endzeitliche Heil bereits angebrochen ist, dem jüdischen Volk als der erst auf Gottes Heilsoffenbarung wartenden Gottesgemeinde gegenüber (Apg. 3,18–26). Die Essener halten sich für das wahre Gottesvolk des erneuerten (bisherigen) Bundes, die Gemeinde Jesu für das Gottesvolk des „neuen Bundes"; so wird der Hinweis auf den Bund in den Abendmahlsworten bei Paulus, 1.Kor. 11,25, sinngemäß gedeutet. Der in Jesu Sterben und Auferstehen errichtete neue Bund macht Israels Bund zum „alten" und die ihn bezeugende Schrift zum „Alten Testament"; das wird erstmals von Paulus in 2.Kor. 3,14 ausgesprochen. Dabei ist Israels Bund der Sinaibund (2.Kor. 3,6 f.; Gal. 4,24 f.), obgleich dem Volk auch Gottes Bundeszusagen an die Väter gelten (Röm. 9,4).

In welchem Sinn ist Israels Bund „alt"? Die Begriffe *alt und neu* unterscheiden hier nicht innerweltliche Epochen der Geschichte, sondern eschatologisch alte und neue Schöpfung[33]. Die Bezeichnung „alt" kennzeichnet Israels Bund nicht einfach als geschichtlich vergangen. Er endet generell nicht mit einem Datum der Weltgeschichte, sondern gleich dem Gesetz erst mit ihr! Von der Geschichte her kann man von ihm nur sagen, er sei „alt und greisenhaft" und „nahe am Verschwinden", weil er mit dieser Welt vergeht (Hebr. 8,13; 12,27). „Alt" ist in erster Linie eine von der Weissagung des Neuen her entwikkelte Qualitätsbezeichnung: Er ist alt, weil er schon gemäß der Weissagung weder Israel noch die Menschheit zu dem in der Väterverheißung gesetzten Ziel, zu einer bleibenden Gottesgemeinschaft im Gehorsam, führen kann (2.Kor. 3,7–11; Hebr. 8,7–13; 9,9 f.). Er ist letztlich deshalb alt, weil in Jesu Sterben und Auferstehen das neue eschatologische Gottesverhältnis gestiftet wurde (1.Kor. 11,24).

Deshalb lösen alter und neuer Bund einander nicht einfach geschichtlich ab. Der neue Bund steht vielmehr seit Jesu Auferstehung gleichsam in einer oberen Ebene über dem alten: Der alte Bund entspricht dem „irdischen Jerusalem", der neue Bund „dem himmlischen", der eschatologischen Gottesgemeinde (Gal. 4,21–31). Die Scheide zwischen beiden ist Jesu Sterben und Auferstehen; dieses Ereignis hat zugleich geschichtlichen und eschatologischen Charakter:

[33] Vgl. ThW III, 451 f.

Es ist seit Ostern als Gottes Setzung in Geltung und wird doch jeweils erst durch die Verkündigung wirksam. Die Ablösung des alten durch den neuen Bund erfolgt daher in der Geschichte fortgesetzt durch Verkündigung und Glaube. Israels Bund endet gleich dem Gesetz „für jeden Glaubenden“ (Röm. 10,4); der Glaube läßt beide unter sich, weil er in den neuen Bund (2.Kor. 3,6), in die Erfüllung der Väterverheißung (Röm. 4,23 ff.) wie des Gesetzes (Röm. 3,31; 13,10) gestellt ist und sofern er in ihnen steht. Er ist neue Schöpfung (2.Kor. 5,17) und zugleich neu der Geschichte als der ersten Schöpfung verpflichtet (1.Kor. 6,15 f.; 7,17; Röm. 13,1; Kol. 3,18–4,1).

Demgemäß ist *Israels Bund „ungekündigt“ und doch seit Jesu Auferstehung eschatologisch aufgehoben:* Israel ist seit Ostern nach Gottes Setzung „Volk des alten Bundes“ (Gal. 4,21–31)[34]. Was „die Schrift“, d. h. jetzt das Alte Testament, von Israel bezeugt, wird im Neuen Testament typologisch auf die Kirche bezogen; Israels Bundesverhältnis wird heilsgeschichtliche Vorausdarstellung von Gottes Handeln an der Kirche in Gnade und Gericht[35]. In diesem Sinne überträgt das Neue Testament auf die Kirche die Würdebezeichnungen Israels (z. B. 1.Petr. 2,9 f.): Sie ist jetzt „das Israel Gottes“ (Gal. 6,16). Aber Israel ist nicht nur Volk des alten Bundes geworden; *es hat den alten Bund nur mehr in der Weise, daß es ihn gegen den neuen Bund,* der ihm als die einzige Erfüllung der Väterverheißungen verkündigt wird, *festhält.* In welchem Sinne ist dieses Israel, das als Volk um seiner Verheißung und seines Gesetzes willen, beides mißverstehend, dem Evangelium den Glauben versagt (2.Kor. 3,14 ff.; Röm. 10,2 f.), noch in Gottes Bund und unter der den Nachkommen Abrahams gegebenen Verheißung? Redet nicht die Prophetie von Hosea bis Johannes dem Täufer auch von einem Zerbrechen des Bundes und einem Verlieren der Verheißung[36]? Diese Frage wurde nie leidenschaftlicher und tiefer bedacht als in der Stunde, in der sie erstmals bewußt wurde, nämlich als Paulus Röm. 9–11 schrieb.

3. *Israel, das Volk der Verheißung trotz seines Widerstrebens gegen das Evangelium nach Röm. 9–11.* Paulus geht in Röm. 9 von einer wahrhaft prophetischen *Schau der Situation* aus. Nach Ostern waren die meist aus Galiläa stammenden Jünger Jesu in der Metropole Israels, in Jerusalem, mit ihrem Zeugnis von Jesus als dem Verheißenen hervorgetreten. Sie erwarteten, daß sich in kurzer Zeit Israel

---

[34] M. Buber, a.a.O. (Anm. 8), 99–103, sieht richtig, daß Paulus von dem Glauben an die Auferstehung Jesu aus denkt, und zieht sich auf die Hypothese zurück, daß die Jünger ursprünglich an eine Entrückung (der Seele) Jesu geglaubt hatten.

[35] Z. B. 1.Kor. 5,6 ff.; 10,1–11; 2.Kor. 3,4–18; vgl. L. Goppelt, Typos, Die typologische Deutung des Alten Testaments im Neuen, 1966[2], 163–183.

[36] W. Eichrodt, Theologie des AT, Bd. 1 (1933), 250 ff.

als Ganzes seinem Messias zuwenden und daß die Bekehrung Israels die eschatologische Völkerwallfahrt nach Zion herbeiführen werde. 25 Jahre später schreibt Paulus den Römerbrief. Der Herrenbruder Jakobus, das hochangesehene Haupt der Kirche in Palästina, betet immer noch täglich im Tempel um die Bekehrung Israels. Paulus aber sieht, daß Israel als Volk, nicht nur eine mehr oder minder große Zahl einzelner jüdischer Menschen, das Evangelium vorerst endgültig abgelehnt hat. Seitdem sind fast zweitausend Jahre verflossen; sie haben diese Deutung der Situation wie die Lösung, die Paulus für sie findet, bestätigt.

Die Situation war religionsgeschichtlich gesehen nicht überraschend. Religionsgeschichtlich war nicht zu erwarten, daß die Bewegung der Nazarener das jüdische Volk in größerem Umfang erfassen werde als die der Essener und ähnlicher Gruppen, die auf politische Mittel verzichteten. Das Heidenchristentum aber, das durch Vermittlung des hellenistischen Judentums aus dem Judenchristentum hervorwuchs, mußte dem Judentum ähnlich wie der Islam religionsgeschichtlich als eine synkretistische Bewegung erscheinen. Das Judentum mußte sich gemäß der Linie, die es seit der Makkabäerzeit verfolgte, mit allen Kräften wehren, in diese synkretistische Bewegung hineingezogen zu werden. Religionsgeschichtlich war demnach keine andere Entwicklung zu erwarten.

Aber Paulus sieht den Vorgang nicht als objektivierender Zuschauer, sondern als Israelit, mehr noch, von dem Glauben an den Gott Israels und an Jesus als den Verheißenen her. Deshalb sieht Paulus den Vorgang „mit großem und unaufhörlichem Schmerz" um Israel und mit einer alle christliche Existenz in Frage stellenden *Frage:* Ist „Gottes Wort" hinfällig geworden, nämlich die Berufung Israels zu Gottes Volk, die Ausdruck seiner Erwählung war (Röm. 9,6; 11,28 f.)? Dann würde auch der Grund der christlichen Heilsgewißheit einstürzen, auf den die Entfaltung des Evangeliums in Röm. 1—8 hingeführt hat: „Die er vorher bestimmt hat, die hat er auch berufen; und die er berufen hat, die hat er auch gerechtfertigt; und die er gerechtfertigt hat, die hat er auch verherrlicht" (Röm. 8,30). Die Frage nach Israel in Röm. 9 wächst demnach in gleicher Weise aus der Gedankenführung von Röm. 1—8 heraus wie aus der missionarisch-kirchlichen Situation, der sich Paulus am Ende seines Wirkens in der östlichen Hälfte der Ökumene gegenübersieht (Röm. 15,19—33).

Paulus vernimmt *auf seine Frage von Gott her drei Antworten. Die erste Antwort*, Röm. 9,6—29, besagt: Gottes Verheißung gilt von vornherein nicht allen leiblichen Nachkommen Abrahams, sondern nur den von Gottes Gnade Erwählten, z. B. nur Isaak, und nicht Ismael! Die Judenchristen sind der geweissagte „Rest", dem allein die

Verheißung gilt (Röm. 9,27 f.). Erst in diesem Zusammenhang taucht im Urchristentum der alttestamentliche Restgedanke auf, nicht vorher! Soweit Israel jedoch das Evangelium ablehnt, ist es „verstockt" (Röm. 9,18), d. h. Gott hat ihr Herz für den Glauben verschlossen. Daraus kann Paulus nach dem vorangestellten Grundsatz nur mit Erschrecken folgern: Sie wurden nicht berufen (vgl. Röm. 9,24), weil sie nicht erwählt sind: „Nicht alle aus Israel sind Israel, auch nicht alle Nachkommen Abrahams (sind) Kinder (der Verheißung)" (Röm. 9,6 f.). „Israel nach dem Fleische" (1.Kor. 10,18), das natürliche Volk ist nicht identisch mit dem erwählten Volk Gottes. Was Paulus hier mit Hilfe des Restgedankens entwickelt, drückt Joh. 8,37–44 dualistisch aus. *Die zweite Antwort*, Röm. 9,30–10,21, fügt hinzu: Gott hat mehr getan, als er zugesagt hat: Er hat das Volk nicht einfach seinen Weg gehen lassen, er hat „den ganzen Tag die Hände ausgestreckt" nach ihnen (Röm. 10,21). Er hat sie durch die Predigt des Evangeliums rufen lassen, aber sie waren nicht gehorsam. Das hat Paulus selbst in bitterster Weise erfahren (1.Thess. 2,14 ff.; Apg. 13,45; 18,6; 28,24). Israels Unglaube ist nicht nur Verstockung (Röm. 9,18), er ist zugleich Ungehorsam und Schuld (Röm. 10,16). Paulus kann deshalb nur fürchten, daß sie wie alle, die dem Evangelium ungehorsam sind, „Verderben", Gottes endgültiger Zorn, trifft (Röm. 9,22; 1.Thess. 2,16).

Mit diesen beiden Erklärungen, Israel ist verstockt und schuldhaft ungehorsam, die logisch nicht vereinbar, aber theologisch notwendig sind, *begnügt sich das Neue Testament weithin* gegenüber dem bewegenden Faktum, daß Israel als Volk das Evangelium ablehnt. Zwei Beispiele aus der zweiten apostolischen Generation, für die dieses Faktum offenkundig ist, sind besonders bemerkenswert:

Lukas zitiert am Ende seines Geschichtswerkes in Apg. 28,25–28 die Stelle von der Verstockung Jes. 6,9 f., auf die vielleicht schon Jesus selbst verwiesen hat (Mk. 4,11 f.), um zu erklären: Israel wurde das Evangelium gemäß dem Ablauf der Heilsgeschichte zuerst angeboten (Apg. 3,26; 13,46), aber jetzt ist das Evangelium über Israel hinaus zu den Heiden weitergegangen (Lk. 4,16–30; Apg. 28,28). Soweit die Juden das Evangelium ablehnen, scheiden sie aus der zukünftigen Heilsgeschichte aus[37]. Lukas führt mit dieser Erklärung der Auffassung entgegen, die in der frühkatholischen Kirche des zweiten Jahrhunderts zur Regel wird. Sie spricht aus dem oft zitierten Wort: „Die Weise der Juden und Heiden ist alt, ihr aber seid ein drittes Geschlecht."[38] Nach diesem Wort löst die Kirche Israel nicht mehr eschatologisch, wenn auch in der Geschichte, sondern nur geschichtlich ab!

[37] J. Gnilka, Die Verstockung Israels. Jesaias 6,9–10, in der Theologie der Synoptiker, 1961, 149–154. [38] Kerygma Petri bei Clem. Al Strom. VI, 5, 41, 6.

Mit anderer Akzentsetzung sucht der Evangelist *Matthäus*[39], wenn er die Evangelientradition für seine dem Judentum räumlich und innerlich nahestehende Gemeinde darstellt, das bedrückende Rätsel Israel zu erklären. Er betont von seiner rigorosen ethischen Grundeinstellung aus vor allem die Schuld. Das vom Pharisäismus vertretene Israel war Gott ungehorsam. Deshalb wurde ihnen „der Weinberg", Gottes gnädige Zuwendung, „genommen und einem anderen Volk (nämlich der Kirche) gegeben" (Mt. 21,43; vgl. 8,12). Die Kirche ist die bereits in das Erfüllungsgeschehen gestellte eschatologische Gemeinde Israel gegenüber (Mt. 5,18; 13,41; 16,18). Mit diesem Betonen des Ungehorsams, hinter dem auch er Verstockung sieht (Mt. 13,13 ff.), will Matthäus nicht nur anklagen, sondern ernsthaft missionarisch zur Umkehr rufen. Er schließt den Bußruf mit der Ankündigung, daß Christus bei seiner Parusie auch von einem ihm zujubelnden Israel empfangen werde (Mt. 23,39). Der missionarische Bußruf und diese Heilserwartung für Israel heben Matthäus von den meisten Lösungen unserer Frage in der zweiten Generation ab.

Abgesehen von diesem zurückhaltenden Wort des Matthäus wird im Neuen Testament eine heilvolle Begegnung Israels mit Christus nur in Röm. 11 angekündigt; nur dieses Kapitel führt über das Urteil, das in unterschiedlicher Betonung von Israels Verstockung und Schuld redet, hinaus.

Nachdem am Ende von Röm. 10 entschieden zu sein scheint, daß jetzt nur mehr die Gläubigen aus den Heiden und der Rest aus Israel Gottes Volk sind, aber nicht das Jesus ablehnende Judentum, stellt Paulus in *Röm. 11,1* überraschend erneut die Frage: „Hat Gott sein Volk verstoßen?" *Die Problematik dieser Frage* wird uns bewußt, wenn wir eine profilierte Exegese dieses neuen Fragens aus unserer Zeit hören: Wenn Paulus endlich so fragt, hat „der Geist Jesu über den Geist des Antisemitismus und der Verfolgerpolemik (1.Thess. 2,14 ff.), . . . der geschichtstheologische Realismus des Apostels über die eigenen allegoristischen (Gal. 3,16) und spiritualistischen (Röm. 9,8) Anfangsversuche gesiegt. Der Blutsverband Israel ist das Volk Abrahams und das Volk der Verheißung (Röm. 3,2 f.; 4,1; 9,4 f.). Diese Verheißungen aber sind unumstößlich (Röm. 3,3 f.; 11,29)."[40] Nach dieser Exegese wären Röm. 9 und 11 einander ablösende Betrachtungsweisen; diese Erklärung wird jedoch Paulus nicht gerecht: Gal. 3 und Röm. 9 können nicht als „Anfangsversuche" abgetan werden. Paulus redet von Jesu eigenem Verhalten (Mt. 8,10) und von der

---

[39] Gnilka, a.a.O. (Anm. 37), 97–102; W. Trilling, Das wahre Israel, Studien zur Theologie des Matthäus-Evangeliums, 1959; R. Hummel, Die Auseinandersetzung zwischen Kirche und Judentum im Mt.-Ev., 1963.

[40] E. Stauffer, Die Theologie des Neuen Testaments, 1947³, 171.

theologischen Mitte des Evangeliums her, wenn er unerbittlich betont: Nur die Glaubenden sind die Kinder Abrahams, denen die Verheißung gilt (Röm. 4,11 f.), nur sie sind Volk der Verheißung, „Israel" (Röm. 9,6). Dies ist durch die Erscheinung Jesu unausweichlich gesetzt. Wer die durch Christus ergangene Berufung ernst nimmt, muß Röm. 9 f. bekennen. Aber dann darf und muß er gerade um der ihm widerfahrenen Berufung willen darauf hinweisen, daß Gottes Berufung durch die Väter und am Sinai an Israel als Volk ergangen ist, und auch diese Berufung als Ausdruck der Erwählung ansehen und deshalb die Frage von Röm. 11,1 stellen.

Auf die so gestellte Frage, und nur auf sie, darf er die Antwort in Röm. 11,2 hören: *„Gott hat sein Volk nicht verstoßen,* das er vorher erkannt (d. h. erwählt) hat." Dieses Wort besagt nach dem Textzusammenhang nicht, daß Israel trotz der Ablehnung des Evangeliums wie ehedem Gottes Volk sei, wohl aber *daß Gottes Erwählung doch dem Volksganzen,* nicht nur dem Rest *gilt, und daß sie durch die Berufung zum Glauben zum Ziel führen wird* (11,28 f.). Daß „Gott sein Volk nicht verstoßen hat", erweist sich nämlich zunächst nach 11,2—10 darin, daß schon ein Rest gerettet ist (11,5), die Judenchristen. Die übrigen aber sind nicht gestrauchelt, um endgültig zu fallen, sondern um das Evangelium zu den Heidenvölkern hinauszudrängen; durch das Eingehen der Heiden in das Heilsvolk sollen die Juden eifersüchtig gemacht und ebenfalls heimgeholt werden (Röm. 11,11—24).

Man darf die zugespitzten, leidenschaftlichen Sätze, in denen Paulus dies aussagt, nicht pressen. Paulus will nicht sagen, daß Heidenmission für ihn nur ein Mittel sei, um Israel zu bekehren, sondern daß er dies als zusätzliche Wirkung erwarte (Röm. 11,13 f.). Das Bild vom edlen und wilden Ölbaum (Röm. 11,16—24) will nicht die Vorstellung erwecken, Israel sei die Erwählung geradezu von Natur eigen, es will vielmehr vor aller Sicherheit warnen: Die Kirche aus den Heiden soll nicht selbstsicher auf das jüdische Volk herabsehen, das im Eifer um seine Tradition am Evangelium vorbeigeht. Allein Gottes Gnade hat den Heiden, den Zweigen des wilden Ölbaumes, Anteil an der Väterverheißung gegeben; sie dürfen diesen Anteil und mit ihm den Besitz des Alten Testaments nie als selbstverständlich ansehen! Die Gnade, die Heiden zu Erben der Väterverheißung machte, kann erst recht die jetzt verstoßenen geschichtlichen Nachkommen Abrahams wieder einsetzen. Paulus betont hier die Kontinuität von Gottes Heilshandeln in der Geschichte: Gott bindet sich an Menschen. Deshalb gibt es Heil nur in der geschichtlichen Kontinuität als Erben der den Vätern gegebenen Verheißungen, und deshalb gibt es Hoffnung für Israel. Aber es widerspricht der Grundlinie von Röm. 9—11, wenn man den Akzent von der Treue Gottes auf eine Qualität Israels verlegt. Man sollte von der Einpfropfung der Heiden nicht sagen: Die Heidenchristen seien „die in ihr (der Juden) Haus gekommenen Gäste“[41]; denn es ist nicht ihr Haus, sondern Gottes Haus! Ebenso mißverständlich ist es, wenn man von der Wiedereinpfropfung erklärt: Die abgehauenen Zweige „sind nicht verdorrt, sie sind nicht tot, sondern sie sind gewissermaßen virtuell Glieder des Gottesvolkes, jederzeit in der Lage, das, wozu sie bestimmt sind, wirklich zu sein“[42]. In Wirklichkeit findet Paulus hier nur mit Furcht und Zittern die Möglichkeit, daß Gott sie retten werde (11,23), weil seine Treue größer ist als alle menschliche Untreue (Röm. 3,1–4).

Diese Möglichkeit ist für ihn so wenig selbstverständlich, daß er in *Röm. 11,25* noch einmal feierlich einsetzt, um seine Leser von der Möglichkeit zur Gewißheit zu führen. Die Gewißheit ist ein Mysterium, ein Stück von Gottes verborgenem Heilsplan, das ihm der Geist der Prophetie erschlossen hat: „Teilweise Verstockung ist über Israel gekommen, bis die Vollzahl der Heiden eingegangen ist, und so wird *ganz Israel gerettet werden.*“ „Ganz Israel“ sind genauso wie „die Vollzahl der Heiden“ nicht alle einzelnen, sondern die Ganzheit; wenn ganz Israel gerettet ist, dann kann es noch einzelne gleichgültige, ungläubige Juden geben, aber keine Synagoge mehr, die das Evangelium um ihrer Schrift und Tradition willen ablehnt. Paulus erwartet diese Bekehrung ganz Israels zu seinem Christus wohl als wunderbares Ereignis unmittelbar vor der nahen Parusie (Röm. 13, 11 f.), das der Bekehrung der Völkerwelt folgt; nach Röm. 11,15 soll mit Israels Bekehrung die Endvollendung anbrechen[43]!

Die Weissagung hat sich nicht in der Weise erfüllt, wie Paulus es sich ihrem Wortlaut nach vorstellt. Die Bekehrung der Vollzahl der Heiden blieb ebenso aus wie die nahe Parusie! Aber *der Gehalt der Weissagung bleibt auch für uns verbindlich;* denn die Begründung, die Paulus in Röm. 11,26–32 gibt, entspricht der Mitte des Evangeliums. Röm. 11,26 f. weist auf die alttestamentliche Weissagung, die ja immer wieder eine heilvolle Wende für Israel nach dem Fall ankündigte, und 11,28 f. auf die Treue Gottes gegenüber seinem Erwählten. Paulus hat die Rettung ganz Israels weder wie der Chilias-

---

[41] K. Barth, Judaica 6 (1950), 72.

[42] G. Harder, Lutherische Monatshefte 1 (1962), 325.

[43] J. Munck, Christus und Israel. Eine Auslegung von Röm. 9–11, 1956, versucht, die Kapitel möglichst aus der zeitgeschichtlichen kirchlichen Situation zu erklären, und nimmt daher an: Paulus will, wenn er nun begleitet von Repräsentanten der Heidenkirche nach Jerusalem reist, diese Wendung Israels provozieren. Würde jedoch Paulus diese Absicht vorschweben, dann müßte Röm. 15,30 ff. anders lauten. Röm. 11,25 f. ist echte Prophetie, gerade weil Paulus nicht weiß und nicht beschreibt, wie sie erfüllt werden soll.

mus aus ersterem noch wie eine einseitige Erwählungstheologie aus letzterem gefolgert; er will nur feststellen, daß sich die ihm geschenkte Prophetie und sein Bild der Heilsgeschichte gegenseitig bestätigen. Die Weissagung entspricht überdies der Art, wie Gott durch Christus das Heil verwirklicht: „Gott hat sie alle unter dem Ungehorsam verschlossen, um sich aller zu erbarmen" (11,30 ff.)! Gottes Zorn steht im Dienst seiner Liebe! Diese Gewißheit hat der Glaube durch das Kreuz gewonnen (Röm. 5,5–8). Die Liebe und die Treue Gottes, die uns in Jesu Sterben und Auferstehen begegnen, vermitteln auch uns die Glaubensgewißheit, daß das Heilswerk, das Israel als Volk widerfahren ist (Röm. 9,4 f.; 11,16), entgegen allen Ansprüchen der Menschen (Röm. 9) und trotz all ihres Versagens (Röm. 10), aber gemäß der von Anfang an auf Gottes creatio ex nihilo gestellten Heilsverheißung (Röm. 4,17) so vollendet wird, wie es Röm. 11,25 f. weissagt. Die einzigartige Erhaltung des jüdischen Volkes in der Weltgeschichte ist ein dies bestätigendes Zeichen. Demgemäß können auch wir Israels jetzige Stellung nur in der Dialektik von Röm. 11,28 ausdrücken, wenn wir nun die Summe ziehen.

III.

Was ergibt sich aus dieser Deutung von Israels Weg durch Paulus für *das Verhältnis der Kirche zu dem das Evangelium ablehnenden jüdischen Volk heute?* Paulus redet aufgrund seiner Erfahrungen und im Blick auf seine Situation, er redet auch in der Perspektive der Naherwartung, aber die Grundzüge seiner Aussagen erweisen sich als Folgerungen aus der Mitte des Evangeliums; sie sind daher auch für uns verbindlich. Sie gelten, auch wenn die religiöse Struktur des jüdischen Volkes heute anders und noch vielschichtiger ist als in seinen Tagen; denn sie weisen in erster Linie auf Setzungen Gottes, die den Wandlungen der Frömmigkeit vorausgehen. In diesem Sinne ist von Paulus her Folgendes zu sagen.

1. *Israel steht auch heute in einem einzigartigen Verhältnis zur Kirche.* Wir dürfen dieses Verhältnis nicht durch Verwendung von Bezeichnungen nivellieren, die für andere Verhältnisse üblich sind. Das heutige Israel ist theologisch gesehen nicht lediglich Volk unter Völkern, nicht nur Religion unter nichtchristlichen Religionen, aber es ist auch nicht Konfession neben den christlichen Konfessionen, so daß das Verhältnis ihm gegenüber zur „ökumenischen Frage" gehören würde. Das Judentum kann auch heute nur mit der einzigartigen Bezeichnung „Israel" gekennzeichnet werden.

2. Die Bezeichnung „Israel" muß dabei *in der harten Dialektik* bestimmt werden, die Paulus in seiner Sprache in *Röm. 11,28* zuge-

spitzt umschreibt: Sie sind „Feinde (Gottes) um euret- (der Christen) willen“ und zugleich „Geliebte (Gottes) um der Väter willen“.

Die *„Feindschaft“* ist das Verhalten der Juden gegenüber Jesus und dem Evangelium. Es ist nicht nachchristliches Antichristentum, wie es gerade in der „modernen“ Welt umgeht; sie sind nicht vom Evangelium abgefallen. Sie nehmen es vielmehr aufgrund ihres Schriftverständnisses, aufgrund ihres Verständnisses von Weissagung und Gesetz, nicht an; dies bedeutet existentielles Mißverstehen (Röm. 9,30–10,4; 2.Kor. 3,12–18). In dieser Haltung repräsentieren sie weiterhin die vorchristliche Menschheit, und zwar den Teil, der Gottes Offenbarung am nächsten steht. Die Begegnung mit dem Judentum ist daher für die Kirche gewichtiger als die mit der Philosophie. Aber noch mehr: Durch dieses Verhalten haben sie einen einzigartigen negativen Dienst am Evangelium getan: Das Evangelium hat auf Grund ihrer Begegnung mit Jesus und ihrer Antwort auf die Botschaft von seiner Auferstehung und Erhöhung zum messianischen Herrscher Gestalt gewonnen als die Heilsbotschaft für alle Menschen. Diese ihre leidvolle Funktion, die sie gezeichnet hat, darf die Kirche nie übersehen. Gleichzeitig muß sie, wenn sie das Evangelium ernst nimmt, in diesem Widerstreben Verstockung und Schuld sehen, die des Heils berauben.

Nur im Sinne eines alle menschlichen Erwartungen übersteigenden Glaubens darf sie sagen: Ihnen gilt trotz dieses Widerstrebens gegen Gottes Werk weiterhin die *Liebe* Gottes. Ihnen gilt nicht nur die Liebe, die Gott der gesamten ihm widerstrebenden Menschheit in der Sendung Jesu erweist (Röm. 5,6–11), auf sie ist Gottes Liebe, die sich im Erwählen und Berufen äußert, speziell „um der Väter“, d. h. um der Abraham gegebenen Verheißung „willen“ gerichtet. Diese besondere Erwählung bleibt bestehen, obgleich sich die Abraham gegebene Verheißung ausschließlich durch Jesus Christus und daher in seiner Gemeinde erfüllt (Gal. 3; Röm. 4). Sie bleibt allein aufgrund der Treue Gottes bestehen, die sich über den nächsten Sinn der Zusage hinaus an Menschen, hier an dieses Volk bindet, ohne dem Menschen einen Anspruch zu geben. Diese besondere Erwählung um der Väter willen macht das jüdische Volk gerade nicht zu einem Teil der Kirche, wohl aber zu einer Fortsetzung des alttestamentlichen Israel: Sie leben noch gleichsam in der unteren Ebene der Verheißung und des Gesetzes. Aber sie sind von dem alttestamentlichen Israel unterschieden, weil sie in die Ebene der Erfüllung nicht nur nicht eingetreten sind, sondern in Opposition gegen sie stehen: Sie halten ihren durch Christus bereits eschatologisch aufgehobenen Gottesbund gegen Christus fest (2.Kor. 3,12–18).

3. Das heutige jüdische Volk ist, weil es im Sinne von Röm. 11,28

„Israel" ist, *mit der Kirche* nicht nur durch gemeinsamen historischen Ursprung, durch gemeinsame Tradition, vor allem das Alte Testament, und durch eine ernster Revision bedürftige gemeinsame Geschichte *verbunden*, sondern von Gottes Heilshandeln her, d. h. heilsgeschichtlich. Diese Verbundenheit verbietet die Abkehr voneinander wie das beziehungslose Nebeneinander; beides hatte sich seit dem Ausgang des ersten Jahrhunderts als Normalzustand ergeben. Sie ruft beide schon um ihrer selbst willen nicht nur zu einem humanen, sondern *zu einem theologischen Kontakt*.

Der Kontakt ist für die Kirche nicht heilsgeschichtliche Voraussetzung ihrer Existenz; in Röm. 1–8 löst Paulus die konstitutive Beziehung des Evangeliums auf Verheißung und Gesetz des Alten Testaments grundsätzlich von der geschichtlichen Erscheinung des gegenwärtigen Judentums. Ebensowenig darf man im Blick auf die Zukunft postulieren, daß die Bekehrung Israels die Voraussetzung der Parusie sei[44]! Wir dürfen das Tasten des Glaubens nach dem Geheimnis von Gottes Heilsplan in Röm. 11 nicht zu einer apokalyptischen Berechnung machen! Der Kontakt ist für die Kirche, sobald jüdische Menschen in ihrem Lebensbereich leben, Prüfstein ihres Selbstverständnisses und eine Aufgabe, an deren Ausführung ihr geistliches Leben wächst oder abnimmt. Als das ernsthafte Gespräch mit dem Judentum im 2. Jahrhundert abbrach, verlor die Christenheit den wirksamsten Schutz gegen philosophische Spiritualisierung, pagane Mythologisierung und judaistische Gesetzlichkeit wie gegen eine willkürliche Deutung des Alten Testaments und der Situation Jesu. Heute ist, was jüdische Gelehrte nicht nur als Historiker, sondern vom Judentum her sagen, ein unübersehbarer Beitrag zum Verständnis des Urchristentums geworden. Nicht zufällig hat dieser Beitrag immer existentielle Auswirkung. Was Martin Buber[45] von dem Gespräch speziell in der gegenwärtigen Situation erwartet, liegt in dieser Linie: „Ein nach der Erneuerung seines Glaubens durch die Wiedergeburt der Person strebendes Israel, und eine nach der Erneuerung ihres Glaubens durch die Wiedergeburt der Völker strebende Christenheit hätten einander Ungesagtes zu sagen und eine heute kaum erst vorstellbare Hilfe einander zu leisten."

4. *Die Gestalt, in der dieser Kontakt aufgenommen werden soll*, wird gegenwärtig vielfach unter die Alternative Mission oder Dialog gestellt. Diese Alternative ist verfehlt; sie vermengt Form und Inhalt. Auch der Kontakt zwischen Christen und den der Kirche entfremdeten Menschen vollzieht sich heute vielfach in der Gestalt des Ge-

---

[44] Über solche „Israel-zentrischen" Missionstheorien berichtet G. Lindeskog, Israel in the New Testament, in: Svensk Exegetisk Arsbok XXVI (1962), 57–92.

[45] A.a.O. (Anm. 8), 178; vgl. Schoeps, a.a.O. (Anm. 4), 185–199.

spräches. Voraussetzung eines echten Gespräches ist eine gemeinsame Grundlage und ein gewisses Maß gegenseitiger Anerkennung. Nun können Christen nach dem Gesagten den Weg Israels zu Gott nicht als dem christlichen Weg gleichstehend anerkennen. Sie können auch nicht sagen, daß ihre Sendung an die Welt der Israels entspreche und daß sie beide dieselbe Hoffnung hätten. Aber sie können einander anerkennen als solche, die ein Stück weit der gleichen Offenbarung Gottes gegenüberstehen. Sie kommen beide nicht nur wie alle Menschen von der Bekundung Gottes des Schöpfers her (Röm. 1,20), sondern von seiner besonderen Heilsoffenbarung, und sie warten beide auf eine Vollendung dieser Offenbarung, die der Zeit ihrer Fremdlingschaft ein Ende macht.

Die Offenbarungen, von denen sie herkommen, sind nicht ihr Besitz, sondern immer ihr Gegenüber. Sie sind ihnen gegenüber zunächst nie einfach Gläubige und Ungläubige, sondern Angefochtene. Das gemeinsame Bemühen um dieses Gegenüber, das wir nicht in unser Denkschema einfügen können, die Frage, wie es zu verstehen und anzueignen ist, kann eine vorerst unerschöpfliche Quelle eines Gespräches werden, durch das jeder sich selbst und den anderen besser verstehen lernt.

Das Gespräch wird nur fruchtbar, wenn nicht in objektivierender, analysierender Distanz geredet wird, sondern jeder auch seine Antwort auf das Gegenüber der Offenbarung Gottes bekennt und bezeugt, durch seine Aussage wie durch sein Verhalten. Dieses Bezeugen läßt aus dem Gespräch gerade keine Diskussion werden, die nur der Selbstdarstellung und der Selbstrechtfertigung dient und daher in monologischen Deklamationen endet.

Wer im Glauben um das Geheimnis Israels weiß, wird eingedenk des besonderen Weges, den Gott Israel in Gnade und Gericht gehen ließ, das Gespräch auf seine Begegnung mit Jesus Christus hin führen, deren Stunde ihm verborgen ist, aber im Herzen immer hoffen, schon jetzt „einige von ihnen zu retten“ (Röm. 11,14). Dieses Hoffen ist Ausdruck der Liebe, die nicht das Ihre, sondern das des anderen sucht; diese Liebe, die immer zuerst in der Fürbitte laut wird, ist der beste Motor eines echten Gesprächs!

Der Staat in der Sicht des Neuen Testaments*

Am heilsgeschichtlichen Ursprung des Christentums steht die theokratische Einheit von Staat und Gottesgemeinde. In Israel ist Gottes Gesetz zugleich Staatsgesetz. Die Schriftgelehrten sind Theologen und Juristen zugleich. Diese Einheit wird durch die Eigenmächtigkeit politischer Machthaber oder durch Eingriffe einer Fremdherrschaft gestört, aber nicht grundsätzlich in Frage gestellt. Diese Einheit ist dadurch gegeben, daß ein natürliches Volk zum Volk Gottes berufen und dementsprechend unter das von der Verheißung umschlossene Gesetz Gottes gestellt wurde. Die Einheit wird nur durch die Prophetie grundsätzlich in Frage gestellt: Das natürliche Volk versagt gegenüber Gottes Gesetz; erst ein neues, durch die Erfüllung der Verheißung sola gratia geschaffenes Volk kann Gottes Volk sein. Die von der Prophetie eschatologisch in Frage gestellte Einheit wird vom Judentum stabilisiert, von Jesus aber grundsätzlich gesprengt. (Daher ist es uns verwehrt, alttestamentliche Worte, die Israel als Volk Gottes gelten, die es z. B. auf seinen Glauben hin anreden, auf irgendein natürliches Volk zu übertragen.)

I. Jesu Ruf in die eschatologische Existenz

1. Wir gehen aus von der Frage: Wie verhält sich die Existenz, in die Jesu ruft, zu der Existenz im Rahmen der Volksgemeinde Israel? Das ist im Grunde die Frage nach dem Sinn und der Verwirklichung der Forderungen Jesu, populär bekannt als das Problem der Bergpredigt. Um diese Frage ringt die Kirche seit zweitausend Jahren. Ein exegetisches Gespräch über diese Frage ist nur möglich Auge in Auge mit den großen *Lösungen, die bisher entwickelt* und von Millionen von Menschen gelebt wurden[1].

a) Wir meinen, um es nur schematisch anzudeuten, 1. die *schwärmerische* Lösung: Jesu Forderungen sind eine neue Ordnung des

* Als Referat veröffentlicht in: Macht und Recht, hrsg. von H. Dombois und E. Wilkens, Luth. Verlagshaus Berl. 1956, 9–21.

[1] Zur Geschichte der Auslegung vgl. Th. Soiron, Die Bergpredigt, 1941.

Lebens in dieser Welt, die das Gesetz ablöst. 2. Die „*katholische*“ Lösung: Die zugespitzten Forderungen Jesu sind generell undurchführbar. Sie werden von dem oberen Teil des corpus Christianum realisiert. Er tritt damit stellvertretend ein für den unteren, die Masse der Laien, die im Kompromiß mit dem dieser Welt geltenden Gesetz leben müssen[2]. 3. Die *lutherische* Reformation: Jeder Christ steht zugleich unter der Forderung Jesu und der des Gesetzes: „Also gehet das beides fein miteinander, daß du zugleich Gottes Reich und der Welt Reich genug tuest, äußerlich und innerlich, zugleich Übel und Unrecht leidest, und doch Übel und Unrecht strafest, zugleich dem Übel nicht widerstehest und doch widerstehest; denn mit dem einen siehest du auf dich und das Deine und mit dem anderen auf den Nächsten und auf das Seine“ (WA 11,255).

Während hier Jesu Forderungen von ihrem Verhältnis zum Gesetz aus gedeutet werden, werden sie 4. im *modernen Protestantismus* von ihrem Verhältnis zum Reich Gottes her verstanden: a) die *Gesinnungsethik* (W. Herrmann): Jesu Forderungen können und sollen nicht buchstäblich erfüllt werden. Jesu Worte umschreiben eine innere Haltung. Wir sollen in der Gesinnung der Selbstlosigkeit und Dienstbereitschaft tun, was der Lebensordnung dieser Welt entspricht. Das bedeutet: Die Christengemeinde geht weithin auf in der Bürgergemeinde; die Predigt der Kirche am Sonntagmorgen hat die Gesinnung zu vermitteln, in der man die Woche über seine bürgerlichen Pflichten erfüllt. b) Die *konsequente Eschatologie* (A. Schweitzer): Jesu Forderungen sind *Interimsethik*. Sie waren bestimmt für die kurze Frist bis zum nahen Hereinbruch des Reiches Gottes. Nach der Nicht-Erfüllung der Naherwartung sind sie ein Ruf zur heroischen Überbietung des bürgerlichen Ethos. c) Die *aktuelle Eschatologie* (M. Dibelius; R. Bultmann): „Gottes Reich ist nahe“ bedeutet: Gottes Herrschaft ist im Anbrechen. Jesus fordert eine dem stets aktuellen Hereinbrechen des Reiches entsprechende Entscheidung für Gott gegen die Welt; diese soll sich in stets aktueller Nächstenliebe erweisen.

Diese im Raum der neutestamentlichen Forschung für den modernen Protestantismus typischen Lösungen tendieren dahin, das katholische oder lutherische Nebeneinander von Gebot Jesu und Gesetz in einem Kompromiß zwischen beiden aufzuheben; sie nähern sich darin dem schwärmerischen Typ.

b) Um dem zu entgehen, versuchen wir den Sinn der Forderungen

---

[2] Die moderne katholische Exegese versucht, Jesu Forderungen möglichst weitgehend als allgemein verbindlich zu deuten, versteht sie jedoch teils gesetzlich (z. B. das Verbot der Ehescheidung), teils als nur von Fall zu Fall zu realisierende heroische Weisungen (so zuletzt R. Schnackenburg, Die sittliche Botschaft des Neuen Testaments, 1954, vor allem S. 26 f. u. S. 49–55).

Jesu von ihrem Verhältnis zum alttestamentlichen Gesetz her zu entwickeln.

Jesus ruft zuerst von der kasuistischen Verwässerung der Gebote durch die Schriftgelehrten *zurück zu den zentralen alttestamentlichen Geboten,* zum Dekalog, zum Liebesgebot. Mt. 15,3: „Warum übertretet ihr Gottes Gebot durch eure Auslegungstradition? Denn Gott hat gesagt: Du sollst Deinen Vater und Deine Mutter ehren! Ihr aber sagt ..."

Aber er bleibt nicht dabei stehen. Das alttestamentliche Gesetz setzt die Herzenshärtigkeit der gefallenen Schöpfung voraus. Jesus ruft *zurück zur ursprünglichen Ordnung der Schöpfung.* Mt. 19,8.6.9: „Um eurer Herzenshärtigkeit willen hat Mose euch erlaubt, eure Frauen (durch Scheidebrief) zu entlassen; von Anfang an aber ist es nicht so gewesen..." „Was Gott zusammengefügt hat, soll der Mensch nicht scheiden." „Wer also seine Frau entläßt . . . und heiratet eine andere, der bricht die Ehe."

Aber Jesus ruft nicht nur zu der ursprünglichen Ordnung der Schöpfung, sondern darüber *hinaus zu der Vollendung,* in der man „nicht mehr freit und gefreit wird" (Mt. 22,30). Lk. 14,26 (ähnlich par Mt. 10,37): „Wenn einer zu mir kommt und haßt nicht seinen Vater und seine Mutter, seine Frau und seine Kinder, seine Brüder und Schwestern, dazu sein eigenes Leben . . ." Dieses Hassen ist das Gegenstück der ausschließlichen Liebe und Dienstbarkeit (Mt. 6,24), nicht das Hassen der Selbstbehauptung. Oder: Derselbe, der in Mt. 15,4 das vierte Gebot verteidigt, hebt es auf, indem er dem, der ihm nachfolgen will, nicht gestattet, seinen Vater zu begraben; Mt. 8,21 f. par Lk. 9,59 f.: „Folge mir nach und laß die Toten ihre Toten begraben!"

Was ist der Sinn dieser Forderungen Jesu? Wir stehen, auf den Inhalt der Forderungen gesehen, vor drei Stufen: Ruf zur Einhaltung des Gesetzes, Ruf zur ursprünglichen Ordnung der Schöpfung, Ruf aus der Schöpfung heraus zur Vollendung. Man kann verstehen, daß der Katholizismus diese Stufen auf verschiedene Gruppen von Christen verteilt. Aber genauso sicher ist, daß damit ihr Sinn nicht erfaßt ist (so gewiß auch das heute dem einen Gesagte nicht ebenso jedem anderen gilt!). Die genannten Stufen liegen ja sachlich nicht nebeneinander, sondern streben auseinander. Jesus rundet durch seine Forderungen das Gesetz nicht deutend und ergänzend ab, sondern stellt ihm ein Neues gegenüber. Dieses Neue aber kann das Gesetz als Lebensordnung für diese Welt nicht ersetzen; denn es setzt die Überwindung der Herzenshärtigkeit voraus, ja es führt in seiner letzten Zuspitzung über die Lebensformen dieser ersten Schöpfung überhaupt hinaus. Der Sinn der Forderungen Jesu kann nur streng theozentrisch ausgedrückt werden: *Jesus ruft zum totalen und radikalen Gehorsam gegen Gott den Schöpfer und Vollender.* Er nimmt dem Menschen jede Satzung, hinter der er sich gegen Gottes totalen Anspruch verbergen kann. Er löst ihn aus jedem Kompromiß mit der Sünde. Jesu Ruf aus der Ordnung des Gesetzes heraus ist nur sinnvoll, wenn Schöpfung, Sünde und Gesetz in der unlösbaren Aufeinanderbezogenheit stehen, die Paulus aufgedeckt hat, wenn der Mensch nur durch die Zugehörigkeit zu einem schlechthin Neuen frei wird zum Gehorsam. Jesu Forderungen sind letztlich *Entfaltung seines Rufes zur Umkehr auf das Reich Gottes hin.*

Wie kann Jesu Forderung dann erfüllt werden? Kann sie mehr sein als ein hoffnungsloses *Schuldigsprechen?* Wir sollten so sein, aber wir sind es nicht und können es nicht sein, weder von uns aus noch nach dem Bestand dieser Welt. Der Ausweg muß uns geschenkt werden durch ein Neues, das in diese Welt eintritt.

Das Gleichnis vom verlorenen Sohn beschreibt, wie sich die Umkehr vollzieht. Sie geschieht nach Lk. 15,2 dort, wo Jesus die Zöllner und Sünder in seine Tischgemeinschaft aufnimmt. *Wer sich Jesu Gemeinschaft schenken läßt, der hat das Ziel der Umkehr*, den Anteil an der Herrschaft Gottes *erreicht*. Das Reich Gottes ist in Jesus nicht nur, wie Bultmann und Dibelius sagen, nahe, sondern gegenwärtig.

Die auf diese Weise durch die Vergebung geschenkte Umkehr ist der Indikativ, den es ein Leben lang durch *„Früchte der Umkehr“* zu realisieren gilt. Wir können erst dann anders handeln als die Welt, wenn wir durch Gottes Heilstat anders als die Welt geworden sind. Was Jesus mit Buße meint, nennt Paulus Glaube. Dieser Glaube ist die geschenkte Erfüllung der Forderung Jesu, die neue Existenz. Der Glaube und er allein realisiert zeichenhaft auch durch die Tat Jesu Forderung.

Wie sieht die Erfüllung der Forderung Jesu gemessen an ihren Stufen aus? Solange diese Welt besteht und die Glaubenden im Fleische leben, liegt für sie die Welt der Sünde und das über ihr stehende Gesetz nie zeitlich dahinter. Mt. 5,18: „Bis der Himmel und die Erde vergehen, soll nicht ein Jota oder Häkchen vom Gesetz dahinfallen...!“ Das ist wörtlich gemeint! Deshalb bedeutet Gehorsam nun zuerst *Erfüllung des Gesetzes aus neuem Herzen*, aber zugleich Überbietung des Gesetzes auf die ursprüngliche Schöpfung hin, noch mehr: aufhebende *Überbietung* auf die Vollendung hin *durch aktuellen zeichenhaften Glaubensgehorsam.* Wann das eine und wann das andere geboten ist, entscheidet in der Situation der Erdentage weithin die Einzelweisung Jesu (Mt. 8,4; 19,21); das wird nach Jesu Erhöhung durch die jeweilige geschichtliche Berufung im Heiligen Geist erkannt (s. u. S. 200 f.).

Jesu Forderung führt also nicht in eine neue statische Lebensform hinein, sondern *in eine spannungsreiche Bewegung*, die erst mit dem Vergehen dieser Welt der Sünde und des Fleisches sowie des über beidem stehenden Gesetzes und mit dem sichtbaren Anbruch des Reiches zur Ruhe kommt.

Jesu Forderung fand nach ihrer positiven Seite ihre erste und bleibend *grundlegende Erfüllung durch ihn selbst*. Er weist den Knecht des Hohenpriesters, der ihn schlägt, zurecht (Joh. 18,22 f.), aber dann bietet er nach Jes. 50,6 die Wange dar denen, die ihn schlagen. Sein Handeln ist äußerlich so zwiespältig wie nach Luther die Existenz des Christen in den beiden Reichen. Die Aufhebung des Gesetzes bleibt, z. B. auch gegenüber dem Sabbatgebot, ein zeichenhafter Akt überbietender Erfüllung.

Um der zeichenhaften Aufhebung des Gesetzes willen *führt sein Weg zum Kreuz*. An ihm selbst wird sichtbar: Die Erfüllung der Forderung Jesu führt in die Existenz „der Fremdlinge und Beisassen" (1.Petr. 2,11), die noch in der Stadt wohnen und ihre Gesetze erfüllen, die aber nicht mehr in ihr zu Hause sind. Noch mehr: Sie führt in die Kreuzesnachfolge. Es ist eine gewichtige Bestätigung für Luthers Lehre von den beiden Reichen, daß nach ihr gleichwie nach dem Neuen Testament am Ende des Gehorsams der Christen in der Welt das Leiden, das Kreuz steht.

2. In diesem Rahmen verstehen wir *die vereinzelten Äußerungen Jesu zum Staat*.

In Jesu Jüngerschar soll eine andere Ordnung gelten als im staatlichen Leben: Dort ist groß, wer Macht gewinnt, sich die anderen dienstbar zu machen, hier, wer sich hingibt, um den anderen zu dienen, wie es der Meister selbst gegenüber seinen Jüngern getan hat (Mk. 10,42–45 par): Die Herrschaft Christi ist nicht das Abbild der Reiche dieser Welt, sondern ein Reich ganz anderer Art (vgl. Joh. 18,36 f.).

Aber wie sollen sich die seinem Ruf Folgenden gegenüber der staatlichen Ordnung verhalten?

Die *fünfte Antithese* der Bergpredigt hebt die Grundlage jeder staatlichen Ordnung, das Strafrecht, auf. *Mt. 5,38 f.:* „Ihr wißt, daß zu den Alten gesagt ist, Auge um Auge, Zahn um Zahn . . ." Diese Regel ist der Inbegriff des Strafrechts, das durch gewaltsame Abwehr des Bösen das Leben der Menschen in einer gefallenen Welt überhaupt möglich macht. „Ich aber sage euch, widersetzet euch nicht dem Bösen!" Leistet keinen Widerstand, wenn das Böse euch an Leib und Leben, Hab und Gut schädigt! Nach dem Vordersatz ist bei dem „sich widersetzen" zuerst an die Anrufung der Gerichte gedacht. Nach den folgenden Beispielen wird darüber hinaus auch jeder passive Widerstand untersagt, auch wenn er nur in einem bitteren Wort, einem verächtlichen Blick oder in ohnmächtigem Haß besteht. Diese Forderung Jesu wird in keiner Weise erfüllt durch Pazifismus oder durch Umwandlung der Strafgerichtsbarkeit in Erziehungsmaßnahmen oder durch ein anderes humanitäres System, sondern nur durch die leidensbereite Liebe in der Nachfolge Jesu. Man wende den Satz an auf das Verhältnis zum Untermieter, dann ist das Problem der Bergpredigt klar! Dann ist klar, daß dieser Satz nicht das Gesetz ablösen kann, wohl aber daß er eine zeichenhafte Überbietung des Gesetzes in leidendem Glaubensgehorsam fordert und gibt.

Jede Vermengung des Neuen mit dem Alten lehnt Jesus auch hier ab. So verwirft er in *Mk. 12,14–17* par den theokratischen Zelotismus: „Gebt dem Kaiser, was des Kaisers ist, und Gott, was Gottes ist!“ Damit wird nicht zur Trennung von politischem und religiösem Bereich, sondern gerade zur Unterordnung und Nachordnung des Politischen gegenüber der immer wieder erhobenen einen und letzten Forderung Jesu gerufen: „Gebet Gott, was Gottes ist“ – alles! Wer Gott alles gibt, der ist frei, auch dem Kaiser das ihm Gebührende zu geben. Mt. 17,24–27: Die Söhne sind frei; aber leistet das Gebührende, „um nicht Ärgernis zu geben“, d. h. um nicht durch eine der Botschaft widersprechende Unfreiheit am Glauben zu hindern (vgl. Mt. 18,7)!

Die Indienstnahme durch die endzeitliche Gottesherrschaft, die in Jesu Wirken hereinbricht, löst die bürgerlichen Pflichten nicht auf, aber sie läßt umgekehrt Jesus in der jüdischen Theokratie, die durchaus ein Rechtsstaat war, auf Grund der Unterwerfung unter ihr ordentliches Gericht am Kreuz enden. Joh. 19,7: „Wir haben ein Gesetz, und nach diesem Gesetz muß er sterben!“ Sie wird, wie Jesus ankündigt, auch seine Jünger mit dem Gesetz der Juden wie mit den Gesetzen der Völker in Konflikt bringen (Mt. 10,17 f.; vgl. Mk. 13,9 par Lk.)!

Der Ruf Jesu zur Umkehr auf das Reich hin findet nach seiner Auferstehung seine sinngemäße Realisierung in der Sammlung der Kirche. Wie steht die Kirche, die endzeitliche Heilsgemeinde in der Geschichte, zu den Ordnungen dieser Welt?

II. Der Staat in der apostolischen Botschaft

1. Wo ist der Ort des Staates in der urchristlichen Botschaft?

Dieser Ort ist dem ältesten Gesamtaufriß der Botschaft, dem *Römerbrief*, zu entnehmen. Der Römerbrief berührt den Bereich des Staates an zwei Stellen. Einmal natürlich in Röm. 13, das andere

Mal in Röm. 1–3: Paulus könnte in Röm. 1,18 ff. auch reden von Caesarenwahn und Statthalterwillkür, er könnte in Röm. 2 auch reden vom Pharisäismus gerechter Kriege.

Röm. 1–3 ist *Bußwort* auf Grund des Gesetzes vom Kreuz her und auf das Kreuz hin; Röm. 13 steht innerhalb der *Paränese* für die Glaubenden. In den dazwischen liegenden Kapiteln Röm. 3,20–8, unterbaut durch Röm. 9–11, legt Paulus das eigentliche *Evangelium* dar: Gott hat in Christus seine Gerechtigkeit geoffenbart, die jeden Glaubenden von Sünde, Tod und Gesetz frei macht, indem sie ihn gerecht spricht (Röm. 4,23 ff.; 5,18 f.) und damit in ihren Dienst nimmt (Röm. 6,19; 7,6; 8,9).

Die beiden ersten Stücke dieser Trias, Freiheit vom Bösen und vom Vergehen, begehren Juden und Griechen; das letzte würden sie energisch ablehnen: nicht Freiheit vom Gesetz, sondern durch das Gesetz! Frei ist für den Juden, wer nach dem Gesetz lebt. Frei ist für den Griechen der Bürger, der sich freiwillig in die Ordnung der Polis einfügt. Paulus aber wird noch heute von Kritikern in die Nähe des gnostischen Nihilismus gerückt. Freiheit vom Gesetz bedeutet ja für Paulus auch Freiheit von allen Ordnungen dieser Welt: „Hier ist nicht mehr Jude noch Grieche, Knecht noch Freier, Mann noch Frau!" (Gal 3,28; 1.Kor. 12,13).

So wird vor allem an dem dritten Stück dieser Trias deutlich: Glaube an Christus bedeutet eschatologische Existenz. Die Glaubenden sind frei vom Gesetz und von den Ordnungen dieser Welt, weil und sofern ihr altes Ich gestorben ist (Röm. 6,11 f.; 7,4; 10,5; Kol. 2,20; 3,10 f.). Dieses Sterben des Alten und diese Schaffung des Neuen vollzieht sich unter dem Wort von Christi Kreuz und Auferstehung (2.Kor. 5,14 f.), das sich in der Taufe leibhaft konkretisiert (Röm. 6,1–11; Kol. 2,11 f.) und in der christlichen Existenz zeichenhaft realisiert (2.Kor. 4,7–11).

Nur durch diese Freiheit kommt es nach Paulus zum Gehorsam gegen Gott. *Röm. 3–8 erklärt*, von der Ethik her gesehen, *wie es zum Gehorsam kommt, Röm. 12 ff., wie der Gehorsam aussieht.*

Röm. 12,1 f. stellt *das Prinzip* voran: „Erneuerung des Sinnes, um zu prüfen, was der Wille Gottes ist." Wie aber ergeht Gottes *konkrete Einzelweisung?* Sie ergibt sich nach den folgenden Abschnitten nicht aus der kasuistischen Entfaltung von Geboten, sondern *aus der jeweiligen geschichtlichen Gestaltung von Grundverhältnissen* für den durch die Christusbotschaft erleuchteten Sinn.

Das *erste dieser Grundverhältnisse* ist nach Röm. 12,3–8 *die Gemeinde:* Jeder Glaubende ist Glied am Leibe Christi, der Gemeinde, und hat den anderen Gliedern mit der ihm gegebenen geistlichen Gabe zu dienen. Alle Glieder sind untereinander verbunden durch die Bruderliebe (Röm. 12,9–13). Solange die Gemeinde nicht, wie es das Neue Testament voraussetzt, als soziologische Lebensgemeinschaft existiert, bleibt alles Reden über Kirche und Staat hohle Theorie.

Das *zweite Grundverhältnis* ist *das Nächstenverhältnis* (Röm. 12, 14–21; 13,8–10): In das Nächstenverhältnis werden wir zu den Menschen gesetzt, die Gott uns als Nächste begegnen läßt (vgl. Lk. 10, 29–37). Ihnen gegenüber gilt es Nächstenliebe zu üben, auch wenn sie unsere Feinde sind.

Der *dritte* Bereich ist, wie Röm. 13,1–7 andeutet, der *weltliche Stand*. Die Ständetafeln, Kol. 3 f.; Eph. 5 f.; 1.Petr. 2 f., reden vom politischen, sozialen und ehelichen Stand. Der Staat ist grundsätzlich nicht von den anderen Ständen zu sondern!

2. Dieser Aufriß zeigt uns die Perspektive, in der das Neue Testament den Staat sieht. Er läßt vor allem die entscheidende Frage, um die es dem Neuen Testament gegenüber dem Staat geht, sichtbar werden: *Sollen die in die eschatologische Existenz Gerufenen sich weiterhin in die Ordnungen dieser Welt einfügen?*

Diese Frage brach in den urchristlichen Gemeinden zuerst am sozialen und am ehelichen Stand auf. Sollen die Sklaven, die in die Freiheit der Kinder Gottes gerufen sind, weiterhin einem Heiden Sklavendienst leisten? Sollen die Christen, die in die reine Luft der neuen Welt Gottes gerufen sind, an der Seite eines ungläubigen Gatten ausharren? Soll sich die in die Königsherrschaft Christi berufene Gemeinde dem fragwürdigen Weltherrscher zu Rom und seinen Beamten beugen? 1.Kor. 7,20 antwortet: *„Jeder bleibe in dem Stande*, in dem er berufen wurde!" In der Tat sondern sich die urchristlichen Gemeinden nicht wie die Essener oder die Neupythagoräer als Mönchsorden oder als Asketenverein ab; die Glaubenden bilden nicht einen Staat im Staate, sondern bleiben in den weltlichen Ständen und werden dadurch zu Zeugen.

a) Warum sollen die Christen in den Ständen bleiben?

1. Es wurde oft gesagt: Das Urchristentum hat auf Grund seiner hochgespannten Naherwartung und in der Erdenfremdheit seines Glaubens diese Verhältnisse *einfach unangetastet* gelassen. Das ist in keiner Weise richtig. Die Ständetafeln mahnen zur Einordnung „um des Herrn willen" und „um des Gewissens willen" (Röm. 13,5; Kol. 3,22 f.; 1.Petr. 2,13.16). Wer glaubt, ist nie Mitläufer!

2. Warum sollen die Christen gerade um des Herrn willen, der sie frei gemacht hat, untertan sein? O. *Cullmann*[3] gibt ein Stück weit in Übereinstimmung mit K. *Barth*[4] eine bestechende Erklärung. *Christus ist* nach dem Kolosser- und Epheserbrief nicht nur zum *Haupt*

der Gemeinde, sondern auch zu dem *des Kosmos* erhöht! Alle kosmischen Mächte sind ihm unterworfen (Eph. 1,10.22 f.; Kol. 1,16 f.; 2,10). Durch ihn hat Gott das All auf ihn hin versöhnt (Kol. 1,20). Die Obrigkeiten werden in Röm. 13 und sonst im Neuen Testament nicht zufällig als ἐξουσίαι bezeichnet; hinter ihnen stehen die mit demselben Begriff bezeichneten Engelmächte[5]. Der Christ dient im politischen Bereich, weil auch dieser dem erhöhten Christus unterworfen ist.

Charakteristisch für diese Auffassung ist folgendes: Nach Cullmann (a.a.O., S. 175) sind die Engelmächte nun gleichsam „an die lange Leine genommen", d. h. sie sind in ähnlicher Weise gebunden, wie nach Offb. 20,2 der Satan bei Anbruch der Vollendung gebunden wird. Im Epheserbrief aber steht neben dem Wort von der Unterwerfung der Engelmächte (1,21 ff.) der Aufruf zum Kampf gegen sie (6,10 ff.). Nach dem Epheserbrief gleicht die Situation also nicht der von Offb. 20, sondern der von Offb. 12! Die Herrschaft des Erhöhten über die Kirche und über die Welt, über Christengemeinde und Bürgergemeinde, gleicht nicht zwei konzentrischen Kreisen, die im Analogieverhältnis zueinander stehen[6], sondern eher dem Licht und dem Schatten, die in das Hell-Dunkel des Ineinander von Schöpfung und Sünde einbrechen[7].

3. In Wirklichkeit begründet das Neue Testament die Verpflichtungen in den Ständen ausdrücklich stets in anderer Weise. 1.Petr. 2,13: „Seid untertan *jeder menschlichen* κτίσις!" Es wird oft übersetzt: „Seid untertan jeder menschlichen Ordnung." Aber κτίσις ist in dieser Bedeutung nicht belegt. Sie ist auf alle Fälle zu Unrecht für diese Stelle postuliert, wenn man dabei an Naturordnungen denkt; diese Vorstellung taucht in der urchristlichen Literatur erstmals im 1. Clemensbrief auf. Das Neue Testament denkt nicht von Naturordnungen, sondern von geschichtlichen Setzungen Gottes her. Man wird wohl nach dem von der Septuaginta geprägten Wortsinn übersetzen müssen: „Seid untertan jedem menschlichen Geschöpf", und ergänzen müssen: das Gott zum Herrn über euch gesetzt hat. In diesem Sinne verweist das Neue Testament öfter auf das *schöpferische Setzen Gottes* am Anfang wie im Verlauf der Geschichte. Mt. 19,

[3] „Christus und die Zeit", 1946, S. 164 ff.

[4] Z. B. „Christengemeinde und Bürgergemeinde", 1946.

[5] Vgl. zuletzt O. Cullmann, Zur neuesten Diskussion über die ἐξουσίαι in Röm. 13,1, ThZ 10 (1954), 321–336.

[6] So Cullmann, a.a.O., 166, und Barth, a.a.O., 17.

[7] Vgl. u. S. 204 und L. Goppelt, Heilsoffenbarung und Geschichte nach der Offenbarung des Johannes, ThLZ 77 (1952), 516 f.; O. Perels, Kirche und Welt nach dem Epheser- und Kolosserbrief, ThLZ 76 (1951), 391–400; W. Schweitzer, Die Herrschaft Christi und der Staat im Neuen Testament, 1949, 34–42.

4–7: „Gott hat sie männlich und weiblich geschaffen, deshalb . . ., was Gott zusammengefügt hat, . . .“ Mt. 22,19 ff.: Die Münze stammt vom Kaiser, so gebt ihm auch die Steuer! Röm. 13,1: „Die vorhandenen Obrigkeiten sind von Gott auf ihren Platz gestellt!“ Joh. 19,11: Jesus zu Pilatus: „Du hättest keine Gewalt über mich, wenn sie dir nicht von oben gegeben wäre.“

Diese Setzungen der schöpferischen Geschichtshoheit Gottes aber stehen keineswegs eigenständig neben Christus. Der Vater hat alles durch den Sohn – und auf ihn hin geschaffen (Kol. 1,16; Joh. 1,10 ff.). In diesem Sinne begründet 1.Kor. 6,13 ff. gegenüber einer gnostischen Geringachtung des leiblichen Lebens das Verbot der Dirne: „Der Leib gehört nicht der Dirne, sondern Christus; denn Gott, der den Herrn auferweckt hat, wird auch uns auferwecken.“ Erlösung durch Christus bedeutet nicht Erlösung vom Leibe, sondern *Erlösung des Leibes* – aber auf Hoffnung! (Röm. 8,23 f.).

So ergibt sich eine klare Begründung: *Weil das leiblich-geschichtliche Leben von Gott durch Christus geschaffen ist und durch Christus erlöst wird, sind wir den geschichtlichen Setzungen Gottes verpflichtet, die das geschichtliche Leben auf die Erlösung hin erhalten*[8]. Darum dürfen wir weder unsere eigene Leiblichkeit noch das gesamte geschichtlich-geschöpfliche Leben gering achten, sondern haben es nach seinem Lebensgesetz auf den Tag der Erlösung hin zu bewahren – „um des Herrn willen“. Das Handeln in den Ständen steht materiell im Zeichen der Existenz der gefallenen Schöpfung *auf die Erlösung hin*, so gewiß unser Gehorsam von der Erlösung her bestimmt ist und so gewiß die ganze Schöpfung geltungshaft mit Gott versöhnt ist[9].

Wenn wir die Stände im Glauben an Christus auf die Erlösung der Schöpfung hin sehen, die in Christi Auferstehung geltungshaft geschehen ist, dann sehen wir sie *zugleich* immer auch *auf das Gericht über die Sünde und die Dämonie hin*, das in Christi Kreuz geltungshaft erfolgt ist, um gegenwärtig zeichenhaft und einmal schaubar vollstreckt zu werden.

Im Blick darauf sagt 1.Petr. 2,18: Auch den Herren untertan sein, die σκολιοί sind! Σκολιός heißt verdreht, das ist nicht nur absonderlich, schrullenhaft, sondern böse, ungerecht (vgl. Apg. 2,40; Phil. 2,15). Der „verdrehte“ Herr läßt seine Knechte „ungerecht“ leiden. Das bedeutet: Die Christen dürfen *auch nicht wegen des mit den Ständen verflochtenen Unrechts aus den Ständen fliehen*. Die Verpflichtung gegenüber dem Dienstherrn und der Obrigkeit wird nicht dadurch aufgelöst, daß sie immer wieder Unrecht tun. Der Christ war-

---

[8] Vgl. 2.Thess. 2,6 f.: τὸ κατέχον doch wohl das Imperium; 1.Tim. 2,1–7.

tet nicht auf den Idealstaat und pocht nicht auf den „Rechtsstaat“, sondern dient in dem geschichtlich gesetzten Staat, der von der Sünde gezeichnet und durchflochten ist, gleichwie sich sein Herr vor Kaiphas und Pilatus beugte (1.Petr. 2,20; 3,6). Allen seinen Worten über das Unrecht in den Ständen stellt der 1. Petrusbrief in 2,11 die Mahnung voran: Christliche Fremdlingschaft gegenüber der Welt soll sich zuerst dadurch erweisen, daß wir dem Begehren im eigenen Fleische fremd werden. Schon weil die Sünde auch in unserem eigenen Fleische bleibt, ist Flucht aus den Ständen um der mit ihnen verflochtenen Sünde willen Heuchelei. So gilt: Nicht fliehen, sondern „Gutes tun und (dafür) leidend ausharren“ (1.Petr. 2,20)! Der Christ gehorcht den irdischen Herren in der Weise, daß er tut, was vor seinem Herrn im Himmel gut ist.

Allerdings gibt es hier *eine Grenze.* Auch die Sünde in den Ständen hat vor und nach der Begegnung mit dem Evangelium ein verschiedenes Gesicht. Konkrete Stände, die sich gegen Christus auf die Sünde festlegen, werden ihr dahingegeben. Sie werden dämonisiert. *Je mehr ein Stand* seinen Charakter als eine auf die Erlösung hin bewahrende Ordnung verliert und *antichristlichen Charakter annimmt, desto mehr wird ein Dienen der Christen in ihm unmöglich.* Der antichristliche Staat läßt sich den Dienst der Christen nicht mehr gefallen. Er stößt sie aus. Das ist die in Offb. 13 beschriebene Situation.

Aus dieser Begründung des Verharrens in den Ständen ergibt sich *seine Gestaltung.* Verharren in den Ständen kann hiernach *nicht einfach Eingliederung in die Eigengesetzlichkeit der Stände* bedeuten. Die neue Motivierung läßt auch das Verhalten in den Ständen *neu* werden.

b) Welches Verhalten in den Ständen nennen die Ständetafeln gut? *Wie soll der Christ in den Ständen handeln?*

Von den Untergeordneten wird durchweg ein ὑποτάσσεσθαι gefordert. Dieses Verb wird in den Ständetafeln abwechselnd mit ὑπακούειν = gehorchen gebraucht (z. B. 1.Petr. 3,5 f.; vgl. Eph. 6,1; Kol. 3,20). Es meint also nicht „einander durch die Liebe dienen“[10] oder „sich mitverantwortlich wissen für“[11], sondern: die Weisungen derer befolgen, die uns Weisungen zu geben haben.

Die Art dieses Gehorchens wird am eindrucksvollsten charakterisiert in Kol. 3,22–24: „Ihr Knechte, seid in jeder Hinsicht euren Herren nach dem Fleische gehorsam, nicht in Augendienerei als solche,

---

[9] K. Barth hält u. E. zu wenig auseinander, was durch Christi Heilstat geltungshaft geschehen ist und was durch Wort und Sakrament wie durch die Parusie geschieht.

[10] Annäherung an diese Bedeutung in Eph. 5,21. [11] K. Barth, a.a.O., 17.

die Menschen gefallen wollen, sondern in Einfalt des Herzens als solche, die den Herrn fürchten! Was ihr auch immer tut, das tut von Herzen als für den Herrn und nicht für Menschen, weil ihr wißt, daß ihr vom Herrn als Vergeltung das Erbe empfangen werdet! Seid Knechte des Herrn Christus!"

Dem Gehorchen entspricht beim anderen Partner des Standes ein *Gebieten*. Aber die Ständetafeln mahnen nicht zum Gebieten, sondern sagen immer nur, *wie* dieses Gebieten sein soll. Dreierlei läßt sich herausstellen: 1. Alles Gebieten ist nun Dienst gegenüber dem Herrn im Himmel (Kol. 4,1). 2. Es ist nun Ausdruck der Liebe und der Fürsorge gegenüber den Anvertrauten. Röm. 13,4: „Sie ist Gottes Dienerin dir zugute!" (vgl. Kol. 3,19; Eph. 5,25; Kol. 3,20; Eph. 6,4). 3. Alles Gebieten ist nun Dienst am Recht, allgemein an der Lebensordnung dieser Welt. Röm. 13,4: „Eine Rächerin zum Zorn für den, der Böses tut"; Kol. 4,1: „Gewährt, was recht und billig ist." Das Gebieten dient also nicht mehr dem selbstischen Genuß der durch Gottes Geschichtshoheit gegebenen Stellung.

So ist nach den Ständetafeln *Gebieten und Gehorchen in gleicher Weise Ausdruck eines selbstlosen Dienens unter dem Herrn im Himmel*, dem erhöhten Christus. Vielleicht kann man sagen, es ist ein Erweis der Agape, die nicht das ihre sucht, sondern das des anderen. Das Handeln in den Ständen *entspringt also demselben Motiv wie das Handeln im Nächstenverhältnis und in der Gemeinde, aber es ist und bleibt materiell davon unterschieden*. Das Handeln in der „Bürgergemeinde" wird im Neuen Testament nicht nach Analogie des Handelns in der „Christengemeinde" gestaltet. Gewiß gibt es auch innerhalb der Gemeinde ein Gehorchen gegenüber Vorstehern (1.Kor. 16,16; 1.Petr. 5,5). Das ist der Sektor des Kirchenrechts. Die Pastoralbriefe reden darüber hinaus von der Bedeutung der natürlichen Stände für das Leben in der Gemeinde (1.Tim. 2,8–15; 5,1–19; 6,1 f.; Tit. 2). Aber was in den Ständen das Eigentliche ist, ist dort eine Grenzerscheinung; so ist es auch umgekehrt. Ehegatten sind einander, auch wenn sie beide Glieder am Leibe Christi sind, immer noch anderes schuldig, als Glieder des Leibes Christi als solche einander schuldig sind. Eph. 5,22–33 vergleicht das Verhältnis zwischen ihnen bezeichnenderweise nicht mit dem Verhältnis zwischen den Gliedern des Leibes Christi, sondern mit dem zwischen dem Haupt und dem Leib[12]!

Die Eigenart des Handelns in den Ständen wird besonders deut-

---

[12] So geht es schon zu weit, wenn H.-D. Wendland, Die Weltherrschaft Christi und die zwei Reiche, in: Kosmos und Ekklesia, Festschrift für W. Stählin, hrsg. von H.-D. Wendland, 1953, 31, von einer „Versetzung der geschichtlichen, sozialen Ordnungen in den Leib Christi" redet. –

lich an dem *Verhalten gegenüber dem Bösen*, das zugleich mit den Ständen verflochten ist und durch die Stände gebannt werden soll.

Der Gehorsam um des Herrn willen erreicht seine Grenze dort, wo er zum Ungehorsam gegenüber dem Herrn würde. Wo diese Grenze liegt, ergibt sich ein gut Stück weit von der Grenze des Gebietens her. Das Gebieten erreicht seine Grenze dort, wo es den anderen Menschen nicht mehr als „Miterben der Gnade des Lebens" ernst nimmt (1.Petr. 3,7), also nicht mehr der Erhaltung des geschöpflichen Lebens auf die Erlösung hin dient, sondern das Gegenteil bewirkt. Wenn der Mensch nicht mehr als das genommen wird, was er nach dem Neuen Testament ist, hat die Christenheit ihre Stimme zu erheben.

Die Frage nach dieser Grenze ist angesichts der mit den Ständen verflochtenen Sünde für den Christen auf Schritt und Tritt gegeben; sie bedeutet *fortgesetzt Spannung und Konflikt*. Das macht der erste Petrusbrief Kapitel um Kapitel deutlich. Die Verpflichtung zum Kampf gegen das Böse führt jeden Christen nicht nur in den Kampf zwischen Fleisch und Geist (Gal. 5), sondern auch in den Konflikt mit den Lebensformen dieser Welt und ihren Vertretern (1.Petr. 4,4). Wer im politischen oder wirtschaftlichen Leben verantwortlich zu handeln hat und diese Konflikte durchleidet, erfährt, daß das Reden von eschatologischer Existenz und von Fremdlingschaft keine theologische Phrase ist.

Wie sollen wir uns nach dem Neuen Testament *in diesem Konflikt verhalten?* Das Neue Testament ruft zum *Tragen des Unrechts in leidensbereiter Liebe*. 1.Petr. 2,20 f.: „Wenn ihr Gutes tuend und (dafür) leidend ausharrt, das ist Gnade bei Gott; denn dazu seid ihr berufen, weil auch Christus gelitten hat für euch . . ." Der Christ wird manchen Weisungen anders gehorchen, als sie gemeint waren, oder er wird sie überhaupt nicht befolgen – und dafür leiden, wie Joseph im Hause Potiphars und Daniel im Dienst des heidnischen Weltherrschers (Gen. 39; Dan. 1; 3; 6). Ist dann überhaupt noch ein verantwortliches Handeln in den Ständen möglich? Ist dann insbesondere noch die *Abwehr des Bösen durch gewaltsame Übung des Rechtes* möglich, angefangen vom Bestrafen der Kinder bis hin zum aktiven politischen Widerstand? Das Neue Testament bejaht

---

Anmerkungsweise zu der Frage: Ist diese Fassung der Stände unter Gebieten und Gehorchen nicht durch die soziologische Strukturwandlung überholt? Die neutestamentlichen Ständetafeln verkünden kein gleichbleibendes Naturgesetz! Aber ihr Reden von Gebieten und Gehorchen bleibt gegenüber dem modernen Reden von Gleichberechtigung, Partnerschaft u. ä. ein aufgerichtetes Zeichen gegen ein Denken von der Autonomie der Persönlichkeit her, ein Zeugnis dafür, daß es eine Würde des Gehorchens und eine Verantwortlichkeit des Gebietens gibt.

diese Abwehr als obrigkeitliches Amt gegenüber dem Bösen (Röm. 13,4); aber es mahnt die Christen nicht dazu, weder gegenüber dem Bösen, dessen Abwehr ihnen der Stand, z. B. bei der Erziehung der Kinder, aufträgt, noch gegenüber dem Bösen, das mit dem Stand selbst verflochten ist, z. B. gegenüber den „verdrehten" Herren. Es betont das Neue, das durch den radikalen Bußruf Jesu letztlich gewiesen ist. Aber es redet nirgends einer schwärmerischen Auflösung des Gesetzes das Wort (vgl. Röm. 13,8–10). Das Gesetz, das die Abwehr des Bösen durch gewaltsame Übung des Rechtes befiehlt, soll stehenbleiben, solange Himmel und Erde bestehen (Mt. 5,18; Röm. 7,1 ff.). Wo dieses Gesetz verwässert oder aufgelöst wird, wird das Evangelium unverständlich. Diese Abwehr des Bösen ist notwendig zur Erhaltung der Schöpfung auf die Erlösung hin (Gen. 9,5 f.). Aber sie kann das Böse immer nur eindämmen, überwunden wird es nur durch die alles tragende Liebe in der Kreuzesnachfolge. Offb. 12,11: „Und sie haben ihn überwunden durch das Blut des Lammes und das Wort ihres Zeugnisses, und sie liebten ihr Leben nicht bis zum Tode!" (Am messianischen Richten erhalten die Glieder des Leibes Christi als solche erst Teil bei der Vollendung [Mt. 19,28; 1.Kor. 6,2; Offb. 20,4].)

Wann wird der das Unrecht erleidende Liebeserweis in der Kreuzesnachfolge als Zeugnis von der neuen Welt Gottes *und wann die Abwehr des Bösen durch gewaltsame Übung des Rechtes* zur Erhaltung dieser Schöpfung auf die Erlösung hin von uns gefordert? Die Reformation unterschied hier zwischen einem Handeln im Amt und in eigener Sache (s. o. S. 192). Aber wann sind wir nicht im Amt? „Amt" ist ja kein zeitlich-räumlich abgegrenzter Bereich, sondern ein Auftrag. Ruft Gottes Geschichtshoheit uns nicht immer wieder neu in ein Amt? Zudem ist die Sünde nicht nur gegenüber dem Amt, sondern auch im Amt da! Ruft Christus nicht seine Jünger auch aus dem Amt heraus? Das Gebotene kann hier nach keinem Prinzip errechnet, es kann immer nur in prüfendem und wagendem Glaubensgehorsam erkannt und getan werden (Röm. 12,2). Wesentlich ist, daß wir um die durch die Grundverhältnisse gegebenen Möglichkeiten bis hin zu der zuletzt erwogenen extremen Alternative als Gottes Willen wissen und uns dann gehorchend der „teuren Gnade" getrösten. Der erste Petrusbrief ruft nicht zur Imitatio Christi, sondern zur Nachfolge: Christus litt als der Reine *für uns*, „damit wir der Sünde abgestorben der Gerechtigkeit leben" (1.Petr. 2,21–25). Um des für die sündige Welt wie für uns gestorbenen Reinen willen können wir aus Glauben an dieser Welt und in dieser Welt handeln, obwohl dieses Handeln unablässig von innen und von außen her durch die Sünde befleckt wird (vgl. 1.Kor. 4,4; Phil. 3,12–14).

Damit ist das Entscheidende an den neutestamentlichen Worten zum Staat deutlich geworden, nämlich die Perspektive, aus der das Neue Testament den Staat sieht.

3. Aus ihr wird verständlich, daß *das Neue Testament keine Staatslehre entwickelt.* Wir sollen nicht versuchen, eine solche dem Neuen Testament exegetisch abzuquälen. Die Antworten auf die uns bedrängenden Fragen nach der Struktur des politischen Lebens können nur durch systematisches Weiterdenken aus den neutestamentlichen Prinzipien entwickelt werden.

Beachtenswert ist hierfür das *Materialprinzip der neutestamentlichen Ständetafeln.* Wie gewinnt das Neue Testament seine Aussage über das Handeln in den Ständen? Hierüber nur einige Andeutungen! Die Ständetafeln knüpfen an *alttestamentliche* Traditionen an, aber sie sind nicht aus dem alttestamentlichen Gesetz entwickelt. Wohl aber wird der Gehorsam des Christen auch in dieser Hinsicht als die Erfüllung des Gesetzes gerühmt (Röm. 13,8–10 hat auch Röm. 13,1–7 im Auge). Die Ständetafeln und die Ausführungen in Röm. 13,1–7 erinnern in manchem an Anweisungen der *hellenistischen* Welt über soziales Verhalten, wie sie da und dort vom hellenistischen Judentum übernommen wurden[13]. Das Neue Testament übernimmt dieses Material im selben Sinne wie hellenistische Tugend- und Lasterkataloge; Phil. 4,8: „Wenn es eine Tugend gibt ... darauf seid bedacht!“[14] Diese traditionsgeschichtlichen Zusammenhänge zeigen theologisch: Die Ständetafeln nehmen Stellung zu den geschichtlich gesetzten Ordnungen und wollen die Erfüllung des über dieser Welt stehenden Gesetzes. Aber zugleich ist das Entscheidende auch materiell neu von Christi Heilstat her entwickelt, nicht als Analogie zum Werk Christi, sondern als die dafür bewahrende Ordnung. Das zeigt am eindeutigsten 1.Kor. 6,12–20; die Dirne wird nicht vom sechsten Gebot oder von einer philosophischen Moral her versagt, sondern weil „der Leib ... dem Herrn“ gehört.

So würden die Männer des Neuen Testaments für viele Sonderfragen, die uns bewegen, zuerst zurückverweisen auf das, was in der Heidenwelt als Recht gilt (Röm. 1,32: τὸ δικαίωμα τοῦ θεοῦ ἐπιγνόντες, vgl. 2,14 ff.) und vor allem auf das Alte Testament (Röm. 2,18). Aber dann würden sie von Christi Heilswerk her das dort Gesagte neu durchleuchten und das Gültige neu begründen.

Zum Beispiel: Nach Röm. 13 wird die Obrigkeit durch *Machtbesitz und Rechtsübung* konstituiert. Beides ist einander zugeordnet,

[13] Vgl. H. Lietzmann, Handbuch zum Neuen Testament, zu Kol. 4,1; K. Weidinger, Die Haustafeln, 1928.

[14] Vgl. H.-D. Wendland, Zur kritischen Bedeutung der neutestamentlichen Lehre von den beiden Reichen, ThLZ 79 (1954), 321–326.

aber weder nach der einen noch nach der anderen Seite einander subordiniert. Das wird durch das Alte Testament eindrucksvoll vorbereitet. Das Alte Testament sagt einerseits: Es gibt kein Legitimitätsprinzip, das den status quo sakrosankt macht; der Herr der Geschichte läßt, ohne es zu rechtfertigen, Herrscher, Dynastien und Völker kommen und gehen. Und zugleich führt die Prophetie einen erbitterten Kampf gegen alle Machthaber in Israel, die sich über das Gesetz stellen und das Recht beugen. Sie verwirft ebenso energisch die autonome Selbstherrlichkeit der nicht-israelitischen Weltherrscher. Sie mißt die Fremdherrscher dabei weder am mosaischen Gesetz noch an einem Naturgesetz, sondern daran, ob sie gegenüber der sich manifestierenden Geschichtshoheit Gottes ihre und der Menschen Geschöpflichkeit anerkennen.

Röm. 13 wie *Offb. 13* liegen unmittelbar in der Linie dieser Tradition. Sie sind schon dadurch *untereinander verbunden.* Paulus weiß viel zu gut um die Selbstbehauptung des Menschen gegen Gott mittels des Gesetzes (Röm. 10,1 ff.), um nicht hinter Röm. 13 die Möglichkeit von Offb. 13 zu sehen. Offb. 13 zeichnet, indem es die alttestamentliche Tradition überhöhend abschließt, das Bild des Weltherrschers, der sich mittels der Ordnung Gottes über Gott erhebt. Der Staat von Offb. 13 will nicht weniger, sondern mehr für die Menschen tun als der von Röm. 13. Er will für alles sorgen und dadurch über alles geehrt werden; deshalb muß er die Christen, die als einzige das tägliche Brot nicht vom Staat, sondern von Gott erflehen, verfolgen.

In der Linie dieses neutestamentlichen Materialprinzips hat die systematische Theologie weiterzudenken und das, was die historische Schriftforschung zutage gefördert hat, zu verarbeiten, um die Voraussetzungen für eine schriftgemäße Verkündigung zu diesen Fragen in unseren Tagen zu schaffen.

4. *In welcher Form hat die Kirche nach dem Neuen Testament zum Staat Stellung zu nehmen?* Die Kirche hat als Gemeinde Gottes ausschließlich durch ihre Verkündigung Stellung zu nehmen; hinter dieser Verkündigung soll allerdings das Tatzeugnis der ihr gehorsamen Gemeinde stehen. Beides ist strikt zu unterscheiden von Propaganda und Demonstration. Wie das Wort der Kirche im staatlichen Bereich nach dem Neuen Testament aussehen soll, wurde beispielhaft am Römerbrief sichtbar.

a) Der Kirche ist zuerst *die Paränese an die Glaubenden* für ihr Verhalten im weltlichen Stand aufgetragen. Diese Paränese ist nur für die Glaubenden verständlich und nur für sie verbindlich. Zu ihr gehören Röm. 13 – trotz der Einleitung – ebenso wie die Ständetafeln und Offb. 13.

b) Der Kirche ist als zweites auch in dieser Hinsicht *das Bußwort an die Welt* aufgetragen. Dieses Bußwort wird im Neuen Testament, abgesehen von einzelnen Bemerkungen, nicht auf den politischen Bereich hin entfaltet. Dieses Bußwort darf nicht vorschnell alles in gleicher Weise Sünde nennen. Jesus hat das Gesetz nicht aufgelöst, sondern aufgehoben. Daher hat er ernsthaft unterschieden zwischen „den Gerechten“, die sich um die Einhaltung des Gesetzes bemühten, und den Ungerechten, die sich gleichgültig darüber hinwegsetzten. Daher hat auch unsere Bußpredigt zu unterscheiden zwischen einem Staat, der das Recht mit Füßen tritt, und einem, der es in aller Unzulänglichkeit zu wahren sucht (vgl. Röm. 13,3 f.). Wie weit in diesem Bereich eine prophetische Durchleuchtung der Verhältnisse möglich ist, wie sie z. B. die Offenbarung des Johannes vornimmt, muß dem überlassen bleiben, der den Geist der Prophetie zu haben glaubt. Solange uns nicht die Prophetie gegeben ist, wie sie nach 1.Kor. 14,23 ff. gegenüber der Einzelsünde in der Gemeinde geübt wurde, sollte man hier sehr vorsichtig sein.

Dieses Bußwort der Kirche dient letztlich nicht der Erhaltung dieser Welt und nicht der Reform dieser Welt; sein letzter Sinn ist es immer, herauszurufen in die eschatologische Existenz. Das letzte Ziel der Bußpredigt ist nicht wie in der Synagoge eine bessere Achtung des Gesetzes, sondern der Glaube an Jesus Christus. Dementsprechend ist das letzte Ziel christlichen Handelns in den Ständen nicht die Erhaltung dieser Welt, sondern die Bezeugung der neuen Welt Gottes.

Was die Offenbarung über die *Sendung der Kirche in der Geschichte* sagt, entspricht der Auffassung des gesamten Neuen Testaments. Sie stellt in einer absoluten Abgrenzung einander gegenüber, was in der Geschichte noch nicht geschieden ist: die Gemeinde des Lammes und die das Evangelium ablehnende Menschheit, die sich schließlich unter dem antichristlichen Weltherrscher sammelt. Was bedeutet diese Wesensschau? Unsere Situation entspricht doch eher dem einmal von einer Akademietagung gesagten Wort: Wir waren nicht mehr Glaubende und Ungläubige, sondern nur mehr Angefochtene. Der Weltsituation der Kirche scheint heute wieder mehr der vom Epheser- und Kolosserbrief verkündete missionarische Heilsuniversalismus als die von der Offenbarung betonte Abgrenzung gegenüber einer nachchristlichen, pseudochristlichen Welt zu entsprechen. Die Wesensschau der Offenbarung macht jedoch bleibend deutlich: Es geht letztlich nicht darum, daß sich die Welt ein größeres oder kleineres Quantum christlicher Gedanken zu eigen macht. Das Antichristentum wird sich ein Maximum christlicher Gedanken aneignen! Es geht letztlich nur um Glauben und Unglauben: „Was nicht aus

Glauben kommt, ist Sünde" (Röm. 14,23). Alle Predigt kann nur den einen Sinn haben, Glauben zu begründen und zu nähren; hierzu soll sie allerdings gleich dem Neuen Testament die Wahrheit in ihrer ganzen konkreten Mannigfaltigkeit und Fülle bezeugen.

Die Freiheit zur Kaisersteuer*

Zu Mk. 12,17 und Röm. 13,1–7

Die Diskussion des Wortes zur Kaisersteuer, Mk. 12,17 par., läuft gegenwärtig in der kirchlichen Praxis und in der exegetischen Forschung auf dieselbe Frage zu. In der Kirche erhebt sich das Bedenken: Ist gegenüber dem modernen demokratischen oder totalitären Staat noch die schlichte Unterordnung angebracht, die Jesus und Paulus fordern? Diese Frage, die Bischof Otto Dibelius[1] vor kurzem für viele stellte, begegnet einer sachlich entsprechenden Frage der Exegese. Diese hat nämlich ergeben: Die Forderung „Gebt Gott, was Gottes ist", steht nicht, wie der formale Parallelismus vermuten läßt, neben der Weisung „Gebt dem Kaiser, was des Kaisers ist", sondern *läßt sie hinter sich und unter sich;* denn Gottes ist alles! Die Schlußfolgerung ist das eigentliche Ziel des Wortes. Dieses will im Grunde die eschatologische Umkehr auf die Gottesherrschaft hin. *Welchen Sinn hat dann noch das Ja zur Kaisersteuer?* An der Klärung dieser in der Exegese derzeit offenen Frage hängt das Verhältnis des Jüngers Jesu zur geschichtlichen Wirklichkeit, das Verhältnis von eschatologischer und geschichtlicher Existenz.

I.

Was wir eben über das eigentliche Ziel des Wortes feststellten, legt die Erklärungen nahe, die gegenwärtig vielfach gegeben werden. „Jesus betont – ‚gegen den ganzen Streit verhältnismäßig gleichgültig' – die Pflicht gegen Gott so nachdrücklich, daß der Cäsar das Seine, das nur Irdische ruhig bekommen kann, weil es unwesentlich ist."[2] Oder: „Die von den Gegnern so tragisch genommene und so

---

* Aus: Ecclesia und Res Publica, Festschrift für Kurt Dietrich Schmidt, hrsg. von G. Kretschmar und B. Lohse, Vandenhoeck und Ruprecht, Gött. 1961, 40–50.

[1] O. Dibelius, Obrigkeit? Eine Frage an den sechzigjährigen Landesbischof (H. Lilje), Berlin 1959 (Privatdruck); P. Meinhold, Römer 13, 1960.

[2] H. Braun, Spätjüdisch-häretischer und frühchristlicher Radikalismus, 1957, II, 83 Anm. 2.

verfänglich gestellte Frage nach der Kaisersteuer wird (durch den zweiten Satz) an den Rand geschoben, zwar sicher nicht für belanglos erklärt und dem Belieben des einzelnen überlassen, aber doch als eine Frage abgetan, die längst schon entschieden ist" – nämlich dadurch, daß die Gegner die Münze des Kaisers benützen, um Geschäfte zu machen. „Erst wenn es ans Steuerzahlen geht, wird man leidenschaftlich und sieht sich zum ‚Bekenntnis' aufgerufen."[3]

Diese auf den ersten Blick sehr einleuchtenden Erklärungen *werden jedoch der Situation Jesu gegenüber dem Judentum nicht wirklich gerecht*. Wäre Jesu Wort zur Kaisersteuer so gemeint, dann würde es die ihn „versuchlich" fragenden Gegner nicht treffen. Ihre Bedenken gegen die Kaisersteuer lassen sich nicht in dieser Weise durch eine ironische Logik ad absurdum führen. Und das wollte Jesus auch nicht. Er hebt sie vielmehr durch eine neue Entscheidung auf.

Auf die *Diskussion um die Kaisersteuer* hatte sich in Jesu Tagen das Israels Geschichte seit Jahrhunderten durchziehende Fragen nach dem Verhältnis des Gottesvolkes zur Weltmacht zugespitzt. Alle an der Diskussion beteiligten jüdischen Richtungen setzten voraus, daß Gott allein Herr der Geschichte sei und daher alle Macht zu herrschen von ihm gegeben sei. Aber ebenso einmütig unterschied man zwischen dem legitimen, theokratischen Sachwalter Gottes gegenüber seinem Volk und dem Gottes Gesetz mißachtenden Fremdherrscher, von der typischen Urzeit her geredet, zwischen Mose und Pharao[4]. Die Zeloten, eine in den Tagen des Zensus in Galiläa entstandene Widerstandsbewegung, folgen unmittelbar von Gott legitimierten prophetischen Führern und weigern sich, den römischen Kaiser durch Entrichtung der Kopfsteuer als ihren Herrn anzuerkennen – weil sie im Sinne des ersten Gebotes „Gott geben wollen, was Gottes ist"[5]. Dagegen vertreten die im übrigen mit ihnen übereinstimmenden Pharisäer unter Berufung auf Daniel (2,21.37 ff.; 4,14.29) die Auffassung, daß man den Fremdherrscher tragen müsse, bis Gott die endzeitliche Erlösung bringt. Um diese Erlösung beten sie mit dem

---

[3] G. Bornkamm, Jesus von Nazareth, 1956, 111 f.; ähnlich schon M. Dibelius, Rom und die Christen im ersten Jahrhundert, in: Botschaft und Geschichte II, 1956, 178.

[4] Vgl. für die Rabbinen Billerbeck III, 303 f., für die Essener 1 QpH 2,10–4, 14; 5,12–6,12; 9,7; Jos. bell. 2,8,7, für das hellenistische Judentum Sap. 15 f.; 17,2; 19,22 u. v. a. Weiteres bei O. Eck, Urgemeinde und Imperium, 1940, 74–104.

[5] Jos. bell. 2,8,1: Zur Zeit des Zensus „verleitete ein gewisser Galiläer Judas seine Landsleute zum Abfall, indem er es für schmachvoll erklärte, wenn sie weiterhin Abgaben an die Römer entrichteten und außer Gott auch sterbliche Menschen als ihre Gebieter anerkannten" (vgl. ant. 18,1,6). Um 55 sammelte ein ägyptischer Jude – die Bewegung erfaßte auch die Diaspora – in Palästina 3000 Anhänger; er wollte ihnen vom Ölberg aus das Einstürzen der Mauern

ganzen Volk wohl schon zur Zeit Jesu täglich im 18-Bitten-Gebet: „Bringe wieder unsere Richter wie vordem und unsere Ratsherren wie zu Anfang und sei König über uns, du allein.“[6] Dieses eschatologische Ziel wollen die Zeloten in schwärmerischer Naherwartung durch ihr Tatbekenntnis herbeiführen. Nur dadurch unterscheiden sie sich im Grunde von den Pharisäern und dem von ihnen bestimmten Volk. Daher gelang es den Zeloten im Jahre 66 verhältnismäßig leicht, das ganze Volk, auch Pharisäer und Essener, in den politisch sinnlosen messianischen Aufstand gegen das Weltreich hineinzuziehen. Die Judenchristen waren die einzige Gruppe im jüdischen Volk, die sich grundsätzlich nicht am Aufstand beteiligte; sie kamen von dem neuen Ansatz her, den Jesus in dieser jahrhundertealten Diskussion gesetzt hatte!

II.

Der neue Ansatz Jesu wird an den Stellen sichtbar, an denen sein Wort von der gemeinsamen Linie der jüdischen Diskussion abweicht. Jesu Schlußsatz berührt sich ja sehr nahe mit der Zielforderung des ganzen Volkes: „Sei König über uns, du allein!“ Wenn diese Zielforderung verwirklicht wird, muß nicht nur nach Meinung der Zeloten, sondern des ganzen Volkes die Kaisersteuer enden. *Jesus dagegen fordert die totale Hingabe an Gott und die Erstattung der Kaisersteuer zugleich!*

Warum dieses Zugleich möglich ist, erklärt der zweite Unterschied. Jesus übergeht bei der Argumentation für die Kaisersteuer den Ansatz der jüdischen Diskussion. Für die Juden folgt aus dem Faktum, das die Münze bekundet, nämlich daß Gott dem Kaiser die Herrschaft über Palästina gegeben hat, noch nicht die Verpflichtung zur Kaisersteuer; denn sie fragen nach der Legitimität. Sie fragen, wie weit das Bundesvolk, für das das Gottesgesetz Staatsgesetz sein soll, dem heidnischen Weltherrscher verpflichtet ist. Jesus redet nicht naiv an dieser Problematik vorbei, sondern übergeht sie bewußt. Er hebt diesen Ansatz nämlich auch sonst auf: Durch ihn wird den Menschen, die glauben, d. h. gegenüber seinem Wirken dem Gott Israels recht geben und seine Hilfe allein bei ihm suchen, jetzt unabhängig von ihrer Zugehörigkeit zu dem Samen Abrahams und *unabhängig von ihrer Gesetzeserfüllung* Heil zuteil, während alle anderen zuschanden werden. So wird für den, der im Sinne Jesu „Gott gibt, was Gottes

---

Jerusalems zeigen (Jos. ant. 20,8,6) und sich zum Herrn Jerusalems machen (bell. 2,13,5).

[6] Billerbeck IV, 212.

ist", nämlich glaubt, *der Unterschied zwischen dem heidnischen Weltreich und der jüdischen Theokratie* zwar nicht gleichgültig, wohl aber *relativ*. Er lebt nicht, wie seither ganz Israel, auf den idealen Gottesstaat hin, auch nicht im Banne des idealen Rechtsstaates, sondern ehrt das Recht als vorläufiges Mittel geschichtlicher Existenz (S. 214 f.). Er kann daher der Argumentation Jesu für die Kaisersteuer folgen, die der Jude als kurzschlüssig ablehnen muß. Die eschatologische Umkehr gibt eine keinem jüdischen Menschen mögliche Freiheit zur Kaisersteuer.

Jesu Argumentation weist ihm, das ist der dritte Unterschied, einen neuen Weg, Gottes Willen aktuell zu erfassen. Die Pharisäer versuchen, die geschichtlichen Erscheinungen durch kasuistische Auslegung von Schriftsätzen zu deuten (vgl. Röm. 2,18), und verschanzen sich dabei unversehens auch gegenüber dem aktuellen Anspruch Gottes, der durch die geschichtliche Situation ergeht, hinter Rechtssätzen (vgl. Lk. 13,14 ff.). Jesu Argumentation setzt aus der Schrift lediglich den Grundsatz der Geschichtshoheit Gottes voraus und zeigt dann *die aktuelle Kundgebung seines Willens* auf: Die Münze, die im Lande läuft und mit der die Steuer zu entrichten ist, gibt kund, daß der römische Kaiser Regierungsgewalt über dieses Gebiet hat und Handel und Wandel ermöglicht. Sie sagt also dem Glauben, der den Gott Israels als den Herrn aller Geschichte ehrt, daß Gott den römischen Kaiser diesem Gebiet zum Herrscher gesetzt hat und ihm daher das dem Herrscher Gebührende zu entrichten ist. Dem Herrscher gebührt Anteil an dem, was „sein Bild" trägt, was er zugunsten aller eingerichtet hat. So gilt es, Gottes Anspruch in der Geschichte aktuell zu erfassen und ihm nüchtern gerecht zu werden. Die Grenze der Unterordnung ist zugleich mit der Freiheit zu ihr durch die Schlußforderung Jesu gesetzt.

So finden wir, in Stichworten zusammengefaßt, in dem Wort zur Kaisersteuer nicht nur die eschatologische Distanz des im Sinne Jesu Glaubenden gegenüber den geschichtlichen Setzungen, sondern durch sie zugleich eine Relativierung der Erwählung Israels wie des Gesetzes und daher Freiheit, Gottes Anspruch in der Geschichte unmittelbar zu erfassen und zu befolgen. Damit haben wir Jesu Wort zur Kaisersteuer keineswegs überdeutet. *Wir finden diese Strukturelemente nämlich in anderen Logien Jesu* je in besonderer Ausprägung *wieder*. Wir wollen sie an zwei Beispielen weiter klären.

Wie der hinter dem Wort zur Kaisersteuer stehende alttestamentliche Grundsatz, daß Gottes Geschichtshoheit Herrscher setzt und ihre Anerkennung fordert, so wird auch das alttestamentliche *Gebot der Nächstenliebe* auf Grund des eschatologischen Heilswirkens Jesu 1. von dem Vorzeichen des Gesetzes befreit, 2. diese Entschränkung unmittelbar von der Schöpfung her begründet und 3. das Gebot als durch die geschichtliche Situation ergehender Anspruch Gottes aktualisiert.

1. Nach dem Alten Testament soll als Nächster nur der dem sakralen Verband Israels Angehörende gelten (Lev. 19,16 ff., 34), für die jüdische Umwelt Jesu im Grunde nur der Gerechte[7]. Daher kann der alttestamentlich-jüdische Sinn des Gebotes tatsächlich in dem Satz umschrieben werden: „Du sollst deinen Nächsten lieben und deinen Feind hassen" (Mt. 5,43). Die Qumrantexte, die das Gebot ausdrücklich in dieser Form fassen[8], ziehen auch in dieser Hinsicht nur die radikale Konsequenz aus dem Gesetz. Jesus *hebt dieses Vorzeichen*, das die Erwählung des natürlichen Volkes bzw. das Gesetz setzt, *auf* und fordert den Liebeserweis gegenüber dem Nächsten, auch wenn er Feind, sogar Feind Gottes ist (Mt. 5,44 par. Lk. 6,27 f.), also schlechthin unbegrenzt.

2. „Denn (Gott) läßt seine Sonne aufgehen über Böse und Gute und läßt regnen über Gerechte und Ungerechte" (Mt. 5,45; vgl. Lk. 6,35). Diese Begründung, die einer Seite des Hinweises auf die Münze entspricht, erinnert auf den ersten Blick an die natürliche Theologie der Stoa, die von der Naturbeobachtung her erwägt, daß eigentlich allen Menschen gegenüber Liebe geboten wäre[9]. Jesu Begründung ist jedoch weder ein rationaler Schluß aus der Naturbeobachtung noch ein Ausdruck schlichter „Volksfrömmigkeit"[10], sondern der Reflex seines eschatologischen Heilswirkens: Jesus schenkt „den Sündern" vor den Gerechten seine helfende Gemeinschaft (Mk. 2,17; Mt. 11,19; 21,28–31; Lk. 15).

Diesen letzten Willen Gottes, der im Eschaton die Unterscheidung zwischen Sündern und Gerechten zu einer vorletzten macht, findet Jesus gleichsam zurückblickend in der Schöpfung wieder – trotz allem Übel und trotz der Vergeltungsordnung! In gleicher Weise erschließt Jesus auch in der Begründung des „Sorget nicht" die Güte des Schöpfers von der Gnade des Vollenders her: Jesus verweist auf die Fürsorge des Schöpfers für Pflanzen und Tiere (Mt. 6,25 f., 28 ff. par. Lk.), aber er weiß selbst, daß auch Tiere zugrunde gehen und der Mensch oft hilfloser ist als ein Tier (Mt. 8,20; Luk. 15,16). Von der Naturbeobachtung her kann nur im Sinne der Stoa gelehrt werden, daß die Vorsehung dem Menschen normalerweise das Notwendigste

---

[7] Billerbeck I, 353 f.

[8] 1 QS 1,9–11; vgl. Ps. 139,21.

[9] Vgl. Seneca, De benef. 4,26,1.

[10] Vgl. E. Fuchs, in: Der historische Jesus und der kerygmatische Christus, 1960, 388; ähnlich bereits R. Bultmann, Die Geschichte der synoptischen Tradition, 1931², 109.

gewährt und daß er sich, falls ihm auch dies versagt wird, durch den „wohlerwogenen Freitod" unwürdiger Erniedrigung entziehen soll[11]. Jesu Hinweise auf die Lilien und die Vögel wären mehr als naiv, wenn sie nicht am Ende der Spruchreihe in dem Wort von dem Kommen der Gottesherrschaft verankert wären, die zum Ewigen das Zeitliche hinzugibt, zur Existenz bei Gott auch ihre leiblich-geschichtliche Gestalt (Mt. 6,33 par. Lk.; vgl. 2.Kor. 4,8—11)[12]. So ist die Begründung dieser Leitsätze Jesu durch *Hinweis auf das Walten des Schöpfers Reflex der jetzt durch sein Wirken erfolgenden endzeitlichen Offenbarung* des letzten Willens Gottes.

3. Demgemäß wird die Anwendung des Gebotes der Nächstenliebe nicht mehr durch kasuistische Auslegung, sondern von dem *durch die geschichtliche Situation ergehenden aktuellen Anspruch Gottes* bestimmt. Die Liebe ist dort zu erweisen, wo Gottes geschichtliche Setzung uns für einen anderen Menschen zum Nächsten macht, wie es das Gleichnis vom barmherzigen Samariter darstellt (Lk. 10, 29—37).

In einer weiteren eigenen Ausprägung finden wir diese Strukturelemente in *Jesu Wort gegen die Ehescheidung* wieder (Mk. 10,1—12 par. Mt.; Mt. 5,31 f. par. Lk.). Die Begründung dieses Wortes betont, ganz im Sinne dieser Jesus eigenen Gedankenzusammenhänge, daß das Scheidungsrecht des Gesetzes mit Rücksicht auf die „Herzenshärtigkeit" gegeben sei (Mk. 10,5 par. Mt.). Sie stellt also das Gesetz ausdrücklich mit dem Bösen zusammen, das dem Menschen wesenhaft anhaftet. Auch die Vordersätze der Antithesen kennzeichnen das Gesetz als praktizierbare rechtliche Satzung, die das Böse eindämmen soll, es aber als grundsätzlich unüberwindliche Gegebenheit voraussetzt (Mt. 5,21.27.31.33.38.43). Das Gesetz ist also gerade nicht auf den kommenden, sondern auf diesen Äon bezogen und muß unverkürzt gelten, solange diese Welt besteht (Mt. 5,18). Jesu Weisung ergeht daher nicht nur historisch einmalig, sondern sachlich bleibend und notwendig in *Antithese zum Gesetz*. Jesus verbietet in Antithese zum Gesetz jede Ehescheidung und begründet dies positiv als die *ursprüngliche Setzung Gottes des Schöpfers:* „Am Anfang war es nicht so"; „was Gott zusammengefügt hat, das soll der Mensch nicht scheiden" (Mt. 19,8.6). Diese Begründung mit der ursprünglichen Ordnung der Schöpfung ist nur sinnvoll, wenn Jesus beseitigt, was die im Gesetz vorliegende Ausprägung von Gottes Ge-

---

[11] Seneca, Ad Lucilium 17,9 u. a.

[12] Der Jesus eigentümliche Vorstellungszusammenhang spricht für die Ursprünglichkeit der bereits in Q vorliegenden Verbindung von 6,33 mit 6,25 f. 28 ff. In Mt. 10,29—33 par. Lk. verbindet zumindest schon Q den Hinweis auf die Fürsorge des Schöpfers mit der Rettung durch Gott den Vollender.

bot nötig macht, nämlich die „Herzenshärtigkeit". Diese aber kann, wie schon das Alte Testament sagt (Hes. 36,26 u. a.), nur durch das eschatologische Heilswerk Gottes beseitigt werden. Jesus vollbringt dieses Werk, indem er die totale Umkehr nicht nur fordert, sondern wirkt. So wird hier eindeutig sichtbar, daß die Begründung der Weisung Jesu von der Schöpfung her erst *auf Grund seines eschatologischen Heilswirkens* möglich ist.

Jesu Wort gegen die Ehescheidung will demnach gleich dem zur Kaisersteuer letztlich die eschatologische Umkehr zu Gott. Für den Umkehrenden aber ist die unauflösliche Ehe nicht unwesentlich, sondern gerade verpflichtende Möglichkeit geworden. Das Wort gegen die Ehescheidung ruft nicht nur über die Ehe hinaus in die eschatologische Existenz, sondern auch zum Gehorsam gegenüber der Setzung des Schöpfers zurück. Die *Verpflichtung zur Kaisersteuer* ist sicher nicht in derselben Weise betont wie die zur ehelichen Treue, sie führt ja nicht zu der ursprünglichen Setzung des Schöpfers zurück, und doch *gehört* sie *in die aufgezeigte Bewegung,* in die Jesu Ruf den Menschen führt. Jesus führt den Menschen aus der Sphäre des Gesetzes und des Bösen heraus dem Gott in die Arme, der jetzt durch ihn seine endzeitliche heilvolle Herrschaft aufrichtet, und läßt ihn, von dieser Begegnung aus seinen Blick gleichsam zurückwendend, Gott zugleich als den Schöpfer und den Herrn der Geschichte finden, als den, der die Vögel nährt und die Lilien kleidet, der Mann und Frau zur unlöslichen Ehe verbindet und der auch dem römischen Kaiser die Herrschaft und damit das Recht auf Steuer gegeben hat. Wenn der Mensch Gott als den findet, der jetzt eine neue Welt bringt, dann soll er ihn auch als den Schöpfer, von dem er herkommt und von dem her er geschichtlich lebt, wiederfinden.

III.

Dieses *Zurückfinden zu Gott dem Schöpfer bedeutet nicht, daß für den Glaubenden die Sphäre des Gesetzes und des Bösen gleichsam verflüchtigt würde* und das Paradies wiederkehrte. Es vollzieht sich vielmehr in ständiger Auseinandersetzung mit der Sphäre des Gesetzes; denn weder der Glaubende noch die Setzung Gottes, z. B. die Ehe, die ihn fordert, wird ihr entrückt.

Für den *Glaubenden* ist, bis das Glauben zum Schauen wird, das Gesetz ebenso wie das Böse und das Übel nie zeitlich vergangen oder wesenlos geworden. Das Gesetz wird für ihn vielmehr aller abschwächenden Interpretation entkleidet (Mk. 7,11), und das Böse wird gerade durch die radikale Verurteilung zu letztem Widerstand herausgefordert (Mt. 12,24–30). So ist *die Freiheit* des von Gottes Herrschaft in Dienst Genommenen für den Schöpfer und Herrn der Geschichte *immer nur als überbietende Erfüllung des Gesetzes und als Endkampf gegen das Böse* wirklich.

Genausowenig wie der Glaubende ist *die geschichtliche Setzung*, die ihn fordert, der Sphäre des Gesetzes und des Bösen entnommen. Jesus läßt den hinter diesen Setzungen stehenden Willen Gottes vom Eschaton her aufleuchten, so daß er *im Dennoch* zu der normalen Gestalt der Ehe und des Staates erfaßt wird. Jesus fordert die unverletzliche Ehe und nimmt die Dirnen und Ehebrecherinnen an (Mt. 21,31; Lk. 7,36–50; vgl. Joh. 8,3–11), um sie durch die Schändung hindurch Gottes Willen, auch über die Ehe, erfassen zu lassen.

Wie sehr nicht nur der Staat, sondern auch die Ehe und der Nächste dieser Sphäre verhaftet sind, wird letztlich daran deutlich, daß *die eschatologische Umkehr keineswegs in der Verpflichtung gegenüber diesen geschichtlichen Setzungen Gottes zum Ziel kommen soll.* Jesus fordert nicht nur unverbrüchliche eheliche Treue, sondern zugleich den Verzicht auf die Ehe und das Verlassen der Familie (Mt. 19,12; Lk. 14,26 par. Mt.). Jesus bejaht nicht nur die Verpflichtung gegenüber dem Kaiser, sondern fordert den Verzicht auf die staatliche Bewahrung geschichtlicher Existenz durch Recht und Macht (Mt. 5,38 f.; Mk. 10,42–45 par. Mt.) – um der hereinbrechenden Gottesherrschaft willen; denn in ihr wird man „nicht mehr freien oder gefreit werden" (Mk. 12,25 par.).

Die weltlichen Stände, *Ehe und Staat*, werden nicht in das Paradies zurückversetzt, aber noch weniger in das Reich Gottes eingegliedert; sie *bleiben dieser Welt verhaftet und werden daher gleich ihr durch diesen Ruf zum Verzicht in letzter Weise in Frage gestellt.*

Der äußerlich zwiespältige Ruf Jesu, der gegenüber der Ehe und dem Staat verpflichtet und zugleich den Verzicht auf sie fordert, hat auf alle Fälle den Sinn, die Gerufenen weder in einem welthaften noch in einem weltflüchtigen Ethos zur Ruhe kommen zu lassen, sie vielmehr in Bewegung auf den lebendigen Gott hin zu halten, allerdings nicht in einem aussichtslosen Hasten, sondern in einer Bewegung, die von der Gemeinschaft ausgeht, die vor allem Zutun mit der Selbstdarbietung Jesu geschenkt wird.

Angesichts dessen, daß Jesus auch den Staat in dieser letzten Weise in Frage stellt, ist es, abgesehen von den unmittelbaren historischen Zusammenhängen, nicht zufällig, daß Jesus trotz seines alle jüdische Loyalität überbietenden Jas zur Kaisersteuer vom Statthalter des Kaisers verurteilt und daß die ihm Nachfolgenden vom Imperium schließlich nicht minder beargwöhnt wurden wie von der jüdischen Theokratie.

IV.

Von dieser Einsicht in die Struktur des Wortes Jesu zum Imperium aus löst sich auch das entscheidende Problem der *Paränese in Röm. 13,1–7*, die die Gemeinde verpflichtet, sich gleich allen Menschen den staatlichen Machthabern unterzuordnen. Martin Dibelius spricht das Problem im Namen vieler scharf an, wenn er sagt: „Niemand kann überhaupt aus diesem Text entnehmen, daß hier ein christlicher Apostel eine christliche Gemeinde ermahnt. Paulus hat eine traditionelle Mahnung der hellenistisch-jüdischen Paränese weitergegeben, ohne sie mit einem besonderen Stempel zu versehen." „Paulus ist für die Formulierung in Röm. 13 nicht in vollem Maße verantwortlich."[13]

Von der eben gewonnenen Einsicht her müssen wir dagegen sagen: Diese Paränese ist *gerade deshalb christlich, weil sie so weltlich und so elementar vom Staat redet.* Paulus kennt die Problematik des Weltreiches vom Standort der alttestamentlich-jüdischen Theologie aus, und er kennt die hellenistische Reichsideologie, die den Staat kultisch verherrlicht, indem sie ihn zum Garanten menschlicher Kultur und Wohlfahrt macht. Paulus kennt beides und *greift über beides auf diese elementaren Grundlagen der Staatlichkeit zurück.* Er will sagen: Euch ist wie jedem Menschen die Unterordnung unter die Vertreter des Imperiums geboten; denn hier ist unter einem Wust von Ideologie und Mythologie, von Cäsarenwahn und Statthalterwillkür eben dieses grundlegende Element der Staatlichkeit gegeben, ordnende Macht und Übung des Rechtes (Röm. 13,1b–5) nach menschlicher Einsicht im Sinne von Röm. 1,32; 2,14 ff.[14], und beides ist, ohne daß es der Kaiser und seine Beamten wissen, Beachtung fordernde Setzung eures Gottes (1.Kor. 8,6).

Der Gehorsam, zu dem Paulus die Christen gleich allen Menschen verpflichtet, hat demnach anderen Sinn und daher vielfach auch andere Gestalt, als es der Kaiser und seine Beamten eigentlich wünschen. Gerade in dem schlichten Ja zur Unterordnung und in seiner nüchternen Begründung von der geschichtlichen Setzung Gottes her ist *die Spannung* zwischen dem Gehorsam des Christen und der Anforderung seines irdischen Herrn angelegt, die das dem alttestamentlich-jüdischen Menschen geläufige Problem des Widerstehens einschließt.

Beide aber, dieses schlichte Ja wie seine Begründung, *entsprechen Jesu Wort zur Kaisersteuer.* Röm. 13 ist nicht nur aus dem Geist Jesu,

---

[13] M. Dibelius, a.a.O. (Anm. 3), 183 f.

[14] An dieser Stelle sieht Paulus die Beziehung des Staates zur Sphäre des Gesetzes, die von Röm. 13,8–10 und 1,18–3,20 aus weiter zu klären wäre.

sondern aller Wahrscheinlichkeit nach aus einer von Jesu Wort geprägten Tradition geredet. Röm. 13,7 dürfte unmittelbar in Anlehnung an Jesu Wort formuliert sein. In Röm. 13,1–7 sind viele Traditionen eingegangen[15], aber das Wort zur Kaisersteuer hat dem Abschnitt das Gesicht gegeben.

Allerdings müssen wir sehen, daß Röm. 13,1–7 nur dem ersten Satz entspricht: „Erstattet dem Kaiser, was des Kaisers ist"; *der entscheidende Schlußsatz* aber *ist in den Rahmen des Abschnittes eingegangen!*

Auch Röm. 13,1–7 steht *unter dem Vorzeichen,* das die gesamte Paränese in Röm. 12 f. durch die thematische Einleitung in Röm. 12, 1 f. empfängt. Sie kennzeichnet auch die Unterordnung unter die Obrigkeit als Erweis der Freiheit zum Gehorsam, die die Rechtfertigung für den Glauben erschließt. Eben dieses Vorzeichen entnahmen wir dem Schlußsatz Jesu für den Vordersatz.

Darüber hinaus finden wir *in der Komposition von Röm. 12 f.* auch die Konkurrenz der Anforderungen wieder, die das Ja zur Kaisersteuer einschränkte. Vor der Unterordnung gegenüber den Behörden werden der Dienst in der Gemeinde (Röm. 12,3–8) und der Liebeserweis im Nächstenverhältnis, auch gegenüber dem Feind (Röm. 12, 9–21), angesprochen; diese Komposition[16] entspricht einem Schema urchristlicher Paränese, das schon früh Tradition wurde[17]. Auf diese Weise erscheint die Unterordnung unter die staatlichen Behörden als *ein schmaler Ausschnitt im Handeln der Christen;* jedem totalitären Anspruch ist gewehrt. Aber noch mehr: Die Anforderung dieses Sektors steht in einem gewissen Widerstreit zu den anderen. In Röm. 12,19 wird schwerlich zufällig für das Nächstenverhältnis mit fast denselben Worten untersagt, was nach Röm. 13,4 den staatlichen Machthabern von Gott aufgetragen ist. Dort heißt es: „Rächet euch selbst nicht, Geliebte!" Und hier: „Sie ist eine Rächerin zum Zorn für den, der Böses tut." Sicher verwalteten die Christen damals nicht

---

[15] A. Strobel, Zum Verständnis von Röm. 13, ZNW 47 (1956), 67–93.

[16] Die Mahnungen in Röm. 12 f. sind ihrer Gattung nach weithin Paränese; das schließt das Suchen nach einem „Gedankengang", nicht aber Gesichtspunkte der Komposition aus (gg. E. Käsemann, Röm. 13,1–7 in unserer Generation, ZThK 56 [1959], 349 f.).

[17] Auf Grund des urchristlichen Selbstverständnisses wird regelmäßig auch in anderen paränetischen Abschnitten die Bewährung der Gliedschaft in der Gemeinde vor die Einordnung in den weltlichen Stand gestellt: Mt. 18/19; Eph. 4,1–16/5,22–6,9; Kol. 3,1–17/3,18–4,1; 1. Petr. 1,22–2,10/2,11–3,7. Allgemeine Mahnungen für das Verhältnis zum Nächsten, die über das Bruderverhältnis in der Gemeinde hinausführen und sich auf den Erweis der Feindesliebe zuspitzen, sind in verschiedener Anordnung beigefügt, z. B. Eph. 4,17–5,21; 1.Petr. 3,8–12; vgl. Mt. 18,21–35.

staatliche Ämter, das war schon wegen der damit verbundenen kultischen Verpflichtungen nicht möglich. Dennoch war der Zwiespalt auch für sie gegeben; denn sie bezahlen die Steuer nicht, um andere für sich sündigen zu lassen, sondern weil sie das Rechtüben grundsätzlich gutheißen. Das Handeln im staatlichen Bereich hat also andere Gestalt als das im Nächstenverhältnis oder in der Gemeinde[18]. Das wird vollends daran sichtbar, daß hier „Unterordnung"[19] und nicht Erweis der Bruder- bzw. der Nächstenliebe gefordert wird. Das Verhalten gegenüber den Beamten des Kaisers kann nicht auf den Erweis der Nächstenliebe reduziert werden, hier ist Unterordnung geboten. Dieser Zwiespalt ist, wie wir sahen, in der Struktur der Weisungen Jesu angelegt und im Wesen der durch ihn vermittelten Existenz vor Gott begründet, nämlich in der gleichzeitigen Bindung an das Walten Gottes in der eschatologischen Erlösung und in der Geschichte.

Die bisher dem Rahmen entnommene spannungsreiche Eingrenzung der Verpflichtung gegenüber dem Staat in Röm. 13 ist ungleich wichtiger als der durch die Naherwartung verstärkte Hinweis auf *die Vorläufigkeit* des Staates als einer Erscheinung dieser vergehenden Welt, den man aus Röm. 13,11 entnehmen kann, den Paulus jedoch nicht betont – selbst 1.Kor. 7,29 ff. will nur Ratschlag, nicht Gebot sein.

Der Zusammenhang von Röm. 13,1–7 mit Jesu Worten sagt uns abschließend: Die Paränese in *Röm. 13 ist nicht zu Unrecht die zentrale Weisung* für das Verhältnis der Christenheit zum Staat geworden. Sie ist historisch tatsächlich nicht eine zufällige, lediglich situationsbedingte Äußerung, sondern eine zentrale Anwendung des von Jesus entwickelten neuen Ansatzes in der Situation der Gemeinde. Es ist nicht zufällig, daß Röm. 13 bereits in apostolischer Zeit als richtungweisend aufgenommen und auch festgehalten wurde, als den Christen vom Staat, wie es Paulus persönlich bereits vielfach erfahren hatte, nicht Recht, sondern Unrecht widerfuhr. Schon der 1. Petrusbrief nimmt in 2,13–17 eine Röm. 13 entsprechende Tradition auf, obgleich für ihn Rom zu „Babylon", zu der Gott und seinem Volk feindlichen Welthauptstadt (1.Petr. 5,13), geworden ist. Die Warnung vor der Anbetung des antichristlichen Weltherrschers in Offb. 13 stammt zwar aus einer von Röm. 13 unabhängigen Tradition; aber Röm. 13 schließt sie sachlich nicht aus, sondern durch seine Distanzierung von den Ansprüchen des Imperiums geradezu ein. Röm. 13 ist, aus seinen historischen Zusammenhängen verstanden, ein durch

---

[18] Das Handeln in der „Bürgergemeinde" ist also nicht in Analogie zu dem in der „Christengemeinde" zu gestalten.

[19] „Sich unterordnen" Röm. 13,1 ist stehender Terminus in den „Haustafeln"!

Jesu Ja zur Kaisersteuer eingegebenes neues Wort gegenüber einer ideologisch übersteigerten Spätform der Staatlichkeit und einer jahrhundertealten theologischen und philosophischen Diskussion über den Staat und daher auch in unserer Situation nicht überholt und nicht verbraucht.

Zur hermeneutischen Problematik:

Paulus und die Heilsgeschichte: Schlußfolgerungen aus Röm. 4 und 1. Kor. 10, 1-13*

Die Frage, wie weit eine heilsgeschichtliche Betrachtungsweise hermeneutisches Prinzip sein kann, das ein Verstehen des Neuen Testaments erschließt und ein theologisches Verifizieren seiner Aussagen ermöglicht, ist gegenwärtig vor allem von der alttestamentlichen Theologie her neu gestellt. Wir können in dieser Frage jedoch nur Klärung erhoffen, wenn wir nicht von dem vieldeutigen Begriff „Heilsgeschichte" ausgehen, sondern versuchen, den Sachverhalt, den er anspricht, exegetisch zu erfassen. In dieser Absicht befragen wir Paulus, genauer zwei sich hier anbietende Texte, nämlich die Typologien in Röm. 4 und 1.Kor. 10,1–13.

Den Platz unserer Fragestellung im Rahmen der historischen Schriftforschung läßt folgende Überlegung erkennen: In dieser Forschung versuchen wir, die Aussagen des Neuen Testaments nach den bekannten Prinzipien der Analogie, Korrelation und Kritik aus ihrem Entstehungszusammenhang zu erklären. Daher untersuchen wir z. B. Paulus vor allem mit Hilfe von drei Fragestellungen, die im Laufe der Forschungsgeschichte unterschiedlich betont wurden: 1. Wir fragen nach Denkformen und Vorstellungen der jüdischen und hellenistischen Umwelt, die Aussagen des Apostels direkt oder indirekt veranlaßten und sie als Analogien erklären[1]. 2. Gleichzeitig suchen wir die frühchristlichen Überlieferungen zu ermitteln, die seine Aussagen hervorgerufen haben. Und diese Überlieferungen sind unbeschadet aller Einwirkungen der Umwelt nicht lediglich Kanäle, die Vorchristliches mehr oder minder gefärbt weiterleiten. 3. Schließlich muß über alles hinaus, was Paulus aufnahm, seine eigene theologische Arbeit in den Blick treten, insbesondere die Denkstrukturen, die er vertritt und anwendet. Unter diesen Strukturen nimmt auf alle Fälle die

---

* Erstmals veröffentlicht in: NTSt 13 (1966/67), 31–42.

[1] Einen guten Überblick über die Diskussion gibt H. J. Schoeps, Paulus, Die Theologie des Apostels im Lichte der jüdischen Religionsgeschichte, 1959, 3–42.

Betrachtungsweise einen zentralen Platz ein, die aus seiner typologischen Auswertung des Alten Testaments spricht.

Sicher sind auch seine typologischen Entwürfe in Methode und Ausführung von christlichen und jüdischen Überlieferungen abhängig. Trotzdem gibt Paulus hier primär nicht Übernommenes weiter. Er entwickelt vielmehr selbständig forschend aus „der Schrift", dem Alten Testament, die für ihn eine sich von allen jüdischen und hellenistischen Überlieferungen abhebende Autorität ist, eine Deutung der Erscheinung Christi bzw. des Lebens der Kirche. Er bildet auf diese Weise eine Betrachtungsweise aus und gewinnt theologische Deutungen der Situation, die er, wie traditionsgeschichtlich aufgewiesen werden kann[2], mit Recht gegenüber dem jüdischen Schriftverständnis als eigenständig kennzeichnet (2.Kor. 3,14–16). Deshalb können wir Paulus nur verstehen, wenn wir die hier vorliegende Denkstruktur beachten. Wir wollen sie an den beiden prägnanten Stellen, Röm. 4 und 1.Kor. 10,1–13, entwickeln und dabei fragen, in welchem Sinne sie „heilsgeschichtlich" genannt und von uns nachvollzogen werden kann.

Diese Fragestellung bedeutet für das Thema: „Paulus und die Heilsgeschichte" eine doppelte Beschränkung: Einmal erfaßt sie aus dem Bereich, den das Stichwort „Heilsgeschichte" anspricht, nur einen Ausschnitt, nämlich das, was den Rückverweisen auf das Alte Testament zu entnehmen ist. Die Frage, wie sich die Existenz des Glaubens in der Geschichte zu der zurückliegenden Erscheinung Christi und zu seiner bevorstehenden Parusie samt dem Vollendungsgeschehen verhält, wird nur indirekt berührt[3]. Zum anderen werten wir die Rückverweise des Apostels auf das Alte Testament nicht gleichmäßig und vollständig aus, sondern beschränken uns auf die beiden genannten Abschnitte und ziehen sonstige paulinische Texte nur so weit heran, daß sich die Aussagen unserer Texte nicht einseitig verzerren. Auch in dieser Beschränkung lassen sich ohne Anspruch auf Vollständigkeit paulinische Denkstrukturen zuverlässig umschreiben, die für das Gesamtverständnis seiner Theologie grundlegend sind und manche gegenwärtig herrschende Auffassung in Frage stellen. Um den Charakter der sachlichen Anfrage zu wahren, verzichten wir auf

---

[2] Zu diesen und anderen Fragen um die Typologie bei Paulus vgl. L. Goppelt, ‚Apokalyptik und Typologie bei Paulus', ThLZ 84 (1964), 321–44, s. u. S. 234–267; ders., Typos, Die typologische Deutung des Alten Testaments im Neuen, 1939, Nachdruck 1966.

[3] Wie die Beantwortung dieser Frage der Bewertung der Rückverweise auf das Alte Testament entspricht, lassen die (wenig befriedigenden) Ergebnisse erkennen, zu denen die eben erschienene Dissertation von A. Suhl, Die Funktion der alttestamentlichen Zitate und Anspielungen im Markus-Evangelium, 1965, in der Frage ‚Markus und die Heilsgeschichte' (162–9) kommt.

eine explizite Auseinandersetzung mit anderen Auffassungen. Wir entwickeln unser Thema anhand von drei Fragen.

1. Was ist über einmalige Anlässe hinaus grundsätzlich Zweck und Ergebnis dieser Hinweise auf das Alte Testament?

a) Der Zweck: Sicher wurde der Hinweis auf Abraham im Galaterbrief durch die Polemik gegen die Judaisten nahegelegt und im Römerbrief durch die ständige grundsätzliche Auseinandersetzung mit ‚dem Juden' in Röm. 1—8 gefordert. Diese Hinweise sind jedoch hier wie an anderen Stellen nicht lediglich situationsbedingtes Mittel der Apologetik, der Polemik oder traditioneller Schriftgelehrsamkeit, sondern *ein von der Sache her gegebenes zentrales Mittel zur Interpretation des Evangeliums.*

Diese Schlußfolgerung wird durch folgende Überlegung nahegelegt. Wenn Analogien Mittel sind, um Verstehen zu erschließen, dann bringt Paulus hier eine einzigartige Analogie ins Spiel. In den historischen, speziell den religionsgeschichtlichen Analogien, die sich uns anbieten, wäre für Paulus das Entscheidende, nämlich Gottes Handeln verhüllt (1.Kor. 1,21; Röm. 1, 18—23), in den alttestamentlichen Entsprechungen aber ist es durch Gottes Wort-Offenbarung und durch berufene Zeugen für ihn als Glaubenden manifest. Noch mehr: Hier handelt Gott nicht wie in der gesamten übrigen Geschichte in seiner ἀνοχή bzw. ὀργή (Röm. 1,23 f.; 3,26), sondern auf Grund von ἐκλογή im Sinn seiner ἐπαγγελίαι auf das Heil hin (Gal. 3,8; Röm. 4,13; 9,4 f.). Christus ist das Ja Gottes zu all diesen Verheißungen (2.Kor. 1,20). Von dieser Glaubenserkenntnis her nimmt Paulus an, daß Gott selbst diese alttestamentlichen Entsprechungen in der Geschichte geschehen und in der Schrift aufzeichnen ließ, um der Gemeinde das Verstehen des Christusgeschehens zu erschließen. Nichts Geringeres besagen die aufschlußreichen hermeneutischen Zwischenbemerkungen in Röm. 4,23 (vgl. Gal. 3,8) und 1.Kor. 10,6.11. Diese Interpretation des Christusgeschehens vom Alten Testament her ist allerdings nicht rational zu errechnen; sie kann immer nur, wenn ‚die Decke weggenommen wird' (2.Kor. 3,14—16), von Christus her und auf Christus hin entwickelt werden.

b) Was diese Interpretation für das Verstehen des Christusgeschehens *ergibt,* wird an unseren beiden Stellen eindrucksvoll sichtbar: Röm. 4 durchleuchtet das Wesen der Rechtfertigung in einer Weise, wie es keine jüdische oder hellenistische Analogie vermöchte, ja entgegen jüdischem und judaistischem Mißverstehen. 1.Kor. 10 erklärt entgegen einem mysterienhaft-magischen Mißverstehen der Sakramente vom hellenistischen Synkretismus her, daß der Gemeinde in den Sakramenten Gottes Heilshandeln ebenso unentrinnbar und doch unverfügbar begegnet wie Israel in der Wüste. Diese Interpretation ist die wirksamste und sachgemäßeste Form der ‚Entmythologisierung' und Entjudaisierung! Sie führt die ‚Entmythologisierung' weiter, die bereits das Alte Testament vom Jahwe-Glauben her gegenüber dem mythischen Welt- und Menschenverständnis seiner Umwelt vollzieht[4].

Die alttestamentliche Entsprechung läßt jedoch nicht nur auf Grund der Strukturgleichheit *die sachliche Mitte des Christusgeschehens, die Erweisung von Gottes Gottheit auf Glauben hin*, in dieser Weise aufleuchten, sondern zugleich den *eschatologisch-soteriologischen Charakter* des der Gemeinde Widerfahrenden. Wenn Entsprechungen zu dem alttestamentlichen Heilsgeschehen, und zwar gesteigerte Entsprechungen, eintreten, dann bedeutet das seit den Anfängen der Prophetie den Anbruch der Heils- und Endzeit[5]. Diese Folgerung wird in unseren beiden auf Entsprechung abgestellten Beispielen nicht herausgearbeitet, aber unverkennbar vorausgesetzt: Die alttestamentlichen Entsprechungen zielen, wie in apokalyptischer Terminologie gesagt wird, auf ‚das Ende der Weltzeiten' (1.Kor. 10,11), bzw. ‚auf die Fülle der Zeiten' (Gal. 4,4). So wird bei Paulus der eschatologische Charakter des Christusgeschehens zwar in apokalyptischer Begrifflichkeit ausgesagt, aber sachlich als Realisierung der Verheißung und als Vollendung des vorlaufenden Heilshandelns Gottes verstanden und erklärt (Röm. 4,16; Gal. 3,8).

Wir können die zentrale paulinische Vorstellung, daß das Eschaton für den Glauben gegenwärtig sei, daß der Glaubende καινὴ κτίσις sei (2.Kor. 5,17), nicht, wie es weithin versucht wird, von dem apokalyptischen Begriff des Eschatons aus erklären[6]; denn für die Apokalyptik ist das Eschaton seinem Wesen nach auch das Ende der Geschichte und des Kosmos. Der Glaube lebt aber seinem Wesen nach ‚im Fleisch', d. h. in der Geschichte, nicht nur in der ‚Zeitlichkeit' (Gal. 2,20). Für ihn ist *das Eschaton primär die* καινὴ διαθήκη, das neue, endgültig heile Verhältnis zu Gott, das die alttestamentlichen Entsprechungen als neue Stiftung Gottes absolut überbietend aufhebt (2.Kor. 3,4–18). Deshalb ist das Neue für den Glauben schon

---

[4] G. von Rad, Theologie des Alten Testaments, II, 1965[3], 357–372.

[5] Goppelt, a.a.O. (Anm. 2), 334–336, s. u. S. 253–258.

[6] Diskussion s. u. S. 264 ff. Nach verbreiteter Auffassung war für Jesus und das älteste Christentum des Eschaton, das ihr Denken beherrschte, das nahe Weltende im Sinne der Apokalyptik, so daß in ihrem Blickfeld für eine Heilsgeschichte kein Raum war. Dieser Auffassung gegenüber zeigt O. Cullmann, Heil als Geschichte, Heilsgeschichtliche Existenz im Neuen Testament, 1965, 10–29, 166–267, daß Jesus wie die apostolischen Zeugen das Eschaton zugleich als schon und noch nicht gegenwärtig sehen und demgemäß auch erwarten, und zwar immer wieder als nahe. Die Naherwartung ist nicht Ausgangspunkt, sondern Folgerung aus der Spannung zwischen dem Schon und Nochnicht!

ganz gegenwärtig (2.Kor. 1,20) und doch noch nicht leibhaft und schaubar (Röm. 5,1–11; 8,18–30; 2.Kor. 5,6 f.), aber es hat gerade nicht den Charakter einer sich realisierenden Eschatologie.

So erweist sich dieses Interpretieren vom Alten Testament her an seinem Ergebnis als das entscheidende Mittel, um das Christusgeschehen zu deuten. Paulus, und nicht nur er, sondern in unterschiedlicher Weise auch die übrigen neutestamentlichen Zeugen und m. E. bereits Jesus selbst gewinnen auf diesem Wege das zentrale Verstehen des gegenwärtigen Heilsgeschehens.

Wie sich diese Interpretationsweise zu der uns durch das historische Denken unausweichlich gewiesenen *religionsgeschichtlichen* verhält, wird zugespitzt durch 1.Kor. 10 aufgewiesen: Während Paulus in der ersten Hälfte dieses Kapitels das Herrenmahl vom Alten Testament her interpretiert, setzt er es in der zweiten Hälfte in ausschließliche Antithese zum hellenistischen Kultmahl (1.Kor. 10,21 f.). Die ‚Religionsgeschichtliche Schule' hat sein Sakramentsverständnis bekanntlich nach dem entgegengesetzten Prinzip abgeleitet[7]. Sie hat das Interpretationsprinzip, das Paulus bewußt und nachdrücklich anwendet, als zeitbedingte Ausdrucksform beiseite gestellt und die ihm unbewußten religionsgeschichtlichen Einflüsse als maßgeblich herausgestellt. Dies führt auf unsere 2. Frage:

2. Können wir diese Interpretationsweise des Apostels angesichts unseres historischen Schriftverständnisses als eigenständigen Ausdruck christlicher Glaubenserkenntnis ansehen und nachvollziehen?

Diese seit 150 Jahren in der biblischen Wissenschaft gestellte Frage wurde in unserer Generation von der alttestamentlichen Wissenschaft her eingehend diskutiert[8]; denn ein beachtlicher Zweig dieser Wissenschaft entwickelte das hermeneutische Prinzip, das Alte Testament müsse unbeschadet aller historischen Analysen und religionsgeschichtlichen Zusammenhänge letztlich genau in diesem Sinn auf das Christusgeschehen als seine Erfüllung hin interpretiert werden, wenn man seiner eigenen Grundintention gerecht werden wolle. Gegen dieses hermeneutische Prinzip, das zuletzt Gerhard von Rads ‚Theologie des Alten Testaments' anwendet und im letzten Hauptteil darstellt[9], melden sich von historischem Denken her Bedenken.

Verhältnismäßig geringfügig ist der sich zuerst einstellende Einwand: Paulus verwendet bei der Einzelargumentation rabbinische Denkformen. Er preßt z. B. die Wortform oder die Reihenfolge der Kapitel oder schließt aus der wiederholten Erwähnung des wasser-

---

[7] Vgl. R. Bultmann, Theologie des Neuen Testaments, 1961[4], § 13, 2 und § 34, 3.

[8] Über diese Diskussion berichtet von der neutestamentlichen Fragestellung her S. Amsler, L'Ancien Testament dans l'église, Essai d'herméneutique chrétienne, 1960, 220–227.

spendenden Felsens im Pentateuch auf einen wandernden Felsen (Gal. 3,16; Röm. 4,10 f.; 1.Kor. 10,4). Diese Logik können wir nicht nachvollziehen, aber sie trifft auch nur die Einzelausführung dieser Deutung. Ihr Inhalt folgt entscheidend aus der grundsätzlichen Betrachtungsweise, und eben sie erregt vor allem zwei schwerwiegende Bedenken.

a) Wird hier nicht prinzipiell der eigene Sinn des Alten Testaments unterdrückt und ein ihm selbst *fremder Sinn* eingetragen? ‚Dies widerfuhr jenen τυπικῶς', nämlich als Vorausdarstellung ‚für uns' (1. Kor. 10,11)! Diese Frage kann nur durch eine historische und theologische Untersuchung des Alten Testaments beantwortet werden. M. E. ist es G. v. Rad gelungen, nachzuweisen, daß das im *Alten Testament* berichtete Geschehen nach seiner eigenen Intention wie nach der Einsicht der Berichterstatter *über sich hinausweist*[10]; daß dabei zwischen den einzelnen Schichten und Schriften des Alten Testaments erhebliche Unterschiede vorliegen, braucht hier nicht weiter gesagt zu werden. Wenn dies zutrifft, dann ist es grundsätzlich legitim, daß Paulus alttestamentliches Geschehen als Vorausdarstellung neutestamentlichen Geschehens versteht und dementsprechend auch vom neutestamentlichen her auswählt, zusammenordnet und über den historischen Sinn hinaus deutet, – vorausgesetzt, daß Jesus der ist, ‚der da kommen sollte'.

Diese grundsätzliche Legitimierung ist kein pauschaler Freibrief. Es ist vielmehr bei jeder verwendeten Schriftstelle historisch und theologisch zu prüfen, ob das alttestamentliche Geschehen hier jeweils seiner Intention, dem ‚Gefälle' des alttestamentlichen Ablaufs gemäß, wenn auch weit darüber hinaus, ausgewertet wird. Dies ist m. E. für unsere beiden Beispiele, Röm. 4 und 1.Kor. 10, im großen und ganzen zu bejahen. Dagegen trifft es für eine nur an formalen Berührungen haftende Typologie, wie sie sich z. B. im Barnabas-Brief findet, und erst recht für allegorische Deutungen nicht zu. Welche Kriterien bei dieser Prüfung im einzelnen anzuwenden sind, wäre weiterer Überlegung wert. Sie müssen auf alle Fälle vom Wortsinn und der geschichtlichen Situation des Berichteten ausgehen. Eben dies aber führt auf das andere Bedenken:

b) Das alttestamentliche Geschehen, auf das Paulus verweist, ist ein kerygmatisches Bild des Glaubens, die historische Analyse ergibt ein anderes Bild. Wieweit ist die paulinische Auswertung des Glaubensbildes *von dem historisch feststellbaren Sachverhalt abhängig?* Die Vorgänge, auf die Paulus verweist, sind ein Ineinander von histori-

---

[9] A.a.O. (Anm. 4), II, 339–436, insbesondere 407–412.
[10] Ebd. II, 408 f.

schem Ereignis, das mit Wortoffenbarung verbunden ist, und deutender Darstellung, die sich in Schichten entwickelt. Der Inhalt, auf den es Paulus ankommt, sind die Grundzüge des sich manifestierenden Gottesverhältnisses. Dieses Gottesverhältnis ist nicht eine einmal in der Geschichte aufleuchtende und dann für immer geltende allgemeine Wahrheit; es wird vielmehr jeweils für eine bestimmte geschichtliche Situation gesetzt und in ihr gelebt[11], aber es ist nicht an Einzelheiten eines geschichtlichen Ereignisses gebunden. So ist die Rechtfertigung Abrahams eingebettet in die Situation der Väterzeit auf eine Volksgeschichte hin. Diese Situation scheint mir historisch ebenso gegeben zu sein wie für 1.Kor. 10 das Faktum der Rettung am Schilfmeer und der Wüstenwanderung auf Landnahme und Volkwerdung hin.

Insgesamt ist diese Frage nur ein Ausschnitt aus dem alle Schriftauslegung betreffenden Problem: Wieweit ist die in und durch Geschichte ergehende biblische Offenbarung von der Historizität ihrer geschichtlichen Erscheinung abhängig? Daher kann diese Frage für die Hinweise auf das Alte Testament ebenso wie die vorher gestellte nach der Intention des Alten Testaments hier nur angesprochen, aber nicht ausdiskutiert werden. Beide Bedenken lassen bereits das Verhältnis des Heilsgeschehens zur Geschichte in den Blick treten, um das es bei unserer dritten Frage geht.

3. Wie weit ist dieses paulinische Interpretationsprinzip seiner Denkstruktur nach Ausdruck heilsgeschichtlichen Denkens?

Der Begriff ‚Heilsgeschichte' will nach herkömmlichem Sprachgebrauch[12] besagen, daß sich Gottes Handeln auf das Heil hin in und durch Geschichte vollzieht, und zwar in einer zeitlichen Abfolge von Akten, die seinem Heilsplan entspricht und die ganze Menschheitsgeschichte von ‚Adam' bis zur Vollendung umspannt. Dieser Gestalt der Heilsoffenbarung entspricht ein Glaube, für den mit der gegenwärtigen Bekundung Gottes immer auch ihr geschichtliches Woher und Wohin verbunden ist. ‚Geschichte' ist dabei rein formal die als Zusammenhang gesehene Abfolge des gesamtmenschlichen Verhaltens in der Zeit. Demnach besagt unsere Frage: Wie ist für Paulus Gottes Heilsoffenbarung auf die Geschichte bezogen und in sie eingeordnet? M. E. lassen sich vier Beziehungen feststellen:

a) Alttestamentliches wie neutestamentliches Handeln Gottes auf

[11] ‚Was die Menschen, von denen das Alte Testament erzählt, erleben, was sie aussprechen, was ihnen religiös widerfährt, das erklärt sich doch nicht aus einer allgemeinen „Religion", deren Träger sie waren, sondern aus ihrem Standort im Schatten eines besonderen, verheißenden oder drohenden Gotteswortes; es ist also zuinnerst bestimmt von der jeweiligen Stunde der Geschichte, in der sie von ihrem Gott betroffen oder etwa mit einem Amt betraut wurden' (v. Rad, ebd. 391).

[12] H. Ott, Heilsgeschichte, in: RGG³ III (1959), 187 ff.

das Heil hin ereignet sich für Paulus nicht zufällig, sondern *seinem Wesen nach in und durch Geschichte.* Dies wird abschließend dadurch kund, daß das eschatologische Heil nicht durch das Weltende kommt, sondern durch das Erscheinen des Verheißenen ,in der Gestalt des Sündenfleisches' (Röm. 8,3; Gal. 4,4) und allein für den Glauben ,im Fleisch' (Gal. 2,20). Das Heil kommt demnach durch ein Handeln Gottes in und durch Geschichte auf Christus hin und von Christus her! Dabei bekunden sich geschichtliche Phänomene als Ausdruck von Gottes Heilshandeln nicht durch einen rational aufweisbar wunderhaften Charakter, sondern durch die in sie verflochtene Wortoffenbarung (Röm. 4,18) und eine entsprechende Bezeugung durch berufene Zeugen (Röm. 4,23; 1.Kor. 10,11; vgl. Gal. 1,15 f.). Sie werden als Ausdruck von Gottes Heilshandeln insbesondere durch eine einzigartige Aufeinanderbezogenheit alttestamentlichen und neutestamentlichen Geschehens erkennbar, die Paulus in den Typologien aufdeckt (S. 222). Aber weil Gottes Heilsoffenbarung auf Rettung durch den Glauben abzielt, ist sie als solche immer *nur für den Glauben wahrnehmbar;* ihre Vermittlung durch Geschichte ist heilvolle Verborgenheit (1.Kor. 1,21–5).

b) Die letzte Aussage wird durch die Art bestätigt, wie alttestamentliches und neutestamentliches Heilshandeln untereinander zusammenhängen. Wenn Paulus das Christusgeschehen in der Gemeinde von alttestamentlichem Geschehen her deutet, dann will er sicher nicht lediglich punktuell jeweilige Beziehungen zur Vergangenheit aufweisen, sondern einen *von Gott in der Geschichte gesetzten Zusammenhang* aufdecken: Alttestamentliches und neutestamentliches Geschehen ist verbunden *durch den Bogen der Verheißung und Treue Gottes* (S. 247 ff.) – aber *nicht durch eine geschichtliche Kontinuität!* Was Paulus über den Samen Abrahams, an dem sich die Verheißung verwirklicht, ausführt (Röm. 4,9–12.16 f.; 9,6–8; Gal. 4,22.28–31), bedeutet in unseren Denkformen: Der Zusammenhang zwischen alttestamentlichem und neutestamentlichem Geschehen, z. B. zwischen der Rechtfertigung Abrahams und der Christen, entsteht nicht durch die Kontinuität einer Geschichte, in der auf Grund einer natürlichen oder institutionellen, z. B. durch die Beschneidung umschriebenen, Generationenfolge Tradition gewahrt wird. Er entsteht auch nicht durch die gleichbleibende Gesetzmäßigkeit der Geschichte, die Analogien erzeugt (so sieht es z. B. der 1. Clemensbrief), oder durch Wiederkehr, wie sie zyklisch-mythisches Denken erwartet[13], oder auch im Sinne morphologischer Typik.

[13] M. Eliade, Der Mythos der ewigen Wiederkehr, 1953; v. Rad, a.a.O. (Anm. 4), II, 119 ff.

Heilsgeschichte kann daher für Paulus nicht ein historisch erfaßbarer, kontinuierlicher Geschichtsablauf in seiner Bedeutsamkeit sein, die sich durch apokalyptische oder philosophische Deutung oder auch durch Umsetzung in Anthropologie ergibt. Der geniale Entwurf der alttestamentlich-jüdischen Apokalyptik, die Schau einer Universalgeschichte auf das Ende hin, dient Paulus als Vorstellungsrahmen und terminologisches Hilfsmittel, aber er ist nicht der ‚Mutterboden' seiner Theologie. Das Prinzip seines Denkens ist das Gegenüber alttestamentlichen und neutestamentlichen Geschehens unter dem Vorzeichen von Verheißung und Erfüllung, – Erfüllung im Schon und Noch-nicht[14].

So wird der Geschichte, dem Handeln der Menschen, jede von sich aus heilvermittelnde Funktion genommen. Aber sie wird dadurch nicht ‚profaniert', d. h. als eigengesetzliche Größe aus dem Geschehen zwischen Gott und Mensch entlassen; sie wird vielmehr von Gottes Heilshandeln in Dienst genommen. Sie ist, wie als erstes deutlich wurde, das Medium, das die Offenbarungsakte Gottes auf Glauben hin vermittelt, aber nicht nur das!

c) Die Offenbarungsakte Gottes sind keineswegs rein punktuelle vertikale Vorgänge, die sich lediglich menschlicher Mittler bedienen, sie sind vielmehr auf geschichtliche Situationen bezogen und *bestimmen* zugleich *mehr oder minder umfassende Geschichtsabläufe*.

Die Rechtfertigung Abrahams wird in Röm. 4 nirgends als zeitloses Modell der Rechtfertigung durch Christus gesehen. Sie wird Abraham vielmehr in einer bestimmten geschichtlichen Situation zuerkannt und steht seitdem als Dokument der Verheißung über der Geschichte. Deshalb nimmt sie die Offenbarung der Gerechtigkeit Gottes durch Jesus Christus (Röm. 1,16; 3,21) nicht vorweg, sondern ist nach Röm. 4,23 ihr τύπος, d. h. ihre verheißende Vorausdarstellung. In ähnlicher Weise wurde auch die Gesetzgebung nicht nur in einem geschichtlichen Akt vollzogen, sondern bestimmt seitdem einen Geschichtsablauf (Röm. 4,14; Gal. 3,17–24; 4,25).

Der vom Gesetz bestimmte Geschichtsablauf ist ein besonderer Ausschnitt des Geschehenszusammenhangs, der nach Röm. 5,12–21 zugleich durch Adam geprägt ist. Deshalb gilt von der Geschichte Israels wie von der jedes Israeliten: ἐν 'Αδάμ (1.Kor. 15,22) und ἐκ νόμου (Röm. 4,14; 5,20 f.). Jedoch steht die Geschichte Israels nicht nur unter diesem Vorzeichen, sondern zugleich unter dem der Verheißung (Röm. 4,13; 9,4 f.).

---

[14] Dies betont auch die wichtige Arbeit von G. Schrenk, Die Geschichtsanschauung des Paulus auf dem Hintergrund seines Zeitalters, in: Studien zu Paulus, 1954 (Abh. z. Theol. A u. NT 26), 49–80, insbesondere 69 f.

Während Gott die Geschichte von ‚Adam' her, d. h. durch Sünde, Tod und Gesetz, ‚schicksalhaft' prägt, bestimmt er sie *von der vorlaufenden Heilsoffenbarung her* in der eigentümlichen *Dialektik von Freiheit und Bindung:* Die Abrahamverheißung gilt einerseits nur dem Samen der freien Wahl Gottes (Röm. 9,6–13), und andererseits ist Gottes Treue noch größer als seine Freiheit und bindet sich auch an die geschichtliche Nachkommenschaft (Röm. 9,28–32). In dieser Dialektik bleibt die Geschichte Israels, dem als Volk Gottes erwählende Berufung zuteil wurde (Röm. 9,4 f.), für Paulus Erwählungsgeschichte. Dieses Vorzeichen muß über die in Röm. 4 genannten hinaus gesehen werden! Israels Bund ist ‚nicht gekündigt', wohl aber durch einen neuen aufgehoben.

Diese *Aufhebung* begrenzt die durch Gottes Kundgebungen auf das Heil hin bestimmten Geschichtsabläufe in eigentümlicher Weise. Was ‚in Adam' oder durch Abraham oder am Sinai gesetzt wurde, wird nicht einfach in einem bestimmten Punkt einer Zeitlinie aufgehoben, sondern nur im paulinischen νῦν: Dieses Jetzt ist einerseits die Zeitstrecke zwischen der Erscheinung Christi und der Parusie und andererseits die Stunde der kerygmatischen Anrede und des Glaubens (vgl. Röm. 7,6; 8,1; 2.Kor. 6,2)[15]. D. h. die Aufhebung erfolgt nicht durch Karfreitag und Ostern allein, sondern immer nur durch das Christusereignis in Verbindung mit der Verkündigung (2.Kor. 5,18–20).

Demnach schließen für Paulus alttestamentliches und neutestamentliches Gotteshandeln in ihrer Geschichte bestimmenden Wirkung nicht auf einer Zeitlinie aneinander an; sie laufen vielmehr seit der Erscheinung Christi gleichsam auf zwei Ebenen nebeneinander her, bis das Glauben zum Schauen wird. So sind z. B. von Adam und von Christus her nunmehr nebeneinander zwei Möglichkeiten geschichtlichen Lebens gesetzt; der Mensch steht ihnen nicht als Wählender gegenüber, sondern ist immer schon einer von ihnen dienstverpflichtet (Röm. 5,19; 6,15–23). Deshalb sind die von Gottes Kundgebungen auf das Heil hin bestimmten Geschichtsabläufe für Paulus *nicht geschichtliche Epochen oder Perioden.* Deshalb bezeichnet er sie insbesondere nicht als die zwei Äonen[16]; denn diese müßten einander als zwei Weltzeiten bzw. Welten zeitlich-kosmisch ablösen.

So ist z. B. das Gesetz für Paulus gewiß zu einem bestimmten Zeitpunkt nach Adams Fall (Röm. 5,13.20 f.), ‚430 Jahre' nach Abraham

---

[15] G. Stählin, ThW IV, 1106–1114.

[16] Die Wendung ‚der kommende Äon' taucht bekanntlich im corpus Paulinum nur im Epheserbrief (1,21) auf, und dort wird nicht gesagt, daß er gegenwärtig sei. Gegenwärtig können höchstens, wie Hbr. 6,5 sagt, ‚die Kräfte des zukünftigen Äons' sein.

(Gal. 3,17) gegeben, und die Befreiung von ihm kommt in ‚der Fülle der Zeit' durch die Sendung des Sohnes (Gal. 4,4), aber immer nur in der Weise, daß es vom Glauben abgelöst wird (Gal. 3,23): Christus ist des Gesetzes Ende ‚für jeden Glaubenden' (Röm. 10,4). Das Gottesverhältnis des Gesetzes wird noch in der Geschichte durch das neue abgelöst, soweit Menschen glauben[17].

Schon deshalb, weil das alttestamentliche Geschehen nur auf diese Weise durch das neutestamentliche abgelöst bzw. vollendet wird, kann Paulus das Heilshandeln Gottes nicht als einen universalen geschichtlichen Geschehensablauf mitteilen, um befreiendes Wissen zu vermitteln; er kann vielmehr immer nur das Christusgeschehen als die Erfüllung der Verheißung und die Aufhebung des Gesetzes *auf Glauben hin* verkündigen. Von hier aus klärt sich unsere letzte Frage:

d) Welche Bedeutung hat für Paulus die Anordnung der Bekundungen Gottes in der Geschichte, und in welchem Sinn kennt er einen Heilsplan?

Paulus ordnet gewiß alttestamentliche Vorgänge innerhalb eines bestimmten Komplexes einander auch zeitlich-geschichtlich zu: Er betont z. B., daß die Rechtfertigung Abrahams seiner Beschneidung wie der Gesetzgebung vorherging (Röm. 4,10; Gal. 3,17). Diese zeitliche Zusammenordnung hat jedoch nur den Zweck, die Struktur des Typos zu klären, nicht einen Ausschnitt aus einer Gesamtanordnung wiederzugeben. Das wird aus dem Folgenden deutlich.

Paulus *entwirft nirgends einen Gesamtaufriß* der Kundgebungen Gottes auf das Heil hin. Man kann daher nur fragen: Sind die Hinweise auf Abraham (Röm. 4; Gal. 3) , auf Adam (Röm. 5), auf die Mosezeit (1.Kor. 10) usw. als Ausschnitte aus einem Paulus vorschwebenden Gesamtbild gedacht? Sicher sind für Paulus diese Vorgänge bereits durch den Aufriß des Alten Testaments zusammengeordnet. Und doch ist es nicht zufällig, daß er die Gemeinde nie vor eine Gesamtanordnung, sondern immer nur vor typologische Aufrisse stellt. Den Grund verrät die Beobachtung, daß die typologischen Aufrisse sich in der vorliegenden Gestalt *nicht ineinander einschieben* lassen. Röm. 4 läßt sich z. B. nicht in Röm. 5 einfügen. Das liegt an der Aussageweise. Beide wollen nicht wie apokalyptische Geschichtsdarstellungen esoterisches Wissen über Ausschnitte aus einem Gesamtablauf vermitteln, sondern jeweils eine Seite des Christusgeschehens von ihrem entsprechenden Hintergrund her auf Glauben hin verkündigen. Dies entspricht, wie eben deutlich wurde, genau der Art, wie das Bisherige durch die eschatologische Heilsordnung abgelöst wird.

---

[17] Zu erwägen ist, ob die lukanische Komposition Lk. 16,16 f. die Geltung des Gesetzes auf eine Epoche beziehen will; jedoch müßte dann auch die Unterscheidung zwischen dem Gesetz und den ἔθη des Mose bei Lukas berücksichtigt werden.

Das entspricht vor allem dem *Wesen des Glaubens:* Paulus vermittelt der Gemeinde nicht wie die Apokalyptiker gläubiges Wissen um einen Gesamtablauf, damit sie ihren Platz erkennt, sich einordnet und Gehorsam bewährt. Er verkündigt vielmehr das Christusgeschehen nach seinen verschiedenen Seiten und Auswirkungen von seinem Hintergrund her als das eschatologische Heilshandeln Gottes, das als Wort Gottes weiterwirkt, um jetzt eben durch dieses Wort Glauben als Gottes neue Schöpfung entstehen zu lassen (2.Kor. 4,5 f.; 5,18 ff.; Röm. 4,17 f. 23 ff.). Es ist für die Struktur des Glaubens wesentlich, daß hinter der Erscheinung Christi in geschichtlicher Perspektive ein vorlaufendes Gotteshandeln erscheint. Dieses vorlaufende Gotteshandeln, z. B. die Rechtfertigung Abrahams in Röm. 4, ist hier wirklich als zeitlich-geschichtlich vorhergehender Akt gesehen: Der Glaube Abrahams hat dieselbe Struktur, aber anderen Inhalt als der christliche (Röm. 4,18–24). Nur wenn dieser Hintergrund des Christusgeschehens in der Verkündigung lebendig ist, bleibt der Glaube, wie eingangs deutlich wurde (S. 224), wirklich Glaube; denn nur dann wird die Fleischwerdung des Sohnes (Röm. 8,3), das Kommen des eschatologischen Heils in der Verborgenheit in und durch Geschichte (1.Kor. 1,18–25), das Prinzip der *theologia crucis*, ernst genommen[18].

Wenn Paulus aus diesem Grund nicht eine Gesamtanordnung der Kundgebungen Gottes als zeitlich-geschichtliche Abfolge herausstellt, so fragt er doch nach *Gottes Heilsplan.* Diese Frage steht unverkennbar hinter Röm. 9–11. Eben diese Kapitel aber lassen zugleich erkennen, daß Paulus über den Ablauf von Gottes Heilshandeln gerade in seinem letzten Stück, das die Apokalyptiker so genau kennen, nicht wissend verfügt. Das Mysterium, das ihm schließlich Röm. 11,25 f. erschlossen wird, ist nie verfügbares Wissen, sondern immer nur Gegenstand wagenden Glaubens. Sein Inhalt ist im Grunde die Gewißheit, daß sich in der Berufung Gottes ἐκλογή, πρόθεσις und πρόγνωσις bekundet und daß die Berufung deshalb zum Ziel kommt (Röm. 8,28 f.). Der Heilsplan Gottes ist für ihn also nicht eine sinnvolle, aufweisbare Folgerichtigkeit des Heilshandelns Gottes, wie es die idealistische Konstruktion der Heilsgeschichte sah, aber auch nicht

[18] Wie sehr die Vorstellung vom Wesen des Glaubens der jeweiligen Strukturdeutung des Offenbarungsgeschehens entspricht, arbeitet Cullmann, a.a.O. (Anm. 6), eindrucksvoll heraus: Gerade weil Glaube für Paulus wie für das ganze Neue Testament ein im Jetzt der Anrede konkret zu vollziehender Akt ist, bedeutet er immer auch: von einem Geschehenszusammenhang überwältigt werden und deshalb in ihn eintreten, von einem Geschehenszusammenhang, der von dem alttestamentlichen Erwählungshandeln und von der Erscheinung Jesu herkommt und der Vollendung entgegengeht (97, 104, 150, 246 f., 298).

eine fatalistische Praescienz, wie sie die Qumrantexte voraussetzen[19]. Der Heilsplan Gottes ist für Paulus im Grunde sein Heilsratschluß, die πρόθεσις und πρόγνωσις. Ein Begriff, der die Bedeutung Heilsplan, Heilsanordnung annimmt, nämlich οἰκονομία, tritt erst im Epheserbrief hervor[20], während τύπος bereits an zentraler Stelle im 1. Korinther- und Römerbrief als terminus technicus herausgestellt wird.

Nach allem läßt sich zusammenfassend sagen: Paulus verkündigt in den typologischen Aufrissen das Handeln Gottes auf das Heil hin als ein Geschehen, das sich seinem Wesen nach in der Geschichte und Geschichtsabläufe bestimmend nach Gottes Geschichte umgreifendem Heilsplan vollzieht. In diesem Sinn kennt Paulus *Heilsgeschichte*. Sie ist für ihn weder eine Wundergeschichte, die sich wie eine Perlenkette durch die allgemeine Geschichte hinzieht, noch eine gedeutete Geschichte, sondern ein Heilshandeln Gottes, das in der umschriebenen dreifachen Weise auf Geschichte bezogen ist. Paulus denkt in diesem Sinne heilsgeschichtlich, weil das Evangelium nach dem Urkerygma 1.Kor. 15,3–5 selbst heilsgeschichtliche Struktur hat[21].

Wenn Paulus Heilsgeschichte in diesem Sinn kennt, dann hat dies eine dreifache Bedeutung. 1. Paulus sieht von der Erscheinung Christi als der Mitte her auf Grund des Zeugnisses der Schrift im Glauben Geschehenszusammenhänge, die den strukturellen Rahmen für alles auf diese Mitte hinführende und von ihr ausgehende Geschehen zwischen Gott und Welt bilden. 2. Als dieser Rahmen ist die Heils-

---

[19] E. Dinkler, Prädestination bei Paulus, in: Festschrift für Günther Dehn, 1957, 99 ff.

[20] So ist in Eph. 1,10; 3,9 sehr wahrscheinlich zu übersetzen; vgl. O. Michel, ThW V, 154 f. Es wäre aufschlußreich zu verfolgen, unter welchen Einflüssen der Begriff schließlich bei Irenäus Terminus für das wird, was er unter ‚Heilsgeschichte' versteht. Hierzu trägt bei J. Reumann, Οἰκονομία – Terms in Paul in Comparison with Lucan Heilsgeschichte, NTSt. 13 (1967), 147–167.

[21] Diese Definition von ‚Heilsgeschichte' im Sinn des Paulus stellt die systematisch-theologische Frage, wie diese Aussage über Geschichte gegenüber den neuzeitlichen philosophischen Geschichtsbegriffen, insbesondere gegenüber dem Geschichtsbegriff des Historismus, durchzuhalten ist. Zu der Diskussion um den Geschichtsbegriff ist von Paulus her auf alle Fälle dies zu sagen: Allein, was Paulus über den ‚Samen Abrahams' ausführt, verwehrt es, die Geschichte ähnlich wie das Gesetz zu einer eigenständigen Größe Gott gegenüber zu verselbständigen. Es ist verwehrt, nach Art der Pharisäer über die Geschichte zu verfügen oder in der Weise der Apokalyptiker mit ihr als einer festgelegten Gegebenheit zu rechnen, und deshalb auch, sie ‚profan' als rein immanenten, eigengesetzlichen Geschehenszusammenhang nur mehr ‚vor Gott', aber als seinem Eingriff entzogen anzusehen. Bereits das Alte Testament kämpft gegen die von der Umwelt her eindringende Tendenz, die Geschichte zu einer mythischen Bilderwand gegen Jahwe zu verselbständigen. Dieses biblische Denken über Geschichte mit dem neuzeitlichen zu konfrontieren und eine systematisch-theologische Lösung zu entwickeln, ist eine Aufgabe, die hier nicht durchgeführt werden kann.

geschichte zugleich das entscheidende Interpretationsprinzip, von dem aus Paulus die Einzelzüge der Erscheinung Christi wie des von ihr ausgehenden Geschehens theologisch deutet. 3. Sie ist daher für uns das maßgebende hermeneutische Prinzip, von dem aus wir seine theologischen Aussagen verstehen und mit den genannten Einschränkungen rezipieren können.

Apokalyptik und Typologie bei Paulus*

Apokalyptik und Typologie sind in der jüngsten theologischen Diskussion in Deutschland zu Stichworten für zwei Aspekte geworden, unter denen man den Zusammenhang zwischen Altem und Neuem Testament sieht und beide Testamente je für sich versteht.

Wir wollen einleitend kurz darstellen, wie sich diese beiden Aspekte in der Geschichte der neutestamentlichen Forschung ergaben; denn daran wird sogleich ihre Bedeutung sichtbar. Bis zum Aufkommen der historischen Schriftforschung hatte man allgemein angenommen, Jesus und die Urkirche hätten ihr Selbstverständnis, wie die Verweise des Neuen Testaments auf das Alte nahelegen, aus der alttestamentlichen Weissagung gewonnen: Jesus habe sich als der Verheißene des Alten Testaments erwiesen und sei als solcher verstanden worden. Die historische Schriftforschung aber sah bereits im frühen 19. Jahrhundert, daß die Hinweise des Neuen Testaments auf das Alte Testament meist nicht dem historischen Sinn der alttestamentlichen Stellen entsprechen[1]. Andererseits beobachtete man im Verlauf der Forschung immer mehr, wie sehr sich die Deutung der Erscheinung Jesu im Neuen Testament mit Vorstellungen der jüdischen und hellenistischen Umwelt berührt. *Diese beiden Beobachtungen stellen die Frage*, um die es bei unserem Thema letztlich geht, nämlich die Frage *nach der Struktur der Interpretation Jesu im Neuen Testament*. Seitdem diese Frage bewußt geworden ist, sucht die Forschung ihre Lösung in den zwei sich anbietenden Richtungen. Die eine Richtung wurde im 19. Jahrhundert durch J. Chr. K. von Hofmann klassisch ausgeprägt. Sie versucht, die Berufung des Neuen Testaments auf das Alte durch tieferes theologisches Verstehen der Texte und der Sachzusammenhänge auch für eine historische Betrachtung der Schrift grundsätzlich zu rechtfertigen[2] und das Neue

---

* Erstmals erschienen in: ThLZ 89 (1964), 321–344.

[1] L. Goppelt, Typos, Die typologische Deutung des Alten Testaments im Neuen, 1939, 9 f. Durch eine punktuell-historische Exegese der alttestamentlichen Zitate im Neuen Testament stellt zuletzt H. Braun, Das Alte Testament im Neuen Testament, ZThK 59 (1962) 16–31, erneut diese Diskrepanz fest.

[2] L. Goppelt, a.a.O. (Anm. 1), 10–18.

Testament weiterhin von diesem seinem Selbstverständnis her auszulegen[3]. Die historischen Beobachtungen aber schienen mehr in die andere Richtung zu drängen, die in der religionsgeschichtlichen Schule am konsequentesten entwickelt wurde. Nach ihrer Meinung ist die Deutung Jesu im Neuen Testament aus zeitgeschichtlichen jüdischen und hellenistischen Vorstellungen entwickelt und lediglich nachträglich durch einen künstlichen, zeitgebundenen Schriftbeweis auf das Alte Testament bezogen worden[4]. Demgemäß werden die neutestamentlichen Texte ausschließlich von zeitgeschichtlichen Vorstellungen, vor allem von der Apokalyptik und der Gnosis her analysiert und ihr theologischer Sinn durch Abheben oder durch existentiale Interpretation dieser mythischen Vorstellungen gewonnen.

Als nach dem zweiten Weltkrieg die theologische Arbeit in Deutschland wieder aufgenommen wurde, verteilten sich diese beiden Lösungsmöglichkeiten sehr unterschiedlich. Während in der neutestamentlichen Forschung die zweite vorherrschte, brach sich in der alttestamentlichen vor allem durch die Arbeit G. v. Rads in beachtlicher Breite das hermeneutische Prinzip Bahn, das Alte Testament sei grundsätzlich im Sinne seiner Deutung im Neuen Testament, d. h. typologisch, auf die Erfüllung durch Christus hin auszulegen; dies entspreche seiner eigenen Grundlinie[5]. Dieses hermeneutische Prinzip stellte das in der neutestamentlichen Exegese vorherrschende in Frage; denn dann müßte das Neue Testament über „Analogie und Korrelation" hinaus seinem eigenen Anspruch gemäß grundsätzlich als die Erfüllung des Alten Testaments verstanden werden. Wohl um dieser Anfrage an seine Hermeneutik zu begegnen, machte Bultmann die Typologie zum Thema seines Hauptvortrages auf dem ersten deutschen Theologentag nach dem Kriege. Er kennzeichnete sie als eine Abwandlung des gemeinantiken Wiederkehrgedankens, so daß er mit Recht bemerken konnte, der Kronzeuge seiner Theologie, Johannes, „führe (in Joh. 6,31) das typologische Denken, mit ihm spielend, ad absurdum"[6], — d. h. die Wiederkehrvorstellung der jüdischen Eschatologie. Leider wurde in der folgenden Diskussion nicht deut-

[3] In diesem Sinn erklärte in unserer Zeit z. B. J. Schniewind, Zur Synoptiker-Exegese, ThR 2 (1930), 186 f.: „... auch ein Minimum an ‚Echtheit' birgt immer noch die Einzigkeit der Situation Jesu in sich." Es ist zu fragen, „ob irgendein Stück der ‚sittlichen Weisungen' Jesu anders verstanden werden kann, als von der ‚Heilszeit' her".

[4] Z. B. W. Bousset, Kyrios Christos, 1935[4], 14 ff., 101 f.

[5] H. J. Kraus, Geschichte der historisch-kritischen Erforschung des Alten Testaments von der Reformation bis zur Gegenwart, 1956, § 87 und 94; G. von Rad, Theologie des Alten Testaments II (1960), 400; vgl. Anm. 7.

[6] R. Bultmann, Ursprung und Sinn der Typologie als hermeneutischer Methode, ThLZ 75 (1950), 205—212: 210.

lich, daß der Begriff von Typologie, den Bultmann entwickelte und abwies, nicht der typologischen Betrachtungsweise entsprach, die das Neue Testament selbst vertritt und die G. v. Rad bereits in der alttestamentlichen Prophetie fand und für seine Deutung des Alten Testaments anwandte.

In dem Jahrzehnt zwischen 1950 und 1960 standen v. Rads historisch-typologische Auslegung des Alten Testaments und Bultmanns religionsgeschichtlich-existentiale Interpretation des Neuen Testaments im Brennpunkt des theologischen Interesses in Deutschland. Beide Betrachtungsweisen wurden je für sich lebhaft diskutiert[7], aber ihr Verhältnis zueinander wurde nicht als Problem angesprochen. Nunmehr versucht eine von beiden herkommende Gruppe jüngerer Theologen um den Systematiker W. Pannenberg eine dritte Lösung[8], die die Intentionen beider weiterführt. Sie betont gegen Bultmann systematisch die Bindung der Offenbarung an die Geschichte und deshalb exegetisch die heilsgeschichtliche Kontinuität zwischen Altem und Neuem Testament, aber sie findet die Brücke zwischen den beiden Testamenten gegen v. Rad „historisch" in der Apokalyptik und nicht in der Typologie. In der Apokalyptik läuft die alttestamentliche Tradition nach ihrer Auffassung legitim aus, und sie war der entscheidende „Verstehenshorizont", von dem aus Jesus die sich durch ihn vollziehende Offenbarung ebenso deutet wie Paulus. Diese Konzeption setzt sich von Bultmann vor allem in historischen und systematisch-theologischen Auffassungen, gegenüber v. Rad in hermeneutischen ab. Bultmann hatte Apokalyptik und Gnosis im Neuen Testament als gleichrangige Interpretamente gewertet und mit der Spannung zwischen beiden die existentiale Interpretation gerechtfertigt; hier wird die Apokalyptik im Neuen Testament nicht nur religionsgeschichtlich breiter, sondern vor allem als theologisch legitim gesehen.

Auch wenn von der Linie Bultmanns her gegen diese Konzeption manches mit Recht entgegnet wurde[9], so ist doch die wundeste Stelle im hermeneutischen Ansatz Bultmanns, das gebrochene Verhältnis zum Alten Testament, die Eliminierung des heilsgeschichtlichen Selbstverständnisses des Neuen Testaments und ein entsprechendes Denken über Offenbarung und Geschichte, gegenwärtig mit durch diesen

---

[7] C. Westermann (Hrsg.), Probleme alttestamentlicher Hermeneutik, Aufsätze zum Verstehen des Alten Testaments, 1960; H. W. Bartsch, Kerygma und Mythos, I—V, 1948—1955; G. Bornkamm, Die Theologie Rudolf Bultmanns in der neueren Diskussion, ThR 29 (1963), 33—141.

[8] W. Pannenberg (Hrsgb.), Offenbarung als Geschichte, 1961, 1963².

[9] Was von ihr her zu sagen ist, hat G. Klein, Offenbarung als Geschichte? Monatsschr. f. Past. 51 (1962), 65—88, vorgebracht.

Einspruch der Gruppe um Pannenberg allgemein bewußt geworden, so daß man sich auf breiter Front um neue Ansätze bemüht. Überdies ist das Bild der Apokalyptik und vor allem das der Gnosis, von dem Bultmanns Analyse des Neuen Testaments ausging, durch die fortschreitende religionsgeschichtliche Forschung grundlegend verändert worden. *Es muß daher heute neu gefragt werden*, in welchem Sinn und Umfang die Apokalyptik als Interpretament im Neuen Testament wirksam war. Noch wichtiger aber ist die Frage nach dem Verhältnis dieses Interpretaments zur Typologie; denn in dieser Gestalt begegnet uns gegenwärtig die seit Einsetzen der historischen Schriftforschung gestellte Frage nach der Struktur der Interpretation Jesu wie die ihr entsprechende nach dem Verhältnis der beiden Testamente zueinander.

Bei Paulus finden wir apokalyptische und typologische Betrachtungsweise in profilierter Ausprägung nebeneinander. Daher wollen wir das Wesen dieser Betrachtungsweisen und ihr Verhältnis zueinander an Paulus ein Stück weit zu klären versuchen.

I.

In den letzten Jahren wurde von verschiedenen Seiten her in der neutestamentlichen Forschung neu betont: *Paulus war auch als Christ Apokalyptiker!* Das will sagen: Er hat nicht nur teils direkt, teils durch Vermittlung der urchristlichen Tradition apokalyptische Begriffe und Vorstellungen aufgenommen, sondern seine Theologie ist maßgeblich von der Apokalyptik geprägt. *Diese These wurde in der Diskussion zuletzt in drei sehr unterschiedlichen Ausprägungen vertreten.* Bei jeder kamen die apokalyptischen Züge der paulinischen Theologie von einem anderen Ausgangspunkt her ins Blickfeld: H. J. *Schoeps*[10] versucht, Paulus von der jüdischen Religionsgeschichte her zu sehen, U. *Wilckens*[11] von dem systematischen Programm „Offenbarung als Geschichte" her und E. *Käsemann*[12] von der ihn seit je bestimmenden und von Bultmann wegführenden Intention her, daß der Skopus der neutestamentlichen Theologie die Herrschaft Christi, und nicht eine kerygmatische Anthropologie sei. Zugleich arbeitet

---

[10] Paulus. Die Theologie des Apostels im Lichte der jüdischen Religionsgeschichte, 1959.

[11] U. Wilckens, Das Offenbarungsverständnis in der Geschichte des Urchristentums, in: Offenbarung als Geschichte (Anm. 8), 63–71.

[12] Er entfaltet seinen programmatischen Satz: „Die Apokalyptik ist ... die Mutter aller christlichen Theologie gewesen" (ZThK 57 [1960], 180 und 58 [1961] 378) in dem Aufsatz: Zum Thema der urchristlichen Apokalyptik (ZThK 59 [1962], 257–284).

jeder der drei Entwürfe mit einem anderen Begriff von Apokalyptik: Schoeps[13] versteht die Apokalyptik religionsgeschichtlich als die in neutestamentlicher Zeit herrschende jüdische Eschatologie, die von den Apokalypsen wie von den Rabbinen im wesentlichen übereinstimmend vertreten wurde. Für Wilckens[14] dagegen ist Apokalyptik das von D. Rössler[15] umschriebene theologische System, in das die alttestamentliche Theologie ausläuft, eine Schau der Gesamtgeschichte vom Ende her, wie sie die klassischen Apokalypsen (Dan.; aeth. Hen.; 4.Esr. und syr. Bar.) bieten. Bei Käsemann[16] schließlich ist Apokalyptik systematische Bezeichnung für eine futurische kosmische Eschatologie, die von der Naherwartung geprägt ist. Vor allem aber wird die Art, wie Paulus die Apokalyptik als Interpretament verwendet, sehr unterschiedlich gesehen.

H. J. *Schoeps* nimmt ausdrücklich die geniale Konstruktion Albert Schweitzers[17] auf: Durch das Damaskuserlebnis wird Paulus der Ansatz seiner Theologie vermittelt, die Einsicht, daß Jesus zum messianischen Herrscher erhöht sei. Er erklärt sich diese gegenwärtige messianische Herrschaft Jesu mit Hilfe der ihm geläufigen doppelten Eschatologie[18], die in einigen Apokalypsen, aber, wie Schoeps gegen Schweitzer betont, auch bei den Tannaiten auftritt: Dem mit der allgemeinen Auferstehung einsetzenden „kommenden Äon“ geht ein messianisches Zwischenreich in der Geschichte vorher[19], eine Zeit, die „das Ende dessen ist, was vergänglich ist, und der Anfang dessen, was unvergänglich ist“ (syr. Bar. 74,2). Nun steht bei Jesus anders als in der Apokalyptik am Anfang der messianischen Herrschaft seine Auferstehung. Diese Auferstehung drängt Paulus zu der Vorstellung, daß auch die Genossen des messianischen Reiches sich bereits „in der Seinsweise der Auferstehung befinden“. Er drückt dies wie die entsprechende überweltliche Stellung des Messias mit Hilfe hellenistischer Vorstellungen aus, die die Transzendenz „mystisch“ oder mysterienhaft vergegenwärtigen[20]. Er entwickelt z. B. eine „eschatologische Sakramentsmystik“ (S. 115). Schoeps kennzeichnet sein Bild der paulinischen Theologie selbst als „Christusmetaphysik“ (S. 108). Nach dieser Rekonstruktion hätte Paulus lediglich den Namen Jesus auf Vorstellungen der apokalyptischen Enderwartung übertragen und

---

[13] A.a.O. (Anm. 10), 31 f.
[14] A.a.O. (Anm. 11), 46 f.
[15] Gesetz und Geschichte, 1960.
[16] ZThK 59 (1962), 275, Anm. 2.
[17] A. Schweitzer, Die Mystik des Apostels Paulus, 1930 (1954²).
[18] A.a.O. (Anm. 10), 95–99.
[19] Syr. Bar. 29 f.; 72–74; 4.Esr. 7,26–33; vgl. aeth. Hen. 91,12 f.
[20] A.a.O. (Anm. 10), 104–108.

diese von dem rein formal gesehenen Faktum seiner Auferstehung her mit Hilfe hellenistischer Vorstellungen ausgestaltet. Paulus glaubte „schon an den Christus, noch ehe er die Vision des auferstandenen Jesus hatte“ (S. 34 nach W. Wrede).

Diese Rekonstruktion der paulinischen Theologie auf der Basis der Apokalyptik läßt das entscheidende Problem erkennen: Für Paulus ist mit der Auferstehung Jesu das Eschaton schon gegenwärtig und steht mit seiner Parusie zugleich noch aus. Für die Apokalyptik aber ist das Eschaton, markiert durch die Auferstehung der Toten, an das Ende des kosmischen Weltgeschehens gebunden. Die apokalyptischen Vorstellungen über „die Wehen“ vor dem Ende, auch die über das messianische Zwischenreich aber decken die paulinischen Aussagen über die Gegenwart des Eschatons in keiner Weise! Jenes schattenhafte messianische Zwischenreich, das zudem erst in nachpaulinischer Zeit eindeutig belegt ist, hat mit der Herrschaft des Erhöhten, die inhaltlich von der Auferweckung des Gekreuzigten her geprägt ist und durch die Verkündigung ausgebreitet wird, nichts außer der endzeitlichen Frist gemein, und diese interessiert Paulus gerade nicht (1.Thess. 5,1 f.). So läßt diese Rekonstruktion der paulinischen Theologie im Stil der klassischen historischen Religionsgeschichte sehr klar die Probleme erkennen, aber sie löst sie nicht.

Die Problematik einer Ableitung der paulinischen Theologie aus der Apokalyptik wird vollends sichtbar, wenn U. *Wilckens* seinen Entwurf mit einer energischen Abgrenzung gegenüber Schoeps verbindet[21]. Man kann seinen Entwurf geradezu als Antithese zu diesem darstellen: 1. Paulus hat nicht den Namen Jesus auf den apokalyptischen Messias übertragen, sondern die Mitte der apokalyptischen Theologie, das Gesetz als Ausweis der Erwählung, durch Jesus ersetzt und das Gesetz als Ausweis der Verwerfung hingestellt[22]. „Nicht die Messianologie, sondern die Struktur des Verlaufes der Erwählungsgeschichte als solche und ganze hat Paulus (demnach) mit der jüdischen Apokalyptik gemein.“[23] 2. In Tod und Auferstehung Jesu brechen für Paulus die apokalyptischen Endereignisse an, nicht etwa das Zwischenreich[24]. Jesu Tod und Auferstehung, die Gegenwart der Gemeinde und das zukünftige Gericht wurden in der hellenistischen Kirche als apokalyptisches Endgeschehen in eins gesehen. Dies Ineins-Sehen führte zur gnostischen Entgeschichtlichung des Christentums in Korinth, die die Auferstehung der Gläubigen mit dem Pneu-

[21] Die Bekehrung des Paulus als religionsgeschichtliches Problem, ZThK 56 (1959), 287–293.

[22] Ebd. 290–293; vgl. allerdings auch H. J. Schoeps, a.a.O. (Anm. 10), 33.

[23] Ebd. 289.

[24] Ebd. 290.

maerlebnis gleichsetzt. Ihr gegenüber stellte Paulus die Differenzierung des Christusgeschehens in Vergangenheit, Gegenwart und Zukunft neu heraus. Dies war sein entscheidender Beitrag zur Theologie des hellenistischen Christentums; er ergab sich aus apokalyptisch-heilsgeschichtlichem Denken[25].

Prüft man diese Analyse, dann wird noch deutlicher als bei der ersten sichtbar, wo für Paulus die Möglichkeit, die Erscheinung Jesu von der Apokalyptik her zu interpretieren, ihre Grenze erreicht. Die beiden Leitsätze, die wir bei Wilckens herausstellten, versuchen, die eschatologische Aufhebung des Gesetzes und den eschatologischen Charakter des gegenwärtigen Christusgeschehens von der Apokalyptik her zu erklären. Die These vom Ende des Gesetzes gewann Paulus nach A. Schweitzer und H. J. Schoeps (S. 178 f.) unmittelbar aus der apokalyptischen Vorstellung, daß das Gesetz mit dem alten Äon vergeht. Gegen diese Ableitung macht Wilckens[26] mit Recht geltend, daß diese Vorstellung im Judentum nicht zu belegen ist und daß Paulus die sachliche Grundlage seiner These dem Erdenwirken Jesu entnahm: Jesus ist während seines Erdenwirkens als Mittler des Zugangs zu Gott an die Stelle des Gesetzes getreten. Diese Verdrängung des Gesetzes aber deutet Paulus nun theologisch nicht, wie Wilckens voraussetzt, als seine Ablösung durch Christus, sondern als seine eschatologische Aufhebung (darin sah Schweitzer richtig). Diese Deutung entwickelt Paulus mit Hilfe der Abrahamtypologie (Röm. 4; Gal. 3), nicht mit Hilfe der apokalyptischen Geschichtstheologie. Das Gesetz bleibt die Mitte eines apokalyptisch gesehenen Geschichtsablaufes, allerdings nun als Gerichtsmacht (Röm. 4,15) – soweit behält der erste Leitsatz recht –; aber die Zuordnung der Auferstehung Jesu zum Geschichtslauf wie zum Gesetz wird nicht aus einer apokalyptischen Denkstruktur gewonnen, wenn man nicht die Typologie als eine solche bezeichnen will.

Dies wird am zweiten Leitsatz noch deutlicher. Die immer wieder für das apokalyptische Denken des Apostels angeführte Stelle 1.Kor. 15,20–28 erweckt den Anschein, als sehe Paulus die Auferstehung Jesu, die Sammlung der Gemeinde und die nahe Parusie als kosmisches Endgeschehen, das nach apokalyptischem Prinzip schicksalhaft abläuft. Paulus aber entwickelt gerade in diesem zweifellos apokalyptischen Rahmen das entscheidende Verhältnis Christi zur Geschichte von der Adam-Christus-Typologie her (1.Kor. 15,21 f.): Jetzt kommen durch die Rechtstat Jesu Gerechtigkeit und Leben! Sie kommen nicht schicksalhaft durch einen kosmischen Prozeß, auch nicht durch

---

[25] A.a.O. (Anm. 11), 65–71

[26] A.a.O. (Anm. 21), 291.

Entscheidung gegenüber einem Gesetz, sondern durch die Botschaft, die Glauben begründet und den Unglauben dem Gericht ausliefert.

Daß beides kosmische Weite hat, ist für E. *Käsemann*[27], der gleichfalls diese Stelle herausstellt, Ausdruck der apokalyptischen Grundlagen paulinischen Denkens. Käsemann geht jedoch nicht der Fragestellung nach, die wir bisher verfolgten und an der uns hier liegt. Er untersucht nicht, wie weit die jüdische Apokalyptik bei Paulus als Interpretament wirksam war, sondern wie weit Paulus die apokalyptische Eschatologie des Urchristentums teilt. Er kommt zu dem Schluß, daß diese für Paulus die kosmische Gestalt der Herrschaft Christi und als solche Grundlage seiner Theologie, auch der Anthropologie, sei und ihre Reduktion auf die Anthropologie ausschließe.

So bricht gegenwärtig von verschiedenen Seiten her neu die Erkenntnis durch, daß die *Apokalyptik der wichtigste zeitgeschichtliche Faktor im Aufbau der paulinischen Theologie* war. Versuchen wir nun, diese Erkenntnis genauer zu bestimmen! Dann muß vorweg zum Begriff Apokalyptik gesagt werden: Unter Apokalyptik können wir historisch zunächst nur die gemeinsamen Grundzüge der Theologie verstehen, die in den klassischen Apokalypsen (Dan.; aeth. und slav. Hen.; 4.Esr. und syr. Bar.) zutage treten. Eine genaue gattungsgeschichtliche, traditionsgeschichtliche und theologische Analyse dieser vielschichtigen Erscheinung ist eine vordringliche Aufgabe der Forschung; sie kann hier jedoch nicht in Angriff genommen werden[28]. Uns geht es um die Frage, *wie sich für Paulus die Apokalyptik zur Erscheinung Jesu verhält*. Wir können dieses Verhältnis an einem Bild entwickeln: Die Apokalyptik gleicht einem Kreis, die Erscheinung Jesu seinem Mittelpunkt. Umstritten ist, wie beide aufeinander bezogen werden.

Verfolgen wir zunächst die Einwirkung der Mitte auf den Rahmen! Zweifellos stammt *der kosmische und geschichtliche Rahmen*, in dem für Paulus die Erscheinung Jesu und seiner Gemeinde steht, weithin aus der Apokalyptik. Aber dieser Rahmen deckt sich nicht mit dem Welt- und Geschichtsbild der Apokalyptik. Der Unterschied beruht nicht nur auf dem Hinzutreten anderer Faktoren, z. B. aus hellenistischen Vorstellungen, sondern entscheidend auf einer Ver-

---

[27] ZThK 59 (1962), vor allem S. 282 f.

[28] Lit. bei O. Eißfeldt, Einleitung in das Alte Testament, 1963³, § 76 und § 96—103; insbesondere: H. H. Rowley, The Relevance of Apocalyptic, 1955³; ders., Jewish Apocalyptic and the Dead Sea Scrolls, 1957; M. Black, The Scrolls and Christian Origins, 1961, 129—142; J. Bloch, On the Apocalyptic Judaism, 1952; M. Noth, Das Geschichtsverständnis der alttestamentlichen Apokalyptik, in: Gesammelte Studien zum Alen Testament, 1957, 248—273; vgl. auch Anm. 15 und Anm. 69.

änderung des Rahmens von der Mitte her. Diese Veränderung von der Mitte her wird an folgenden Unterschieden greifbar: 1. Bei Paulus fehlt die phantastisch ausmalende Kosmologie und die nachrechnende Einzeldarstellung des Ablaufes der Weltgeschichte. Beides fehlt nicht zufällig, so daß es, wie E. Stauffers Theologie des Neuen Testaments (1941) versuchte, aus der jüdischen Apokalyptik zu ergänzen wäre[29]. Paulus scheidet auf alle Fälle das Nachrechnen ausdrücklich von Jesus her aus (1.Thess. 5,1–3). Offensichtlich hat Paulus durch ein von der Mitte bestimmtes Denken des Glaubens bewußt und unbewußt das apokalyptische Welt- und Geschichtsbild auf seinen von der alttestamentlichen Gottesoffenbarung her geprägten theonomen Gehalt hin geläutert. 2. In den auf diese Weise verbleibenden kosmisch-geschichtlichen Vorstellungsrahmen werden von der Mitte her *neue Gesichtspunkte eingefügt*, die ihn verschiedentlich durchstoßen und seinen Charakter insgesamt nicht unerheblich wandeln. Der Glaube wartet auf die Weltvollendung als die Vollendung der Herrschaft Christi (1.Kor. 15,24). Er wartet noch mehr auf die Vereinigung mit dem Herrn; daher erscheint „die erste Auferstehung", die diese Vereinigung darstellt, nun als der Schwerpunkt der Endereignisse (1.Thess. 4,13–18; 1.Kor. 15,22–29.51–57). „Die erste Auferstehung" ist eine dem Judentum fremde Vorstellung, die wahrscheinlich schon im vorpaulinischen Christentum mit Hilfe apokalyptischer Ausdrucksformen entwickelt wurde[30]. Später überrundet die Gewißheit, nach dem Tode beim Herrn zu sein, alle kosmischen Vorgänge, ohne sie preiszugeben (2.Kor. 5,8; Phil. 1,23). Wie die Enderwartung, so wird von der neuen Mitte her auch das Bild des Geschichtslaufes unter neue Gesichtspunkte gestellt: Seine Verfallenheit erscheint von Christi Kreuz her so radikal, daß sie nur mehr an der Verlorenheit des adamitischen Menschen dargestellt werden kann (Röm. 5,12–21; 7,7–25), nicht mehr an der Gestalt und Abfolge der Weltreiche. Aber die von der Apokalyptik entwickelte kosmische Universalität wird über dieser Zuspitzung auf die Anthropologie festgehalten, z. B. mit Hilfe des Begriffes „dieser Äon". Besonders deutlich wird – um ein letztes Beispiel anzuführen – die Naherwartung, die in der Literatur als typisches Merkmal der Apokalyptik gilt, von der neuen Mitte her zweitrangig. Das wird an ihrer Verwendung in der Paränese anschaulich: Aus der Naherwartung werden die Weisun-

---

[29] In ähnlicher Weise trägt U. Wilckens in die Damaskusoffenbarung Gal. 1,15 die „Vorstellungsstruktur" der apokalyptischen Vision ein (Der Ursprung der Überlieferung der Erscheinungen des Auferstandenen, in: Dogma und Denkstrukturen, hrsg. von W. Joest und W. Pannenberg, 1963, 90–93).

[30] A. T. Nikolainen, Der Auferstehungsglaube in der Bibel und in ihrer Umwelt II (1946), 171 f.

gen in 1.Kor. 7,25–31 und Röm. 13,11 f. abgeleitet, ungleich gewichtiger aber ist die Paränese, die von der geschehenen Erlösungstat her entwickelt wird (1.Kor. 7,17–24; Röm. 12,1 f.).

Nach allem wird die Erscheinung Jesu so in den Rahmen des apokalyptischen Welt- und Geschichtsbildes eingefügt, daß dieser Rahmen von der neuen Mitte her gereinigt, gewandelt und vielfach auch durchstoßen wird. Diese Gestalt apokalyptischer Welt- und Geschichtsschau hat Paulus zu einem erheblichen Teil nicht aus der jüdischen Apokalyptik entwickelt, sondern aus einer Tradition urchristlicher Apokalyptik übernommen, die bisher noch keine Darstellung gefunden hat[31]. Während es für die Apokalyptik ein Stück weit charakteristisch ist, daß sie ihr Geschichtsbild im Unterschied zur alttestamentlichen Prophetie nicht mehr von den heilsgeschichtlichen Erwählungstaten Gottes her entwickelte[32], ist bei Paulus die heilsgeschichtliche Erwählungstat Gottes in Jesus der schlechterdings alles beherrschende Ansatz.

Aber die Beeinflussung ist wechselseitig! Die Erscheinung Jesu wirkte nicht nur auf den Rahmen, sondern wurde gleichzeitig auch von ihm her gedeutet! *Die Apokalyptik lieferte wichtige Interpretamente, um die Erscheinung Jesu und ihre Wirkung zu deuten.* Sie bringt z. B. in das Urkerygma den Begriff „Auferstehung" ein, und Paulus versteht die Auferstehung Jesu tatsächlich im apokalyptischen Sinne als Anfang der eschatologischen Erweckung der Toten zu einem neuen leibhaften Leben (1.Kor. 15,20–28); allerdings erklärt er eben diese Auswirkung der Auferstehung Jesu auf alle ausdrücklich durch die Adam-Christus-Typologie (1.Kor. 15,20 f.). Die Apokalyptik läßt Welt und Geschichte als universale Einheit wie auch als einander ablösende Weltzeiten sehen und beides als Setzungen Gottes erkennen, aber Paulus entwickelt beides wieder im Rahmen von Typologien (Röm. 4; 5,12–21; Gal. 3). Die Apokalyptik vermittelt den Begriff des Eschatons als einer streng jenseitigen, überweltlichen Erscheinung, Paulus aber bestimmt gleichzeitig eben das Eschatologische, das er schon mitten in der Geschichte gegenwärtig sieht, fortgesetzt typologisch (z. B. 2.Kor. 5,17).

Diese und andere Interpretamente, die die Apokalyptik direkt oder indirekt an Paulus vermittelt, sind Strukturelemente seiner Theologie, nicht nur Ausdrucksmittel. Sie sind umfassender und gewichtiger

---

[31] Daß wir mit einem eigenen Strom urchristlicher Apokalyptik zu rechnen haben, wird z. B. durch die Beobachtung deutlich, daß die Offenbarung sich abgesehen von dem Buch Daniel mit keiner jüdischen Apokalypse unmittelbar berührt, wohl aber Elemente urchristlicher Apokalyptik, z. B. die Vorstellung von der ersten Auferstehung (Offb. 20,5; vgl. Anm. 30), aufnimmt.

[32] Vgl. Anm. 69.

als Interpretamente aus anderen Bereichen. Aber hinter ihnen, nicht eigentlich neben ihnen, erscheint *eine andere Interpretation*, die Paulus ausdrücklich entwickelt, *die Typologie. Ihr Verhältnis zur apokalyptischen Betrachtungsweise* ist das zentrale *Strukturproblem* der paulinischen Theologie. Dieses Problem wird allerdings in der Diskussion weithin nicht bewußt, weil die Typologie bei Paulus wie schon in den jüdischen Apokalypsen vielfach in Verbindung mit der Apokalyptik auftritt[33] und deshalb lediglich als eine Denkform der Apokalyptik angesehen wird[34]. Eine Analyse der Typologie ergibt jedoch alsbald, daß sie eine vor und unabhängig von der Apokalyptik entstandene Betrachtungsweise ist und sich, soweit sie mit ihr vergleichbar ist, in ihrem Wesen von ihr unterscheidet. Die beiden sehr verschiedenartigen Erscheinungen, Apokalyptik und Typologie, werden in einem entscheidenden Sektor vergleichbar, nämlich sofern sie beide Geschichte auf das Eschaton hin deuten: Die Apokalyptik deutet Geschichte als Ablauf auf das Ende hin, die Typologie als Vorausdarstellung des Endgeschehens. Nicht nur die Typologie, sondern auch die Apokalyptik verwendet dabei betont Berichte der Schrift über die Geschichte Israels (z. B. Dan. 9,2). Das hiermit anvisierte Problem nimmt Profil an, wenn Struktur und Herkunft der Typologie bei Paulus genauer geklärt werden.

II.

Wir versuchen deshalb zuerst, das *Wesen der Typologie bei Paulus* präzis zu bestimmen[35]. Dabei bewegt man sich methodisch ein Stück weit notwendig im Zirkel; denn das Urteil, wo bei Paulus Typologie vorliegt, hängt weitgehend von der Definition ab. Wir versuchen daher, die Merkmale der Typologie zunächst aus zwei Stellen zu ge-

---

[33] Goppelt, a.a.O. (Anm. 1), 36 ff.

[34] Z. B. H. J. Schoeps, a.a.O. (Anm. 10), 33: „So stammt aus ihm (dem apokalyptischen Schrifttum) die Äonenlehre, die der typologischen Exegese bei Paulus zugrunde liegt."

[35] Forschungsberichte über Spezialuntersuchungen zur Typologie bei Paulus: L. Goppelt, a.a.O. (Anm. 1), 8–18; H. Müller, Die Auslegung alttestamentlichen Geschichtsstoffes bei Paulus, Diss. Halle 1960, 1–10, und K. Galley, Alte und neue Heilswirklichkeit bei Paulus, Ein Beitrag zur Frage der Typologie, Diss. Rostock 1960, 1–10. Aus der zwischen 1940 und 1960 erschienenen Literatur sind außer den genannten (s. Anm. 7) folgende Untersuchungen hervorzuheben: J. Daniélou, Sacramentum futuri, Études sur les Origines de la Typologie biblique, 1950 (engl. Übersetzung: From Shadows to Reality, 1960); G. W. H. Lampe u. K. J. Wollcombe, Essays on Typology, 1957; E. Early Ellis, Paul's Use of the Old Testament, 1957; S. Amsler, L'Ancien Testament dans l'Église, Essai d'herméneutique chrétienne, 1960 (hier weitere Lit.!).

winnen, die allgemein als Typologien gelten, nämlich Röm. 5,12–19 und 1.Kor. 10,1–11. An beiden Stellen besteht die Typologie darin, daß alttestamentliche Vorgänge auf neutestamentliche bezogen werden. Um die Struktur dieser Beziehung zu erfassen, bestimmen wir der Reihe nach die alttestamentliche Vorlage, den Typos, das neutestamentliche Gegenbild, den Antitypos, und schließlich die Art der Verbindung zwischen beiden.

Die Vorlagen, *die Typen*, die ausgewertet werden, sind an keiner der beiden Stellen alttestamentliche Texte, sondern Vorgänge, die in loser Anlehnung an die Texte dargestellt werden.

Schon darin unterscheidet sich die Typologie grundlegend von der *Allegorese*. Die Allegorese klammert sich an den Wortlaut; denn sie deutet die Worte metaphorisch, ohne den Wortsinn oder gar die Geschichtlichkeit zu berücksichtigen, vielmehr meist um sich von beidem zu distanzieren[36]. Sie wurde im religiösen Bereich seit alters, besonders jedoch in hellenistischer Zeit angewendet, um aus mythischen Traditionen für die Gegenwart philosophische Wahrheiten zu gewinnen. Die Typologie dagegen ist der biblischen Welt eigen (S. 254 ff.); sie greift durch die Berichte hindurch nach den berichteten Vorgängen, den Typen, und bezieht sie wiederum auf Vorgänge.

Die Struktur der Typen wird durchsichtig, wenn wir ihre Darstellung an beiden Stellen *traditionsgeschichtlich* analysieren. Die Darstellung der Mosezeit in 1.Kor. 10,1–13 verwertet zunächst, wie wörtlichen Berührungen zu entnehmen ist, einschlägige Perikopen des Pentateuchs. An mehreren Stellen folgt sie jedoch dem vom Pentateuch abweichenden Wortlaut der alttestamentlichen Summarientradition über die Wüstenzeit[37]. Schließlich nimmt sie den Midrasch zum Pentateuch auf, nach dem der Fels „nachfolgte", und vielleicht die hellenistisch-jüdische Auslegungstradition, die ihn mit Mittlergestalten wie der Sophia gleichsetzt. Die Darstellung der Mosezeit in 1.Kor. 10 wächst demnach aus einem Strom alttestamentlich-jüdischer Tradition heraus, in dem Paulus steht. Aber sie ist Paulus keineswegs nur zugewachsen, er hat vielmehr den Überlieferungsstoff von der Situation

---

[36] Z. B. wird die Aufrichtung der ehernen Schlange Num. 21,6 ff. in Joh. 3,14 f. typologisch auf die „Erhöhung" Christi gedeutet, bei Philo dagegen wird der Text folgendermaßen allegorisch erklärt: „Wenn der Geist (= Israel), gebissen von der Wollust, der Schlange der Eva, stark genug ist, mit dem Auge der Seele die Schönheit der Besonnenheit, die Schlange des Mose, und durch sie Gott selbst zu sehen, so wird er leben" (Leg. All. II, 81). Vgl. weiter Goppelt, a.a.O. (Anm. 1), 19; ders. RGG I³ (1957), 239 f.: Allegorie II.

[37] 1.Kor. 10,1b = Ps. 105,39; 1.Kor. 10,5b.9 = Ps. 78,31.18; dem Summarium in 2. 'Εσρ 19,9–20 (= Neh. 9,9–20) folgt 1.Kor. 10 bis Ve. 4 in der Anordnung, aber ohne Berührung im Wortlaut, so daß diese Stelle auf keinen Fall, wie kürzlich behauptet wurde, unmittelbare Vorlage war.

der christlichen Gemeinde her ausgewählt, zusammengestellt und gestaltet. Die Wendung „sie wurden auf Mose getauft" ist z. B. der christlichen Taufformel nachgebildet[38]. Erst recht ist das Reden von „geistlicher Speise" und von „geistlichem Trank" dem christlichen Gegenbild entnommen. Noch ungleich mehr ist das Bild der Unheilswirkung Adams in Röm. 5 über den Bericht der Genesis hinaus mit Hilfe jüdischer Traditionen entwickelt; aber nach keiner bewirkt Adams Fall, daß alle unter der Herrschaft der Sünde und des Todes stehen[39]. Diese Aussage gewinnt Paulus, wie in Röm. 5,18 f. sichtbar wird, aus der antithetischen Entsprechung zu Christus. Paulus ist also nicht lediglich von Traditionen bestimmt, sondern gestaltet mit ihrer Hilfe theologisch denkend Neues. Daß der Sinn des alttestamentlichen Typos letztlich erst vom neutestamentlichen Antityp her erfaßt werden kann, war Paulus selbst als hermeneutischer Grundsatz in der Gestalt geläufig, daß sich der Sinn der Schrift (d. h. des Alten Testaments) erst von dem Glauben an Christus her erschließt (2.Kor. 3,15 f.).

Dieser genetischen Struktur des Typos entspricht seine *„systematische"*. An ihr hebt Paulus in 1.Kor. 10,11 dreierlei hervor: 1. „Dies (die Vorgänge der Mosezeit) widerfuhr jenen in typischer Weise." Der Typos ist demnach ein Handeln Gottes in Gnadenerweisen und in Gerichten auf das endgültige Heil hin, nicht das generelle Geschehen in Schöpfung und Geschichte. 2. Dieses besondere Handeln Gottes ist in der Schrift „aufgezeichnet". Paulus bindet sich, wie deutlich wurde, nicht an den Schrifttext; trotzdem ist Typos für ihn grundsätzlich nicht, was irgendeine Tradition berichtet, sondern nur, was die Schrift in Gottes Auftrag bezeugt. Diese Bezeugung ist nur möglich, wenn der Typos ein von Wortoffenbarung getragenes Handeln Gottes war. 3. Dieses Handeln Gottes weist nicht auf irgendwelche weiteren Vorgänge in der Geschichte und wurde nicht für eine beliebige spätere Generation aufgezeichnet; der Typos wie seine Aufzeichnung beziehen sich vielmehr auf die Gemeinde der Endzeit. Der Typos ist demnach ein Geschehen zwischen Gott und Mensch auf das in Chri-

---

[38] Vielleicht wurde die Vorstellung einer Taufe der Wüstengeneration als solche durch rabbinische Diskussion angeregt (J. Jeremias, Der Ursprung der Johannestaufe, ZNW 28 [1929], 317 f.).

[39] Daher leitet R. Bultmann, Theologie des Neuen Testaments, 1959³, § 15, 4b; § 25,3, der „Religionsgeschichtlichen Schule" (R. Reitzenstein, W. Bousset) folgend, die Aussagen aus der Vorstellung von dem Fall des gnostischen Urmensch-Erlösers ab, die von der hellenistischen Gemeinde übernommen worden sein soll (1.Kor. 15,44 ff.). So nochmals E. Brandenburger, Adam und Christus, 1962. Diese Ableitung ist jedoch in dieser Gestalt religionsgeschichtlich überholt (C. Colpe, Die Religionsgeschichtliche Schule, 1961) und widerspricht der Denkstruktur von Röm. 5.

stus erschienene Heil hin, das von der Schrift bezeugt wird und ein entsprechendes Geschehen in der Endzeit vorausdarstellt.

Demgemäß ist *der Antityp* in 1.Kor. 10 wie in Röm. 5 ein Geschehen zwischen Gott und Mensch, das sich durch Christus vollzieht. Aus dem Typos wird nicht eine Lehre gezogen, sondern geschlossen, daß Gott und wie Gott in der Endzeit handelt. Dem Typos wird nicht ein einzelnes in Korinth zu erwartendes Eingreifen Gottes entnommen, sondern die Wesensgestalt seines Handelns, die die Gemeinde der Endzeit zu erwarten hat; der Abschnitt redet in dem generellen „Wir"!

Welcher Art ist dann *der Zusammenhang* zwischen dem alttestamentlichen und dem neutestamentlichen Geschehen, den Paulus in 1.Kor. 10,6.11; Röm. 5,14 mit Hilfe der Begriffe τύπος und τυπικός anspricht? Daß Gottes Handeln in der Mosezeit sein Handeln in der Heilszeit vorausdarstellt, ist für Paulus zunächst wieder durch alttestamentlich-jüdische Tradition vorgegeben. Diese Entsprechung wird von der Prophetie angekündigt[40] und in der jüdischen Eschatologie lebhaft erwartet[41]. Diese Tradition gibt auch die formale und sachliche Art des Zusammenhangs an.

Typ und Antityp sind *formal* durch eine Entsprechung verbunden, die eine Steigerung einschließt. Schon nach Deuterojesaja wird der zweite Exodus ungleich herrlicher sein als der erste[42]. Demgemäß entwickelt Paulus in Röm. 5 neben der Entsprechung, die das zweimalige ὡς - οὕτως in 5,18 f. ausführt, in 5,17–19 betont die Steigerung, die je zweimal durch οὐχ ὡς - οὕτως (Ve. 15 f.) und durch πολλῷ μᾶλλον (Ve. 15.17) ausgedrückt wird. In 1.Kor. 10 wird um des paränetischen Zieles willen die Entsprechung betont (Ve. 6–9 viermal καθώς, Ve. 10 καθάπερ); der Unterschied wird jedoch vorausgesetzt: Für Paulus sind Manna und Felsenwasser in einem anderen Sinn pneumatische Gabe als das Herrenmahl, und der drohende Fall der Gemeinde hat anderen, nämlich wie in Ve. 11 andeutend gesagt wird, „endzeitlichen" Charakter.

Diese formale Art des Zusammenhangs ergibt sich aus der *sachlichen*. Nach Dtjes. gilt: „Auch hinfort bin ich derselbe . . ." und zugleich: „Siehe, nun schaffe ich Neues" (Jes. 43,13.19). Daß Gott in Vergangenheit und Zukunft derselbe ist und doch Neues schafft, ergibt sich für Dtjes. aus seinem weissagenden Wort (Jes. 44,7 f.; 45, 21). Wortoffenbarung und ihr entsprechendes geschichtliches Geschehen stehen in unlösbarer Wechselbeziehung. Eine neue Heilszusage macht für Dtjes. die erste Erlösung zum Hinweis auf die zweite und

[40] Vor allem bei Dtjes. nach G. von Rad, a.a.O. (Anm. 5) II (1960), 259–262.
[41] Goppelt, a.a.O. (Anm. 1), 38–40.
[42] v. Rad, a.a.O. (Anm. 5) II, 261 f.

gewinnt zugleich von ihr her Inhalt und Gewißheit. In ähnlicher Wechselwirkung hat Paulus seit der Damaskusoffenbarung in Jesus Christus das Ja zu allen Heilsankündigungen und das Ziel allen Heilshandelns Gottes gefunden. Deshalb sieht er alle Heilsankündigungen des Alten Testaments nun rückblickend als eine Einheit, faßt sie überhöhend unter der Bezeichnung „Verheißung", die der Schrift noch unbekannt war, zusammen und bildet so „vom Ziel her die Vorstellung einer einheitlichen Gottesgeschichte"[43]. Ihre Einheit ist für Paulus nicht durch geschichtliche Kontinuität gegeben, sondern durch den Heilsplan Gottes, den er im Glauben erfaßt[44]. Diese Glaubenserkenntnis wird durch den Unglauben Israels gegenüber dem Evangelium in Frage gestellt (Röm. 9) und durch die prophetische Offenbarung seiner zukünftigen Rettung (Röm. 11,25 f.) endgültig gewiß (S. 256 f.). Kraft dieser Offenbarung kann er bekennen, nicht etwa postulieren: „Gott hat sie alle unter dem Ungehorsam verschlossen, um sich aller zu erbarmen" (Röm. 11,32). Weil dies Gottes Wille ist, ist Adam in seiner Unheilswirkung „τύπος des zukünftigen (Adam)" (Röm. 5,14)! (Das eigentümliche „Alle", das Röm. 11,32 auftaucht, kennzeichnet in Röm. 5,18 f. die Entsprechung zwischen Adam und Christus!)

Der Zusammenhang zwischen Typ und Antityp ist demnach für Paulus nicht durch die gleichbleibende Gesetzmäßigkeit der Geschichte gegeben. Der 1. Clemensbrief entnimmt geschichtlichen Vorgängen die in der Schöpfung waltende „Ordnung" und zieht demgemäß Analogieschlüsse auf die Gegenwart (1.Clem. 4–6; 19; 24 ff.). Die Typen aber sind keine geschichtlichen Analogien. Der Zusammenhang ist für Paulus auch nicht durch das zyklische Denken gegeben, so gewiß dieses in der jüdischen Eschatologie wirksam war. Es fehlen bei ihm wohl nicht zufällig Begriffe dieses Denkens, die da und dort auch im Neuen Testament auftauchen: Er redet weder von „dem kommenden Äon" noch von der παλιγγενεσία. Der Begriff τύπος aber,

---

[43] J. Schniewind - G. Friedrich, ThW II, 575 f.; vgl. ThW V, 154 f.: οἰκονομία.

[44] Dieses Problem wurde zuletzt an Röm. 4 diskutiert: U. Wilckens, Die Rechtfertigung Abrahams nach Röm. 4, in: Studien zur Theologie der at.-lichen Überlieferungen, hrsg. von K. Koch und R. Rendtorff, 1961, 111–127, und G. Klein, Röm. 4 und die Idee der Heilsgeschichte, Ev. Theol. 23 (1963), 424–447. Nach Wilckens ist Abraham mit den Glaubenden durch ein „erwählungsgeschichtliches Kontinuum" verbunden (S. 127), nach Klein dagegen teils positiv „unter dem zeitlosen Aspekt des Beispiels", teils negativ „unter dem geschichtlichen Aspekt eines chronologischen Abstandes", der „die Geschichte Israels entheiligt und paganisiert" und „den Glaubenden von der Macht der Geschichte" befreit. Für ersteren nähert sich das „Kontinuum" „der altbiblischen Tradition", für letzteren geschichtskritischer Gleichzeitigkeit, für Paulus ist es im Sinne von Röm. 4,23 gegeben (S. 252 f.). Auf diesen entscheidenden Satz des Kapitels gehen beide nur am Rande ein!

den er als hermeneutischen Terminus einführt[45], kennzeichnet eine Setzung, die linear eine entsprechende prägt. Τύπος ist ein „dynamischer" Begriff. Er ist seiner Grundbedeutung nach die Hohlform, die einen Abdruck hervorruft, z. B. die Prägung eines Siegels, die abgedrückt wird. Das bedeutungsreiche Wort, das Paulus sonst öfter für das prägende Vorbild gebraucht, weist daher auch hier nicht auf eine abbildliche Identität, sondern eine in der Form gleiche Entsprechung, die auch gegenbildlich sein kann. Der Terminus kennzeichnet einen Zusammenhang, der durch Gottes Heilsplan gesetzt ist: *Gottes Plan verleiht seinem Handeln* auf das Heil hin im Raum der Verheißung *dieselben Wesenszüge* wie bei der Erfüllung (Röm. 9,6; 11,29; vgl. Eph. 3).

Weil der Typ kraft des Heilsplanes auf den Antityp hinweist, ändert sich der Charakter der Typologie nicht, wenn die Entsprechung in Röm. 5 *antithetisch* und in 1.Kor. 10 *positiv* ist. Für zyklisches Denken würde ersteres Wiederherstellung, letzteres Wiederkehr bedeuten. Vom Heilsplan her aber weist das Gericht, das das Versagen gegenüber dem Gebot trifft, ebenso wie die vorlaufende Gnadenerweisung hin auf die endgültige Offenbarung der Gnade; zugleich warnt Gottes Richten im alten Bund vor dem endgültigen Gericht, das die Ablehnung der Gnade trifft.

Dieser Art des Zusammenhanges gemäß sucht Paulus auch die Entsprechung zwischen Typ und Antityp nicht in äußerlichen Berührungen, sondern in dem theologischen Wesen der Vorgänge. Israels Widerfahrnis am Schilfmeer z. B. ist nicht schon als Hindurchgehen durch Wasser Typos der Taufe, sondern erst als Gottes grundlegende Rettungstat. Erst in nachneutestamentlichen frühchristlichen Schriften wird vielfach eine verflachte Typologie an äußerliche Berührungen angehängt; hier wird z. B. der rote Faden der Rahab als Hinweis auf Jesu Blut gedeutet (1.Clem. 12,7)[46].

Die Struktur des Zusammenhangs zwischen Typ und Antityp läßt zugleich die *theologische Bedeutung* erkennen, die Paulus ihm zumißt. Wenn er Typologien entwickelt, will er nicht geschichtliche Beispiele bieten oder einen Schriftbeweis aus einer heiligen Urkunde führen oder eine geschichtstheologische Konstruktion entwickeln; er will vielmehr einen Zusammenhang aufdecken, den Gott in der Ge-

---

[45] Als Terminus wird der Begriff fortan in den frühchristlichen Schriften verwendet: 1.Petr. 3,21; Barn. 7,3.7.10 f.; 8.1; 12,2.5 f.; 13,5; vgl. Herm. vis. 4,1,1; 4,2,5; 4,3,6; sim. 2,2. Wir übersetzen den griechischen Begriff am besten mit dem Fremdwort Typ bzw. typisch. Die entsprechende Deutungsweise bezeichnen wir wie herkömmlich als typologisch. Zum Folgenden vgl. meinen Artikel über τύπος, ThW VIII, 246–260.

[46] Entsprechende Beispiele aus dem Barn. bei Goppelt, a.a.O. (Anm. 1), 245 ff.

schichte setzte und für die Gemeinde in der Schrift aufzeichnen ließ (1.Kor. 10,11). Dieser Zusammenhang soll die Gemeinde im Glauben ihre Situation verstehen lassen. In 1.Kor. 10 wird einer Gemeinde, die sich in Mythologie und Synkretismus verliert und die Sakramente von hellenistischen Gottesvorstellungen her magisch und mysterienhaft mißversteht, durch die Typologie eingeprägt, daß ihr in den Sakramenten wie Israel in der Wüste ein Heilshandeln Gottes begegnet, das Leben aus Glauben erschließt, aber nicht naturhaft himmlische Kräfte mitteilt. Wie die Entsprechung in dem „Gott und Vater Jesu Christi" den Gott des Alten Testaments sehen heißt, so die Steigerung den endzeitlichen Charakter seines endzeitlichen Handelns durch Jesus! Die Steigerung ist nicht relativ, sondern absolut: Das Herrenmahl ist gegenüber der Mannaspeise das Mahl des „neuen Bundes" (1.Kor. 11,25), und die Heilstat Christi hebt die Unheilstat Adams schlechthin überbietend auf.

Nach allem ist die Typologie bei Paulus nicht eine technisch anzuwendende hermeneutische Methode zur Auslegung des Alten Testaments, sondern eine pneumatische Betrachtungsweise, die den von Gottes Heilsplan gesetzten Zusammenhang zwischen dem alttestamentlichen und dem neutestamentlichen Gottesverhältnis aufdeckt. Indem der Blick zwischen der gegenwärtigen und der von der Schrift bezeugten vorlaufenden Begegnung Gottes mit dem Menschen hin und her geht, werden beide aufeinander hin und voneinander her gedeutet und dadurch die Existenz des Menschen unter dem Evangelium umschrieben. Diese Umschreibung ist von der Philosophie oder vom Mythos, auch von der Apokalyptik aus nicht erreichbar. Sie ergibt kein System von Typologien, wohl aber Einblick in die Wesenszüge von Gottes Heilshandeln und Gottes Heilsplan.

III.

Die Bestimmung der Typologie, die wir aus Röm. 5 und 1.Kor. 10 gewonnen haben, wird sich weiter klären, wenn wir uns nun einen Überblick über *das Vorkommen solcher Typologie bei Paulus* verschaffen. Die Ränder des Vorkommens sind naturgemäß fließend; denn die Typologie wird nicht nur in Gestalt ausgeführter Vergleiche entwickelt, sondern auch in Anspielungen auf alttestamentliche Texte angedeutet (z. B. 1.Kor. 5,7) oder in Bezeichnungen, wie „Israel Gottes", hineingenommen, so daß unsicher bleibt, wie weit an den einzelnen Stellen ein typologischer Hinweis beabsichtigt ist. Auf diese Grenzfälle brauchen wir hier nicht einzugehen. Dagegen müssen die Hinweise auf das Alte Testament genauer untersucht werden, deren typologischer Charakter von der Definition der Typologie her umstritten ist. Diese Hinweise bilden nicht den Rand, sondern ganze Sektoren im Kreis der alttestamentlichen Vorstellungsbereiche, die bei Paulus wie vielfach schon im Alten Testament und im Judentum typologisch ausgewertet werden. Wir gliedern unseren Überblick nach diesen Bereichen.

Unbestritten gilt die Gegenüberstellung *Adam-Christus* als typologisch (Röm. 5,12–21; 1.Kor. 15,21 f. 44–49). Sie wird nicht gelegentlich zur Unterstreichung einzelner Aussagen entworfen; sie ist vielmehr einer der Aspekte, von denen die paulinische Theologie ausgeht: 1.Kor. 15,20 ff. wird die Formel ἐν Χριστῷ als Antithese zu dem ἐν Ἀδάμ entwickelt; auf diese Weise werden die beiden Möglichkeiten menschlicher Existenz umschrieben! Von der Antithese Adam-Christus ist die positive Entsprechung zwischen erster und zweiter Schöpfung zu unterscheiden, die in 2.Kor. 4,6 und wohl auch in 5,17 als Typologie vorliegt.

Der nächste Vorstellungsbereich ist kontrovers: Röm. 4 und Gal. 3,6 bis 4,7 wird die Glaubensgerechtigkeit der Christen auf die *Abrahams* bezogen. Nach Bultmann[47] ist Abraham „Ur- und Vorbild der Glaubenden wie schon in der jüdischen Literatur", aber nicht Typos; denn „der Wiederholungsgedanke spielt dabei keine Rolle". Paulus sieht Abraham jedoch grundlegend anders als das Judentum! Er zieht die Summe aus seiner Gegenüberstellung in Röm. 4,23: „Es wurde jedoch nicht nur wegen ihm geschrieben, daß er (der Glaube) ihm zugerechnet wurde, sondern auch wegen uns, denen er zugerechnet werden soll, die wir an den glauben, der unseren Herrn Jesus von den Toten auferweckt hat." Dieser Satz sagt von dem Schriftwort über Abrahams Glauben nahezu wörtlich daselbe, was 1.Kor. 10,11 von den typologisch ausgewerteten Texten über die Wüstengeneration feststellt. Für Paulus liegt hier und dort offensichtlich dieselbe Art von Schriftverwertung vor, nämlich Typologie! Tatsächlich ist die Glaubensgerechtigkeit der Christen die gesteigerte Entsprechung zu der Abrahams: Abraham glaubte angesichts seiner Unfruchtbarkeit, daß Gott ihm Nachkommenschaft erwecken werde; die Christen glauben angesichts des Kreuzes an den Gott, der Christus auferweckt hat. Beide Erscheinungen sind durch das Verheißungswort über den Samen Abrahams, also durch Gottes Heilsplan, miteinander verbunden (Röm. 4,16 f.; Gal. 3,6 ff.). Daß in der Urzeit- und Wüstenzeit-Typologie von ihrem alttestamentlich-jüdischen Ursprung her auch

[47] A.a.O. (Anm. 6), 210. Auch H. Galley, a.a.O. (Anm. 35), 8 möchte die Auswertung Abrahams nicht als Typologie bezeichnen; dagegen vertreten dies H. Müller, a.a.O. (Anm. 35), 114 und mit Einschränkung E. Early Ellis, a.a.O. (Anm. 35), 130; vgl. Anm. 44.

ein Wiederholungsgedanke mitschwingt, in der von Paulus ausgebildeten Abrahamtypologie dagegen nicht, spielt für Paulus keine Rolle; denn Typ und Antityp sind für ihn nie durch einen kosmischen Kreislauf, sondern immer durch Gottes Heilsplan verbunden. Der Typos ist, das wird für Abraham nun eindeutig ausgesprochen, Ausdruck der „Verheißung", der Antityp Ausdruck der Erfüllung[48] (Röm. 4,16; Gal. 3.17). So wird das Urteil über den typologischen Charakter der Abrahamstellen geradezu der Test für das Verständnis von Typologie! Nur am Rande gehört in diesen Sektor die Ausdeutung des Verhältnisses von Ismael und Isaak in Gal. 4,21—31, eine Typologie, die zu erheblichem Teil in Allegorie übergeht.

Ein dritter Vorstellungsbereich, *die Mosezeit*, wird in ihren Heilswiderfahrnissen als positive Entsprechung typologisch ausgewertet (1.Kor. 5,6 ff.; 10,1—11), dagegen als Zeit des Gesetzesbundes und seines Amtes in antithetischen Entsprechungen (2.Kor. 3,4—18; 1.Kor. 11,25). Weiterhin werden direkte und bildliche Bezeichnungen des alttestamentlichen Gottesvolkes auf die Kirche übertragen und diese dadurch als das neue Gottesvolk gekennzeichnet; aber der typologische Hintergrund dieser Bezeichnungen ist wohl nur mehr an wenigen, vor allem polemischen Stellen bewußt, z. B. Gal. 6,16 „Israel Gottes" oder Phil. 3,3; Kol. 2,11 „die Beschneidung".

Mit dem letzten berühren wir den Vorstellungsbereich des *Kultus:* Wenn Paulus die Gemeinde (1.Kor. 3,10—17; 2.Kor. 6,16; vgl. Eph. 2,20 ff.) oder auch den einzelnen Christen (1.Kor. 6,19) als den wahren Tempel Gottes bezeichnet, dann ist dies eine bildliche Ausdrucksweise, deren typologischer Hintergrund nicht mehr im Blick steht. Dagegen dürfte in Röm. 3,25 eine wichtige Typologie aus diesem Bereich vorliegen: Der Karfreitag ist der eschatologische Versöhnungstag! Die Kennzeichnung des Gehorsams der Christen als Opfer Röm. 12,1 geht jedoch wieder überwiegend ins Bild über.

Unter den zahlreichen Verweisen der paulinischen Briefe auf das Alte Testament machen die Typologien zahlenmäßig nur einen kleinen Teil aus, aber sie sind *für den gesamten Schriftgebrauch* charakteristisch und setzen vor ihn ein Vorzeichen: Paulus sieht die ganze Schrift in einem von diesen Typologien gegebenen Rahmen und legt ihr daher als erster die Bezeichnung „Altes Testament" bei (2.Kor. 3,14). Man kann diesen Rahmen „heilsgeschichtlich" nennen, wenn man den Begriff von der Typologie her definiert (S. 266). Von die-

---

[48] Paulus redet allerdings nicht von einem „Erfüllen" (πληροῦν) der Verheißung oder auch der Schrift, sondern von dem Ja Gottes zu ihr, das in Christus ergangen ist (2.Kor. 1,20; vgl. Röm. 15,8) oder von dem Festwerden der Verheißung (Röm. 4,16); vgl. G. Delling, ThW VI, 293 ff.; zu πλήρωμα in Gal. 4,4; Eph. 1,10 ebd. 303 f.

sem Rahmen her faßt Paulus weiterhin, wie wir in 1.Kor. 10 sahen, auch die einzelnen Aussagen der Schrift gruppenweise in Bilder eines sich in der Geschichte vollziehenden Heilshandelns Gottes zusammen, das jetzt durch Größeres überboten bzw. aufgehoben wurde; das Alte Testament wird nicht als Gesetzbuch oder als Orakelsammlung gesehen! Diese Betrachtungsweise dürfte schließlich auch die Auswertung einzelner Schriftworte beeinflussen: Paulus bezieht z. B. gleich dem übrigen Urchristentum Ps. 69 auf Christus (Röm. 15,3). Er weiß, daß der Psalm von der jüdischen Auslegung gewöhnlich auf David gedeutet wird[49], und begründet daher seine Deutung mit den Worten: „Denn alles, was (vorher) geschrieben wurde, ist zu unsrer Belehrung geschrieben" (Röm. 15,4). Vielleicht drückt dieser Grundsatz, der sich mit Röm. 4,23 und 1.Kor. 10,11 berührt[50], hier letztlich eine typologische Überlegung aus: Mag der Psalm zunächst von David reden, eigentlich meint er Christus! So prägt die typologische Betrachtungsweise das gesamte Schriftverständnis des Apostels. Abschließend wird sich zeigen, wie sie darüber hinaus seine ganze Theologie ausrichtet. Vorher soll jedoch durch die Fragen nach Herkunft und Legitimität ihr Wesen vollends bestimmt werden.

IV.

Über *die Herkunft der typologischen Betrachtungsweise* steht dreierlei fest: 1. Die Typologie ist der außerbiblisch-hellenistischen Umwelt des Urchristentums fremd. 2. Sie findet sich allein in der jüdischen Umwelt, und dort nur als ein Prinzip der Eschatologie. 3. Diese im Judentum auftretende Typologie hat eine Vorgeschichte in der Eschatologie des Alten Testaments[51]. Umstritten ist, wo die historischen und sachlichen Wurzeln dieser Betrachtungsweise liegen.

Bultmann[52] leitet die Typologie, ohne die alttestamentliche Vorgeschichte in die Analyse einzubeziehen, aus der gemeinantiken Wiederkehrvorstellung ab. Die Typologie entsteht nach ihm durch „Eschatologisierung des Wiederholungsmotivs"[53], sobald das Alte nicht als solches, sondern in neuer Gestalt wiederkehrt. Diese Erklärung ist

---

[49] Psalm 69 wird im rabbinischen Schrifttum gewöhnlich auf David bezogen: b Zeb 54b (Billerbeck II, 410).

[50] Schon nach Meinung der Rabbinen wurde nur die Prophetie in der Schrift aufgezeichnet, die über ihre Zeit hinaus für kommende Generationen nötig ist (Billerbeck III, 12 f.). Dem Urchristentum ist die Vorstellung geläufig, daß alle Prophetie der Gegenwart gelte: Apg. 3,24 f.; 1.Petr. 1,12; vgl. 2.Kor. 1,20

[51] Goppelt, a.a.O. (Anm. 1), 34—47.

[52] A.a.O. (Anm. 6), 205—208.

[53] Ebd. 207.

methodisch eine abstrakte religionsphänomenologische Konstruktion; sie addiert Vorstellungselemente, aber läßt nicht die Intention erkennen, die diese spezifisch biblische Betrachtungsweise entstehen ließ. Vor allem aber erfaßt Bultmann sachlich nur den landläufigen, allgemeinen Begriff von Typologie und übergeht die grundlegenden Unterschiede, die z. B. zwischen Paulus und dem Barnabasbrief bestehen. So wird die Wiederkehrvorstellung, von der aus er die Typologie rekonstruiert, wohl im Barnabasbrief (6,13) betont, spielt jedoch bei Paulus keine Rolle (S. 249 f.).

Wie es in Wirklichkeit zur Ausbildung der typologischen Betrachtungsweise kam, wird *an ihrem ersten Hervortreten* greifbar. Wir beobachten, wie bereits an Dtjes. deutlich wurde (S. 248 f.), in der prophetischen Eschatologie des Alten Testaments, deren Entwicklung und Struktur außerordentlich komplex ist[54], ein Motiv, das an die Typologie erinnert: In prophetischen Weissagungen wird die kommende Heilszeit vielfach mit Farben der vergangenen als ein neuer Exodus, ein neuer Bund, ein neuer David usw. geschildert[55]. Welchen Sinn hat dieses Zurückgreifen auf die Vergangenheit? Geben die vergangenen Heilswiderfahrnisse hier lediglich Ausdrucksmittel an die Hand, mit denen nach dem Schema der Wiederkehrvorstellung der neue Anfang ausgemalt wird[56]? M. E. ist dieses Zurückgreifen

[54] W. Eichrodt, Theologie des Alten Testaments, I (1957⁵), 268 ff.; A. Jepsen, Eschatologie im Alten Testament, RGG II³ (1958), 655–662; G. von Rad, Theologie des Alten Testaments II (1960), 125–132; vgl. Anm. 56.

[55] Das Material ist zusammengestellt bei H. Greßmann, Der Messias, 1929, und W. Staerk, Die Erlösererwartung in den östlichen Religionen (Soter II) 1938; Übersicht bei L. Goppelt a.a.O. (Anm. 1), 42, Anm. 1.

[56] Nach Anregungen H. Gunkels, Schöpfung und Chaos in Urzeit und Endzeit, Eine religionsgeschichtliche Untersuchung über Gen. 1 und Offb. 12, 1894. 1921², vor allem S. 366–369, versuchte H. Greßmann, Der Messias, 1929, aus dem Wiederkehr-Motiv die alttestamentliche Eschatologie abzuleiten. W. Staerk a.a.O. (Anm. 55) fügte reiches Material hinzu, betonte jedoch zugleich den „fundamentalen Unterschied" zwischen der alttestamentlichen und der altorientalischen Eschatologie (S. 178). Wie die neuere Forschung über diese Ableitung der alttestamentlichen Eschatologie hinausgeführt hat, lehrt der Forschungsbericht bei E. Rohland, Die Bedeutung der Erwählungstradition Israels für die Prophetie der alttestamentlichen Propheten, Diss. Heidelberg 1956 (Mikrokopie), 1–23. Rohland selbst neigt der oben angesprochenen Auffassung zu: „Nur um dieser Charakterisierung der Zukunft als Neubeginn willen wird sie als Erneuerung der vergangenen Erwählungstaten geschildert, nicht aber, weil diese als von Gott gesetzte Typen . . . der Zukunft gewertet werden." Er möchte dieses Motiv daher nicht typologisch nennen. Eine differenzierte Analyse des „Entsprechungsmotivs" in der „eschatologischen Prophetie" (d. i. nach seiner Auffassung die Prophetie von Deuterojesaja an) entwickelt G. Fohrer, Die Struktur der alttestamentlichen Eschatologie, ThLZ 85 (1960), 401–420 in Sp. 418: „Diese Auffassung beruht weder auf einem zyklischen noch auf einem teleologischen, sondern auf einem mit typischen Ereignissen rechnenden Denken. In früherer Zeit erfahrene Situationen

vielmehr mit v. Rad[57] in erster Linie als Ausdruck eines heilsgeschichtlichen Denkens zu verstehen, durch das sich Israel gerade von dem zyklischen Denken seiner altorientalischen Umwelt schied. Dieses heilsgeschichtliche Denken wurde neben anderen Motiven bei der Gestaltung der prophetischen Eschatologie in folgender Weise wirksam: Angesichts eines radikalen Zerbrechens des bisherigen Gottesverhältnisses gewinnt der Prophet durch Gottessprüche die Erwartung eines neuen Gottesverhältnisses, das endgültig ist. Dieses neue Gottesverhältnis ist das Eschaton! (Das Eschaton ist für die Prophetie daher durchaus innergeschichtlich denkbar, jedenfalls nicht als das Ende der Geschichte zu definieren.) So sehr die Prophetie nun den radikalen Bruch betont, so sehr liegt ihr daran, daß die bisherigen Heilswiderfahrnisse nicht ausgelöscht sind, sondern „in der rätselhaften Dialektik von gültig und abgetan" „im Neuen gegenwärtig sind". „Den Propheten liegt offenbar sehr viel an dieser typologischen Entsprechung; denn sie arbeiten dies allenthalben bei ihren Weissagungen heraus, wobei sie freilich mit Beflissenheit dem Moment der Steigerung, des Überbietenden, Raum geben. Der neue Bund wird besser sein . . ."[58] Vielleicht läßt sich das hier zugrunde liegende Denken von Röm. 11 her illustrieren: Auch Paulus sieht in dem Unglauben Israels gegenüber dem Evangelium einen radikalen Bruch (Röm. 9 f.), aber die neue Erwählung, die ihm wie dem Rest aus Israel widerfahren ist (Röm. 11,1–10), und vollends der neue Gottesspruch, der ihm zuteil wird (Röm. 11,25), läßt die ursprüngliche Erwählung Israels trotz des Bruches Grund der Hoffnung auf seine endgültige Errettung werden (Röm. 11,2.28 f.)! Solches heilsgeschichtliche Denken läßt die Prophetie das Eschaton als einen neuen Exodus, einen neuen Bund, einen neuen David usw. sehen. Die Wiederkehrvorstellung[59],

---

werden als typisch für das Handeln Jahwes (vgl. Hos. 13,4) und für das Verhalten und Geschick von Welt und Menschheit betrachtet, so daß sie in entsprechender Weise wieder erwartet werden können." „Als weiterer Grund ist die konkrete und bildhafte Denk- und Ausdrucksweise des alttestamentlichen Menschen zu nennen. Wie er sonst durchweg alle möglichen Bilder dazu verwendet, um seine Gedanken und Vorstellungen konkret verdeutlicht darzustellen, so wählt er bestimmte geschichtliche Ereignisse, um die erahnten künftigen Dinge im voraus bildhaft zu beleuchten." Schließlich begründet „besonders für Dtjes. . . . das Schöpfungshandeln und Geschichtslenken Jahwes, auf das er sich bezieht, dessen erlösendes Handeln. Alles gehört zusammen und bildet eine Einheit . . . So zeigen die Entsprechungsmotive die Kontinuität des göttlichen Heilswillens". Sicher spielen auch diese Gesichtspunkte innerhalb unseres Motivs eine Rolle; im ganzen sieht Fohrer es m. E. jedoch zu sehr als Ausdruck eines Analogiedenkens, wie es im 1.Clem. zutage tritt (vgl. Anm. 44). [57] A.a.O. (Anm. 54), 277–287.

[58] Ebd. 285.

[59] M. Eliade, Der Mythos der ewigen Wiederkehr, 1953; G. van der Leeuw, Urzeit und Endzeit, Eranos-Jahrbuch XVII, 1949; vgl. Anm. 55.

die von der Naturbeobachtung ausgeht und deshalb vor allem in den Stromländern Ägypten und Mesopotamien zu Hause war, hat dabei sicher Anregungen vermittelt, aber sie ist nicht die Grundlage. Deshalb kann man dieses Motiv der alttestamentlichen Eschatologie auch im paulinischen Sinn als typologisch bezeichnen. Diese Typologie ist nicht von der Weissagung zu scheiden, sondern ein sie gestaltendes und tragendes Prinzip.

Die Beteiligung zyklischen und heilsgeschichtlichen Denkens an der typologischen Betrachtungsweise ist allerdings beweglich. Man kann aufs Ganze gesehen feststellen, daß die Typologie in der *nachalttestamentlich-jüdischen Eschatologie* stärker von der Wiederkehrvorstellung als vom Vollendungsgedanken bestimmt ist. Das Eschaton wird als gesteigerte Wiederkehr des Paradieses (vor allem in den Apokalypsen) oder der Mosezeit (vor allem im Rabbinismus) phantastisch ausgemalt[60]. Stets jedoch wird die Typologie auf ein zukünftiges Eschaton bezogen, nicht auf die Gegenwart. Auch in den essenischen Texten[61] wird die Gegenwart, obgleich sie verschiedentlich als die anhebende Erfüllung alttestamentlicher Weissagung gedeutet wird[62], nie als typologische Entsprechung zu alttestamentlichen Erscheinungen gesehen[63]. Das entspricht der Grundlinie des essenischen Denkens: die Sekte denkt vom Schriftbuchstaben, nicht von einer Heilsgeschichte aus und versteht sich als die kontinuierliche Fortsetzung des stets vorhandenen heiligen Restes, nicht als Erbin einer neuen Erwählung, die die erste vollendet.

Es war daher ein schlechthinniges Novum in der Welt des Judentums, *als Jesus seine Person und sein Wirken typologisch auf die alt-*

---

[60] Goppelt, a.a.O. (Anm. 1), 34–42.

[61] M. Black, a.a.O. (Anm. 28), 135–142.

[62] In diesem Sinne bezieht sie, wie 1Qp Hab und Fragmente anderer Prophetenkommentare lehren, prophetische Schriften auf ihre Gegenwart. Nach 1QS 8,13–16 soll sich Jes. 40,3 durch die Auswanderung nach Qumran erfüllen.

[63] A. S. van der Woude, Die messianischen Vorstellungen der Gemeinde von Qumran, 1957, meint, die Sekte habe ihren Aufenthalt in der Wüste, d. h. in Qumran, als eschatologische Wiederkehr der Mosezeit verstanden: „Wie Mose Mittler des alten Bundes war, so ist der Lehrer der Gerechtigkeit Mittler des neuen Bundes (vgl. Dam. 8,21 und 6,4 ff.); in der Wüste wird der Weg für das Kommen Gottes und die endgültige Erlösung vom Bösen bereitet (1QS 8,12 ff.): wie damals lebt man jetzt in Lagern (Dam. 7,6; 12,23)" (S. 84; vgl. S. 48). Hinter diesen Berührungen, die für die Gestalt des Lehrers der Gerechtigkeit sehr fraglich sind, steht jedoch keine Reflexion auf Wiederkehr oder Erneuerung vergangener Geschichte, sondern im Grunde eine biblizistische Identifizierung der Gegenwart mit dem Schriftwort: Der „neue Bund" (Dam. 6,19; 8,21; 20,12) ist kein neuer, im Grunde auch kein erneuerter, sondern ein wiederaufgenommener Bund. So steht hinter diesen Aussagen keine Reflexion über vergangene und gegenwärtige Heilszeit, kein typologisches Denken. Zu einem ähnlichen Urteil kommt H. Müller, a.a.O. (Anm. 35), 126, Anm. 5.

testamentliche Gottesgeschichte bezog: „Siehe, hier ist mehr als Jona“, d. h. ein Bußruf, der gewichtiger ist als der der Propheten (Mt. 12,41 par. Lk.). „Siehe, hier ist mehr als Salomo“, d. h. eine Weisheitsrede, bedeutender als die Salomos (Mt. 12,42 par Lk.). Hier ist Größeres als David (Mk. 2,25 f. par), Größeres als der Tempel (Mt. 12,6)! Hier ist der Gerechte schlechthin! Sein Sterben ist das Blut des (neuen) Bundes (Mk. 14,24 par)! Allen Anzeichen nach gehen diese Logien weithin auf Jesus selbst zurück. Wahrscheinlich haben, wie neuere religionsgeschichtliche Analysen ergaben[64], die seiner Umwelt geläufigen Vorstellungen „des Gerechten“ und des eschatologischen Propheten Ansatzpunkte für Jesu Selbstverständnis gegeben. Die genannten Logien bekunden allerdings, daß er sich nicht lediglich in diese Vorstellungen hüllte, sondern sich in Anlehnung an sie ausdrücklich ins Verhältnis zur alttestamentlichen Gottesgeschichte setzte. Das bedeutet: Er hat sich nicht als eine Gestalt der jüdischen Enderwartungen, sondern eigenständig, aber in elementarer Unmittelbarkeit als den Vollender der alttestamentlichen Gottesoffenbarung bekundet. Alle diese Logien weisen ebenso schlicht wie vielsagend auf eine Entsprechung, die das bisherige Handeln Gottes an seinem Volk grundsätzlich überbietet. Sie sind, wenn wir den Begriff im paulinischen Sinn gebrauchen, Ausdruck einer typologischen Betrachtungsweise. Sie zeigen auf diese Weise den eschatologischen Charakter des „hier“, d. h. durch Jesus, Geschehenden an. Ein neues Offenbarungsgeschehen ließ Typologie in neuer Gestalt erstehen. Sie war wie einst in der Prophetie vom Vollendungsgedanken geprägt. Diese Art, die Gegenwart zu deuten, entsprach genau dem Wesen des Wirkens Jesu. Er bringt das Heil verborgen, d. h. für den Glauben. Daher ist der Erfüllungscharakter des durch Jesus Geschehenden nicht an Weissagungen aufweisbar; er erschließt sich jedoch den Nachfolgenden durch den typologischen Vergleich und eine entsprechende wesenhafte Auswertung der Weissagung (Mt. 11,2–6). Auf diese Weise wird von der Schrift her erkannt, was unter dem Reden und Handeln Jesu, das für die Öffentlichkeit nicht über das Wirken eines Rabbi oder Propheten hinausgeht, eigentlich geschieht: Wer sich zum Erweis des Glaubens überführen läßt, wird in ein Gottesverhältnis berufen, das dem alttestamentlichen typologisch entspricht. Wenn wir bei Paulus eine die Gegenwart als eschatologische Erfüllung deutende Typologie finden, dann hat Paulus auch in dieser Hinsicht einen Ansatz theologisch entfaltet, den Jesus selbst entwickelte.

---

[64] E. Schweizer, Erniedrigung und Erhöhung bei Jesus und seinen Nachfolgern, 1962², 21–33. 53–62; vgl. F. Hahn, Christologische Hoheitstitel, 1963, 219. 380 bis 404: die älteste palästinische Gemeinde deutete Jesus von der Mosetypologie her; ältere Lit. ebd. S. 381.

V.

Ist diese zentrale Deutung des sich durch Jesus vollziehenden Offenbarungsgeschehens für uns, wie seit über 100 Jahren behauptet wird, *durch die historische Schriftforschung hinfällig geworden?* Die historische Schriftforschung unterscheidet die Geschichtsdarstellungen des Alten Testaments als Glaubensbilder von dem historischen Ablauf, so daß sich die Frage erhebt: Wird z. B. die Mosezeittypologie hinfällig, wenn sich die Vorgänge historisch gesehen anders vollzogen haben als nach dem Glaubenszeugnis des Alten Testaments? Im letzten Jahrzehnt hat vor allem F. Baumgärtel[65] von der alttestamentlichen Wissenschaft her unermüdlich auf diese Schwierigkeit hingewiesen und die These entwickelt, die neutestamentliche Deutung Jesu von der Typologie wie von der Weissagung her sei für uns abgetan. „Erfüllt" habe sich in Jesus lediglich die hinter dem Alten Testament stehende Verheißung „Ich bin der Herr, dein Gott"! Diese und andere Bedenken gegen die Typologie wurden zuletzt von S. Amsler[66] umfassend zusammengestellt und weithin überzeugend zugunsten der Typologie beantwortet.

Die Diskussion neigt heute allgemein der Einsicht zu, daß weder die Geschichtsbilder der Historie noch die des Glaubens absolut gesetzt werden dürfen, daß es heute vielmehr darum geht, beide ernst zu nehmen und sie von übergeordneten Gesichtspunkten aus miteinander zu verbinden.

Eine abgerundete Lösung in dieser Richtung bietet R. *Rendtorff*[67]

[65] Verheißung. Zur Frage des evangelischen Verständnisses des Alten Testaments, 1952, vor allem S. 83 f., 140 f.

[66] A.a.O. (Anm. 35), 220–227. Er setzt sich vor allem mit drei Einwänden auseinander: 1. Die Typologie führt über den Wortsinn hinaus einen weiteren Schriftsinn ein, der im ursprünglichen Text nicht enthalten ist. 2. Die Typologie geht von den im Alten Testament berichteten Ereignissen aus, diese werden jedoch durch die historisch-kritische Forschung in Frage gestellt. 3. Die typologische Deutung nimmt dem alttestamentlichen Zeugnis seine Eigenart, führt zu einer willkürlichen Auswahl alttestamentlicher Stoffe und legt dem Alten Testament einen Sinn unter, der ihm selbst unbekannt ist. Auf das 1. und 3. Bedenken ist mit Amsler und zuletzt mit G. von Rad, Offene Fragen im Umkreis einer Theologie des Alten Testaments, ThLZ 88 (1963), 401–416, zu antworten, daß das Alte Testament fortgesetzt selbst über sich hinausweist. Am schwerwiegendsten ist der zweite Einwand. Ihn hat zuletzt F. Hesse nachdrücklich geltend gemacht: „Gottes Geschichte mit Israel auf das Ziel Jesus Christus hin ist da zu verfolgen, wo wirklich sich Geschichte ereignet hat, nicht aber dort, wo man bestimmte Vorstellungen vom Geschehen aufzeigen kann, die sich aber von Fall zu Fall möglicherweise als unrichtig erweisen" (Die Erforschung der Geschichte Israels als theologische Aufgabe, KuD 4 [1958], 11; vgl. ders., Kerygma oder geschichtliche Wirklichkeit, ZThK 57 [1960], 17–26). Auf diesen 2. Einwand gehen wir im Folgenden ein.

[67] Hermeneutik des Alten Testaments als Frage nach der Geschichte, ZThK 57 (1960), 27–40:39.

an; er entwickelt sie in folgenden Sätzen: „Wenn wir theologisch nach der Geschichte fragen, stehen wir nicht vor der Alternative: historisch-kritisches oder bekenntnishaft-kerygmatisches Geschichtsbild, sondern wir begegnen der Überlieferung, die jenseits solcher Unterscheidungen steht. Wenn wir vom Handeln Gottes in der Geschichte reden, kann also nicht gemeint sein, daß er nur in bestimmten Geschichtsfakten gehandelt hat und daß nun diese Fakten immer neu interpretiert werden. Vielmehr ist die Überlieferung von Gottes Geschichtshandeln selbst Geschichte." Der ständige „Überlieferungsvorgang zeigt den vorwärts drängenden Charakter dieser Geschichte. Sie ist mit den jüngsten Stadien der alttestamentlichen Überlieferung nicht zu Ende: Die Apokalyptik schließt sich unmittelbar an." Es ist für diesen Entwurf kennzeichnend, daß er die Brücke zwischen Altem und Neuem Testament durch einen Traditionsstrom, nämlich die Apokalyptik, schlägt und die Typologie mit folgenden Worten ablehnt: Wenn „die Beziehung zwischen Altem und Neuem Testament in Analogien, in typologischen Entsprechungen", liegt, dann wird die Relevanz des Geschichtslaufes aufgegeben; denn „die Kontinuität der Geschichte, in der die Ereignisse stehen, wird dabei bedeutungslos". Aber gerade auf diese Kontinuität kommt es an; denn Kontinuität ist eben Wesensmerkmal der Geschichte[68]. Diese bemerkenswerte Konzeption gibt der Traditionsgeschichte, die bisher als methodisches Prinzip der Analyse verwendet wurde, eine bestimmte geschichtstheologische Bedeutung. In der Tat ist die Traditionsgeschichte ein entscheidendes Bindeglied zwischen dem historischen Faktum und dem kerygmatischen Geschichtsbild; sie löst beide aus ihrer unwirklichen Isolierung und verbindet sie zu einer Einheit geschichtlichen Geschehens. Allerdings bleibt die Überlieferungsgeschichte gleich der Typologie ein Stück weit von der Historizität ihres Ansatzes abhängig; diese Frage sollte genauer bedacht werden. Vor allem aber berücksichtigt Rendtorffs Entwurf, wie dies vielfach auch bei der analytischen Verwendung dieses Prinzips geschieht, zu wenig die Diskontinuität der Traditionsgeschichte. Dies wird hier an entscheidender Stelle sichtbar: Die vielschichtige und vieldeutige Erscheinung der Apokalyptik kann schwerlich als der legitime Ausläufer des Alten Testaments schlechthin[69] und noch weniger als der maßgebliche Ver-

---

[68] Ebd. 32.

[69] Die Urteile über das Verhältnis der Apokalyptik zur Prophetie gehen weit auseinander. G. von Rad, a.a.O. (Anm. 54), II, 316 kommt zu dem Schluß: Die Apokalyptik als „Kind der Prophetie zu verstehen" (O. Procksch; H. H. Rowley) „ist u. E. schlechterdings ausgeschlossen"; „entscheidend ist u. E. die Unvereinbarkeit des Geschichtsverständnisses der Apokalyptik mit dem der Propheten". „Dieses Geschichtsbild ermangelt jeden Bekenntnischarakters; es weiß nichts mehr von jenen heilsbegründenden Taten Gottes, von denen aus ehedem ein Geschichts-

stehenshorizont Jesu und der ersten christlichen Theologie bezeichnet werden. Das Urchristentum beruft sich gleich Jesus selber noch ungleich schroffer als die Essener entgegen den jüdischen Traditionen auf das Alte Testament[70]. Beide werden durch dieses theologische Selbstverständnis sicher historisch gesehen nicht frei von den jüdischen Traditionen, aber sie nehmen tatsächlich keine Richtung des Judentums auf, ohne zugleich grundsätzlich mit ihr zu brechen, und sie stützen sich ihnen gegenüber auf eine eigenständige Auslegung des Alten Testaments. (Unter den jüdischen Traditionen, die in dieser dialektischen Antithese die Lehre Jesu und die Theologie des Paulus mitgestalteten, ist aufs Ganze gesehen zudem der Pharisäismus vor der Apokalyptik im engeren Sinn zu nennen[71].) Die Diskontinuität in der Sache spiegelt sich selbst in der Begriffsgeschichte wider: Jesu Reden von der Gottesherrschaft z. B. berührt sich zwar näher mit dem apokalyptischen als dem rabbinisch-pharisäischen Begriff, aber es deckt sich keineswegs mit dem ersteren, wie seit Joh. Weiß aufgrund des religionsgeschichtlichen Analogiedenkens vielfach angenommen wurde[72]. Diese und andere Beobachtungen (S. 240 f.) verwehren es, in dem komplexen historischen Zusammenhang Jesu und des Urchristentums mit alttestamentlich-jüdischen Traditionen eine bestimmte traditionsgeschichtliche Kontinuität aufzuzeigen, die den theologischen Zusammenhang zwischen Altem und Neuem Testament herstellt. Der eigentliche Sachzusammenhang zwischen den beiden Testamenten ist mit dem Neuen Testament in der Treue Gottes zu suchen, die das Israel Widerfahrene, ohne sich an geschichtliche Abläufe und Entwicklungen zu binden, durch Jesus vollendete[73], d. h. in dem Zusammenhang von Verheißung und Erfüllung, Typ und Antityp.

---

bild entworfen wurde." Auch Daniel geht nicht „von bestimmten Erwählungstraditionen aus"; gewiß liegt „im Festhalten an den überlieferten Geboten" Israels Heil, aber die Gebote sind „von ihren heilsgeschichtlichen Bezügen gelöst" (S. 322). Dagegen legt zuletzt K. Koch, Spätisraelitisches Geschichtsdenken am Beispiel des Buches Daniel, Historische Zeitschrift 193 (1961), 1–32, den Finger auf die positive Seite des Verhältnisses zu den Propheten: „Gedanken der Propheten zu den Ereignissen ihrer Zeit werden jetzt zu einem System verbunden; die göttlichen Weissagungen . . . erstrecken sich nun auf umfassende Zeiträume. So entsteht unter Aufnahme altorientalischer Mythen ein universalgeschichtlicher Entwurf – der erste in der Weltgeschichte . . . Es läßt sich mit gutem Grund behaupten, daß das Danielbuch damit das Testament der Propheten vollstreckt hat" (S. 31).

[70] Z. B. Mk. 7,9–13 par Mt.; Apg. 7,51 ff.; 2.Kor. 3,12–18; Joh. 5,39.46 f.

[71] Zur Diskussion dieser Frage in der Forschung vgl. L. Goppelt, Christentum und Judentum im ersten und zweiten Jahrhundert, 1954, 32–37.

[72] L. Goppelt, Reich Gottes im Neuen Testament, EKL III (1959), 555–559.

[73] Vgl. Mt. 3,9 par Lk.; Mt. 8,11 f. par Lk.; Röm. 9,6–8; dies darf durch eine

Um so dringlicher ist die Frage: Fällt die Typologie durch den Zwiespalt zwischen historischem und kerygmatischem Geschichtsbild im Alten Testament? Es zeigt sich gegenwärtig, daß *dieser Zwiespalt für die Typologie* sowohl vom *Wesen des biblischen Typos* her wie von einer *neueren Geschichtsbetrachtung* her weitgehend aufgehoben wird.

Der *alttestamentliche Typos* ist für Paulus, wie deutlich wurde, nicht gedeutete Geschichte oder geschichtliche Analogie, sondern eine Selbstbekundung Gottes, die sich in geschichtlichen Vorgängen äußert, die von Wortoffenbarung getragen und vom Glaubenszeugnis festgehalten werden[74]. Diese Bekundung Gottes ist ihrem Wesen nach von den geschichtlichen Vorgängen nicht ablösbar; denn sie bindet sich selbst an geschichtliche Vorgänge und gilt nur in diesem Rahmen, nicht als zeitlose Wahrheit! Deshalb kann sie auch immer nur unter Einbeziehung dieser geschichtlichen Vorgänge für andere Situationen ausgewertet werden. Andererseits aber läßt diese Bekundung Gottes für ihr Wirksamwerden in der Geschichte erheblichen Spielraum: Sie setzt ein Verhältnis des Menschen zu Gott oder bringt einen Grundzug des Gottesverhältnisses zum Ausdruck, so daß diese Bekundung für eine sich erstreckende geschichtliche Situation gilt und sich nicht in einzelnen Vorgängen erschöpft. So sind z. B. Einzelheiten des Typos in 1.Kor. 10, etwa die Vorstellung des wandernden Felsens, an exegetische Denkformen der neutestamentlichen Zeit gebunden[75], die wir nicht nachvollziehen können, oder in den alttestamentlichen Berichten selbst historisch fraglich. Die Aussage wird dadurch jedoch für uns nicht zu einem theologischen Gedanken des Paulus, dessen heilsgeschichtliche Begründung für uns hinfällig wäre.

---

von Paulus nicht intendierte Anwendung des Bildes vom Ölbaum, Röm. 11,16—18, nicht verwässert werden.

[74] W. Zimmerli, „Offenbarung" im Alten Testament, Ein Gespräch mit R. Rendtorff, Ev. Theol. 22 (1962), 15—31:29 entwickelt am Modell der Rettung Israels aus Ägypten sehr schön, wie im Alten Testament verkündigtes Offenbarungswort, geschichtliches Ereignis und bekennende Geschichtsdarstellung ineinandergreifen: „Dieser Glaube (Ex. 14,31) versteht, daß die geschichtliche Rettungstat, über welcher der Name Jahwes verkündigt worden ist, gezieltes Geschehen ist, das nicht im Zusammenhang des Geschichtsganzen verstanden, sondern im Heute als Anruf unter dem Namen Jahwes gehört und im anbetenden und glaubenden Gehorsam verstanden und beantwortet werden will."

[75] Wie sehr sich Paulus in den exegetischen Denkformen vor allem mit dem zeitgenössischen Rabbinismus berührt, haben zuletzt folgende Arbeiten gezeigt: J. Bonsirven, Exégèse rabbinique et exégèse paulinienne, 1939; J. W. Doeve, Jewish Hermeneutics in the Synoptic Gospels and Acts, Diss. Leiden 1953; W. D. Davies, Paul and Rabbinic Judaism. Some Rabbinic Elements in Pauline Theology, 1955²; D. Daube, The New Testament and Rabbinic Judaism, 1956; H. Müller, a.a.O. (Anm. 35), 64—179.

Der Typos bleibt auch für uns gültig, wenn „Israel“ durch ein von Wortoffenbarung durchwaltetes geschichtliches Geschehen beim Exodus und in der Wüste ein Leben aus Gott ermöglicht wurde und ihm die Verachtung dieses Heilswiderfahrnisses zum Gericht wurde. Die Gültigkeit wird nicht geschmälert, wenn manches an der Darstellung der Wüstenzeit spätere Bekundungen Gottes an Israel widerspiegelt. Wenn der alttestamentliche Typos, wie deutlich wurde, nicht zuletzt auch vom Heilswiderfahrnis der Gemeinde her gestaltet ist, dann wird, was er sagen will, dadurch nur bestätigt. Demnach hängt die Gültigkeit einer Typologie nicht an der Historizität einzelner Szenen, sondern an der Wahrheit und Wirklichkeit dieser Selbstbekundung Gottes in der Geschichte und an einem Maß von Historizität der geschichtlichen Erscheinungen, das jeweils nur von der Sache her bestimmt werden kann. Die Typologie ist grundsätzlich nicht in höherem Maß von Historizität abhängig als alle biblische Offenbarung, solange man festhält, daß echte Typologie einen Grundzug des Gottesverhältnisses darstellt[76].

Diesen Erwägungen vom biblischen Offenbarungsgeschehen her kommt ein Bemühen um den *Begriff der Geschichte* entgegen, das gegenwärtig neu in Gang gekommen ist und den Historismus ebenso zu überwinden sucht wie die Flucht aus der Geschichte in die Geschichtlichkeit der Existenz, die hinter der existentialen Interpretation steht[77]. Es wurde dabei deutlich, daß geschichtliche Vorgänge eine Bedeutung in sich tragen, die über das bloße einmal geschehene historische Faktum hinausweist auf weiteres Geschehen und nicht in einem Existenzverständnis eingefangen werden kann[78].

---

[76] Ähnlich Amsler, a.a.O. (Anm. 35), 221 f.: Le propre de l'interprétation typologique est de s'attacher à l'événement non dans son exactitude historique mais dans sa signification théologique. Certes, il n'est pas indifférent que les événements de l'ancienne alliance se soient produits d'une manière ou d'une autre, mais c'est de leur portée révélatrice attestée par les textes que dépend leur interprétation typologique dans l'Église, et non de leur reconstitution exacte . . . Même où la reconstitution historique montre que les événements se sont passés autrement que ne le représentent les textes de l'Ancien Testament, comme par exemple pour l'entrée d'Israel en Canaan, la vérité théologique des événements dont témoignent les textes n'en est pas pour autant mise en question.

[77] Einen aufschlußreichen, weiterführenden Bericht gibt J. Moltmann, Exegese und Eschatologie der Geschichte, Ev. Theol. 22 (1962), 31–66. Zur bisherigen Diskussion: K. Löwith, Weltgeschichte und Heilgeschehen, 1953, und O. Cullmann, Christus und die Zeit, 1962³, insbesondere S. 9–27.

[78] J. Moltmann, ebd. S. 61 kommt zu dem Ergebnis: „Wir erkennen Ereignisse nur, wenn wir ihre Bedeutung für ‚ihre‘ Zukunft und nicht nur auf je unsere Gegenwart und Zukunft wahrnehmen.“ „Ich verstehe die Typologie als die Frage nach dem Sinnzusammenhang, der sich dem Blick auf die bloße Tatsächlichkeit der Ereignisse entzieht, indem sie die Finalität und Intentionalität des Geschehnisses aufsucht . . . Sie zielt nicht auf eine lückenlose Folgeordnung aller Ereig-

Diese Einsichten in das Verhältnis von Offenbarungsgeschehen und Geschichte wie in das Wesen der Geschichte erlauben es uns, die typologische Betrachtungsweise des Neuen Testaments auch angesichts der historischen Schriftforschung grundsätzlich als historisch und theologisch legitim festzuhalten.

VI.

Damit ist die Wesensart der Typologie bei Paulus ebenso wie vorher die der Apokalyptik in Umrissen – mehr ist im Rahmen einer solchen Gesamtorientierung nicht möglich – sichtbar geworden. Daher können wir nun die Schlüsselfrage der neutestamentlichen Forschung zu beantworten suchen, von der wir ausgingen: *Wie verhalten sich bei Paulus Typologie und Apokalyptik als Interpretamente* des Christusgeschehens zueinander? Beide erweisen sich trotz mancher Überschneidungen als eigenständige und trotz verschiedenartiger Herkunft als vergleichbare Interpretamente. Wenn wir sie nun vergleichen, zeigt sich nach einem parallellaufenden Ansatz immer wieder ein in die Tiefe gehender Unterschied:

1. In ihrer alttestamentlich-jüdischen Vorgeschichte ist die Typologie ebenso wie das hier in Frage stehende entscheidende Stück der Apokalyptik eine *Deutung von geschichtlichem Geschehen* auf das Ende hin. Jedoch deutet die Apokalyptik den geschichtlichen Ablauf des Weltgeschehens, dessen verborgener Mittelpunkt die erwählte Gemeinde der Gesetzestreuen ist, die Typologie dagegen einzelne Bekundungen von Gottes Heilsplan in geschichtlichen Vorgängen, vor allem seine Erwählungstaten.

2. Beide Interpretamente entwickelten sich *von der alttestamentlichen Gottesoffenbarung her* und sind dadurch theologisch anders qualifiziert als z. B. Interpretamente aus der Welt des Hellenismus. Jedoch tritt die Typologie als zentrales Motiv der prophetischen Escha-

---

nisse ab, sondern stellt nur die heraus, die zugleich Verkündigung zukünftigen Geschehens sind." Noch deutlicher stellt H. W. Wolff (bei Westermann, a.a.O. [Anm. 7], 328 ff.) die Frage, wie weit „die Typologie . . . Hand in Hand geht mit der historischen Interpretation. Wir haben in der theologisch-hermeneutischen Besinnung noch zu wenig beachtet, welche Bedeutung die Typologie in der gegenwärtigen Geschichtswissenschaft gewinnt, die die Grenze der einseitigen individualisierenden Betrachtung des Historismus erkannt hat". „Mit der Frage nach dem Typischen überwinden wir den unverbindlichen Vergleich partieller Phänomene, die Kapitulation vor der ‚Allmacht der Analogie' (Troeltsch)." „Indem die Typik der Testamente sich wechselseitig interpretiert und miteinander abhebt von dem Typischen der Umwelt, wird der Glaube an Jesus von Nazareth als das letzte Wort Gottes in der Geschichte begründet."

tologie auf, die Apokalyptik dagegen als ein Ausläufer der Prophetie, der ihre Intention universal und radikal eschatologisch auszieht, gleichzeitig jedoch eine Verfremdung bringt.

3. Beide Betrachtungsweisen wurden von Jesus wie von der urchristlichen Theologie aus jüdischen Traditionen übernommen, umgewandelt und vielfach neu gestaltet, so daß sich für beide eigene christliche Traditionen entwickelten.

4. *Als Interpretamente* dienen beide bei Paulus ähnlich wie schon bei Jesus und im älteren Urchristentum dazu, die auf Christus hinführende Gesamtgeschichte und vor allem den eschatologischen Charakter der Erscheinung Jesu, des von ihr ausgehenden Geschehens und seiner Vollendung durch die Parusie darzustellen und zu erklären. In der Art, wie beide zur Darstellung und Interpretation der Geschichte wie des Eschatons eingesetzt werden, läßt sich ihre unterschiedliche Bedeutung als Interpretament erkennen.

Der entscheidende Unterschied wird an der *Interpretation des Eschatons* sichtbar. Die *Apokalyptik* bindet von Hause aus das Kommen des Eschatons an den Ablauf des kosmischen und geschichtlichen Geschehens und erfaßt dadurch dieses in seiner Gesamtheit. Mit ihrer Hilfe bringt Paulus daher gleich dem älteren Urchristentum zum Ausdruck, daß die in naher Zukunft bevorstehende Erscheinung Jesu das Ende dieser und den Anbruch einer neuen Welt bedeutet, so daß diese Welt endgültig als „dieser (vergehende) Äon" zu kennzeichnen ist (1.Thess. 4,15 ff.; 1.Kor. 15,20–28; vgl. 2.Thess. 1,4–10; 2,1–12). Vor allem aber wird das Jesus bereits Widerfahrene mit dem apokalyptischen Begriff „Auferstehung" als eschatologisches Ereignis und das von ihm ausgehende Geschehen mit den (der Vorstellung nach) apokalyptischen Begriffen βασιλεύειν und „neue Schöpfung" als eschatologische Erscheinung gekennzeichnet (1.Kor. 15,25; 2.Kor. 5,17; Gal. 6,15; vgl. 4,27). Aber in welchem Sinne können diese Vorgänge für Paulus eschatologisch sein, während doch dieser Äon weiterbesteht[79]?

Von apokalyptischem Denken her können diese Erscheinungen in der Geschichte in einer zweifachen Weise als eschatologisch verstanden werden: 1. Jesu Auferstehung und die Sammlung der Gemeinde könnten für Paulus deshalb eschatologische Vorgänge sein, weil sie für ihn Teile eines bereits einsetzenden eschatologischen Dramas wären. Diese Annahme scheint 1.Kor. 15,20–28 nahezulegen. Gerade nach dieser Stelle jedoch ist die von der Auferstehung ausgehende Herrschaft Christi kein apokalyptisches, d. h. sich schicksalhaft von kosmischen Vorgängen her vollziehendes Geschehen, so gewiß sie kos-

---

[79] Eine gute Übersicht über die Diskussion geben F. Holmström, Das eschato-

mische Auswirkung hat (S. 241 f.). Das Eschaton ist für Paulus nicht in Gestalt einer sich durch ein apokalyptisches Drama fortschreitend realisierenden Eschatologie gegenwärtig, sondern in der Dialektik des Schon und Noch-nicht (Röm. 8,24). Daher liegt eine 2. Erklärung näher: die im apokalyptischen Sinn eschatologischen Erscheinungen seien gegenwärtig als Überweltlichkeit; Christsein bedeute Entweltlichung! Dieses Verständnis des gegenwärtigen Eschatons würde zu einem gnostischen Selbstverständnis weiterdrängen. Für Paulus ist die eschatologische Existenz jedoch gegenwärtig als das Glauben „im Fleische", d. h. in geschichtlichem Leben und in Verpflichtung ihm gegenüber (Gal. 2,20; 1.Kor. 7,20). Die Verpflichtung gegenüber dem geschichtlichen Leben endet für Paulus nicht in demselben Sinne wie die gegenüber dem Gesetz (Röm. 10,4)[80]! Das Eschaton ist für Paulus daher auch nicht als Entweltlichung gegenwärtig. Wie das Eschaton für ihn in der Geschichte gegenwärtig ist, kann von apokalyptischem Denken her nicht erklärt werden.

Nicht zufällig erklärt es Paulus selbst gleich Jesus vor allem *mit Hilfe der Typologie*. Von der Adam- und von der Abraham-Typologie her wird deutlich, daß Jesu Auferstehung eschatologisches Ereignis ist, weil sie das neue Gottesverhältnis setzt, das Adams Fall aufhebt, und das Gottesverhältnis Abrahams der Verheißung gemäß vollendet (1.Kor. 15,22; Röm. 4,23 ff.). Das gegenwärtige Eschaton ist demnach das neue Gottesverhältnis des aus Glauben Gerechtfertigten (Röm. 4,24; Gal. 3,29), der neue Bund (1.Kor. 11,25; 2.Kor. 3,3.6), die Gemeinde als das Israel Gottes (Gal. 6,15 f.). Dieses neue Gottesverhältnis ist der Schnittpunkt des gesamten Heilswirkens Gottes. Es ist von Gott her je in verschiedener Weise gesetzt durch Jesu Tod und Auferstehung, durch Christi Herrschaft, durch das Wirken

---

logische Denken der Gegenwart, 1936, und W. Kreck, Die Zukunft des Gekommenen, 1961, 14—76. Von apokalyptischem Denken her versucht z. B. R. Bultmann, Geschichte und Eschatologie, 1958, das eschatologische Selbstverständnis des Urchristentums zu erklären. Die vorpaulinische Urchristenheit versteht sich von der apokalyptischen Enderwartung her „nicht als geschichtliches, sondern eschatologisches Phänomen". Das heißt „sie gehört schon nicht mehr zu dieser Welt, sondern zu dem kommenden geschichtslosen Äon, der im Anbrechen ist" (S. 42). „So hat der einzelne Glaubende keine Verantwortung für die noch bestehende Welt und ihre Ordnungen . . ." (S. 41). Diese Schlußfolgerung widerstreitet den sozialethischen Äußerungen des Neuen Testaments von Jesu Wort zur Kaisersteuer bis hin zu Röm. 13 und den Haustafeln und stellt daher diese Ableitung vom Ergebnis her entscheidend in Frage (Vgl. L. Goppelt, Die Freiheit zur Kaisersteuer, in: Ecclesia und Res Publica, 1961, 40—50; s. S. 208—219).

[80] Vgl. jetzt auch E. Käsemann: „Mit größter Deutlichkeit zeigt sich hier, daß Paulus schlechterdings nicht von einem bereits erfolgten Ende der Geschichte sprechen kann und will, wohl aber die Endzeit angebrochen sieht" (ZThK 59 [1962], 280).

des Geistes, durch die Erwählung und Berufung, durch die Taufe als Schon und Noch-nicht für den Glauben und daher auf eine leibhafte Vollendung im Schauen hin (Röm. 6,2–11; 8,23.29 f.; 1.Kor. 15,25; 2.Kor. 5,7.18 ff.). Dieses von der Typologie bestimmte Denken prägt dann auch Interpretamente, die z. T. aus hellenistischen Vorstellungen entwickelt wurden. Das Mitsterben zum Mitleben z. B. ist weder mystisch noch mysterienhaft gemeint, sondern als Setzung eines Gottesverhältnisses, das durch den Glauben aufgenommen wird (Röm. 6,11). Das Sein ἐν Ἀδάμ und das Sein ἐν Χριστῷ sind von Gott gesetzte Bestimmtheiten, nicht naturhafte Zusammenhänge (Röm. 5,18 f.)[81].

Wie das Eschaton, so wird mit Hilfe der beiden Interpretamente auch *das geschichtliche Geschehen auf Christus hin* dargestellt und gedeutet. Die Apokalyptik gibt wieder mehr die weltanschaulichen Umrisse, vor allem die universale Schau, und die Ausdrucksmittel an die Hand, die Typologie aber die zentrale theologische Linie[82]. Paulus geht im Grunde nicht wie die Apokalyptik von einem geschichtstheologischen Bild der Menschheitsgeschichte aus, sondern entwirft mit Hilfe der Typologie Bilder der Erwählungsgeschichte (Röm. 4; Gal. 3). Diese Erwählungsgeschichte hat für ihn allerdings schlechthin universale Bedeutung; deshalb ist ihr Vor- und Unterbau die Adamtypologie. Die Adamtypologie ist gewichtiger als die apokalyptische Vorstellung von diesem Äon mit seinen Verderbensmächten. Paulus interessiert im Grunde nicht der Ablauf des Gesamtgeschehens, sondern Gottes Heilsplan, nicht die Kontinuität der Geschichte, sondern die Treue Gottes. Man könnte den Geschehenszusammenhang, von dem aus er auf Christus hin denkt, *Heilsgeschichte* nennen und müßte dann diesen vieldeutigen Begriff für ihn von der typologischen Betrachtungsweise her definieren. Heilsgeschichte könnte man jenen allein von Gottes Heilsplan und Erwählen gesetzten Geschehenszu-

[81] Nach Bultmann gewinnt Paulus die Bestimmung des gegenwärtigen eschatologischen Heils als Gerechtigkeit und Freiheit durch Umsetzung der apokalyptischen Geschichtsanschauung und Eschatologie des älteren Christentums in Anthropologie (a.a.O. [Anm. 79], 46–49). Auch diese Ableitung wird durch die Schlußfolgerung, die Bultmann aus ihr zieht, in Frage gestellt: „Indem Paulus Geschichte und Eschatologie vom Menschen aus interpretiert, ist die Geschichte des Volkes Israel und die Geschichte der Welt seinem Blick entschwunden, und dafür ist etwas anderes entdeckt worden: die Geschichtlichkeit des menschlichen Seins, d. h. die Geschichte, die jeder Mensch erfährt oder erfahren kann und in der er erst sein Wesen gewinnt" (S. 49). In Wirklichkeit aber wird Paulus gerade dort, wo er seine Verkündigung am stärksten auf den Menschen zuspitzt, in Röm. 7 f., auf die Geschichte Israels geführt; Röm. 9–11 setzt mit seiner Thematik (9,6) in Röm. 8,29 f., dem Höhepunkt der Zuspitzung auf den Menschen, ein! Die anthropologische Zuspitzung folgt demnach aus einem Verständnis der Geschichte und der Eschatologie von der Typologie, d. h. von der Ausrichtung auf das Gottesverhältnis, her. Die Anthropologie ist Folge, nicht Prinzip!

sammenhang innerhalb der Geschichte nennen, der durch Wortoffenbarung angezeigt und für den Apostel im Glauben von seinem Ziel, d. h. von Christus her, sichtbar wird.

Nun liegt der Einwand nahe: Wird diese Charakterisierung der Typologie als Interpretament *ihrer Anwendung bei Paulus* wirklich gerecht? Dies ist bemerkenswerterweise der Fall! Paulus verwendet die Typologie nämlich nicht, wie man zunächst erwartet, als exegetische Methode, um das Alte Testament fortlaufend auszulegen. Es ist wohl nicht zufällig, daß wir in seinen Briefen nie einen Midrasch dieser Art finden. Er gebraucht sie vielmehr als eine heilsgeschichtliche, pneumatische Betrachtungsweise, um die Heilsgegenwart insgesamt durch heilsgeschichtliche Aufrisse von Adam oder Abraham her zu deuten oder das Kreuz, die Kirche, ihre Sakramente, ihre Ämter und anderes zentral theologisch zu interpretieren.

Daher ist die *typologische Betrachtungsweise für uns* in erster Linie wichtig als zentrale theologische Deutung der Heilsgegenwart bei Paulus wie im übrigen Neuen Testament. Es ist für unser *Verständnis des Neuen Testaments* entscheidend, daß wir diese Deuteweise in den Blick bekommen, sie in einer unseren Denkformen entsprechenden Weise gelten lassen und die Erscheinung Jesu wie seiner Kirche in ihrem Sinn als Erfüllungsgeschehen verstehen. Sie schließt die apokalyptische Betrachtungsweise nicht aus, aber sie will ihr in einer dem Denken des Paulus entsprechenden Weise zugeordnet werden. Beide Betrachtungsweisen haben eine religionsgeschichtliche und eine theologische Seite, wenngleich die letztere bei der Typologie überwiegt.

Für das *Verstehen des Alten Testaments* kann uns die Typologie einen nicht nur vom Neuen Testament, sondern auch vom Alten Testament selbst her gesetzten Rahmen geben, der beide Testamente untereinander zusammenschließt und dem Verstehen beider aufeinander hin die Richtung weist[83].

---

[82] Bultmann verteilt die Akzente umgekehrt! Das Geschichtsbild, von dem Paulus ausgeht, ist für ihn insofern das der Apokalyptik, „als nach Paulus die vergangene Geschichte die Geschichte der Menschheit" (keineswegs die Israels) „ist und als sie eine durch die Sünde bestimmte Geschichte ist, der von Gott ihr Ende gesetzt wird" (ebd. S. 47).

[83] Im Rahmen dieser Gesamtschau sind die einzelnen alttestamentlichen Stellen auf das Christusgeschehen zu beziehen, während isolierte typologische Einzelauslegungen leicht in Allegorese abgleiten. Es scheint mir bemerkenswert zu sein, daß G. von Rads Theologie des Alten Testaments im Gesamtaufriß typologisch denkt, aber nur sehr wenige typologische Einzeldeutungen entwickelt.

Verzeichnis der neutestamentlichen Stellen

Geschichtlichkeit und Personsein Jesu Christi

Forschungen zur systematischen und ökumenischen Theologie, Band 18

Die Jesus-Überlieferung im Lichte der neueren Volkskunde

VANDENHOECK & RUPRECHT IN GÖTTINGEN UND ZÜRICH